De repente

Da mesma autora:

Para Minhas Filhas
Juntos na Solidão
Sombras de Grace
O Lugar de uma Mulher
Três Desejos
A Estrada do Mar
Uma Mulher Traída
O Lago da Paixão
Mais que Amigos
De Repente
Uma Mulher Misteriosa
Pelo Amor de Pete
O Vinhedo
Ousadia de Verão
Paixões Perigosas
A Vizinha
A Felicidade Mora ao Lado
Impressões Digitais

Barbara Delinsky

De repente

6ª EDIÇÃO

Tradução
A. B. Pinheiro de Lemos

Copyright © Barbara Delinsky

Título original: Suddenly

Capa: Leonardo Carvalho

Editoração: DFL

2012
Impresso no Brasil
Printed in Brazil

Cip-Brasil. Catalogação na fonte
Sindicato Nacional dos Editores de Livros, RJ

D395d
6ª ed.
	Delinsky, Barbara
	    De repente/Barbara Delinsky; tradução A. B. Pinheiro de Lemos. — 6ª ed. — Rio de Janeiro: Bertrand Brasil, 2012.
	    476p.
	
	    Tradução de: Suddenly
	    ISBN 978-85-286-0984-4
	
	    1. Romance americano. I. Lemos, A. B. Pinheiro de (Alfredo Barcelos Pinheiro de), 1938–. II. Título.

02-2107	CDD 813 CDU 820 (73) - 3

Todos os direitos reservados pela:
EDITORA BERTRAND BRASIL LTDA.
Rua Argentina, 171 — 2º andar — São Cristóvão
20921-380 — Rio de Janeiro — RJ
Tel.: (0xx21) 2585-2070 — Fax: (0xx21) 2585-2087

Não é permitida a reprodução total ou parcial desta obra, por quaisquer meios, sem a prévia autorização por escrito da editora.

Atendimento e venda direta ao leitor
mdireto@record.com.br ou (21) 2585-2002

Agradecimentos

Pela acuidade de muitos pensamentos e fatos incluídos aqui, devo agradecimentos a Judy Brice, enfermeira pediátrica, sem cuja ajuda eu nunca teria sobrevivido à maternidade; a Mary Lou Eschelman, da Wide Horizons for Children, que vem se especializando em adoções internacionais; a Jonathan Epstein, que me conduziu com a maior paciência pelo labirinto de desastres com muitas vítimas; e a Marilyn Brier, consultora de saúde mental, fã e amiga.

Pelo estímulo e orientação, não só enquanto escrevia este livro, mas também ao longo de toda a minha carreira, agradeço a Karen Solem, minha editora, e a Amy Berkower, minha agente literária.

E sempre, por uma ligação profunda, agradeço às minhas estrelas da sorte por meu marido, Steve, e por meus filhos, Eric, Andrew e Jeremy.

Um

*P*aige Pfeiffer corria à frente da turma, impondo um ritmo que uma mulher de 39 anos menos audaciosa nem ousaria tentar. Mas ela tinha um argumento a provar e uma aposta a ganhar. A aposta envolvia um jantar no Bernie's Béarnaise, o restaurante mais elegante da região central de Vermont. E o argumento era o de que uma mulher de sua idade, em boa forma, poderia facilmente vencer outra com metade da idade e que não estivesse em tão boa forma. Estava em jogo a reputação das garotas da equipe de *cross-country* da Academia Mount Court, da qual era a principal treinadora pelo quinto ano consecutivo.

A corrida se tornara uma tradição, embora previsível. Pelos dois primeiros dos cinco quilômetros, as garotas trocavam comentários presunçosos. Mas os comentários iam definhando quando alcançavam o terceiro e quarto quilômetros, uma trilha pelo bosque, exigindo mais e mais dos corpos adolescentes, que haviam passado o verão se entregando aos prazeres dos ricos. De volta à estrada para o último quilômetro, a turma diminuía a um grau considerável. As corredoras mais cansadas e sem fôlego ficavam para trás. Só as estrelas da equipe continuavam a acompanhar o ritmo de Paige.

Eram seis naquele ano. Cinco já haviam se destacado no ano anterior. A outra era nova na escola.

— Como estamos? — perguntou Paige às garotas.

Ela ouviu protestos ofegantes em resposta. Com um sorriso malicioso, resolveu acrescentar:

— Vamos acelerar.

Moveu-se com facilidade em direção às outras. Três a acompanharam. Minutos depois, quando ela tornou a aumentar o ritmo, só uma permaneceu. Era a garota nova, tão retraída que até agora Paige não sabia muito mais que seu nome, Sara Dickinson. A resistência de Sara surpreendeu-a. E a surpresa aumentou ainda mais quando a garota, num ímpeto de velocidade, tomou a dianteira.

Paige teve de fazer um grande esforço para acompanhá-la, enquanto passavam pela arcada de ferro batido que assinalava a entrada no terreno da escola. Por um momento, ela especulou se já teria passado do auge de sua forma. Como o pensamento a irritasse, foi buscar uma reserva de energia lá no fundo. Lado a lado, elas dispararam pelo longo caminho, margeado por carvalhos imponentes, cujas folhas exibiam o verde viçoso de setembro. Sem perderem o ritmo, desviaram-se para o caminho de terra que levava ao vestiário.

— Você é muito boa — balbuciou Paige, lançando um olhar para a garota ao seu lado.

Sara era alta para a sua idade, com um corpo esguio e flexível, passadas largas, e uma expressão de concentração que indicava uma extrema determinação.

Enquanto Paige a observava, em olhares intermitentes, o foco de sua concentração mudou de repente. E Paige se viu a correr sozinha. Sara mudara de direção. Andava agora, ofegante, mas decidida, na direção dos arbustos na beira do campo. Uma a uma, as outras garotas foram em sua direção.

Paige fez uma volta larga, diminuindo a velocidade pouco a pouco, enquanto voltava. Em vários estágios de falta de fôlego, as garotas agrupavam-se em torno de Sara, que se agachara ao lado de um enorme teixo. Um longo momento se passou antes que Paige percebesse o que havia por baixo do galho inferior.

— É tão pequeno!

— De *quem* é?

— Como veio *parar* aqui?

Paige ajoelhou, esquecendo a corrida. Pegou o gatinho, laranja e cinza, que miava desesperado, e perguntou a Sara:

— Como o avistou escondido aqui?
— Vi um movimento.
O coro recomeçou:
— Não é lugar para ele. A Mount Court só tem cachorros.
— Alguém o trouxe às escondidas...
— E depois o abandonou.
— Parece faminto.

Paige pensava a mesma coisa. Especulava o que poderia fazer quando todos os olhos se viraram em sua direção.
— Não podemos *deixá-lo* aqui.
— Acabaria morrendo, porque é muito pequeno.
— Seria uma crueldade.
— Terá de levá-lo, Dra. Pfeiffer.

Paige pensou em sua casa cheia de sofás e poltronas.
— Não tenho um lugar apropriado para um animal de estimação. Nem tempo para cuidar.
— Gatos não dão trabalho. Sabem cuidar de si mesmos.
— Pois então *fiquem* com ele — sugeriu Paige.
— Não podemos.
— É contra as regras do dormitório.

Paige era treinadora em Mount Court há tempo suficiente para saber que quebrar as regras era um modo de vida. Não podia aprovar, mas achou engraçado.
— Contra as regras do dormitório? Qual é a novidade?
— O diretor.
— É um babaca.
— Isso mesmo!
— Expulsou dois caras no segundo dia de aula.
— Por quê? — perguntou Paige, ignorando a linguagem chula em nome da boa vontade.
— Por puxar fumo.
— Não houve qualquer advertência, absolutamente nada.
— Ele é um sacana.
— Estamos falando sobre um lugar de represálias.
— No... No... Noah...

— Penitenciária Mount Court.

Paige ainda não conhecia o novo diretor, mas já começava a imaginá-lo com chifres e furioso, quando as súplicas recomeçaram:

— Fique com o gatinho, Dra. Pfeiffer.

— Morrerá se não o levar para sua casa.

— Quer ficar com esse peso na consciência?

Paige afagou o gatinho, que era pouco mais que uma bola de pêlo e ossos, tremendo sem parar.

— Estou sendo manipulada.

— É por uma boa causa — comentou uma das garotas.

Paige lançou-lhe um olhar de repreensão. "É por uma boa causa" era o seu reiterado argumento sempre que insistia com as garotas para darem mais uma volta pelo *campus*.

— Mas não sei por onde *começar* — protestou Paige.

O que foi um erro, pois no instante seguinte teve de suportar uma enxurrada de conselhos sobre comida, cama de palha, higiene. Dez minutos depois, ela se descobriu no carro, com o gatinho numa caixa de papelão, no banco ao seu lado.

— Só até eu encontrar uma casa para ele — advertiu Paige, pela janela, ao partir.

Decidida a resolver o problema o mais depressa possível, ela seguiu direto para a cidade. Parou na delegacia de polícia, a fim de entregar o gato ao responsável por animais extraviados. Mas ele já havia ido embora. Paige deixou um bilhete. Resolveu tentar o armazém-geral. Os donos tinham gatos. Muitos gatos. Ela calculava que mais um não faria diferença, ainda mais sendo tão pequeno.

— Não posso aceitar — declarou Hollis Weebly, balançando a cabeça, com um ar desolado. — Acabo de dar uma injeção letal em um dos nossos. Leucemia felina. Os outros terão a mesma coisa. E o seu também, se eu o aceitasse. É melhor você mesma ficar com ele. Saberá cuidar direito, já que é médica.

Paige sentia-se desesperada, enquanto o seguia de um lado para outro dos pequenos corredores entre as gôndolas, argumentando.

— Sou uma pediatra. Não sei nada sobre gatos.

— Mas conhece o veterinário, que sabe tudo. Leve-o até a clínica pela manhã, e ele lhe dirá o que precisa saber. Tome aqui. — Ele entregou um saco de papel pardo grande a Paige. — Tem tudo do que vai precisar até lá.

Hollis conduziu-a até a porta, enquanto acrescentava:

— Dê água fresca junto com a comida e providencie um lugar quente para o gatinho dormir.

— Mas não posso ficar com ele!

— O gatinho vai adorá-la, doutora. Todo mundo gosta de você.

Ela se viu de volta ao carro, com o gatinho e as compras, enquanto Hollis tornava a entrar no armazém.

— Essa é boa! — murmurou ela para o gatinho, que adormecera num canto da caixa, todo encolhido. — Não sou uma pessoa que se dedique a bichos. Será que ninguém pode entender isso?

Preferia as pessoas. Entre o hospital, a clínica e a escola, seus dias eram uma sucessão de acontecimentos interpessoais. Gostava assim. Vivia num ritmo suave e firme.

Mara... isso mesmo, podia levar o gatinho para Mara. Ela era fascinada por criaturas indefesas. E tinha um coração de ouro. Além disso, ela precisava de uma distração entre a perda da última criança de adoção temporária e a chegada do bebê da Índia, que só viria dentro de alguns meses.

Ao chegar em casa, Paige ligou para a amiga e colega. Ninguém atendeu. Ela levou a caixa com o gatinho para dentro. Voltou para buscar os suprimentos. Quando despejou a comida numa tigela, o gatinho já estava acordado e miando. Começou a comer no instante em que ela o pôs na frente da tigela.

Paige sentou-se e observou, pensando que o gatinho era quase recém-nascido, que mais parecia um camundongo do que um gato, e que talvez deveria estar tomando leite. Um bebê humano tomava leite, se não leite materno, pelo menos um leite especial; e, se tivesse intolerância para a lactose, havia uma solução para isso também. Paige conhecia todas as opções para um bebê humano. Mas um gatinho era diferente.

O gatinho continuou a comer. Depois de um momento de hesitação, ela esvaziou uma velha bacia de plástico e a encheu de palha. Pôs no chão, perto da comida. Já ia meter o gatinho lá dentro, como as meninas haviam instruído, quando o telefone tocou.

Era o seu serviço de recados, com uma emergência noturna. A vítima era um menino de 5 anos. Num jogo de beisebol no quintal, ele chegara a uma base antes que seu antecessor saísse. O bastão — de plástico, por sorte — acertara em sua sobrancelha.

Paige combinou que se encontraria com pai e filho no pronto-socorro do Hospital-Geral de Tucker em vinte minutos. Isso lhe daria tempo suficiente para tomar um banho de chuveiro.

O garoto não parecia ter uma concussão, mas o talho era profundo. Deixaria uma cicatriz horrível se não fosse bem costurado. O problema imediato, no entanto, era outro: o menino estava apavorado com o hospital e com Paige. Por isso, ela sentou para conversar, explicando com o máximo de gentileza possível o que ia fazer. Mesmo assim, não foi fácil. A aplicação do anestésico doeu, e, por mais compaixão que tivesse, Paige não podia evitar isso. Depois que fez efeito, no entanto, dar os pontos foi bastante fácil. Ela recompensou a coragem do menino com um refrigerante e um abraço. Depois, acompanhou pai e filho até o carro.

Mal tornara a entrar no hospital quando seu bipe tocou. Uma de suas pacientes mais novas, uma criança de 9 meses, que passara a maior parte do dia febril, acordara ainda mais quente e chorando. Os pais estavam frenéticos. Mais preocupada com os pais do que com a criança, Paige pediu que fossem até o hospital. Depois, perguntou à enfermeira na recepção:

— Por acaso não gostaria de ganhar um gatinho?

A enfermeira sacudiu a cabeça em negativa no mesmo instante.

— Conhece alguém que pudesse gostar?

Quando a enfermeira fitou-a com uma expressão desconfiada, ela se apressou em acrescentar:

— Estou com um gatinho. Se pensar em alguém, pode me avisar.

Paige tentou ligar de novo para Mara, mas não teve sorte.

A criança tinha uma infecção no ouvido. Depois de instruir os pais sobre a maneira mais rápida de baixar a febre, Paige deu-lhes, antibióticos em quantidade suficiente até que pudessem ir à farmácia pela manhã. Paige acompanhou-os até o estacionamento, assegurando que a criança ficaria bem. Foi nesse momento que uma ambulância chegou, a sirene ligada.

Nas horas subseqüentes, Paige compreendeu por que optara pelo exercício da medicina em Tucker, Vermont, em vez de ir para Boston, Chicago ou Nova York. Em Tucker, ela ficava mais próxima de ser uma clínica-geral do que a maioria dos médicos modernos. Embora a pediatria fosse sua especialidade, a natureza da região e sua comunidade médica impunham o esquema de "todos ajudando no convés durante a tempestade". Naquele caso, a tempestade foi um acidente envolvendo vários carros. Embora houvesse uma equipe médica de plantão no hospital, a presença de Paige foi de grande valia. Ela deu pontos, engessou e até fez uma monitoria fetal em uma das vítimas, que estava no oitavo mês de gravidez. Se a mulher entrasse em trabalho de parto, Paige cuidaria disso também. Fazer partos era quase tão gratificante quanto ver crianças doentes melhorarem, o que era sua especialidade, no final das contas.

Ela também tinha momentos difíceis. Inevitavelmente, aparecia de vez em quando uma criança bastante doente para precisar de um especialista. Entre essas, havia alguns casos de prognóstico sombrio. Mas eram uma exceção. De modo geral, Paige lidava com nascimento, crescimento e cura.

Já era uma hora da madrugada quando voltou para casa, exausta, mas de certa forma satisfeita. Poderia ter percorrido toda a casa no escuro, arriando na cama para dormir em poucos minutos, se não tropeçasse na caixa do gatinho ao atravessar a cozinha. Foi só então, abruptamente, que se lembrou. E o gatinho, ao que parecia, lembrou-a também, pois o barulho de sua queda provocou um miado distante. Paige seguiu o som, atravessando a sala e o corredor, até o quarto. Encontrou a pequena bola peluda entre as almofadas de retalhos em sua cama. Pegou-o com cuidado.

— O que está fazendo aqui, meu querido? Deveria ter ficado na cozinha.

O gatinho começou a ronronar. Paige afagou o ponto felpudo entre as orelhas. Embalada pelo frágil murmúrio do bicho, ela foi se aninhar numa poltrona de vime num canto do quarto. Relaxou contra outras almofadas de retalhos. Levantou os pés, que haviam sustentado seu corpo durante as últimas dezoito horas. Quase que podia ronronar junto com o gato.

— Está gostando, hein? — sussurrou ela, sentindo um vago prazer.

Paige sabia que não poderia ficar com o gatinho, mas pelo menos naquele momento não era tão mau assim.

Ela pensou de novo em Mara. A amiga quase nunca dormia antes de duas horas da madrugada, e mesmo assim por pouco tempo. Mara vivia remoendo as coisas. Era também uma ativista, o que significava que tinha muito sobre o que remoer. Não podia haver a menor dúvida de que o motivo para sua aflição atual era Tanya John, a criança de adoção temporária que fugira de casa. A que agredira Mara com a maior violência.

Por esse motivo, além do fato de que Mara parecia exausta ultimamente, Paige resolveu não telefonar de novo, pois havia a possibilidade de que a amiga estivesse dormindo.

O gatinho se enroscara numa bola, o focinho encostado em sua coxa, os olhos quase fechados. Ela levou-o para a cozinha e ajeitou-o na caixa. Mal chegara ao corredor, no entanto, quando o gatinho passou correndo. Esperava na cama quando ela chegou. Cansada demais para se importar, Paige despiu-se e deitou-se. Não pensou em mais nada até que o telefone tocou, junto de seu ouvido, na manhã seguinte.

Ginny, a recepcionista da clínica, informou que Mara ainda não aparecera, embora já fossem oito e meia. E não atendia ao telefone nem respondia aos chamados pelo bipe.

Paige ficou preocupada. Pôs o telefone na cama e tentou ligar para Mara, mas também não teve sucesso. Não podia imaginar que Mara tivesse viajado, não com pacientes à sua espera. Mas refletiu que talvez a amiga tivesse saído de carro na noite anterior — era o que fazia com freqüência, quando se sentia perturbada —, encostara no acostamento quando a exaustão a dominara e acabou dormindo.

Grata por viver entre conhecidos numa cidade pequena, Paige ligou para o Departamento de Polícia de Tucker. Explicou qual era o problema ao guarda que a atendeu. Ele prometeu que iria até a casa de

Mara e verificaria nas estradas ao redor. Parecia feliz por ter o que fazer. Apesar dos acidentes de carro ocasionais, Tucker, no Estado de Vermont, era uma comunidade pacata e sonolenta. Qualquer excitamento era bem recebido.

Paige largou o telefone e foi para o chuveiro. Depois de uns poucos minutos de água quente, abriu o boxe e estendeu a mão para a toalha. E foi nesse instante que soltou um grito alarmado, quando avistou uma coisa pequena correndo através do vapor. No instante seguinte, deixou escapar um suspiro aliviado.

— Você me assustou, gatinho. Esqueci que estava aqui. Resolveu dar uma olhada por aí? — Ela começou a se enxugar. — Não há muito para ver. Minha casa não é tão grande assim.

E, de repente, ela imaginou sua casa não tão grande toda suja de presentes não tão grandes do gatinho, a que não mostrara a bacia com a palha. Já temendo o pior, Paige foi apressada para o quarto e vestiu um macacão preto e uma camisa branca. Depois de passar uma escova pelos cabelos, levou o gatinho para a cozinha e largou-o onde deveria tê-lo posto na noite anterior.

— Muito bem, faça o que tem de fazer. — Ela notou uma protuberância na palha. — Ah, então já fez! Bom gatinho.

Paige também notou que a maior parte da comida desaparecera. Acrescentou mais e tornou a encher uma tigela com água. Tomou um copo de suco de laranja, que em seguida largou na pia.

— Vou sair para trabalhar — anunciou para o gatinho, que a fitava com os olhos pequenos e redondos. — Não fique olhando para mim desse jeito. Sempre saio para trabalhar. É por isso que não posso ter um animal de estimação.

Paige ajoelhou-se e afagou o gatinho.

— E, se Mara não quiser aceitá-lo, encontrarei outra pessoa. Terá uma casa onde todos vão adorá-lo.

Ela empertigou-se e contemplou o gatinho. Parecia tão pequeno e sozinho, que sentiu um aperto no coração.

— E é justamente por isso que não quero um bicho de estimação — murmurou Paige, obrigando-se a sair de casa.

A clínica estava lotada. Ela foi de uma sala de exame para outra, sem qualquer pausa, sem pensar em Mara, até acabar de atender a maior parte dos pacientes. Quando finalmente voltou à sua sala, encontrou o chefe de polícia à sua espera.

Havia alguma coisa errada. Ela teve certeza no mesmo instante. Norman Fitch era enorme, com o rosto normalmente avermelhado. Agora, no entanto, estava pálido, dando a impressão de que levara um chute no estômago.

— A gasolina acabou, mas não antes de acabar com ela — murmurou ele. — A porta da garagem estava fechada.

Paige não entendeu.

— Como?

— A dra. O'Neill. Ela morreu.

A palavra ecoou primeiro na sala, depois na cabeça de Paige. Ela não gostou. *Jamais* gostara dessa palavra. Fora em grande parte por esse motivo que decidira, depois de se apaixonar perdidamente pela idéia de ser médica, que se especializaria em pediatria. Entre todas as disciplinas, era a que menos usava tal palavra.

— Mara... morreu?

Não era possível.

— Levamos o cadáver para o necrotério — informou Norman. — Terá de fazer a identificação.

O cadáver! Paige comprimiu a mão contra a boca. Mara não era um *cadáver*. Era uma realizadora, uma guerreira, um furacão em forma de gente. A idéia do *cadáver* num necrotério era incompatível com uma mulher do seu tipo.

— Mara... morreu?

— O legista fará a autópsia, mas não há qualquer sinal de violência.

Um longo momento transcorreu antes que Paige absorvesse a informação e outro para que o horror lhe permitisse falar.

— Então... então acha que ela cometeu *suicídio*?

— É o que parece.

Paige sacudiu a cabeça.

— Mara não faria isso. Não suicídio. Deve ter sido outra coisa.

Mara morta? Não era possível. Paige olhou para a porta, meio que esperando que a mulher em questão passasse por ela, querendo saber por que Norman se encontrava ali.

Mas isso não aconteceu. A porta permaneceu fechada, enquanto Norman insistia:

— É a técnica clássica. Muito fácil e indolor.

— Mara não se mataria — insistiu Paige. — Não com o sucesso cada vez maior na profissão. Não com um bebê a caminho.

— Ela estava grávida?

Norman parecia consternado com essa notícia, embora não se mostrasse nem um pouco horrorizado ao falar do *cadáver*, o que deixou Paige irritada, levando-a a falar num tom mais ríspido:

— Ia adotar uma criança. Da Índia. Estava demorando uma eternidade, mas tudo já fora acertado. Ela me disse que havia sido aprovada pelas autoridades indianas e que a criança chegaria dentro de um mês. Já tinha um quarto pronto, com roupas e móveis, acessórios e brinquedos. E estava na maior animação.

— Por que um mês?

— Burocracia.

— Isso a deixava deprimida?

— Frustrada.

— Mas ficou deprimida com a garota John?

— Não *tão* deprimida assim. Eu saberia se fosse o caso. Éramos amigas íntimas.

Norman balançou a cabeça. Mudou de posição.

— Prefere que outra pessoa identifique o cadáver?

O cadáver. Lá estava outra vez, uma imagem fria, desprovida de mente e espírito, a antítese de Mara O'Neill. Paige não podia admitir. Era errado, repulsivo, sórdido. Ela sentiu outra pontada de raiva, depois de consternação.

— Dra. Pfeiffer?

— Estou bem. Farei o reconhecimento. — Paige fez um esforço para pensar. — Mas antes preciso chamar alguém para ficar aqui.

Ela falou com Angie, mas sem mencionar a alegação de Norman. Dizer as palavras faria com que se tornassem reais. Também por esse motivo, insistiu em seguir Norman em seu próprio carro. Quanto mais despreocupado fosse o seu comportamento, raciocinou ela, menos tola pareceria no momento em que descobrisse que tudo não passava de uma brincadeira.

Mas ela estava apenas tentando se enganar. Compreendeu isso no instante em que entrou no necrotério. Todo mundo na cidade conhecia Mara, inclusive Norman Fitch, seu assistente e o legista. A identificação do corpo por Paige era apenas uma formalidade.

A morte era silenciosa e imóvel. Era uma ligeira tonalidade azulada na pele que antes fora rosada. Era uma pontada imediata de angústia, um senso de medo, perda e tristeza. Era também serena, de uma maneira estranha e inesperada.

Paige recordou a Mara que fora sua colega de quarto na universidade, a que esquiara em sua companhia nas Montanhas Rochosas canadenses, que fazia bolos de aniversário, tricotava suéteres e exercia a medicina ao seu lado, em Tucker, Vermont. Recordou a Mara que a incitara a participar de campanhas por inúmeras causas meritórias.

— Oh, Mara — balbuciou ela, desesperada —, o que *aconteceu*?

— Não percebeu nada? — perguntou o legista, do outro lado do corpo. — Nenhuma oscilação de ânimo?

Paige precisou de um longo momento para se recompor.

— Nada que pudesse sugerir que chegaria a esse extremo. Sentia-se cansada. Aflita por causa de Tanya John. Quando conversei com ela pela última vez...

— Quando foi isso? — perguntou Norman.

— Ontem de manhã, na clínica. Ela teve um acesso de choro porque o laboratório confundira alguns exames. Mas isso era típico de Mara.

Os exames envolviam o sangue tirado de Todd Fiske, de 4 anos, uma das crianças prediletas de Mara. Paige ficara com raiva também. Ela odiava ter que tirar sangue de uma criança. Agora, seria preciso repetir todo o procedimento.

Paige não podia se imaginar comunicando a Todd e sua família que Mara morrera. Não podia se imaginar contando o fato a *ninguém*.

— Oh, Mara, Mara...

Ela precisava sair daquele lugar horrível, mas parecia não ser capaz de se retirar. Não era certo que Mara permanecesse ali, não quando ainda tinha tanta coisa a fazer.

A família de Mara, em Eugene, Oregon, recebeu a notícia de Paige com um silêncio que não deixava transparecer seus pensamentos. Há anos que Mara se afastara da família. Paige ficou triste, mas não surpresa, quando lhe pediram que Mara fosse sepultada em Tucker.

— Ela escolheu morar aí — declarou Thomas O'Neill, a voz tensa.
— E viveu em Tucker por mais tempo do que em qualquer outro lugar.
— Que tipo de providências devo tomar?

Ela sabia que os O'Neills eram religiosos devotos, embora Mara não o fosse. E atenderia qualquer pedido que fizessem, ainda mais se demonstrassem alguma afeição. Mas não houve qualquer pedido, apenas uma breve recomendação:

— Faça como preferir. Você a conhecia melhor do que nós.
— Virão para o funeral? — perguntou Paige, prendendo a respiração.

Houve uma pausa, durante a qual ela sentiu uma profunda angústia, por conta de Mara. Depois de uma grande relutância, veio a resposta:

— Estaremos aí.

Angie ficou atordoada.
— Como?

Paige repetiu, ao mesmo tempo em que revivia sua própria incredulidade. Mara O'Neill transbordava de vida e energia. A idéia de morte não combinava com ela.

Os olhos de Angie suplicavam para que ela retirasse as palavras, e Paige desejou ser possível fazê-lo. Mas a negativa seria um absurdo, depois do que ela vira no necrotério.

— Oh, Deus... — murmurou Angie, depois de uma longa pausa, agoniada e desamparada. — Morta?

Paige respirou fundo, tremendo toda. Fora ela quem apresentara Angie a Mara. Haviam se tornado tão amigas, que quase nunca se passava um fim de semana sem que Mara aparecesse na casa de Angie, se não para o almoço dominical, ao menos para passar a tarde discutindo política com Ben ou para levar um *sundae* com calda de chocolate quente para Dougie, às escondidas.

Dougie... Paige sentiu um aperto no coração pelo menino. Angie sempre o resguardara do lado sinistro da vida, mas não haveria como protegê-lo agora. A morte era absoluta. Não havia como disfarçar com meias palavras, não havia como adiar o inevitável. Angie devia estar pensando na mesma coisa, porque comentou:

— Dougie ficará arrasado. Ele adorava Mara. Ainda no domingo passado os dois saíram para um passeio a pé pelo morro.

Ela parecia estranhamente atordoada, mas foi apenas o tempo necessário para ordenar os pensamentos. Depois, interrogou Paige sobre os detalhes da morte de Mara. Paige relatou tudo que sabia, o que era muito pouco para a paz de espírito de Angie.

— E qual foi o motivo? — perguntou ela. — Suicídio é a primeira coisa em que podemos pensar quando uma pessoa é encontrada morta em seu carro, numa garagem fechada, com o motor ligado. Mas o suicídio não combina com Mara... nem a morte. Pode ter sido um acidente. Mara vinha demonstrando muito cansaço. Talvez tenha adormecido sem perceber que ligara o motor. Mas suicídio? Sem um pedido de socorro? Sem deixar que nós percebêssemos que se encontrava quase ao ponto do colapso?

O absurdo de tudo aquilo também frustrara Paige. Orgulhava-se de ser uma boa observadora, mas não reparara em nada que sugerisse a iminência de um esgotamento nervoso de Mara. Angie continuou:

— E os pacientes de Mara? Teremos de lhes comunicar. A maioria saberá antes de avisarmos. Mas as pessoas devem nos telefonar para confirmar. Devemos deixar que Ginny fale com as pessoas?

Ginny era uma recepcionista competente, mas fazer malabarismos com os horários das consultas era muito diferente de confortar pessoas desoladas. Por sorte, Paige nem precisou se lembrar disso. Angie já sacudia a cabeça.

— Nós é que teremos de falar. Mara era uma grande fonte de inspiração para todo mundo. As pessoas vão precisar de ajuda para aceitar sua morte... Sua morte! Oh, *Deus*, isso é terrível!

Encostada na beira da mesa de Angie, partilhando a dor com alguém bastante competente para ajudar nas decisões, Paige podia se sentir fraca, como não se permitiu desde que encontrara Norman em sua sala, no início daquela manhã. Ela levou a mão à garganta. A intensidade da morte de Mara a sufocava. Angie foi abraçá-la.

— Sinto muito, Paige — murmurou ela. — Você era mais ligada a Mara do que eu.

Angie recuou, enquanto perguntava:

— Já contou a Peter?

Paige sacudiu a cabeça. Forçou as palavras a saírem.

— Ele é o próximo da minha lista. Ficará tão atordoado quanto nós. Achava que Mara era dura como aço. — Ela soltou um grunhido de autodepreciação. — E eu também. Nunca, em um milhão de anos, poderia me passar pela cabeça que ela... que ela...

Paige não foi capaz de dizer. Angie tornou a abraçá-la.

— Talvez ela não tenha se suicidado.

— Sem sinais de violência, o que mais poderia ser?

— Não sei. Teremos de esperar para descobrir.

"Esperar para descobrir" insinuava o futuro. Ao vislumbrá-lo, Paige sentiu uma profunda angústia.

— A clínica não será mais a mesma sem Mara. Formávamos um quarteto incrível. Cada um diferente, mas todos se unindo numa equipe sensacional. E dava certo.

Paige era o denominador comum. Conhecera Mara na universidade, Angie numa residência médica em pediatria feita durante um ano em Chicago. Angie se afastara um tempo para ter Dougie. Vivia em Nova York, pronta para voltar ao trabalho, quando Paige fizera contato com Peter, natural de Tucker, propondo o tipo de clínica de cidade pequena que atraía as três. Com a promessa de trabalho em um pequeno hospital da comunidade perto de tudo e considerando que nenhum dos quatro pediatras estava a fim de enriquecer com a medicina, eles resolveram juntar seu tempo, experiência e competência de uma maneira que lhes permitia oferecer cuidados médicos de alta qualidade, ao mesmo tempo em que desfrutavam de uma carga horária razoável. O pragmatismo de Angie combinava com o dinamismo de Mara, e o senso administrativo de Paige compensava o provincianismo de Peter. Completavam-se uns aos outros e eram amigos.

— Mara era uma boa médica — comentou Angie, num tributo. — Adorava crianças, e estas a adoravam também, porque sabiam que ela estava do seu lado. Será muito difícil arrumar alguém que possa substituí-la.

Paige só pôde acenar com a cabeça em concordância. O sentimento de perda era opressivo.

— Vai tomar as providências para o funeral? — perguntou Angie.

Paige tornou a confirmar com a cabeça.

— Embora sem a menor vontade.

— Posso ajudar?

Ela sacudiu a cabeça.

— Tenho de fazer isso.

Era o mínimo que devia a Mara.

— Podemos fechar a clínica no dia do funeral. — propôs Angie. — Ginny pode remarcar as consultas depois que a data estiver definida. Enquanto isso, atenderei uma parte dos pacientes de Mara. Peter cuidará do resto. Quer que eu ligue para ele?

— Não precisa. Eu mesma farei isso.

Afinal, Paige era o centro da roda. E era difícil acreditar que um raio dessa roda fora removido para sempre.

Ela arrancou Peter de um sono profundo. Ele não ficou nada satisfeito.

— Espero que tenha um bom motivo para me acordar, Paige. Não devo começar a trabalhar antes de uma hora da tarde.

— Não é nada bom — disse ela, tensa demais para amortecer o golpe. — Mara está morta.

— Também estou morto de cansaço. Só fui deitar às duas da madrugada...

— *Morta.* Acabo de voltar do necrotério.

Houve uma pausa, depois uma indagação mais cautelosa:

— Do que está falando?

— Mara foi encontrada morta dentro do carro, na garagem. — A cada repetição, a história parecia mais surrealista. — Estão achando que foi envenenamento por monóxido de carbono.

Houve outra pausa, ainda mais longa, depois uma pergunta, cheia de perplexidade:

— Ela se matou?

Paige ouviu um murmúrio ao fundo. Esperou que Peter o silenciasse, com uma evidente impaciência, antes de responder:

— Ainda não sabem o que aconteceu. A autópsia pode nos dizer alguma coisa. Seja como for, precisamos de você aqui. Tenho de tomar as providências para o funeral, e Angie está sobrecarregada...

— Havia algum bilhete? — perguntou Peter, incisivo.

— Não, não havia nenhum bilhete. Angie já está recebendo os pacientes com consulta marcada para hoje. Precisamos entrar em contato com os outros pacientes de Mara e avisar...

— *Nenhum* bilhete?

— Norman não mencionou qualquer bilhete, e tenho certeza de que eles procuraram.

A voz de Peter se alteou um pouco.

— A *polícia* está envolvida?

Foi a vez de Paige ficar perplexa.

— Foi a polícia que a encontrou. Isso é tão terrível assim?

— Claro que não — respondeu Peter, mais contido. — Apenas faz com que o fato pareça sinistro.

— É sinistro por ter sido uma morte prematura... e, se isso nos deixa transtornados, pense no que os pacientes de Mara vão sentir. Ela era muito envolvida com seus pacientes.

— Envolvida demais. Há anos que eu lhe dizia isso.

Paige sabia muito bem. Peter e Mara haviam animado muitas reuniões do grupo com suas discussões. Mas, agora que Mara não se encontrava mais presente para argumentar, Paige tinha de tomar sua defesa.

— Era um envolvimento de bom coração. Ela sentia um profundo compromisso moral com seus pacientes. E eles a amavam.

— Só pode ter alguma relação com Tanya John. Ela ficou muito deprimida.

— Uma depressão profunda? O suficiente para se matar? — Paige não podia admitir essa possibilidade. — Além do mais, ela estava esperando a vinda da criança indiana. Tinha muito por que esperar.

Paige teria de ligar para a agência de adoção e dar a notícia. Mas calculava que poderia esperar até tomar as providências para o funeral.

— Talvez a adoção tenha fracassado.

— Não creio. Mara teria me dito, e não falou uma só palavra a respeito do assunto. — Pelo menos não na manhã anterior, quando Paige a vira pela última vez. — Quando foi a última vez que você a viu, Peter?

— Ontem de tarde, por volta das quatro e meia. Estávamos atendendo os últimos clientes. Ela me pediu para lhe dar cobertura, pois queria sair mais cedo.

— Ela disse para onde ia?

— Não.

— Estava transtornada?

— Distraída. Muito distraída, pensando bem. O que era até agradável. Porque em geral era *estridente* demais.

Paige não pôde deixar de sorrir devido à maneira desolada como Peter fizera o comentário. Mas ele tinha razão. Se Mara não estava lutando uma guerra, combatia em outra. Era uma defensora dos que não podiam falar por si mesmos. Agora, de repente, a defensora dos oprimidos silenciava. Paige baixou a cabeça.

— Preciso dar outros telefonemas, Peter. Quando poderá vir para a clínica?

— Em uma hora estarei aí.

Paige afastou os cabelos do rosto e levantou a cabeça.

— Uma hora é tempo demais. Angie precisa de ajuda, e você mora a cinco minutos daqui. Sei que interrompi alguma coisa... — O murmúrio ao fundo fora feminino. Só podia ser Lacey, a última namorada de Peter. — ... mas precisamos de você. O grupo funciona porque todos nos preocupamos com a clínica. Agora, a clínica está em jogo. Os pacientes precisam de nós. Devemos a eles todos os esforços para atenuar o trauma pela morte de Mara.

— Estarei aí assim que puder.

Peter falou num tom incisivo, desligando antes que Paige pudesse insistir ainda mais.

Dois

Paige marcou o funeral para a sexta-feira, dois dias depois da descoberta do corpo de Mara. Era tempo suficiente para que os O'Neills chegassem e para que ela própria aceitasse a morte da amiga. Só que a segunda perspectiva nem sequer começou a acontecer. Paige não apenas se sentiu culpada ao providenciar o funeral, como se estivesse precipitando Mara para a sepultura, mas também continuou a resistir à idéia de que a mulher que conhecera como uma guerreira, durante tanto tempo, acabara com a própria vida.

Sentia-se atormentada pela possibilidade de que a morte de Mara tivesse sido um ato irrefletido e impulsivo. A fuga de Tanya John era apenas o último dos pequenos desapontamentos que Mara parecia estar sempre sofrendo. Num momento extraordinário de fraqueza, uma combinação de tais fatos poderia tê-la deixado sufocada, até perder a sanidade.

Paige não podia sequer começar a imaginar a angústia de Mara, se é que era mesmo verdade. Só podia pensar que a tragédia poderia ter sido evitada se ela fosse uma amiga mais atenta, mais compreensiva e mais perceptiva.

Suas dúvidas eram as mesmas, ao que parecia, de todos os adultos que passavam pela clínica. Queriam saber se alguém pressentira que a morte de Mara era iminente. Mesmo sabendo que as perguntas refletiam seus próprios medos em relação à saúde mental de filhos, cônjuges ou amigos, Paige debatia-se no sentimento de culpa.

Não ajudou nem um pouco quando o relatório do legista foi revelado.

— Ela estava cheia de Valium — informou Paige, atordoada.

— Valium? — repetiu Angie, abalada.

— Uma *overdose*? — indagou Peter.

Paige pensara a mesma coisa, mas não fora essa a palavra que o legista usara.

— Ele disse que o monóxido de carbono foi a causa da morte, mas que havia Valium suficiente em seu corpo para anuviar os pensamentos.

— O que significa que nunca saberemos com certeza se ela desmaiou acidentalmente ao volante ou se permaneceu sentada ali de propósito, até perder a consciência — concluiu Angie, na sua maneira concisa de ir direto à essência das questões.

Paige estava confusa.

— Nem sabia que ela tomava Valium. E suponho que era sua melhor amiga.

— *Ninguém* sabia que ela tomava — argumentou Angie. — Mara sempre teve uma posição firme contra os medicamentos. De nós quatro, era a que dava menos receitas de remédios. Não dá nem para contar o número de discussões que tivemos a respeito disso, bem aqui, nesta sala.

Desde o início da associação na clínica, dez anos antes, a sala de Paige era o local das reuniões semanais, em que conversavam sobre pacientes novos ou problemáticos, as novidades na pediatria e a política da clínica. Não era uma sala diferente das outras três. Tinha os mesmos móveis claros de carvalho, a decoração em malva e musgo, os quadros suaves nas paredes. Mas foi Paige quem juntara o grupo e servia como âncora. E os outros, de uma forma simples e natural, gravitavam para sua sala.

Sentia-se uma péssima âncora naquele momento. Valium... Ainda não podia acreditar.

— As pessoas tomam Valium quando se sentem extremamente nervosas ou transtornadas. Eu não tinha idéia de que Mara sentia qualquer das duas coisas. Era sempre apaixonada e impetuosa em tudo que fazia, mas isso não significa que fosse nervosa ou transtornada. Quando a vi pela última vez, ela ia brigar com o pessoal do laboratório, por terem errado nos exames do menino Fiske.

Paige tentou recordar os detalhes daquele encontro, mas pareciam insignificantes naquela ocasião.

— Eu poderia tê-la contido. Poderia ter conversado com ela, talvez a acalmado, mas nem tentei. Percebi que estava muito cansada... — Lançou um olhar rápido para Angie e Peter. — Podia ser efeito do Valium. Não me ocorreu que pudesse ser qualquer outra coisa que não trabalho demais e pouco sono. Na ocasião, eu não quis dizer nada que pudesse deixá-la mais furiosa do que já se sentia. Covardia da minha parte, não é mesmo?

— Isso foi de manhã cedo — lembrou Angie. — Talvez ela estivesse bem na ocasião.

— E atingiu a sobrecarga poucas horas depois? — Paige sacudiu a cabeça. — Se ela andava tomando pílulas, já devia ter um problema há algum tempo. Por que não percebi nada? Onde eu estava com a cabeça?

— Concentrada em seus pacientes, como tinha de ser — interveio Peter.

— Mas ela precisava de ajuda.

— Mara sempre precisou de ajuda — argumentou Peter. — Vivia pulando de uma coisa para outra. Você não era responsável por ela.

— Sempre fui sua amiga. E você também era.

Paige recordou as dezenas de ocasiões em que Peter e Mara haviam saído juntos. Não apenas eram ávidos praticantes de *cross-country,* mas também partilhavam um fascínio pela fotografia.

— Não está se fazendo as mesmas perguntas? — acrescentou ela. Se fazia, ele conseguia manter uma calma extraordinária. — Disse que a viu de tarde e que ela parecia distraída. Também parecia cansada?

— Parecia horrível. E foi o que eu disse a ela.

— Peter!

— Era assim o nosso relacionamento. Ela parecia mesmo *horrível*, como se não se importasse em estar maquiada ou em se arrumar um pouco. Mas meu comentário não a irritou. Como eu disse, sua mente se encontrava em outro lugar. Não sei onde.

— Por acaso perguntou? — indagou Angie.

Ele assumiu uma posição defensiva.

— Não era da minha conta. E ela estava com pressa. Quando *você* a viu pela última vez?

— Ao meio-dia. — Angie olhou para Paige. — Eu a parei no corredor para perguntar pelo caso Barnes. Ela estava brigando com a empresa de seguro de saúde, que não queria pagar o exame de ressonância magnética. Como a achei? Cansada, mas não necessariamente distraída. Sabia do que eu falava e deu uma resposta objetiva. Havia uma certa vibração, embora nem tanto quanto o habitual. Era como se o gás estivesse acabando.

— Uma grande comparação, Angie — murmurou Peter.

Paige projetou a garagem de Mara em sua mente. Fez um esforço para reprimir a vertigem que acompanhou a imagem e se forçou a continuar. Sentia uma necessidade desesperada de reconstituir o último dia de Mara, na possibilidade de que isso oferecesse uma indicação sobre o que acontecera.

— Muito bem. Cada um de nós a viu em ocasiões diferentes durante o dia. Quando a vi pela manhã, ela parecia animada. Por volta do meio-dia, quando Angie a encontrou, ela estava cansada. E quando Peter a viu, ao final da tarde, ela estava distraída. — Paige fez uma pausa. — Alguém percebeu qualquer sinal de depressão?

— Não percebi nada — respondeu Peter.

Angie pensou por um momento.

— Não, não vi qualquer sinal de depressão. Tenho certeza de que era cansaço. — Ela olhou para Paige, desolada. — Nem pensei em detê-la quando ela se virou e entrou em sua sala. Havia pacientes esperando. Todos os horários da tarde estavam preenchidos.

Ela estava raciocinando. Paige sabia que todos faziam isso, arrumando desculpas por não terem percebido nada. O que era ótimo, até certo ponto. Se a morte de Mara fora acidental, assim estariam livres do remorso. Se não... ora, a situação seria muito diferente.

O pior de tudo é que nunca saberiam.

* * *

Enquanto Peter e Angie esforçavam-se para diminuir o acúmulo de pacientes na clínica, Paige começou a organizar os detalhes do funeral. Pensou em todas as opções, ansiosa por fazer as coisas que Mara gostaria, por razões que iam além de amor e respeito. O esforço extra era uma espécie de pedido de desculpa por não ter sido uma amiga melhor.

Conversou com o pastor sobre o que ele diria. Combinou com o coro da igreja para se apresentar. Escolheu um caixão simples. Escreveu um obituário comovente.

Também escolheu as roupas com que Mara seria enterrada. Isso a obrigou a procurar entre as coisas da amiga, o que foi uma tarefa mais angustiante do que as outras. A casa de Mara era tudo que ela fora em vida. Estar ali era sentir sua presença e duvidar mais uma vez de sua morte. Paige descobriu-se a procurar uma indicação... um bilhete de despedida que Mara pudesse ter deixado no consolo da lareira, um pedido de socorro pregado no atravancado quadro de avisos na cozinha, uma súplica de salvação rabiscada no espelho do banheiro. Mas as únicas coisas que podiam ser interpretadas como um reflexo de sua perturbação indevida — e mesmo assim remotamente — eram o Valium no armarinho de remédios e a desarrumação geral da casa. E como estava desarrumada! Se Paige fosse paranóica, poderia desconfiar que alguém revistara a casa. Mas, por outro, cuidar da casa nunca fora um dos pontos fortes de Mara. Paige foi arrumando tudo de passagem, na possibilidade — mais do que isso, na esperança — de que a família de Mara quisesse conhecer a casa em que ela vivia.

Os O'Neills chegaram na quinta-feira. Paige só os encontrara uma vez antes, na casa deles, em Eugene. Fora no final de uma viagem que levara as duas tão perto de Eugene, que Mara não fora capaz de encontrar um bom motivo para evitar a visita... embora bem tivesse tentado. Sua família era antipática, disse ela. Sua família era provinciana, confirmara. Era grande, teimosa e xenófoba.

Paige não achara a família tão ruim assim, embora tivesse de admitir que sua perspectiva era diferente da de Mara. Por ser filha única, ela apreciava a idéia de ter seis irmãos, com suas esposas e um bando de sobrinhos. Além disso, em comparação com seus pais, que nunca ficavam no mesmo lugar durante muito tempo, as raízes profundas dos O'Neills em Eugene eram um atrativo a mais. Paige concluíra que eles eram apenas antiquados, trabalhadores, religiosos devotos, pessoas que não podiam compreender o que Mara fazia.

O que já era verdade quando Mara era criança, com sua curiosidade insaciável, uma intensa fraqueza pelos feridos e um fascínio pelas causas sociais. Era verdade também quando ela decidira ir para a universidade, e os pais haviam se recusado a pagar seus estudos, obrigando-a a custear sozinha o curso de medicina.

E ainda era verdade: os O'Neills jamais haviam entendido por que Mara fora viver em Vermont. Mesmo agora, olhando ao redor, na comodidade do carro de Paige, no caminho desde o aeroporto, parecia que eles se encontravam em outro país... e hostil ainda por cima.

Apenas cinco haviam vindo, os pais de Mara e três de seus irmãos. Paige disse a si mesma que os outros ficaram em casa por causa de restrições financeiras. Esperava que Mara acreditasse.

Pararam na agência funerária no mesmo silêncio mantido durante a maior parte da viagem. Depois de acompanhá-los, Paige os deixou a sós, para se despedirem. Esperou nos degraus da frente, tentando se lembrar da última vez em que Mara mencionara a família. Não conseguiu. O que era triste e angustiante. É verdade que a própria Paige não via seus pais com freqüência, mas visitava regularmente a avó, que morava em West Winter, a apenas quarenta minutos de distância. Nonny era vigorosa e independente. Fora mãe e pai em uma só pessoa quando Paige era pequena. Agora, era uma família mais do que suficiente. Paige a adorava.

— Ela está bonita — murmurou o pai de Mara, a voz tensa. Alto e corpulento, ele mantinha as mãos nos bolsos do terno velho, os olhos duros como aço fixados na rua. — Quem a preparou para o funeral fez um bom trabalho.

— Ela sempre foi bonita — declarou Paige, em defesa de Mara. — Às vezes um pouco pálida. Ou aflita. Mas sempre bonita.

Incapaz de parar nesse ponto, Paige apressou-se em acrescentar, com uma certa urgência:

— Ela era feliz, Sr. O'Neill. Levava uma vida satisfatória aqui.

— Foi por isso que ela se matou?

— Não sabemos se foi isso mesmo que aconteceu. Pode ter sido um acidente, em vez de suicídio.

Ele soltou um grunhido.

— Não faz diferença. — O pai de Mara continuava a olhar fixamente para a frente. — Agora não tem mais importância. Há muito que nós a perdemos. Isto nunca teria acontecido se ela fizesse o que queríamos. Ainda estaria viva se tivesse permanecido em casa.

— Mas neste caso ela não teria se tornado médica — murmurou Paige, porque não podia deixar aquela declaração sem resposta, mesmo compreendendo a angústia do homem. — E ela era uma pediatra maravilhosa. Adorava crianças, e as crianças também a adoravam. Lutava pelas crianças. E por seus pais. Todos estarão presentes amanhã. Vai ver como ela era querida.

O'Neill fitou-a pela primeira vez.

— Foi você quem a persuadiu a fazer a faculdade de medicina?

— Claro que não. Ela já queria ser médica muito antes de nos conhecermos.

— Mas você a trouxe para cá.

— Ela é que decidiu vir. Eu apenas ofereci a oportunidade.

O velho soltou outro grunhido e tornou a olhar para a rua. Depois de um longo momento, ele comentou:

— Parece com ela. Talvez seja por isso que Mara gostava tanto de você. Os mesmos cabelos escuros, o mesmo tamanho. Poderiam ser irmãs. Você é casada?

— Não.

— Tem filhos?

— Não.

— Então está perdendo tanto da vida quanto ela. Mara tentou com o tal de Daniel, mas ele não suportou ver a esposa passar tanto tempo fora de casa. E como ela não engravidasse... para que serve uma mulher assim?

Paige começava a ter uma idéia do que levara Mara a sair de Eugene.

— Mara não era culpada pelos problemas de Daniel. Ele era viciado em drogas muito antes de se conhecerem. Mara achou que poderia ajudá-lo, mas foi tudo em vão. O mesmo se pode dizer da gravidez. Talvez, se tivessem tido mais tempo...

— O tempo não faria diferença. Foi o aborto que provocou tudo.
— Aborto?

Paige não sabia nada sobre um aborto.

— Ela não lhe contou? Posso compreender o motivo. Não é qualquer mocinha que engravida aos 16 anos e depois foge de casa para se livrar da criança, antes que os pais possam se manifestar. O que ela fez foi assassinato. E não poder engravidar de novo foi a sua punição.

Ele soltou outro grunhido, antes de acrescentar:

— O mais triste é que ter filhos seria a sua salvação. Se ela ficasse em casa, casasse e tivesse filhos, estaria viva hoje, e nós não precisaríamos gastar metade de nossas economias para vir a seu funeral.

Nesse momento, Paige desejou que eles não tivessem vindo. Desejou nunca ter falado com Thomas O'Neill. Acima de tudo, desejou nunca ter tomado conhecimento do aborto. Não que condenasse a amiga por isso — podia compreender o medo de uma garota de 16 anos vivendo numa família tão intolerante — mas gostaria que a própria Mara lhe tivesse contado.

Paige pensava que as duas eram as melhoras amigas. Mas em todas as conversas que tiveram sobre o casamento de Mara e a falta de filhos, sobre as crianças para adoção que ela aceitara em sua casa ao longo dos anos, sobre a criança que estava prestes a adotar, nunca houvera qualquer menção de um aborto. Mara também não fizera qualquer comentário a respeito em suas *muitas* conversas sobre tal problema, relacionadas com as adolescentes sob seus cuidados.

Agora, Paige sentia-se desolada ao pensar que havia coisas importantes que ignorava sobre alguém que considerava uma amiga íntima.

A sexta-feira amanheceu quente e cinzenta, o ar pesado, como se estivesse impregnado dos segredos de Mara. Paige encontrou algum conforto no fato de que a igreja estava lotada. Se alguém queria prova do número de vidas que Mara afetara e da estima que lhe dedicavam, ali estava. Ainda mais na presença da família, que nunca reconhecera suas realizações, Paige sentiu-se vingada, por conta de Mara.

Mas essa pequena vitória veio e passou depressa, sepultada tão fundo na angústia daquele dia quanto o corpo de Mara no buraco escuro na encosta da colina, acima da cidade. Antes mesmo que Paige pudesse recuperar o fôlego, o cemitério ficara para trás, todos que se importavam o suficiente almoçaram no Tucker Inn, e os O'Neills, de Eugene, Oregon, foram levados ao aeroporto.

Paige voltou à casa de Mara, em estilo vitoriano, de teto alto, com uma escada curva, uma varanda ao redor. Vagueou de um cômodo para outro, lembrando que Mara adorava acender o fogo na lareira estreita, armar uma árvore de Natal junto da janela da sala de estar, tomar uma limonada na varanda dos fundos, nas noites quentes de verão. Os O'Neills haviam dito a Paige para vender a casa e distribuir o dinheiro entre obras de caridade. Era o que ela planejava fazer, mas não de imediato. Não podia empacotar tudo e descartar a vida de Mara em apenas um dia. Precisava de tempo para se lamentar. Precisava de tempo para se acostumar à ausência de Mara. Precisava de tempo para se despedir.

Também precisava de tempo para encontrar um comprador que adorasse a casa tanto quanto Mara. Devia isso a ela.

Paige deixou a cozinha pela porta de tela curvada, que bateu às suas costas. Arriou no balanço que havia na varanda dos fundos e ficou olhando os passarinhos voarem de uma árvore para outra, de um alimentador para outro. Havia cinco alimentadores que ela pudesse ver. Desconfiava que havia outros, ocultos nas árvores. Mara adorava sentar naquele balanço, tendo no colo a criança sob sua custódia naquele momento, enquanto sussurrava informações sobre cada passarinho que aparecia.

Vou alimentá-los por você, prometeu Paige. E cuidarei para que a pessoa que compre a casa também os alimente. É o mínimo que posso fazer.

Mara teria aceitado o gatinho de Paige, com toda a certeza. Amava as coisas selvagens, as coisas fracas, as coisas pequenas. E Paige? Ela não era tão aventureira. Também amava os necessitados, mas num ambiente mais controlado. Gostava de constância, ordem e previsibilidade. A mudança deixava-a perturbada.

Paige deixou o balanço, avançando pelo quintal. Os passarinhos voaram para longe. Ela ficou imóvel, prendeu a respiração e esperou, mas os passarinhos não voltaram. Estava completamente sozinha.

Sentirei muita saudade, Mara, pensou ela. Começou a se encaminhar para a casa, sentindo-se vazia e velha. E, de repente, a casa também dava essa impressão. Precisava de pintura. Farei isso, meditou Paige. E de uma nova tela na porta. Não haveria qualquer dificuldade. E também tinha de trocar uma veneziana na janela do quarto esquerdo, no segundo andar. Também sem problema. E no quarto da direita... no quarto da direita... Oh, Deus!

A campainha da porta tocou nesse instante, longe, mas nítida. Agradecida pela interrupção, Paige tornou a entrar na casa. Devia ser uma pessoa amiga, que vira seu carro e parara. Ou algum morador que não pudera comparecer ao funeral, e agora queria apresentar condolências.

O vidro ondulado na porta da frente revelava um vulto que era corpulento, mas não alto. Paige abriu a porta para descobrir que o vulto não era de um único corpo, mas de uma mulher com uma criança no colo. Nenhuma das duas vivia em Tucker; Paige nunca as vira antes.

— O que deseja? — perguntou ela.

— Estou procurando Mara O'Neill — respondeu a mulher, com uma expressão preocupada. — Não consegui falar com ela pelo telefone. É amiga de Mara?

Paige acenou com a cabeça, numa resposta afirmativa.

— Ela tinha que se encontrar comigo em Boston hoje de manhã, mas não apareceu — continuou a mulher. — Parei várias vezes na estrada, para ligar, mas ela não atende ao telefone.

— Não...

Paige estudava a mulher. Era caucasiana, de meia-idade. Obviamente, não era a mãe biológica da criança, que tinha a pele da cor da noz-pecã, e os maiores e mais expressivos olhos que Paige já tinha visto. Presumia que as duas eram parte da rede de adoção com que Mara se envolvera.

— Mara está? — perguntou a mulher.

Paige engoliu em seco.

— Não.

— Essa não! Sabe onde posso encontrá-la? Ou quando ela voltará? Sua ausência é terrível. Já havíamos acertado tudo. E ela estava no maior excitamento.

A criança fitava Paige, que descobriu que não podia desviar os olhos. Era uma menina. O tamanho dizia que ainda não tinha 1 ano, mas os olhos informavam que era mais velha.

Paige já vira aquela expressão antes, numa foto mostrada por Mara. O coração parou por um instante, quando sua mão, trêmula, tocou no rosto da criança.

— Como conheceu Mara?

— Trabalho na agência de adoção. Entre outras coisas, tenho a responsabilidade de comparecer ao aeroporto quando as crianças adotadas chegam de outros países. Esta menina nasceu numa pequena cidade nas proximidades de Calcutá. Veio de Bombaim com uma acompanhante da agência. A pobrezinha passou quase três dias viajando. Mara deve ter se equivocado com o dia ou a hora. A clínica está fechada? Também liguei para lá, mas fui atendida pelo serviço de recados.

— Sameera... — balbuciou Paige. *A criança de Mara!* — Mas pensei que ela só viria daqui a algumas semanas!

Ela tornou a estender a mão para a criança.

— Costumamos aconselhar os pais adotivos a não falar em datas. Problemas políticos sempre podem protelar a adoção.

Paige pensou no quarto da direita, com as paredes amarelas, as estrelas tortas, em azul-marinho, que pouco antes avistara do quintal. Seus olhos se encheram de lágrimas quando pegou a criança no colo.

— Sami...

A criança não fazia o menor barulho. Paige é que chorava silenciosamente, lamentando pela mãe que Mara seria e pela felicidade que iria sentir. A chegada da criança aumentava o mistério envolvendo a morte de Mara. Ela não se suicidaria faltando três dias para estar com Sami.

Ainda abraçando a criança, Paige secou as lágrimas. Passou-se um momento antes que estivesse suficientemente refeita para fitar a mulher e murmurar:

— Mara morreu na quarta-feira. Nós a sepultamos esta manhã.

A mulher ficou atordoada.

— Morreu?!?

— Um terrível acidente.

— *Morreu?* Oh, Deus! — Ela fez uma pausa. — Pobre Mara. Esperou tanto tempo por esta criança. E Sameera... veio de tão longe!

— Não tem problema — disse Paige, com uma estranha calma. — Ficarei com ela.

Fazia sentido. Era a única coisa que ela podia fazer para compensar tudo que não fizera antes.

— Meu nome é Paige Pfeiffer. Era a melhor amiga de Mara. Também sou pediatra. Trabalhávamos juntas. Fui entrevistada como referência de caráter durante o estudo de adoção. Se verificar em seus arquivos, vai ver que meu nome está relacionado como a pessoa a quem procurar numa emergência, o que você praticamente fez.

Paige olhou para a criança. As pernas finas da menina comprimiam-se contra sua cintura, os dedos pequenos apertavam o suéter. Encostara a cabeça no peito de Paige, com os olhos arregalados e assustados. Parecia leve como uma pluma, mas era quente, de uma maneira agradável.

Cuidarei dela por você, Mara. Posso fazer isso.

— Lamento, mas não é assim que funciona — respondeu a mulher.

— Por que não?

— Porque há normas, procedimentos, burocracia. — As palavras saíam quase juntas. Era evidente que a mulher estava aflita. — As adoções internacionais são complicadas. Mara teve de superar vários obstáculos. Mesmo assim, ainda teria de esperar seis meses pela adoção definitiva. Durante esse período, Sameera estaria sob a responsabilidade técnica da agência. Não posso deixá-la aqui.

— Mas para onde ela poderia ir?

— Não sei. Nada assim jamais me aconteceu antes. Acho que ela terá de voltar comigo até decidirmos o que fazer.

— Não pode mandá-la de volta para a Índia.

— Tem razão. Vamos procurar outra família para adotá-la.

— Enquanto isso, ela ficará num lar de adoção temporária. Por que não pode ficar comigo?

— Porque você não foi aprovada.

— Mas sou pediatra. Adoro crianças. Sei como cuidar delas. Tenho uma casa, e ganho bem. Tenho a melhor reputação possível. E se não quiser aceitar apenas minha palavra, pode perguntar a qualquer pessoa na cidade.

— Lamento, mas essas coisas demoram.

A mulher estendeu as mãos para Sami. Mas Paige não ia desistir tão depressa.

— Quero ficar com ela, o que me deixa no alto da lista. Posso levá-la para minha casa agora, e mantê-la ali até que seja encontrado um lar melhor... e posso lhe garantir que não encontrará nenhum melhor do que o meu. — Mara sentiria a *maior satisfação*. — Tem de haver uma maneira para que eu possa mantê-la.

A mulher olhou ao redor.

— Acho que é possível. Desde que a direção da agência concorde, podemos fazer um estudo rápido sobre um lar de adoção temporária.

— Então faça isso.

A impulsividade era ao melhor estilo de Mara e estava surtindo efeito.

— Agora?

— Se é isso o necessário para que ela passe esta noite comigo. A criança precisa de amor. Posso lhe dar, além de oferecer um ambiente seguro e estável. É o melhor que poderia acontecer neste momento.

A mulher da agência de adoção não podia contestar o argumento. Depois de vários telefonemas e da aprovação preliminar, ela submeteu Paige a uma bateria inicial de perguntas. Eram as básicas, apenas o começo do estudo que a mulher prometera. Enquanto respondia, Paige subia e descia a escada, com Sami acomodada em seu quadril, transferindo do quarto para o carro as coisas de que precisaria para cuidar da criança. Só parou quando não havia mais espaço no carro para nada.

A representante da agência, que também subira e descera a escada em seu encalço, parecia exausta. Foi embora, depois de lhe dar uma lista de telefones e prometer que entraria em contato no dia seguinte.

Paige mudou Sami de posição para poder contemplar seu rosto. Os enormes olhos castanhos encontraram-se com os seus.

— Não deu um pio durante todo o tempo, hein? Não está com fome ou molhada?

A criança continuou a fitá-la em silêncio.

— Não gostaria de jantar? — A menina nem piscou. — Que tal um banho?

Paige sabia que ela não entendia inglês, mas esperava que seu tom de voz pudesse inspirar algum murmúrio em resposta.

— O que me diz? — Paige fez outra pausa. Como não ouviu qualquer som, ela suspirou. — Pois bem que preciso das duas coisas. Vamos para casa.

Ela contornou o carro. Já ia abrir a porta quando a visão da casa de Mara a fez parar. Mara não a possuía há muito tempo. Passara seus três primeiros anos em Tucker pagando o crédito educativo e os dois seguintes economizando para dar entrada na casa, que nada tinha de espetacular, mas sua compra fora um triunfo.

Agora, estava vazia, com Mara sepultada na colina. Paige sentiu um calafrio. Mara fora uma parte vital de sua vida durante vinte anos. Agora não se encontrava mais ali.

Paige fechou os olhos. Abraçou Sami com mais força ainda. A criança era um corpo quente, silenciosa mas viva. Havia nisso um conforto... mas apenas até Paige começar a pensar para a frente, em vez de recordar o passado. Então, lentamente, com a percepção aflorando, ela abriu os olhos, contemplando a criança. Nesse instante, com a casa trancada, a representante da agência já bem longe e a criança de Mara em seu colo, a realidade do que fizera tocou no seu íntimo. Num dia triste como aquele, não foi tristeza o que ela sentiu. Foi um terror profundo e absoluto.

Três

*P*aige não era de entrar em pânico, mas chegou bem perto disso durante o percurso da casa de Mara até a sua. Ficou pensando em todas as coisas que não sabia — como o que a criança comia, se tinha alergias, se dormia a noite toda. As respostas, juntamente com as fichas médicas detalhadas, estavam nos documentos que ela trouxera da casa de Mara. Só que Mara tivera semanas para examinar tudo. Paige não tinha.

Ansiosa, ela pensou em sua casa. Tinha três quartos, um no primeiro andar, que ela usava, e dois no segundo. O maior dos dois lá de cima estava ocupado pelos móveis que Nonny não pudera guardar quando vendera sua casa, vários anos antes; o menor se encontrava atulhado com artigos de costura e de tricô, além das mais diversas publicações médicas em que Paige dera uma olhada rápida e empilhara para leitura posterior.

O quarto menor seria o mais fácil de esvaziar, mas o maior seria muito melhor para uma criança. Mas, por outro lado, Paige não gostou da idéia de deixar Sami sozinha no segundo andar. Por enquanto, ela poderia dormir no quarto de Paige.

Com Paige, Sami e o gatinho, o quarto se enchia depressa. O que eu fiz?, perguntou-se, apertando o volante. Tinha de fazer um esforço para permanecer calma, o que significava *não* pensar absolutamente no que faria na manhã seguinte, quando tivesse de ir trabalhar. Ela lançou um olhar para Sami, sentada na cadeirinha de criança nova em folha que Mara comprara. A menina fitou-a com aquela sua expressão triste.

— Vamos encontrar uma solução para tudo — assegurou ela à criança, no que esperava ser um tom de voz maternal. — Você é flexível. Todas as crianças são flexíveis.

Era o que ela sempre dissera a muitos pais à beira do pânico por causa de um novo bebê.

— Como eu também sou flexível, vamos nos dar bem — continuou Paige. — O que você mais precisa é de amor, e posso lhe dar muito. Além disso, você terá de me dizer do que gosta e do que não gosta.

Sami não emitiu qualquer som. Apenas a fitava, com aqueles olhos enormes, que haviam visto demais, em pouco tempo.

Ocorreu a Paige que talvez a criança *não* fosse capaz de emitir qualquer som. Talvez tivesse sido castigada por chorar, ou simplesmente desistira, ao descobrir que chorar não adiantava coisa alguma. De qualquer jeito, Paige teria de lhe ensinar que chorar era saudável uma das poucas maneiras que os bebês tinham de fazer com que seus desejos e necessidades se tornassem conhecidos. O ensinamento envolveria muito carinho e atenção. Talvez até precisasse mimar Sami. Poderia levar algum tempo.

Tempo! Oh, Deus! Ela não podia pensar no futuro. Não por enquanto.

— Posso realmente fazer isso — murmurou ela para a criança ao chegar à entrada de automóveis de sua casa e parar o carro. — Sou calma e equilibrada. E tenho jeito com crianças.

Ela saltou do carro, correu para o lado do passageiro e puxou o cinto de segurança de Sami.

— As mulheres têm instintos — declarou ela, conselho que sempre dava às mães pela primeira vez, enquanto puxava com mais força o cinto de segurança, que não queria soltar. — Fazem coisas com e por seus filhos que nunca imaginaram ser capazes de fazer.

Com as duas mãos agora, Paige continuou a lutar com o cinto de segurança, puxando-o e o retorcendo.

— Vem lá do fundo. Um instinto primitivo.

Ela já ia procurar uma tesoura quando o cinto se soltou.

— Está vendo? — Paige soltou um suspiro de alívio. — Tudo vai dar certo.

Durante os minutos seguintes, enquanto Sami observava da segurança de sua cadeira, instalada na varanda da frente, Paige correu de um lado para outro, levando toda a parafernália para bebês do carro para a casa. Quando acabou, ela levou Sami para dentro. Pôs a cadeira no chão e pegou a gatinha, que correra ao seu redor durante todo o tempo.

— Sami, quero que conheça a gatinha.

A menina e a gatinha se fitaram, sem piscar. Paige esfregou a gatinha em seu rosto, depois estendeu-a para Sami.

— A gatinha é ainda menor do que você. Também está sozinha — o veterinário informara que era uma fêmea —, e vamos cuidar dela até que possamos lhe arrumar uma boa casa. Ela não é macia?

Paige encostou a gatinha na mão de Sami. A menina retirou a mão. Seu queixo começou a tremer. No mesmo instante, Paige largou a gatinha e pegou Sami no colo.

— Está tudo bem, querida. Ela não vai machucá-la. Provavelmente está tão assustada quanto você.

Enquanto falava, Paige verificava a comida que trouxera da casa de Mara. Presumindo que Mara havia comprado apenas o que Sami podia comer, ela pôs um bico numa das mamadeiras já prontas. Sua própria fome desaparecera. Parecia não haver espaço para comida em seu estômago, com todos os tremores nervosos.

Sami bebeu até a última gota de leite, fitando-a durante todo o tempo. Animada com isso, Paige misturou um prato de cereais, adoçou com pêssegos e ofereceu com uma colher. Sami também comeu tudo. Como ela era pequena e magra, Paige poderia lhe dar mais comida, se não soubesse como era perigoso exigir demais de um estômago pouco acostumado com a alimentação. Por isso, depois de vestir uma camisa e uma calça *jeans*, ela deu um banho na menina, esfregou em seu corpo a loção de bebê comprada por Mara e pôs a fralda e um pijama rosa, que trouxera da casa de Mara. Depois, pegou-a no colo.

— Você está linda, querida. — Linda, meiga e sonolenta. — Mara iria amá-la muito.

Mas Mara já não se encontrava ali. Paige sentiu uma dor intensa, acompanhada por um cansaço súbito e profundo. Ajeitou Sami em seus braços, na cama, e fechou os olhos. Mas o telefone tocou no instante mesmo em que encostou a cabeça nos cabelos escuros da menina.

Era Deirdre Frechette, umas das corredoras de Paige na Academia Mount Court.

— Precisamos de ajuda — disse ela, a voz um pouco trêmula. — Passamos o jantar inteiro falando sobre a Dra. O'Neill. Um dos rapazes diz que foi uma *overdose* de heroína. É verdade?

A fadiga de Paige se desvaneceu.

— Claro que não.

— Houve quem assegurasse que ela foi morta pelos Irmãos Devil.

— Não é Devil — corrigiu Paige. — É DeVille.

Ela não gostava quando trocavam o nome para parecer que eram irmãos do demônio. George e Harold DeVille eram o alvo de histórias locais há anos. Enormes e ameaçadores, tinham um certo retardamento mental... e eram inofensivos.

— Os DeVilles não fariam mal a uma mosca — acrescentou ela.

— Julie Engel diz que ela se matou. A mãe de Julie se suicidou há três anos. Agora, ela está recordando todos os detalhes, histérica. Ela está ficando ligeiramente histérica. Estamos todas ficando histéricas.

Paige podia imaginar a situação. As mentes adolescentes eram férteis, ainda mais quando reunidas em grupo. Ela estremeceu ao pensar no rumo que a conversa tomaria se não fosse orientada. O suicídio tinha o potencial de se tornar uma doença contagiosa quando não são tomadas as medidas preventivas apropriadas.

Se havia um momento em que aquelas adolescentes precisavam dos pais, esse era agora. Só que os pais não estavam por perto.

— Onde vocês estão?

— Na sala de descanso do MacKenzie.

— Não saiam. Estarei aí dentro de quinze minutos.

Só depois de desligar é que ela se lembrou de Sami. Por uma fração de segundo não soube o que fazer. A menina estava enroscada em seus braços, num sono profundo. Apenas com uma das mãos, Paige vasculhou a parafernália para bebês, até encontrar o *baby bag*. Um momento depois, a criança adormecida estava aconchegada e segura contra seu peito.

Uma das primeiras coisas que vocês devem comprar é a cadeira para o carro. Paige podia ouvir a própria voz, instruindo os pais nas reuniões pré-natais. *O bebê deve estar bem preso na cadeira, e esta bem presa no banco do carro.*

— Sei muito bem que não é uma atitude das mais inteligentes — murmurou ela, enquanto sentava ao volante, com Sami em seu peito. — Mas você é pequena, e guiarei com o maior cuidado, pois acho que é mais importante que fique aconchegada contra um corpo que conhece do que sentada naquela cadeirinha... e duvido muito que eu conseguisse prendê-la de novo ali esta noite. Portanto, não direi nada a ninguém, se você também não contar.

Sami dormiu durante todo o percurso.

O MacKenzie era o maior dos dormitórios femininos. Como os outros, tinha três andares, de tijolos vermelhos. A hera subira pelas paredes por tanto tempo, sem qualquer controle, que havia grandes manchas escuras nos tijolos. As janelas altas, com várias vidraças, estavam abertas, fazendo jus ao calor de setembro; os ventiladores zumbiam através de muitas delas.

Havia oito garotas na sala, os mesmos cabelos compridos, camisas folgadas e *shorts*. Algumas eram corredoras, outras não, mas Paige conhecia todas. E Mara também conhecera.

Estavam abaladas. Várias davam a impressão de que haviam chorado. Paige sentiu-se contente por ter vindo.

Sentou-se no braço largo de uma poltrona.

— O que você tem aí? — perguntou uma das garotas.

— O peito — zombou uma terceira.

— É uma criança — murmurou uma terceira.

— De quem é?

Paige não sabia direito como responder.

— Hã... minha, por enquanto.

— De onde veio?

— Como a conseguiu?

— É menino ou menina?

— Qual é a idade?

Várias garotas adiantaram-se para examinar Sami. Paige virou o *baby bag* para que elas pudessem ver melhor.

— Seu nome é Sameera, mas eu a chamo de Sami. Nasceu numa pequena aldeia da Costa Leste da Índia, a mais ou menos um dia de viagem de Calcutá. — As palavras excitadas de Mara voltaram com absoluta nitidez. — Foi abandonada logo depois do nascimento... as meninas são consideradas uma desgraça por muitos em sua terra. Ela tem um ano e dois meses. É pequena para a sua idade, com um atraso físico. Isso acontece porque passou a vida sendo transferida de um orfanato para outro. Não teve o estímulo para fazer mais do que permanecer deitada numa cama, esperando que alguém a alimentasse.

— Ela não anda?

— Ainda não.

— Mas senta?

— Só com apoio.

Mara lhe dissera isso também, e Paige o confirmara ao dar banho na menina, quando aproveitara para fazer um exame superficial. Não vira qualquer sinal de doença ou deformidade física.

— Com a nutrição e a atenção apropriadas, ela vai recuperar o tempo perdido. Quando chegar o momento de ingressar na escola, já será igual a qualquer menina de sua idade.

— Mas de *quem* ela é?

Lá estava de novo a tão controversa pergunta.

— Tomarei conta dela por enquanto.

— Vai adotá-la?

— Não. Ela apenas ficará comigo até que a agência encontre uma família apropriada.

— Então é a mãe adotiva temporária. Ela tem sorte. Fui enviada para a casa de uma tia quando tinha 8 anos. Ela não era *nem um pouco* parecida com você.

O comentário foi de Alicia Donnelly. Ela ingressara na Mount Court na sétima série e agora, milagrosamente, cursava o último ano. Pelo caminho, tivera todos os tipos de doenças possíveis e imaginárias, de bronquite a inflamação na garganta e mononucleose. Peter, como o médico oficial da academia, tratara dessas suas doenças. Quando ela tivera uma infecção por fungos, no segundo ano ginasial, Mara assumiu o caso.

Alicia tinha problemas de comportamento quanto era criança. Em determinado momento, tornara-se tão difícil para os pais, pessoas da maior proeminência social, que a única alternativa para a hospitalização fora o afastamento da família. Anos de terapia ajudaram-na a se recuperar. Embora estivesse longe de ser uma aluna exemplar, possuía uma inteligência excepcional. Ela se sentia mais em casa na Academia de Mount Court do que na residência da tia.

— Você será uma boa mãe adotiva — acrescentou ela para Paige.
— Sabe tudo que é preciso saber sobre crianças. É paciente. Tem senso de humor. É muito importante ter senso de humor.

Alicia fez uma pausa, antes de arrematar, com a voz embargada:
— A Dra. O'Neill também tinha.

Era verdade, pensou Paige. Um senso de humor sutil, que podia ser seco ou gentil, mas era sempre um contraponto agradável para sua intensidade. Paige sentiria saudade tanto da veemência quanto do humor.

Outra vez compenetradas, as garotas recuaram, de volta a seus lugares, algumas em cadeiras, outras sentadas no chão. Ficaram quietas, esperando.

— A Dra. O'Neill era uma pessoa excelente — murmurou Paige.
— Uma médica dedicada e uma guerreira. Todo mundo deveria tirar uma lição de sua vida. Ela se entregou às coisas em que acreditava de uma maneira que poucas pessoas fazem.

— Ela também acabou com a própria vida — interveio Julie Engel, a voz estridente.

— Você não tem certeza se foi mesmo suicídio — argumentou Deirdre.

Julie olhou para Paige.
— Falaram que ela foi encontrada na garagem. É verdade?

Paige confirmou com um aceno de cabeça.
— E que morreu de envenenamento por monóxido de carbono...

Ela tornou a inclinar a cabeça em confirmação.

— Então foi suicídio — reiterou Julie, olhando para Deirdre. — O que mais poderia ser?

— Talvez tenha sido um acidente — respondeu Paige, gentilmente. — Ela andava muito cansada. Tomando medicamentos. Pode ter desmaiado ao volante.

— Não a Dra. O'Neill — declarou outra garota, Tia Faraday. — Ela era muito cuidadosa. Quando fiquei doente, no ano passado, escreveu todas as instruções sobre o que eu deveria fazer. Não deixou nada ao acaso. E ligou no dia seguinte para verificar se eu estava fazendo mesmo tudo o que mandara.

— Ela teria desligado o carro antes de apagar — concluiu Alicia.

Paige suspirou.

— Infelizmente, desmaiar não é algo que sempre se pode controlar.

Uma campainha soou. As garotas não se mexeram.

— Ela deixou algum bilhete? — perguntou Tia.

Paige hesitou, antes de sacudir a cabeça em negativa.

— Minha mãe também não deixou — disse Julie. — Mas sabíamos que havia sido suicídio. Há muito tempo que ela ameaçava se matar. Nunca pensamos que chegaria a esse ponto. Mas quando uma pessoa sobe ao trigésimo terceiro andar...

— Não conte de novo, Julie — suplicou Deirdre, enquanto garotas de outros andares do dormitório começavam a entrar na sala.

— Foi um ato deliberado — insistiu Julie.

— É depressivo.

— A vida é depressiva.

— A vida é solitária.

— A Dra. O'Neill era solitária? — perguntou Tia.

Paige não sabia.

— Ela sempre esteve muito ocupada. Sempre cercada de pessoas.

— O mesmo acontece aqui. Ainda assim, às vezes me sinto solitária.

— Eu também — disse outra voz.

E uma terceira acrescentou:

— É pior à noite.

— Ou depois dos telefonemas da família.

— Ou quando saímos para o bosque depois das dez horas.

— O que é um dos motivos pelos quais sair para o bosque depois das dez é contra as normas da escola — comentou Paige, jovial. — Tudo parece sinistro. Até mesmo o medo é ampliado.

De qualquer forma, as garotas tinham razão num ponto. Os dias de Mara podiam ser movimentados, mas não as noites. Ela tinha tempo mais do que suficiente para pensar na distância que a separava da família, o fracasso de seu casamento, a criança que abortara anos antes. Paige detestava pensar assim — Mara nunca *dissera* qualquer coisa —, mas era bem possível que a amiga se sentisse solitária.

— Não posso imaginar a Dra. O'Neill tendo medo de qualquer coisa — declarou Alicia. — Ela sempre foi muito forte.

— Mas ela se *matou*! — exclamou Julie. — Portanto, havia algo horrível em sua vida.

— O que era, Dra. Pfeiffer?

Paige escolheu as palavras com todo o cuidado. Embora não fosse trair os segredos de Mara — podia apostar que não conhecia alguns — queria que as garotas soubessem que o suicídio, se é que Mara havia de fato se matado, não era um acontecimento frívolo. Havia razões para chegar a esse ponto e meios de preveni-lo.

— A Dra. O'Neill tinha decepções. Todo mundo tem. Ninguém passa pela vida sem ter algumas. Se ela cometeu suicídio, foi porque essas decepções dominaram-na de tal jeito, que perdeu a capacidade de resistir.

Por trás dela, uma garota perguntou, com a voz suave:

— O que faz uma pessoa ser capaz de resistir e outra não?

Paige virou-se para deparar com sua corredora, Sara Dickinson. Ela tinha uma mochila pendurada no ombro. Fora uma das últimas garotas a entrar na sala.

— Não tenho uma resposta definitiva para essa pergunta. A pessoa que enfrenta os problemas pode ter uma grande força interior, ou um motivo profundo para resistir, ou conta com uma base de apoio quando tem dificuldade para superar os problemas sozinha.

— A Dra. O'Neill não tinha nada disso?

Paige vinha se fazendo essa mesma pergunta. Fez um esforço para compreender e explicá-la.

— Talvez ela não tenha posto tudo isso em prática.

— Como assim?

— Era muito independente. Até demais, às vezes. Não pediu ajuda.

Outra garota interveio, Annie Miller, parecendo assustada.

— Meu irmão engoliu um punhado de aspirinas no ano passado. — Houve murmúrios de surpresa no grupo, enquanto ela continuava: — Fizeram uma lavagem em seu estômago. Ele ficou bom. De qualquer forma, não era o suficiente para matá-lo. Papai disse que era um grito de socorro.

— É bem provável. — Paige ficou apavorada com a possibilidade de que uma das garotas presentes cogitasse fazer a mesma coisa. — Mas é uma maneira absurda de se pedir ajuda. As *overdoses* de drogas podem causar lesões físicas com que a pessoa, se sobreviver, terá de lidar pelo resto da vida. Uma insensatez. Um tremendo *perigo*.

Ela fez uma pausa, olhando de um rosto para outro.

— O fato é que, quando ocorre algo como a morte da Dra. O'Neill, temos de aprender... e a lição é que devemos falar sempre que estivermos transtornados.

— Falar para quem? — perguntou Sara, por trás.

Paige virou-se para fitá-la.

— Um familiar ou um amigo. Uma professora, uma treinadora, uma médica.

— É essa a base de apoio que mencionou?

— É, sim.

— E se você não puder falar com as pessoas?

— Todas aqui podem falar com as pessoas.

— Mas o que fazer se você não puder *confiar* nas pessoas?

— Há sempre alguém em quem se pode confiar. — Mas como Sara permanecia numa dúvida evidente, Paige acrescentou: — Se não fossem as pessoas que mencionei, então um guia religioso. Há sempre alguém. Basta abrir os olhos e procurar ao redor.

Sara olhou além dela, subitamente impassível. Tudo nela apregoava ressentimento, embora não tenha dito mais nada.

Houve murmúrios de várias outras garotas. Paige acompanhou os olhares para a porta. Um homem que ela nunca vira antes se aproximava da sala. Era alto e esguio. Usava uma calça cinza e camisa azul-clara, aberta no pescoço e enrolada nas mangas. A pele era bronzeada, o queixo quadrado. Os cabelos, bastante compridos para alcançarem o colarinho, atrás, eram louros, em alguns pontos esbranquiçados pelo sol, ou já com os primeiros fios brancos. Paige não podia saber qual das duas coisas. Seus óculos eram redondos, com uma armação bem fina.

Era um homem de aparência espetacular.

Paige olhou para as garotas. Se estavam maravilhadas com a aparência do homem, não deixaram transparecer. Sentavam empertigadas, sem um pingo de adoração que se poderia esperar em seus impressionáveis rostos adolescentes. Elas o conheciam, não podia haver a menor dúvida quanto a isso... e também não podia haver qualquer dúvida de que não gostavam dele.

— Não deveriam estar na sala de estudo? — indagou ele, a voz ao mesmo tempo suave e gentil.

As garotas permaneceram em silêncio, mas Paige sentiu nelas mais desafio do que submissão. Uma confrontação era iminente. Diante da morte de Mara e do transtorno que todas sentiam, ela desejou evitá-la. Levantou-se e foi se postar na frente do homem.

— Criamos um problema, não é? — indagou ela.

— Isso mesmo — respondeu o homem, na mesma enganadora voz suave.

— Sala de estudo?

— De sete às nove, de domingo a quinta.

— Uma novidade?

— Exatamente.

— Ah! — Paige baixou a cabeça, pensando. Quando tornou a levantá-la, o homem permanecia no mesmo lugar. — As meninas estão transtornadas com a morte da Dra. O'Neill. E eu também. Por isso queríamos conversar a respeito do assunto.

— As meninas têm horas livres, mas esta não é uma delas. Deveriam ter entrado na sala de estudo há dez minutos.

— A sala de estudo não pode esperar mais alguns minutos?

O homem sacudiu a cabeça lentamente, em negativa. Paige baixou a voz ainda mais.

— É uma posição muito rígida, dadas as circunstâncias.

Ele nem piscou.

Numa voz que era pouco mais que um sussurro, mas com uma irritação inconfundível, Paige disse:

— Mara O'Neill significava muito para as meninas. Elas precisam de tempo para lamentar.

— O que elas precisam mesmo é da segurança de que há alguma ordem em suas vidas — disse o homem, em voz baixa também, com a mesma irritação. — Precisam da rotina. É um dos fatores para a sala de estudo à noite. O outro está nas notas, baixas demais.

Paige não conseguiria coisa alguma. O homem podia ser deslumbrante, mas era tão sensível quanto uma pedra. Ela podia imaginá-lo como um professor de matemática ou um implacável inspetor de dormitório. Mara ficaria furiosa por encontrar alguém assim na folha de pagamento de Mount Court.

— O que as meninas precisam agora é de compreensão — declarou Paige, com a mesma firmeza. — É evidente que você não está em condições de oferecer isso. Espero que o novo diretor seja capaz.

— Eu sou o novo diretor.

Ele era Noah Perrine? Paige achou difícil acreditar. Conhecera dois diretores nos cinco anos em que trabalhava na academia. O primeiro se aposentara depois de vinte e três anos, o segundo conseguira se manter no cargo por apenas um ano. Ambos eram pomposos, de cabeça branca, e preocupados com outras coisas, como costuma acontecer com as mentes encerradas numa torre de marfim.

Este era muito diferente. Era decidido demais para ser o novo diretor. E muito jovem. E muito *atraente*.

Mas as garotas não contestaram a sua alegação. Paige lembrou a conversa durante um treino, no início daquela semana, em que se comentara que o novo diretor era bastante rigoroso com as normas. O que era confirmado agora. Continuar na discussão seria inútil, até mesmo prejudicial, na presença das garotas. E a última coisa que Paige queria agora era tornar uma situação ruim numa ainda pior. Ela se virou de novo para as garotas. Pôs a mão no ombro de Deirdre.

— Surgiu uma nova prioridade. Mas esta conversa é importante. Por que não volto amanhã de tarde... — Ela teria preferido voltar de manhã, mas era sua vez de fazer o turno do sábado. — ... pode ser às treze horas, no mesmo lugar?

As vozes soaram baixas e ressentidas.

— Isso é um absurdo!

— Como se tivéssemos cabeça para estudar!

— Será uma perda de tempo!

— Mas tentem — disse Paige. — Por mim. Melhor ainda. Se não quiserem fazer o trabalho designado, escrevam-me uma carta sobre o que a Dra. O'Neill significava para vocês. Também tenho dificuldade em aceitar a sua morte.

E naquele momento, quando pensava estar no controle, Paige sentiu que seus olhos se encheram de lágrimas. Ela passou os braços em torno de Sami.

Tia estendeu o braço em torno das duas. Várias outras se adiantaram para participar do abraço coletivo. Paige foi envolvida pelo carinho das meninas. Sentiu uma profunda gratidão.

Mas o novo diretor continuava parado ali, observando e esperando. Uma a uma, com mais do que uns poucos olhares amargurados lançados em sua direção, as garotas se retiraram.

Paige tratou de recuperar o controle. Sentia-se cansada — exausta, para dizer a verdade —, com um vazio por dentro. Também começava a sentir o corpo todo dolorido. Fora um dia tenso... *vários* dias tensos. Embora Sami não pesasse quase nada, Paige podia sentir as tiras do *baby bag* comprimindo-lhe os ombros. Estendeu um braço por baixo da criança para aliviar o peso.

Presumindo que o novo diretor se retirara com as garotas, virou-se para sair... apenas para descobrir que não escapara, no final das contas. Ele continuava parado ali, estudando-a, fazendo com que se sentisse de repente muito feia e pálida.

— Tem certeza que não deve escoltá-las? — perguntou ela, amarga. — Elas podem passar direto pela sala de estudo.

Ele permitiu-se uma ligeira contração dos lábios.

— É a coisa mais perspicaz que você disse até agora. As crianças desta escola são capazes de fazer qualquer coisa para testar os limites que fixamos. E sempre conseguiram escapar impunes, até agora. Posso não ser o cara mais popular no *campus*...

— Para dizer o mínimo.

— ... mas não vou admitir que passem por cima da minha autoridade.

Paige ficou espantada com a frieza do homem.

— Minha colega morreu. Se há um momento para ser flexível, não acha que seria este?

— O que acho mesmo é que *você* foi muito afetada pela morte de sua colega. As garotas podem estar tristes, mas usam a situação para seus próprios interesses.

— Não diria isso se tivesse conhecido Mara. Ela era uma pessoa dinâmica. As garotas a adoravam.

— Pelo menos uma dessas garotas jamais a viu. É o seu primeiro ano aqui, e as aulas começaram há apenas cinco dias.

Paige balançou a cabeça.

— A conversa pode ter começado com Mara, mas se ampliou. Falávamos agora sobre solidão e os remédios para isso, o que parece obcecar as meninas dessa idade. Pelas perguntas que Sara fez, eu diria que ela tem uma preocupação sincera sobre as pessoas ao seu redor. Se ela é nova aqui, é provável que esteja se sentindo solitária e assustada. Continuará assim, até se envolver com um grupo de amigas. Se, além disso, tiver pais que se importam pouco...

— Os pais se importam muito com ela.

— Pode ser, mas a verdade é que ela não sabe em quem confiar ou com quem falar, se alguma coisa a incomoda. E isso me deixa bastante preocupada. Se *eu* tivesse uma filha...

— O que é isso? — interrompeu o diretor, acenando com o queixo.

A criança escolheu esse momento para se mexer no colo de Paige, que puxou a manta para o lado. Sami continuava com os olhos fechados. Tinha o pequeno punho comprimido contra a boca. Com extrema delicadeza, Paige abriu os dedinhos e pôs seu polegar na palma de Sami.

— Esta é a criança que Mara ia adotar — respondeu ela, com um suspiro. — Chegou há poucas horas.

— A mulher se matou logo antes *disso*?

Também não fazia sentido para Paige. Mas por outro lado, pensou ela com a maior relutância, talvez fizesse. Mara havia sido, ao longo dos anos, mãe adotiva temporária. Tanya John fora a última. Tirada de pais que a maltratavam, vivera com Mara por quase um ano. Durante esse tempo, Mara acreditou que a garota sentia-se feliz, saindo de seu casulo, tornando-se mais e mais confiante. E, de repente, inesperadamente, ela fugira. Quando encontrada, fora levada para outro lar de adoção temporária. Isso deixou Mara desolada.

Paige não podia deixar de especular se a fuga de Tanya fora um golpe tão fundo na confiança de Mara, que ela começou a duvidar de sua capacidade de ser mãe de Sami.

Mas você não disse nada, Mara. Até o final, falava com entusiasmo sobre a adoção de Sami. Fez todos os preparativos, comprou tudo de que precisava, decorou o quarto da criança. Estava à beira da felicidade.

Será que ela perdera a coragem? Não parecia possível. Cansada, Paige murmurou:

— Alguma coisa aconteceu. Preciso descobrir o que foi.

— E a criança? O que vai acontecer com ela?

— É minha, até que sejam encontrados pais melhores.

— Você é casada?

Paige fitou-o nos olhos.

— Não.

— E é uma pediatra que exerce a profissão?

Paige sentiu-se subitamente atordoada.

— Claro.

— O que tenciona fazer com ela enquanto trabalha?

A voz de Paige se elevou um pouco.

— Não tenho a menor idéia.

— Deve ter planos.

— Para ser franca... — A vertigem se aproximou de uma vaga histeria. — ... tudo aconteceu tão depressa, que não tive tempo de fazer planos.

Ele desviou os olhos, com uma repulsa evidente.

— Você é um modelo e tanto para essas meninas. — O diretor tornou a fitá-la. — Sempre faz tudo ao acaso?

— *Nunca* faço nada ao acaso! Não pedi para isso acontecer! Apenas aconteceu. Levo uma vida ordenada... e *gosto* de levar uma vida ordenada. Mas o que eu deveria fazer? Mandar a criança de volta?

— Claro que não. Mas também não pode carregá-la para onde quer que vá.

— Por que não? — indagou Paige, com uma repentina agressividade.

— Porque não é bom para a criança. E também por não ser apropriado para ela. Se quer ser a treinadora de corrida de *cross-country*...

— Então sabe quem sou?

— Claro que sim. Tenho a obrigação de saber. Mas não sabia que tinha uma criança. Agora que sei, não posso deixar de questionar a sensatez de permitir que a traga para o *campus*. Nossos alunos já têm problemas suficientes. Precisam da atenção total de todos que trabalham com eles.

— Posso dar toda a minha atenção.

O diretor suspirou.

— Não percebe que é uma questão de disciplina? Há anos que a vida na Mount Court vem sendo totalmente desestruturada. Havia aulas em alguns dias, mas não em outros. Quase nunca se verificava a freqüência. A hora de deitar e apagar as luzes era ignorada. O comportamento nos dormitórios era incontrolável. Essas crianças não sabem nada sobre adiarem sua satisfação ou absterem-se de algo. Conseguem tudo que desejam. O que não podem ter às claras, fazem às escondidas. Foram criadas assim, e a escola nada fez para endireitá-las. Por isso, tem havido escândalos em abundância... embriaguez, abuso de drogas, quase uma guerra com os moradores da cidade. Agora, sou eu quem deve dar um jeito em tudo isso.

Ele fez uma pausa, passando os dedos entre os cabelos.

— É preciso consolidar a disciplina. Impor as normas que devem ser obedecidas.

Paige esperou que ele continuasse. O diretor parecia angustiado, quase constrangido com o que dizia. Por um instante, ela especulou se havia alguma bondade no homem. No instante seguinte, ele acabou com essa possibilidade.

— As normas não podem ser aplicadas a algumas pessoas e não a outras. As pessoas deixam suas crianças em casa quando vêm trabalhar.

— Não estou aqui a trabalho. Vim conversar com as meninas como uma amiga.

— Faça isso quando vier como treinadora da equipe de corrida.

— Isso também não é trabalho — argumentou Paige, porque acreditava que estava certa. — É diversão... e é por isso que faço de graça. Adoro a companhia dessas meninas. Gosto delas. E diria que você também deveria gostar, se trabalha neste ramo. Por isso é que fiquei espantada por não me deixar conversar esta noite. Elas precisavam de alguém para expor seus pensamentos. Uma pessoa adulta. Antes da minha chegada, estavam muito perturbadas. Ou será que isso não o incomoda? As notas são tudo que conta? Está aqui como um mero burocrata?

Ele soltou um grunhido irritado. Pôs as mãos nos quadris e olhou pela janela.

— A academia está quase em ruínas. As doações que recebemos são mínimas. Mal conseguimos equilibrar o orçamento... e isso sem qualquer reforma ou melhorias materiais, que há anos estão atrasadas. O conselho de administração está apavorado com a possibilidade de quebrarmos. E, quando mais precisamos arrumar dinheiro, através de doações, nossos ex-alunos nos ignoram. É por isso — o diretor tornou a olhar para Paige — que tenho de ser um burocrata, até certo ponto. Mas não significa que não goste das crianças. Claro que gosto. Não estaria nesta cidade longínqua se não gostasse. Fui professor durante anos.

Paige preferia quando ele ficava irritado. Era mais humano assim.

— É mesmo?

— Não acredita? Era professor de ciências.

— Pensei que fosse de matemática. Sempre achei que é a disciplina mais rígida.

— Não sou rígido.

— Pois é a impressão que me dá. Mas se quer um surto de suicídios na escola, de crianças que acham que seria uma grande coisa seguir o exemplo da Dra. O'Neill, a responsabilidade é sua.

Um pequeno grito soou nesse instante no *baby bag*, acabando com toda e qualquer satisfação que ela poderia sentir no embate com Noah Perrine.

— Meu Deus, ela fala!
Sami tinha os olhos entreabertos. Chorava enquanto dormia.
— Talvez ela esteja molhada — sugeriu Noah.
— Obrigada. Talvez eu não tivesse adivinhado.
Paige balançou a criança, mas de nada adiantou.
— É mais provável que esteja cansada de ficar espremida aí. Gostaria de ficar grudada no corpo de outra pessoa durante horas?
— Houve uma época de minha vida em que eu daria qualquer coisa por isso.
Ela acariciou as costas de Sami, mas o choro baixo e trêmulo aumentou.
— Essa criança precisa ser posta num berço.
— Não tenho um berço.
— E quer me dizer o que fazer com as minhas crianças?
Paige não precisava daquilo. Não de Noah Perrine. Sentia-se muito cansada, tensa e insegura.
— Tem toda a razão. A criança precisa ir para a cama. — Ela se encaminhou para a porta, acrescentando com a voz alteada, por causa do choro de Sami: — Mas sei alguma coisa sobre crianças e posso lhe garantir que essas meninas precisam de ajuda. Sugiro que chame alguém que seja um profissional nessa área ou deixe que eu e meus colegas conversemos com elas. Estão transtornadas, correndo algum risco. Nós dois podemos discutir durante horas, mas nada mudará esse fato.
Ela passou direto pela porta. Começou a atravessar o gramado. Podia ser contra uma das preciosas normas do diretor, mas era o caminho mais rápido para alcançar o carro.
— Está bem — disse Noah Perrine, por trás dela, mas a ladeando no instante seguinte. — Pode vir conversar com as meninas amanhã. Já avisou a elas que viria.
Paige continuou a andar.
— Combinado. Mas a criança virá comigo. Aonde vou, Sami também vai.
Ela abriu a porta do carro e entrou.
— Não vai guiar com ela assim, não é? — perguntou ele, através da janela aberta.

— A alternativa é prendê-la no banco de passageiros — respondeu Paige, secamente. — Como ela tem tanto controle muscular quanto um saco de batatas... e como não se sente nem um pouco feliz neste momento... não creio que seja uma boa idéia. Ela ficará mais segura assim.

Paige ligou o carro, engrenou a marcha e partiu.

— Ela precisa de uma cadeirinha de criança! — gritou ele.

Ignorando-o, ela seguiu pelo caminho em curva do *campus*. Ao chegar à arcada de ferro, Noah Perrine já sumira de vista, e Sami parara de chorar.

Na placa de "Pare", ela olhou para os dois lados. Depois, alcançou a rua e seguiu para casa. Guiava devagar, cada vez mais atordoada, como se o cérebro finalmente atingisse a sobrecarga e por um momento deixasse de funcionar, limitando-se a efetuar as funções mais urgentes.

Poderia gostar de continuar assim por mais algum tempo, mas não teria essa sorte. Ao chegar em casa, pôs Sami em sua cama de casal. Começou a montar o cercadinho, que era a coisa mais parecida com um berço que podia conseguir, até que pedisse a alguém para trazer o que estava na casa de Mara. Suas mãos não paravam de tremer.

Sem saber como, conseguiu trocar a fralda de Sami, deu a metade de outra mamadeira e deitou-a no cercadinho para dormir. A essa altura, o conselho que dera às garotas ressoava em seus ouvidos.

O fato é que, quando ocorre algo como a morte da Dra. O'Neill, temos de aprender... e a lição é que devemos falar sempre que estivermos transtornados.

Segundos depois, ela estava ao telefone, ligando para Angie.

# Quatro

*A*ngie Bigelow gostava de dizer que passara os nove meses de sua existência anterior lendo a revista *Time*, através do umbigo da mãe. Esta alegava que era a *Newsweek*, mas o detalhe era puramente acadêmico. Angie era uma mulher bem-informada. Tinha uma memória fotográfica e uma visão geral da experiência humana que lhe permitia compreender e aplicar todos os fatos sobre os quais lia. Tudo isso lhe proporcionava mais do que uma parcela normal de autoconfiança.

Os pacientes adoravam-na porque ela quase nunca errava. Quando diagnosticava que algum problema era causado por um vírus, que seguiria seu curso e desapareceria em duas semanas, era exatamente o que acontecia. Se determinava que um braço ou uma perna estavam apenas contundidos, sem fratura, realmente não havia mesmo qualquer fratura. Era uma leitora voraz na área da medicina. Conhecia todos os estudos médicos publicados, o que significa que sabia que testes valiam a pena e que medicamentos eram apropriados. Seu instinto era incomparável quando se tratava de ler nas entrelinhas das preocupações de um paciente. Chegava mais perto de converter a medicina numa ciência do que muitos outros médicos.

Administrava sua casa da mesma maneira. Era organizada, eficiente e meticulosa. Tudo tinha seu tempo e lugar: as compras de mantimentos na tarde de quinta-feira; uma carga de roupa para lavar na máquina todas as noites, depois do jantar; faxina nas tardes de domingo. Não que ela não pudesse pedir a Ben para ajudar nessas coisas — ele trabalhava em casa e dispunha de tempo —, mas acontece que fazia tudo melhor sozinha. Gostava da idéia de ser esposa, mãe e profissional, e orgulhava-se de se sair bem nessas três atividades.

Foi por isso que ela se empenhou num esforço extra para fazer um jantar completo — sopa de lentilha, bacalhau, arroz, salada e as primeiras maçãs Macoun, do pomar local, cozidas com mel e servidas *à la mode* — para Ben e Dougie naquela noite de sexta-feira. Enterrar Mara fora a culminação de três longos dias e de intenso esgotamento emocional para todos três. Parecia que uma mortalha pairava no ar. Angie esperava dissipá-la com o restabelecimento da rotina.

Depois de lavar a louça, ela estava limpando o balcão da cozinha quando o telefone tocou. Estendeu a mão para atender antes que Dougie o fizesse. Meio que esperava que fosse a colega do filho na Mount Court, a mesma menina que já ligara duas vezes naquele dia, três no dia anterior e duas no dia antes deste. O amor juvenil é obsessivo. E era também preocupante para a mãe de um rapaz de 14 anos, pois ela sabia como as meninas nessa idade podiam ser avançadas. Dougie não estava preparado para aquela menina... não estava preparado para *nenhuma*

Mas, não era Melissa. Era Paige, parecendo transtornada de um jeito que a calma e controlada Paige raramente ficava. Houve palavras estridentes, uma referência a Mara, um berço e babás. Angie tratou de contê-la e pediu que começasse tudo de novo. Quando finalmente entendeu, Angie não sabia se deveria rir ou chorar.

— O bebê de Mara da Índia? Você só pode estar brincando!

— Ela está deitada bem aqui, ao meu lado, grande como um amendoim, mas muito real. E agora é minha, Angie. Sou tudo o que ela tem. Mas tenho de trabalhar na clínica amanhã e dobrar meu horário na próxima semana para compensar a falta de Mara. Sem mencionar cinco treinos e uma corrida de *cross-country* na Mount Court... e tudo isso apenas na próxima semana. *O que vou fazer?*

Angie ainda tentava absorver a idéia de que a criança chegara.

— Mara não devia saber que ela viria tão cedo.

— Sabia, sim. A representante da agência falou com ela na segunda-feira.

— Neste caso, como ela foi capaz de se matar? Estava entusiasmada com a perspectiva de adotar uma criança. Considerava sua graça salvadora. O que saiu errado?

— Não sei! — exclamou Paige.

— Por que ela não nos avisou que a criança estava a caminho?

Mas algumas palavras afloravam na mente de Angie, referências que Mara fizera sobre azar e uma maldição, mais de uma vez, em contraponto com a fala de graça salvadora. Angie presumira que era apenas brincadeira. Talvez não fosse.

— Talvez ela fosse supersticiosa. Pode ter pensado que alguma coisa sairia errada se contasse.

— Mas, se ela tivesse avisado, poderíamos ter nos preparado.

— Está presumindo que ela planejava se matar.

— Mesmo que não planejasse. Deveria ter nos falado. Éramos suas amigas. Ela deveria ter nos contado que a criança estava para chegar. Deveria ter nos contado que estava transtornada... que estava tomando Valium... e que estava se perdendo. Estou me sentindo sufocada, Angie!

— Estou indo para sua casa — disse Angie, sem pensar duas vezes. — Paige, me dê cinco minutos para arrumar tudo aqui.

Paige respirou fundo, meio trêmula.

— Estou bem. Não precisa vir.

Mas Angie foi. Apesar de toda a aparência de normalidade, sentia-se angustiada por Mara. Não conseguia apagar a imagem daquele buraco escuro na terra para onde o caixão fora baixado, no início daquele dia. Não parava de se perguntar o que poderia ter percebido ou feito para evitar. Embora não pensasse a sério que Mara se encontrava à beira do suicídio, também não queria correr qualquer risco.

Queria conversar com Paige.

E tinha de ver a criança.

Ben se esparramara no sofá da sala íntima, alternando a televisão entre a CNN e a C-Span. Tinha o bloco de desenho ao lado, de prontidão, caso visse qualquer coisa que merecesse uma caricatura. Mas Angie sabia que era mais por hábito do que qualquer outra coisa. Ele exibia os olhos vidrados, uma indicação de que não havia a menor concentração. A morte de Mara também o deixara bastante abalado. Ela interrompeu sua distração.

— Vou à casa de Paige, querido. Lembra da menina da Índia que Mara ia adotar? Ela chegou hoje... logo hoje! Paige ficou com ela.

Os olhos de Ben refletiram sua surpresa, embora ele não mexesse qualquer músculo.

— Ela só deveria chegar daqui a algumas semanas.

— Foi o que Mara disse. Mas veio agora e, pelo que pude sentir, Paige está à beira do pânico.

— Paige sabe cuidar de crianças. É uma pediatra.

— As pediatras são as piores quando se trata dos próprios filhos.

— Você não foi.

— Era a exceção. Também não trabalhei por quatro anos e assim pude me dedicar a Dougie. E tive a vantagem de contar com você. Paige não tem um marido para apoiá-la enquanto cria uma criança.

Ben se empertigou.

— Ela vai ficar com a criança?

— Não sei. Descobrirei quando chegar lá.

— Vai argumentar a favor ou contra?

— Não vou argumentar coisa alguma. Apenas escutarei o que Paige tiver a dizer.

Ele arriou outra vez no sofá, com uma expressão contrariada. Tornou a olhar para a televisão. Angie sabia que o marido se sentia furioso pela morte de Mara. Como ela também se sentia. Fora a perda de uma vida sem o menor sentido, para não falar da perda de uma médica dedicada e de uma ótima amiga.

— Avisarei a Dougie que vou sair — acrescentou ela. — Gostaria que me fizesse um favor: atenda ao telefone, se tocar. Se for do serviço de recados, avise que estou na casa de Paige. Se for Melissa, não deixe Dougie passar muito tempo no telefone.

— Por que não? O funeral foi terrível para ele. Precisa agora de um pouco de distração. Além do mais, é sexta-feira. Amanhã não tem aula.

— É por causa do seu relacionamento com ela. Ele só tem 14 anos.

— De que adianta ter 14 anos se você não fala com as garotas pelo telefone?

— E não se esqueça do seu *smoking* — lembrou Angie. — É melhor ir buscá-lo no sótão. Se não estiver direito, levaremos para o alfaiate amanhã.

Ben arriou ainda mais no sofá.

— Ainda faltam seis semanas para a cerimônia de premiação.

— É verdade. — Angie afastou-se do batente da porta, onde se encostara. — Mas já se passaram seis anos desde que você usou aquele *smoking* pela última vez. Mesmo que ainda fique direito, pode parecer velho, e nesse caso teremos de comprar outro. Você vai ter um reconhecimento nacional com esse prêmio.

Ela fez uma pausa. Sentia-se orgulhosa de Ben. Ele era um cartunista de talento.

— Quero que você esteja lindo!

Angie subiu para o quarto de Dougie. Encontrou a porta fechada. Bateu, abriu e esticou a cabeça. Dougie estava deitado na cama, incrivelmente parecido com o pai. Mostrou-se irritado com a sua intromissão. Devia ter percebido o instante em que ela desligara, depois da conversa com Paige, porque falava ao telefone. Pôs a mão sobre o bocal.

— Nunca me dá a oportunidade de dizer para entrar.

Angie sorriu.

— Sou sua mãe. Não preciso de permissão. — Ela fez uma pausa, pensando em Mara. — Você está bem?

Ele deu de ombros.

— Acho que sim.

— Com quem está falando?

— Algumas garotas da escola.

Angie sabia como funcionava. Podia haver meia dúzia de garotas agrupadas em torno do telefone público, no dormitório.

— Inclusive Melissa?

Dougie tornou a dar de ombros.

— Não fique muito tempo no telefone — advertiu Angie, com o

tom de indulgência que julgava apropriado. — Vou dar um pulo até a casa de Paige. Lembra da criança que Mara ia adotar? Ela chegou hoje.

A surpresa de Dougie foi evidente.

— Paige ficou com a menina.

— O que ela pretende fazer?

— É sobre isso que vamos conversar. Posso ficar lá por algumas horas. Por que não chama seu pai para jogar um pouco de basquete? As luzes lá fora já estão funcionando de novo.

— Pensei em dar um pulo na Reels.

Angie sentiu-se apreensiva no mesmo instante. A loja de vídeos, onde também funcionava uma lanchonete, era o ponto de encontro dos jovens da Mount Court, desde que os videocassetes haviam invadido os dormitórios.

— Quem estará lá? — perguntou ela, gentilmente.

Dougie deu de ombros.

— Uma porção de gente.

— Melissa?

Deu de ombros novamente.

— Se ela decidir sair com as outras. Não haverá nenhum problema, mamãe. Elas têm de voltar às dez horas.

Angie suspirou.

— Eu preferia que você não fosse, Dougie. Não esta noite.

— Mara não se importaria.

— Não esta noite.

Ele ajeitou a mão que cobria o bocal.

— Por que não?

— Porque jovens reunidos sempre encontram meios de se meter em encrencas. Não esqueci o incidente na última primavera, quando um bando foi preso por jogar latas de cerveja no memorial da guerra, no centro da cidade. A atitude foi desrespeitosa, a cerveja acabara de ser bebida, todos eram menores de idade e estavam de porre.

— Mas vamos apenas à Reels.

— Que fica no mesmo quarteirão da farmácia e, por coincidência, do bar.

Bastava dar algum dinheiro para um motorista de caminhão de passagem que ele comprava a cerveja necessária.

— Eu me sentiria apreensiva — acrescentou Angie.

— Não confia em mim?

— Claro que confio em você. Apenas não confio em alguns dos outros.

— Todos são ótimos.

— Sei disso.

Todos os jovens eram mesmo bons. Alguns podiam ser confusos e rebeldes, mas eram basicamente bons, embora de vez em quando conspirassem para fazer coisas insensatas.

— Já tenho 14 anos, mamãe — protestou Dougie, num sussurro agora. — Isso é embaraçoso.

Era também o primeiro ano em que ela tinha de enfrentar esse tipo de decisão. Os alunos da sétima série na Mount Court tinham de voltar ao *campus* até as oito horas da noite, a não ser quando havia um programa especial, com acompanhantes. O que não significava que não houvesse delinquentes entre aqueles jovens pacatos da sétima série, mas apenas que Dougie nunca fora um deles. Angie suspirou.

— Não quer fazer isso por mim, Dougie? Estes dias foram muito difíceis, e me sinto exausta. A última coisa de que preciso agora é me preocupar com você, o que será inevitável se for à Reels. Talvez em outra ocasião.

— Mas...

— Seu pai também precisa de alguma ajuda. Ele se sente um pouco deprimido.

— Mas...

Angie ergueu a mão, soprou-lhe um beijo e desceu. Lá embaixo, pôs uma carga de roupa na máquina de lavar, pegou as chaves do carro, gritou para Ben que já ia sair e se encaminhou para a porta. Mas sua mente já organizava os pensamentos, um dos quais era o de que seria muito mais fácil para Paige se não tivesse de trabalhar na manhã seguinte.

O horário de funcionamento da clínica nas manhãs de sábado era das nove ao meio-dia. Com esse tempo reservado para casos graves —

e havia apenas alguns — apenas um médico precisava estar presente. Quem seria esse médico era sempre a fonte de muita discussão jovial entre os quatro.

Angie pensou que seria ótimo se Peter ficasse com a vez de Paige de bom grado. Por isso, ela voltou à cozinha para lhe telefonar.

O Tavern era o principal bar da cidade há tanto tempo quanto Peter Grace podia se lembrar. O pai bebera ali, assim como o avô antes. Embora os bancos toscos e as lâmpadas descobertas fossem substituídos por pinho envernizado e luminárias da Tiffany, ainda era rústico. No conceito de seus três irmãos mais velhos, um macho de Tucker não era um homem enquanto não demarcasse seu reservado no Tavern. Por essa definição, Peter não alcançara a plena virilidade até os 30 anos de idade, quando voltara para Tucker com o diploma de médico e depois de quatro anos de residência pediátrica. Só então é que o antigo nanico da ninhada Grace tivera a coragem de escolher seu reservado.

Era o segundo, depois da entrada, e oferecia uma visibilidade que os reservados mais escuros, no fundo, não tinham. Peter gostava de ser visto. Era um homem importante. Visitara lugares e fizera coisas como poucos naquela cidade. Ainda por cima, era médico. Era respeitado pelos habitantes da cidade, até amado por seus pacientes. E essa adoração era como um tônico. Era um sinal de sucesso que nenhum dinheiro podia comprar. Servia para compensar os dias em que se sentira como um perdedor.

Também havia alguma coisa gratificante em observar os irmãos passarem para a obscuridade dos reservados lá atrás. Houvera um tempo em que os três eram astros na cidade, manchetes na seção de esportes da *Tucker Tribune*, marcando *touchdowns* no futebol americano, fazendo *home runs* no beisebol, enquanto Peter suportava as zombarias dos colegas. Pequeno e descoordenado, avaliado contra padrões muito altos, na maior injustiça, ele se retirara para um mundo quieto, em que lia, estudava e sonhava com o dia em que os joelhos dos irmãos estariam arrebentados e ele brilharia.

Era o que acontecia agora. Enquanto os irmãos trabalhavam em construção, ele bancava Deus. Em contraponto com suas mãos calosas, barriga de cerveja, e... isso também... joelhos arrebentados, Peter se encontrava no auge da forma. Outrora baixo e magricela, estava agora alto e com um corpo bem-formado. Os cabelos cacheados, outrora rebeldes, formavam agora ondas castanho-avermelhadas, cortados no rigor da moda. Vestia-se como um homem que conhecera a sofisticação da metrópole, mas se adaptara com sucesso a uma cidadezinha do interior.

Naquela noite, Peter estava comemorando. Não dissera isso a ninguém, é claro. Pelo que a população de Tucker sabia, ele tomava sua cerveja numa tentativa de aliviar a tristeza que sentia pela morte de Mara O'Neill.

Na verdade, o pesar fora aliviado a cada pá de terra que os coveiros haviam lançado na sepultura de Mara. Peter permanecera para observar, por muito tempo depois que as outras pessoas haviam se retirado. Queria ter certeza de que o trabalho era bem-feito. Queria constatar, com seus próprios olhos, que Mara se encontrava realmente debaixo de sete palmos de terra e que nunca mais poderia voltar.

Mara O'Neill fora uma mulher perigosa. Tinha a capacidade de se tornar amiga de um homem, atraí-lo para a intimidade e depois apunhalá-lo pelas costas. Fizera isso com seu marido. Quase fizera também com Peter. Uma mulher perigosa, para dizer o mínimo. Ele tivera sorte por conseguir escapar.

Tomou um gole longo da cerveja. Baixava o copo quando vários operários da usina siderúrgica entraram no Tavern. Passaram por ele, a caminho de seu reservado, lá no fundo.

— Uma coisa terrível o que aconteceu com a Dra. O'Neill.

— Uma grande perda para a cidade.

— Ela era uma guerreira.

Peter balançou a cabeça. Esquivou-se de uma resposta com uma expressão de tristeza e sentiu-se grato quando os homens se afastaram. Uma guerreira? Claro, Mara era isso mesmo. Depois que se fixava em alguma coisa, não desistia, e foi realmente uma perda para a cidade. Mas encontrariam um outro médico para ocupar seu lugar. Enquanto isso, ele, Paige e Angie poderiam atender os pacientes de Mara, sem maiores problemas.

Susan Hawes, a proprietária do Tavern, sentou à sua frente. Era uma anfitriã nata, uma conversadora por natureza.

— Um lindo discurso o que o pastor fez esta manhã — comentou ela. — Torna ainda mais difícil compreender por que uma mulher como Mara se mataria. Mas é claro que os pastores nem sempre falam sobre o lado mais negativo das pessoas.

Susan fez uma pausa. Tornou-se reminiscente, ao continuar:

— Ela não era uma freqüentadora habitual, nem de longe. Mas quando vinha, era capaz de beber com os melhores. Costumava sentar com o velho Henry Mills, e o acompanhava numa cerveja da outra. Até que ele se sentia tão mal por deixá-la embriagada que parava primeiro. Ele sempre voltava no dia seguinte, bebendo de novo, mas pelo menos daquela vez ia para casa sóbrio.

Peter estalou os dedos.

— Ela tinha uma coisa diferente.

— Ouvi dizer que estava num porre total ao entrar no carro.

Ele sacudiu a cabeça em negativa.

— Então o que foi?

Peter deu de ombros. Sabia do Valium, é claro. Mas não imaginara que Mara andava tomando tanto.

— Como não estive com ela, não posso dizer.

— Ela namorava alguém da cidade?

— Não.

— Nenhum homem em sua vida?

— Não.

— Spud Harvey vai sentir saudade. Sempre a observava circulando pela cidade. Quase ficou louco quando Mara teve aquele pequeno flerte com o irmão, há pouco tempo. Spud era apaixonado por ela, mas não diga que fui eu quem lhe contou.

Peter poderia ter feito um comentário incisivo sobre Mara ser muito diferente dos irmãos Harvey, em termos intelectuais e em todos os outros, se seu bipe não tocasse naquele instante. Susan apontou para o telefone por trás do balcão e afastou-se. Ele discou o número de seu serviço de mensagens, pensando em Mara durante todo o tempo.

Sabia do flerte com o irmão de Spud. Fora um fim de semana impulsivo, mas nada significara. Mara fazia coisas assim de vez em quando.

Mas a morte? A morte era *final* e irremediável. Ele ainda não podia acreditar que Mara houvesse se suicidado.

— Clínica médica.

— Trudie, sou eu, Peter Grace.

— Oi, Peter. A Dra. Bigelow acaba de deixar um recado, pedindo que você substitua a Dra. Pfeiffer amanhã de manhã. Disse que você poderia ligar para a casa dela mais tarde, se houver algum problema.

Peter suspirou.

— Obrigado.

Problema? Não, não havia nenhum. Só que ele esperava dormir até mais tarde. Mas, provavelmente, era melhor assim. Não dormira muito... não dormira direito... desde que soubera da morte de Mara. Os demônios continuavam a acordá-lo, lembrando-o da última vez em que a vira.

Fora no final da tarde de terça-feira. Mara tinha mandado a secretária perguntar se ele podia receber seus últimos pacientes. Dar cobertura um ao outro era algo muito comum, um dos motivos para clinicarem juntos; ainda assim, Peter se sentia bastante cansado para ficar irritado. Por isso, fora até a sala de Mara. Encontrara-a de pé, junto da mesa.

— Qual é o problema, Mara?

Ela o fitara com uma expressão atordoada.

— Hã...

— Está passando mal? — indagara ele. — Sua aparência está horrível.

Mara não dissera nada. Apenas continuara a fitá-lo com aquele ar de confusão por mais alguns segundos. Depois, como se alguma faísca interior lhe desse um súbito impulso, Mara passara por ele e saíra em disparada pelo corredor que levava à porta da rua.

— Ei, Mara, o que aconteceu?

Mas ela não o ouvira, assim como também não ouvira o "Sacana maluca" que ele murmurara ao voltar para sua sala.

Continuara a vê-la em disparada por aquele corredor, muitas e muitas vezes. Até especulara se ela voltaria para atormentá-lo.

Lacey chegou no momento em que ele retornava ao reservado.

— Está aqui há muito tempo, Peter?

— Dez minutos.

Ele enfiou a mão por baixo do suspensório, enquanto tornava a se acomodar. Tomou um gole da cerveja, aproveitando o tempo para transferir seus pensamentos de Mara para Lacey.

Lacey era um espetáculo. Aos 28 anos, era treze mais jovem do que Peter. Mas a diferença de idade não o incomodava nem um pouco. Era ele quem sabia de tudo, o experiente, aquele que dava as cartas... ainda mais porque era ele o natural da cidade. Lacey viera de uma editora de Boston quatro meses antes, para ajudar na edição da biografia do habitante mais velho de Tucker, que aos 102 anos reunira uma coleção de histórias sobre a Nova Inglaterra no início do século XX. Peter lhe mostrara toda a região. Em troca, ela se tornara um troféu atraente e sofisticado. Escoltar Lacey de um lado para outro causava inveja em muitos habitantes locais, algo que Peter apreciava.

— Como foi? — perguntou ela, fazendo uma careta.

Peter sabia que Lacey se referia ao funeral. Ela não fora, porque não conhecia Mara. Ele se empenhara para que ela não fosse.

— Não foi tão terrível.

— Triste?

— Todos os funerais são tristes. O comparecimento das pessoas foi surpreendente.

Na verdade, ele não ficara tão surpreso assim. Mara fora bastante ativa na cidade para se envolver na vida de quase todos os habitantes. O que surpreendia, porém, foi o alto nível de emoção, ainda mais pela forma como ela morrera. Peter pensara que haveria ressentimento, até raiva, por sua fuga. Em vez disso, o ambiente fora de amor.

— Como os pais reagiram?

Ele soltou o suspensório, com um estalo.

— Eu lhes disse as coisas de sempre, como Mara era boa com seus pacientes. Eles balançaram a cabeça, estóicos. Achei que deveria bancar o bom moço, acrescentando que ela sempre lutava por aquilo em que acreditava. Uma péssima idéia. Eles não apreciam a coragem.

Queriam que ela fosse uma mulherzinha meiga e dócil, com marido e uma porção de filhos. — Peter soltou uma risada. — Dá para imaginar? Seria a última coisa que Mara haveria de querer.

— Por quê?

— Porque não conseguia ficar quieta por nada neste mundo. Tinha de estar sempre em movimento, sempre fazendo alguma coisa. E era teimosa. Não havia a menor possibilidade de Mara fazer votos de casamento com a promessa de amar e obedecer. Ela não podia obedecer a ninguém. Era contra sua natureza.

— Ela era casada?

— Casou uma vez. Antes de vir para Tucker. Mas acabou. O cara tomou uma *overdose*. Sorte *dela* que não teve filhos. Também teria problemas com eles. Mara fazia coisas demais. Foi por isso que se estrepou com aquela história de lar de adoção temporária. Empenhava-se em coisas demais para fazer algo bem-feito. É difícil acreditar que estivesse mesmo pensando em adotar uma criança em caráter permanente.

Lacey pediu um copo de vinho. Assim que a garçonete se afastou, ela perguntou, curiosa:

— Por que você a odiava?

Ele ficou surpreso.

— Eu não a odiava.

— Então não gostava dela.

— O que a faz pensar assim?

— Seu tom de voz. E a maneira como mantém os maxilares contraídos.

Peter fitou-a nos olhos.

— Desde quando é especialista nos meus ânimos?

— Não sou especialista em nada. Apenas observadora.

— Não quero ser analisado por uma psicanalista, Lacey.

— Não o estou analisando, apenas dizendo que tinha um problema com Mara O'Neill.

— E eu estou dizendo que não tinha.

A imagem era tudo. E o ódio não combinava com a imagem que decidira mostrar à cidade.

— Ela era minha colega na clínica há dez anos. Éramos amigos.

Mas... — Peter não pôde evitar. As palavras foram saindo. — ... eu me recuso a chamá-la de santa, da maneira como todo mundo parece estar fazendo agora. Afinal, Mara cometeu suicídio. Acabou com a própria vida, o que foi, em última análise, uma atitude egoísta. Se você fosse ao funeral, teria concordado. Todas aquelas pessoas foram lhe prestar um tributo, mesmo depois que ela as abandonou. E também nos abandonou, a Paige, a Angie e a mim. Contávamos com ela para manter a clínica. Agora, por sua *própria iniciativa*, ela saiu de cena, sem dizer nada, sem dar um aviso.

Ele olhava para sua cerveja com uma expressão sombria. Mesmo depois de ver a sepultura de Mara coberta de terra, ainda não podia acreditar que ela desaparecera para sempre. Sabia que Mara era dinâmica e vigorosa demais para que a morte a levasse logo na primeira tentativa.

Mas, por outro lado, Mara nem sempre era o que aparentava. Tinha um lado mais delicado, mais vulnerável. Um lado que ele conhecera. E especulava se outros haviam conhecido também.

A porta do Tavern tornou a se abrir, desta vez para dar passagem ao maior proprietário de imóveis da cidade. Jamie Cox era dono de dois dos três quarteirões de lojas que constituíam o centro de Tucker. Também possuía quase a metade das velhas casas de dois andares na parte pobre da cidade, além de diversas outras propriedades, espalhadas por toda a região. Era alto e magro. Usava roupas muito curtas e apertadas, de uma maneira que o fazia parecer tão avarento quanto de fato era.

— Quer dizer que ela morreu, hein? — disse ele, parando junto do reservado de Peter. — Não posso dizer que sentirei saudade. Ela era um pé no saco.

Peter soltou um grunhido.

— Ela também o amava.

— Não gostava do que eu fazia na cidade, com toda a certeza.

Peter também não gostava. Uma pessoa não precisava ser uma guerreira como Mara para reconhecer o abandono.

— Tem de admitir que a parte pobre de Tucker se encontra num estado lamentável. Não pode pelo menos fazer uma faxina por lá?

— Isso é responsabilidade dos inquilinos. É o que consta nos contratos.

— As casas precisam de pintura. E isso é responsabilidade sua.

— Pintarei as casas assim que eles limparem os quintais. O que é por conta deles.

— Ora, Jamie, você é quem tem o dinheiro.

Jamie amarrou a cara.

— Está falando igual a ela. Se planeja continuar do ponto em que ela deixou, nem precisa se incomodar. Não me importo se você nasceu aqui. Não terá mais sorte do que ela. É o meu dinheiro que sustenta esta cidade. O que me proporciona uma certa autoridade.

— Mas ela tinha razão. — Havia nobreza em admitir isso nessa pequena questão. — Em particular quanto ao cinema. É um local sem as mínimas condições em caso de incêndio.

— Ele é uma mina de ouro, com os filmes nos fins de semana e espetáculos especiais nos intervalos. Os próximos *shows* estão com a lotação esgotada. Guardei alguns ingressos e posso lhe arrumar dois, se quiser.

— Não, obrigado. Não tenho a menor vocação para o suicídio.

Jamie soltou uma risada. Deu de ombros, comentando antes de se afastar:

— Aposto que imaginava que ela também não tinha, não é mesmo?

Sem dar a última palavra, Peter sentiu uma nova pontada de raiva contra Mara. Porque Jamie tinha razão. Peter jamais tinha pensado que Mara fosse capaz de suicídio. Nem a julgara uma covarde. Mas fora exatamente isso que ela demonstrara. Se tivesse alguma coragem, não teria se matado. Enfrentaria os problemas, procurando um meio de superá-los.

Não que lamentasse por Mara não ter resistido, pensou Peter, enquanto tomava um gole da cerveja, para se acalmar. Mara podia ter tido aqueles poucos momentos de suavidade, em que a julgava irresistível ou aqueles poucos momentos de ternura, em que a julgava fascinante, e até mesmo os momentos descontraídos, em que a julgava divertida, mas no resto do tempo fora a mulher mais difícil que já conhecera.

Mara O'Neill não era insubstituível, nem como médica, nem como amante. E a prova disso estava à sua frente naquele instante.

Ele correu os olhos pelo Tavern. Contemplou Lacey. E, de repente, sua disposição não era mais para um hambúrguer e uma cerveja, mas para um filé e vinho tinto.

— Podemos aproveitar algo melhor do que isso — murmurou Peter.

Ele pôs algumas notas na mesa, depois saiu do reservado. Pegou a mão de Lacey enquanto se encaminhava para a porta.

Cinco

A foto estava num porta-retrato de vime branco em seu lugar habitual, no consolo da lareira. Era em preto-e-branco, um retrato de família, com uma Nonny mais jovem no centro, com Paige, aos 6 anos, em seu colo. Os pais de Paige, Chloe e Paul, ladeavam os ombros de Nonny, parecendo mais jovens do que seus 25 anos. Haviam sido captados pela câmera como criaturas selvagens, paralisadas num instante, apenas para fugirem em pânico no instante seguinte.

E fugiram mesmo. Paige recordava muito bem o dia. Era o seu aniversário, e ela acalentava as maiores esperanças. "Faremos qualquer coisa que seu coração desejar", escrevera Chloe de Paris, semanas antes. "Será o seu dia." Por isso, Paige planejara um café da manhã especial, depois uma viagem da comunidade suburbana de Oak Park para Chicago, onde comprariam seu presente de aniversário. Iriam ao cinema e voltariam para casa, onde os aguardava o jantar preparado por Nonny e ela. Paige queria que os pais vissem como ela crescera, como era capaz, bonita e bem-educada. Estava ansiosa e desesperada por agradar, e, em sua opinião, o conseguira. Tudo saíra perfeito. Mais de uma vez Chloe e Paul lhe disseram que era maravilhosa.

Sentia-se nas nuvens quando a foto foi tirada, na sala de estar da casa de Nonny, antes do jantar. Assim que terminou o jantar, os pais encheram-na de abraços e beijos. Depois, para sua consternação, deixaram-na de pé na sala, enquanto o carro partia.

Nas vezes anteriores, Nonny inventava desculpas gentis para a filha e o genro, usando vagas referências a negócios, amigos ou férias, contando com a breve atenção de Paige e sua percepção infantil do tempo para encobrir os lapsos. Dessa vez, no entanto, ela fora mais franca.

— Seus pais têm o que se costuma chamar de *wanderlust*, que significa desejo de viajar — explicara ela para Paige, que trinta e três anos depois ainda lembrava cada palavra daquela conversa. — Gostam de se manter em movimento, de fazer coisas novas. Não conseguem permanecer no mesmo lugar por muito tempo.

— Por que não?

— Porque sentem curiosidade por coisas novas, uma curiosidade que nunca acaba. É isso que os mantém viajando. No ano passado estiveram na França. Este ano visitarão a Itália.

— Mas por que não vão para Chicago? — Para Paige, Chicago parecia um lugar imenso, com muitas coisas novas e diferentes. — Se fossem para lá, eu poderia visitá-los sempre.

Nonny balançara a cabeça, com um ar solene.

— Tem toda a razão. Mas eles já exploraram Chicago. Fizeram isso enquanto cresciam, como acontece agora com você. Às vezes, quando as pessoas ficam mais velhas, continuam a viajar para cada vez mais longe, a fim de satisfazer essa curiosidade.

— Os pais dos meus amigos não fazem isso. Ficam aqui. Eu queria que *meus* pais também ficassem.

— Sei que gostaria muito, querida. — Nonny lhe deu um abraço apertado. — Mas seus pais são diferentes dos outros.

— Eles me odeiam.

— Claro que não.

— Não queriam que eu nascesse.

— Não é verdade. Você foi o presente de casamento que deram um para o outro. Eles a amam muito. Mas acontece que são diferentes.

— Por quê?

— Porque seu pai não precisa trabalhar, por um motivo. O pai dele é muito rico. Tem todo o dinheiro de que precisa. Por isso pode comprar coisas bonitas e passar o tempo todo viajando com a sua mãe.

— Por que não posso viajar com eles?

— Porque tem de freqüentar a escola. Mas eles também a levam em algumas viagens. Lembra do ano passado, quando foi a Nova York? Você adorou.

Paige acenara com a cabeça, em concordância.

— Mas me cansei. E fiquei feliz em voltar para casa. Será que eles não cansam nunca?

— Não. Essa é uma das coisas que os torna diferentes.

— E qual é a outra?

— A curiosidade a que me referi antes.

A mente infantil de Paige comparou curiosidade com catapora.

— Mas quando eles vão melhorar?

Nonny tornara a abraçá-la.

— Eles não estão doentes. Algumas pessoas dizem que levam uma vida de conto de fadas.

— E são felizes?

Só depois de algum tempo, com um sorriso relutante, é que Nonny murmurara:

— Acho que sim.

Foi assim que Paige teve a sua primeira e completa dose de realidade. Pensara a respeito da felicidade dos pais por muito tempo, cercada pelos braços protetores de Nonny. Finalmente, quando parecia que não havia mais nada que pudesse pensar para atenuar o golpe, desatara a chorar.

— Oh, minha querida... — sussurrou Nonny.

— Tentei *ao máximo*. Não derramei nada, não roí as unhas... só peguei uma fatia pequena do bolo, e dei as maiores para eles... pensei que estava sendo *boa*.

— E foi, querida. Você é sempre boa. A melhor menina de todo o Estado de Illinois, de todos os Estados Unidos... de todo o *mundo*. Mas não é por isso que seus pais não conseguem ficar aqui. Eles têm dinheiro e curiosidade... e tanta energia, que não podem parar.

— Mas e *eu*?

Nonny a colocou no colo, dando-lhe um abraço ainda mais apertado.

— Você é minha e sempre será. — Ela falara com uma intensidade que Paige jamais esquecera. — E não vai me escapar.

— O que *isso* significa?

— Que você é diferente de sua mãe. Ela nunca deixou que eu a abraçasse desse jeito. Já tinha muita energia mesmo quando era pequena. Vivia correndo, não parava de mexer nas coisas, *sempre* curiosa. E não estou dizendo que você não é curiosa, apenas que é mais normal nesse ponto. E será mais feliz, Paige, a longo prazo. Será mais tranqüila, mais contente, e fará coisas boas em sua vida.

— Como sabe?

— Eu sei. E posso lhe garantir que fará coisas maravilhosas.

Por muito tempo, Paige não tivera certeza. Tirava boas notas na escola, tinha uma porção de amigos, mas continuava a se culpar pela ausência dos pais. Vasculhava o cérebro quando eles apareciam em casa — vestia-se diferente, falava diferente, comportava-se diferente... mas nada era suficiente para mantê-los ali. Os pais sempre a deixavam parada diante da janela da sala, enquanto o carro se afastava.

Era inevitável que as pessoas perguntassem sobre Chloe e Paul. Por algum tempo, Paige limitara-se a repetir o que Nonny dissera. A palavra *wanderlust*, desejo de viajar, tornara-se parte de seu vocabulário, muito antes de os colegas saberem o que ela significava.

— Meus pais? Eles estão no Alasca. Têm *wanderlust* — dizia ela, com uma indiferença que encobria a mágoa.

Depois, ela ingressara numa escola secundária particular, com um novo círculo de amigas. Paige era agora adolescente, tinha idade suficiente para compreender o que representava o *jet set*. Também tinha colegas com pais iguais, e sentia bastante revolta para ficar com raiva. Quando perguntavam, passara a dizer que os pais haviam morrido... até o dia em que eles quase morreram mesmo, na queda do pequeno avião em que viajavam. E Paige nunca mais contara essa história.

Ao longo dos anos, houve vários períodos em que Chloe e Paul ficaram em casa. Às vezes, hospedavam-se na casa de Nonny; em outras, na mansão da família de Paul. Qualquer que fosse o caso, Paige sempre vibrava de expectativa pela companhia dos pais. Foi somente no verão de seus 17 anos que pôde admitir para si mesma que a expectativa era sempre melhor do que o fato. Nonny tinha razão. Os pais não eram capazes de ficar parados por muito tempo. Tornavam-se irrequietos, impacientes, irritados, quando estagnados.

Ao final daquele verão, quando os pais tornaram a partir, Paige não se postara mais na janela da sala para ver o carro se afastando. Beijara-os, virara as costas e levara Nonny de volta para a casa, sentindo quase que um alívio pelo retorno à ordem normal de sua vida.

Finalmente absorvera a lição da conversa que tivera em seu sexto aniversário. Mas a necessidade que sentia pelo amor dos pais nunca mudaria — e os aniversários seriam sempre angustiantes —, mas agora podia aceitar que eles só lhe dariam amor nos seus próprios termos. Para compensar, ela tinha Nonny.

— Sempre estarei aqui, à sua disposição — prometera Nonny, ao levar Paige para a cama, em seu sexto aniversário.

E Paige sempre tivera certeza de que era verdade. Deixara Nonny para fazer o curso de medicina. Quando ela fazia a residência em Chicago, Nonny voltara para a casa em que passara a infância, em Vermont. Durante todo esse tempo, porém, mantiveram um contato constante, partilhando suas vidas, sempre à disposição uma da outra. Embora ainda amasse os pais, era em Nonny que Paige confiava.

E foi lembrando disso que Paige levantou cedo no domingo, deu um banho e alimentou Sami, pegou roupas e um saco de fraldas, ajeitou a menina na cadeirinha e partiu para a casa de Nonny.

Ao deixar para trás a foto no porta-retrato de vime branco, ela respirou fundo, com mais firmeza do que sentira desde que tomara conhecimento da morte de Mara. Nonny era um bálsamo, uma presença tranquilizadora, antes mesmo de falar qualquer coisa. Sua casa era tão animada quanto ela própria. Era um pequeno apartamento, com um jardim, decorado em vermelho e branco, as cores que Nonny escolhera, depois de vender a casa em estilo vitoriano.

— *Tudo* em vermelho e branco? — perguntara Paige na ocasião.

— Tudo. Adoro vermelho e branco. Sempre adorei vermelho e branco, mesmo quando era criança. Só que naquele tempo não havia dinheiro para decorar como eu queria.

— Mas pensei que gostasse do azul. Nossa casa em Chicago era em tons de azul.

— Era por sua mãe, que de qualquer maneira quase nunca aparecia. E, quando voltei para cá e comprei a casa vitoriana, era mais fácil aproveitar o que encontrei. Mas agora quero vermelho e branco... e não me importo se disserem que estou muito velha. Posso estar me mudando para uma comunidade de aposentados, mas nunca serei uma velha antiquada e conservadora. — Ela suspirara. — Por isso, quero vermelho e branco... finalmente!

Contagiada pela emoção de Nonny, Paige ajudara-a a decorar o apartamento. Preocupara-se com a possibilidade de as cores se tornarem irritantes com o passar do tempo. Mas isso jamais acontecera. Ao contrário, Nonny assumira as cores ao ponto de passar a usá-las em suas roupas, com blusas e saias brancas, até mesmo *leggings*, contrastando com um colar de contas ou brincos vermelhos, às vezes apenas uma fita vermelha nos cabelos. Naquele dia em particular, ela usava um cafetã branco, com sandálias vermelhas. Como era esguia e pequena — como Chloe, enquanto Paige tinha as pernas compridas de Paul —, parecia uma fada.

Ela sentou-se em sua cadeira de vime branca predileta, segurando Sami, que a estudava com uma curiosidade evidente.

— Uma criança! Deveria ter me telefonado no instante em que ela chegou, Paige!

— Fiquei quase em pânico. Não queria sobrecarregá-la com esse problema. Além do mais, este é o primeiro momento que tenho para respirar desde que abri a porta e deparei com Sami.

O sábado fora dedicado à transferência dos últimos e maiores itens da parafernália para bebês da casa de Mara para a sua, uma atividade que contara com a participação de um entusiasmado contingente de vizinhos. Houve também uma ida à Academia Mount Court, mais uma rodada de perguntas de outra representante da agência de adoção e depois mais mudança.

— Ela é uma coisinha linda! — murmurou Nonny.

Paige abaixou-se, pondo as mãos nas coxas, os olhos no nível do rosto de Sami. A menina fitou-a por um momento, antes de tornar a olhar para Nonny.

— Ela é maravilhosa. Dorme durante toda a noite. Quase nunca chora. Acho que ainda sofre as conseqüências da viagem... talvez não durma tanto depois que seu corpo se adaptar. Mas tem uma boa saúde. Pedi para Angie examiná-la.

— Por que Angie? — indagou Nonny, numa indignação adorável. — Por que não você?

— Os médicos nunca tratam dos seus... não que Sami seja minha, é claro. Só ficarei com ela até que sejam encontrados pais permanentes. Mas achei que Angie seria mais objetiva. E posso lhe dizer que ela foi de uma ajuda e tanto na noite de sexta-feira.

Paige reprimiu um tremor, enquanto acrescentava:

— Não posso me lembrar de jamais ter chegado tão perto de perder o controle.

Nonny lançou-lhe um olhar preocupado, antes de pegar as mãozinhas de Sami e batê-las de leve.

— O que aconteceu?

Paige empertigou-se, suspirou e recostou-se na cadeira.

— Acho que foi uma combinação de tudo... a morte de Mara, o funeral, ter de lidar com os O'Neills. E, depois, Sami chegou sem que eu esperasse. Insisti em ficar com ela. As meninas da Mount Court me chamaram e corri até lá.

E tivera uma confrontação com o novo diretor. O que fora a última gota. Por sorte, ela não o encontrou quando voltara à academia no sábado.

— É como se estivesse com meu sistema imunológico deficiente e de repente me descubro com essa enorme responsabilidade. — Ela tocou nos cabelos sedosos de Sami. — E você é mesmo *imensa*, para uma criança tão pequena. Mesmo pondo de lado a infecção amebiana, o início de um programa de vacinação, os exercícios para fortalecer os músculos e a barreira da língua. Não bastasse tudo isso, jamais tive um filho.

— Para minha profunda tristeza — murmurou Nonny, sem qualquer remorso. — Você é mãe para as crianças das outras, menos para as suas.

— O que é totalmente satisfatório.

— Totalmente?

— Isso mesmo, totalmente. Com tudo que estou fazendo, não me sobra tempo para ter um filho.

— Então o que faz com essa criança?

Paige abriu a boca para responder, mas logo tornou a fechá-la. Só depois de um longo momento é que disse, aturdida:

— Não tenho a menor idéia. Só posso lhe dizer que havia alguma coisa errada. Meu bom senso estava em suspenso. Eu lamentava por Mara, pensando que tinha de acabar o que ela começara. E foi nesse instante que Sami surgiu. Parecia essencial que eu acabasse isso também. Foi puro impulso. — Era uma declaração incisiva. — É muito bonito dizer que se pode cuidar de uma criança e ter uma carreira ao mesmo tempo, mas a realidade é bem diferente.

— Se alguém pode conseguir, esse alguém é você.

— Mas será que posso fazê-lo bem? Serei capaz de dar tudo de que esta criança precisa? E ela precisa de muito. Precisa ser acariciada, ter alguém para lhe falar, brincar com ela, ser estimulada a sentar, depois ficar de pé e andar. Precisa se acostumar ao leite comum e aos outros alimentos que uma criança de um ano e dois meses come...

— Ela já tem essa idade? — perguntou Nonny, surpresa.

— Tem, sim. É o que estou lhe dizendo. Ela precisa de muito amor e cuidados extras para conseguir alcançar as outras crianças, mas não sei se serei capaz de lhe proporcionar tudo isso.

— Claro que é capaz.

— Com todas as outras coisas que tenho de fazer?

— É você quem sempre fala em qualidade de tempo.

Paige soltou um grunhido.

— Soa bem, não é mesmo? Mas será que funciona?

— Saberá muito em breve. — Nonny sorriu. — Posso ajudar. Serei a babá enquanto você trabalha.

— Não há a menor possibilidade. Bebês dão muito trabalho.

— E daí?

— Você já cumpriu seu dever maternal duas vezes, primeiro com Chloe, depois comigo.

— E daí? Por que não posso assumir essa tarefa pela terceira vez? Só tenho 76 anos. Minha amiga Elisabeth tem 82 e toma conta dos bisnetos durante todo o tempo.

— Mas ela não é sua bisneta — lembrou Paige. — E só ficará comigo por pouco tempo.

— Mais razão ainda para que eu ajude. Minha amiga Sylvia trabalha três dias por semana numa creche e já tem 81 anos.

— Preciso de alguém *cinco* dias por semana. Com a morte de Mara, minha carga de trabalho na clínica será ainda maior.

— Posso trabalhar cinco dias por semana. Minha amiga Helen trabalha na biblioteca cinco dias por semana, aos 78 anos.

— E há também Gussie VonDamon — disse Paige, provocativa.

Nonny fez uma careta.

— Nem me *fale* em Gussie! Ela é uma autêntica megera, criando a pior reputação para os idosos. Anda naquela velha banheira a vinte e cinco quilômetros por hora, grita pela janela e buzina o tempo todo... Oh, não, minha querida! — Ela afagou Sami, que fizera cara de choro. — Estou falando muito alto? Tenho certeza de que compreenderia se conhecesse Gussie VonDamon... e pode muito bem conhecê-la um dia desses. Se ela avistar Paige trazendo-a para cá, vai bater em minha porta para fazer uma porção de perguntas. É muito melhor eu ir até a sua casa.

— É uma longa viagem.

— Não mais do que quarenta minutos.

— Essa discussão é irrelevante, Nonny. — Paige apertou gentilmente o ombro da avó. — Já combinei com a Sra. Busbee para tomar conta de Sami. Ela mora a duas casas da minha. É o arranjo perfeito.

Infelizmente, também era temporário. A Sra. Busbee viajaria dentro de algumas semanas para passar o inverno no Sul. Paige teria então de procurar outra pessoa.

— Ela é boa com crianças? — perguntou Nonny.

— Muito.

— Tão boa quanto eu seria?

— Ninguém pode ser tão boa quanto você. Ou Mara. — Paige suspirou. Passou a mão pelos cabelos escuros de Sami. — Mara teria adorado esta menina. Ela é encantadora.

Sami olhava para a tira de couro vermelha em torno do pescoço de Nonny, com um morango de *papier-mâché*. Paige pegou o morango e o encostou na mão da menina.

— Sinto muita saudade de Mara. A todo instante me descubro estendendo a mão para o telefone, a fim de ligar para ela, ou pensando em coisas para lhe dizer. Ela era uma parte muito importante da minha vida. — Paige fez uma pausa. — E abandonei-a.

— Não diga bobagem.

— Não estava presente quando ela precisou de mim. Andava tão absorvida em minha própria vida, que não me preocupei em arrumar um tempo extra para verificar se ela estava bem. Eu sabia que ela estava passando por um momento difícil. Deveria ter feito um esforço.

— Talvez não fizesse a menor diferença.

— Pode ser que não, mas pelo menos eu não me sentiria tão culpada.

Nonny fitou-a nos olhos.

— É bem provável que se sentiria de qualquer maneira. Tem atração pelo sentimento de culpa, Paige. Quando era pequena, culpava-se pelo desejo de viajar de seus pais. Mas não era certo naquele tempo e não é agora. Pode ser uma médica maravilhosa, mas não é capaz de ler os pensamentos. Não tinha como saber o que Mara sentia.

O que não impedia Paige de especular. Já revivera a morte de Mara, em sua imaginação, dezenas de vezes.

— Sinto-me angustiada ao pensar a respeito. Os sentimentos devem ser *terríveis* para que uma pessoa chegue ao extremo de pensar em suicídio e levar a idéia até o fim...

O horror ainda nem começara a se dissipar.

— Já excluiu a possibilidade de um acidente?

— Oh, Nonny... — Paige suspirou. — Mara O'Neill não fazia nada acidentalmente. Era uma pessoa daquele tipo de tudo ou nada... mas também tinha tanta coisa por que viver, inclusive Sami, que não consigo imaginar que pudesse se matar deliberadamente. Não faz o menor sentido.

Nonny ofereceu-lhe um olhar compreensivo.

— Acho que nunca fará. Se Mara tinha segredos, foram para a sepultura com ela.

* * *

Paige ainda não se sentia disposta a aceitar esse fato. Embora sua maior prioridade fosse o restabelecimento de um mínimo de normalidade em sua vida, o que significava voltar a trabalhar na manhã de segunda-feira e se absorver nas vidas dos pacientes, como se tudo continuasse como antes, a segunda prioridade era se enfronhar ainda mais no último dia de Mara. Entre diagnosticar a intoxicação por sumagre venenoso de Danny Brody, a remoção de uma conta do nariz de Lisa Marmer, assegurar a uma apavorada Marilee Stiller que a surra que dera naquele fim de semana em sua criança de 3 anos não deixara seqüelas e reparar uma subluxação com um rápido estalo, ela falara com todas as pessoas que, conforme era de seu conhecimento, haviam tido contato com Mara naquele último dia.

Na hora do almoço, quando encontrou Angie sozinha na quitinete, no fundo da clínica, ela tinha uma folha grande coberta de anotações.

— Pelo que pude descobrir, Mara veio para cá logo cedo. Escrevia relatórios quando Ginny chegou. Mas era o que sempre fazia. Não havia nada para sugerir que quisesse deixar as coisas em ordem antes de se matar. Nem mesmo terminou o que fazia, porque a primeira das emergências chegou. Recebeu pacientes até dez horas.

— Agitada? — indagou Angie.

— Não muito, segundo Dottie — respondeu Paige, referindo-se à enfermeira de plantão naquela manhã. — Mas Dottie não prestava atenção a qualquer coisa fora do normal... ninguém prestava. É uma questão de mero palpite se Mara demonstrava uma energia frenética.

Enquanto consultava suas anotações, ela comeu, distraída, a fatia de laranja que Angie lhe oferecera.

— Ela falou pelo telefone nos intervalos entre os pacientes... com o laboratório, com a recepção na Dois-E... — Era a enfermaria pediátrica no Hospital-Geral de Tucker. — ... e com Larry Hills.

Larry era o farmacêutico local. Paige continuou:

— Também houve algumas ligações para fora, segundo Ginny. Mas, se não foram interurbanos, nunca saberemos com quem ela falou. Às dez horas, me pediu para lhe dar cobertura, a fim de ir até o laboratório para brigar por causa dos exames de Todd Fiske. Estava irritada, mas não transtornada. Voltou em quarenta e cinco minutos.

Recebeu mais pacientes depois disso, mais telefonemas... uma consulta sobre a criança Webber, várias chamadas de pais. Ninguém lembra se ela tirou uma folga para almoçar. Você a deteve no corredor por volta de meio-dia e meia. Estava distraída nessa ocasião e assim continuou pelo resto da tarde, segundo Dottie. Peter foi o último a vê-la. Às quatro e meia. O legista disse que ela morreu por volta da meia-noite.

Paige recostou-se na cadeira.

— Isso deixa um período longo, em que ela tomou uma grande quantidade de Valium. O que lhe aconteceu durante todo esse tempo?

O telefone tocou. Angie atendeu. Estendeu o fone para Paige, que sentiu medo no mesmo instante. Ligara duas vezes para a Sra. Busbee, durante a manhã, e fora informada de que tudo corria bem. Mas isso podia ter mudado.

— O que é, Ginny?

— Jill Stickley está aqui. Gostaria de conversar com você.

Não era Sami. Jill Stickley. Paige sentiu alívio por um lado, preocupação por outro. O nome de Jill não constava na agenda para aquele dia. Teria se lembrado. Com 17 anos e sendo uma das primeiras pacientes de Paige em Tucker, Jill ocupava um lugar especial em seu coração, o que era apenas um dos motivos para que Paige se tornasse alerta. O outro era o fato de os Stickleys terem suportado mais do que uma razoável quantidade de problemas nos últimos tempos. Mais um problema seria terrível.

— Leve-a para a minha sala — disse Paige, sem hesitar. — Já estou indo.

Ela se levantou, pedindo desculpas a Angie.

— Vá logo — exortou Angie. — Tentarei descobrir mais alguma coisa sobre o dia de Mara. Está faltando alguma coisa.

Era exatamente o que Paige pensava. Mas esqueceu de tudo assim que viu o rosto de Jill Stickley. A garota estava de pé em sua sala, com um constrangimento evidente, pálida, tensa, exausta.

Paige imaginou que o pai de Jill, um corretor de seguros frustrado, dera outra surra na mãe. Ou que a mãe, desempregada por um ano antes de conseguir um emprego malremunerado, fora despedida de novo. Ou que o irmão de Jill roubara outro carro e fora preso mais uma vez, quando o largava no aterro sanitário de Tucker. Ela passou um braço pelo ombro de Jill.

— Não importa o que seja, não pode ser tão ruim assim. — Depois de um momento, como a garota continuasse calada, ela acrescentou: — Conte o que aconteceu.

— Acho que estou grávida — respondeu Jill, a voz esganiçada, os olhos assustados observando a reação de Paige.

Paige engoliu em seco.

— Grávida? — Não era absolutamente o que ela esperava. — Hã... pensei que havíamos combinado que você tomaria as pílulas anticoncepcionais.

— Combinamos. Mas acho que fiz uma besteira.

— O que a faz pensar assim?

— Estou atrasada.

— Há quanto tempo?

— Há uns dois meses.

Paige olhou para a barriga de Jill, coberta por uma blusa solta, sem revelar nada. Ao pôr a mão ali descobriu algo mais. Por baixo, havia uma protuberância nítida.

— Dois meses? Ora, querida, está me parecendo pelo menos quatro.

Os olhos de Jill encheram-se de lágrimas.

— Acho que perdi a conta — sussurrou ela.

Perdeu a conta?, gritou Paige, silenciosamente. Como pode ter perdido a conta? Conversamos sobre o encontro do espermatozóide com o óvulo desde que você começou a menstruar, há cinco anos. Pressionei pela abstinência sexual, até que isso se tornou uma quimera, e depois insisti na contracepção.

Mas os argumentos eram inúteis agora. O problema era um fato consumado.

— E você está apavorada.

A garota acenou com a cabeça em sinal de concordância. Paige massageou-lhe a nuca.

— Joey sabe?

Joey era o antigo namorado, um mecânico de automóveis, seis anos mais velho que Jill. Paige encarregou-se de responder à sua própria pergunta:

— Claro que Joey sabe. Já percebeu que sua barriga cresceu.

Mas Jill sacudiu a cabeça.

— Ele pensou que eu estava engordando. E começou a zombar de mim. Por isso, contei-lhe a verdade, ontem à noite. Ele disse que não queria ter uma namorada gorda ou um bebê chorando e que eu poderia fazer o que quisesse. Achei que ele se acostumaria com a idéia durante a noite. Fui para casa e passei a noite toda rezando. Mas, quando fui procurá-lo esta manhã, ele havia feito as malas e ido embora.

Paige suspirou.

— Oh, querida...

— Não posso contar a meu pai... Ele teria um ataque. E se eu contar a mamãe, ele a acusará de guardar segredos. E vai lhe dar a maior surra de todos os tempos. — Jill esfregou o rosto com a base da mão. — Fiz a maior besteira desta vez, não é?

Paige estalou a língua.

— Trazer uma nova criatura para o mundo nunca é uma besteira. O que torna uma situação difícil é a maneira como a tratamos. — Ela levou Jill para a sala de exames. — Vamos ver qual é exatamente a situação.

Dez minutos depois, elas voltaram à sala. Sentaram no sofá, tentando "tratar" a situação. Jill excluiu o aborto, pelo que Paige, com novas visões de Mara grávida naquela mesma idade, sentiu-se grata, mesmo que o momento fosse oportuno, o que não era o caso. Paige calculava que Jill estava grávida há quatro ou cinco meses. Em termos físicos, ainda seria possível efetuar um aborto com segurança. As conseqüências emocionais, no entanto, seriam muito mais difíceis. Mas criar o bebê seria uma tarefa pesada demais para Jill. Afinal, os recursos econômicos dos Stickleys eram escassos, e Jill tinha pouca possibilidade de melhorar de vida sem um diploma do curso secundário. A adoção parecia ser a solução mais sensata.

O problema imediato, já que Jill ainda era menor de idade, seria dar a notícia aos pais. Por saber que a espera tornaria tudo ainda pior, Paige telefonou para os dois e marcou um encontro em sua sala às três e meia da tarde. Depois, mandou que Jill tirasse um cochilo no sofá, enquanto recebia os pacientes da tarde.

Frank Stickley ficou furioso. Sua mulher, Jane, manteve um silêncio amedrontado, enquanto ele condenava a carência de cérebro, moral e beleza de Jill. Paige, é claro, não achava que ela fosse carente em algum desses três itens.

— Jill cometeu um erro — ressaltou Paige, calmamente. — Não é uma coisa que tenha de estragar o resto de sua vida.

— Está brincando? — berrou Frank. — Ela vai ter uma *criança*!

— Que entregará para adoção. A agência de adoção assumirá todas as despesas médicas. Você não terá de pagar nada.

— Mas terei de olhar para ela durante todos esses meses, ver sua barriga se tornar cada vez maior e saber que toda a cidade já sabe e ri de mim. — Ele virou-se para a filha. — Você é uma vagabunda. Eu disse que isso ia acontecer. Que aquele seu namorado não prestava. Mas você me escutou? Claro que não! Sabia todas as respostas. E como vai fazer com a escola? Como poderá terminar o curso esperando uma criança?

— Deixarei a escola por alguns meses. E voltarei depois que tiver o bebê.

— Ela esperará o bebê nascer — interveio Paige, em apoio —, entregará para adoção e depois retomará sua vida do ponto em que a interrompeu.

— Não em *minha* casa! De jeito nenhum!

— Frank... — murmurou a esposa, iniciando um protesto.

Mas ela se calou no mesmo instante, intimidada, quando o marido apontou um dedo em sua direção. O dedo era uma ameaça suficiente. Ele não precisou dizer mais nada.

— Não tomará conhecimento da minha presença em casa, papai — prometeu Jill. — Juro.

— Mas eu saberei. E todos os vagabundos cheios de tesão de Tucker também saberão. Pode apostar que haverá um enxame atrás de você depois que o bebê nascer, agora que seu namorado idiota foi embora. Não admitirei isso. Se quer continuar na cidade, pode procurar outro lugar para morar. Não quero mais vê-la.

Sem sequer um olhar para a mulher ou Paige, ele saiu da sala, furioso.

Jill começou a chorar.

Jane parecia atormentada, dividida entre a ansiedade em apaziguar Frank, saindo ao seu encontro, e a permanência na sala para confortar a filha.

— Vá com ele — murmurou Paige, pegando a mão da garota. — Levarei Jill para minha casa.

Jane sacudiu a cabeça, num movimento convulsivo.

— Não pode...

— Acabo de contratá-la. Preciso de uma ajudante para viver na minha casa, por algum tempo. É a solução perfeita. — Ela levou Jane até a porta. — Pode ir. Procure facilitar tudo ao máximo para você. Depois voltamos a conversar.

Ainda com uma cara de dúvida, Jane saiu. No sossego que se seguiu, Paige falou tudo sobre Sami.

— É a solução perfeita. Se está mesmo decidida a deixar a escola... — E de fato ela estava, embora Paige tivesse se empenhado em dissuadi-la. — ... vai precisar de alguma coisa para se manter ocupada. E eu preciso de alguém para tomar conta de Sami enquanto trabalho ou durante as chamadas de emergência à noite.

Com Jill num dos quartos lá em cima, ela não teria a menor apreensão em instalar Sami no outro. O fato de sua pequena casa se tornar cada vez mais habitada parecia secundário.

— É um trabalho importante. Sami tem necessidades muito especiais neste momento. Acha que pode cuidar de tudo?

— *Você* acha que posso?

Paige sorriu.

— Não tenho a menor dúvida quanto a isso. — O sorriso se tornou hesitante, mas logo se firmou. — E você não é alérgica a gatos.

Ela fez uma pausa, olhando para o relógio.

— Este é o momento perfeito. Tenho um treino de *cross-country* dentro de uma hora. Ia levar Sami comigo para a Mount Court. — Mesmo sabendo que o diretor não aprovaria. Paige especulou se ele a vigiaria. — Agora não preciso mais me preocupar com isso. Mandaremos a Sra. Busbee para casa, poremos Sami no carrinho, e você poderá levá-la para passear enquanto corro. Será bom para as duas. Ela é um pequeno anjo. Vai ver só.

Ela já se levantava, para arrumar a mesa, quando o telefone tocou.

— Há um homem na linha querendo falar com Mara — informou Ginny. — Está ligando de Nova York. Da Air India. Quer atender?

Paige sentiu a pressão de um horrível sexto sentido.

— Agora mesmo. — Ela apertou o botão. — Sou Paige Pfeiffer, colega de Mara O'Neill. Em que posso ajudá-lo?

Uma voz com sotaque britânico deu seu nome e comunicou que era um supervisor da empresa.

— Venho tentando falar com a Dra. O'Neill, mas ninguém atende no telefone que ela deixou. Pelo que sei, aquele era o telefone de sua casa, e este é o do trabalho. Peço desculpa por incomodá-la aí, mas preciso muito falar com ela.

— Posso perguntar qual é o assunto?

O homem limpou a garganta.

— É um pouco embaraçoso. Para ser franco, tenho de apresentar um pedido de desculpa. A Dra. O'Neill está aí?

— Não. Mas terei prazer em lhe transmitir o recado.

— Eu gostaria muito de falar pessoalmente com ela.

— Pode ser difícil. Por uma questão de conveniência, talvez seja melhor falar logo comigo.

O homem hesitou por um momento.

— Acho que tem razão. — Ele respirou fundo. — A Dra. O'Neill telefonou para este escritório na última terça-feira, a fim de verificar o progresso de um vôo de Calcutá para Bombaim. O agente que a atendeu é novo aqui e ainda estava um pouco confuso com a operação do sistema de computador. Infelizmente, ele cometeu um equívoco, informando a ocorrência de um desastre no vôo em que, se não me engano, ela tinha uma criança.

Paige fechou os olhos. A voz em seu ouvido continuou:

— Houve um acidente com um de nossos aviões naquela noite, mas não foi com aquele em que a criança e sua acompanhante viajavam. Infelizmente, com todo o trabalho que tínhamos, atendendo as ligações de pessoas com parentes e amigos no avião fatídico, nosso agente não percebeu o erro até o fim da semana. Nessa ocasião, ele confirmou que a criança e sua acompanhante haviam pousado sãs e salvas em Boston. Foi bastante responsável para me relatar o que acontecera. Gostaríamos de pedir desculpa à Dra. O'Neill pelo susto que podemos ter causado. A Air India não costuma divulgar informações erradas. Lamentamos sinceramente que tenha acontecido neste caso. Espero que a Dra. O'Neill esteja com a criança agora, sem qualquer problema.

Paige passou um braço em torno da cintura. Foi num fio de voz que perguntou:

— Pode me dizer a que horas a Dra. O'Neill telefonou?

— Eram quatro e vinte e cinco. Havíamos recebido a notícia do desastre apenas dez minutos antes. Ainda tentávamos descobrir os detalhes. Pode imaginar o pandemônio...

Não pandemônio. Um desespero total. Mara queria Sami mais do que qualquer outra coisa. Procurara a agência de adoção certa. Enfrentara a burocracia e as sessões antes da adoção. Expusera sua alma e seus registros financeiros, pagara todas as taxas apropriadas, comprara um berço, roupas e comida para bebês. Considerava a chegada de Sami como o começo de uma nova fase em sua vida.

— ... e mais uma vez, nossas sinceras desculpas — concluiu o supervisor da Air India.

Paige conseguiu balbuciar um "Obrigada". Precisou de duas tentativas para repor o fone no gancho, incapaz de pensar em qualquer outra coisa senão na angústia que Mara devia ter sofrido.

— Algum problema, Dra. Pfeiffer?

Ela levantou os olhos, surpresa ao deparar com Jill Stickley ainda ali. Mas precisou apenas de um instante para voltar ao presente. Recuperou o controle. Respirou fundo.

— Nada que possa preocupá-la.

Paige falou num tom descontraído, indicando a porta para Jill. Durante o percurso até a sua casa, evitou pensar no telefonema. Deixou Jill tomando conta de Sami — que reconheceu Paige, ela não teve a menor dúvida quanto a isso, embora nada pudesse lhe arrancar um sorriso — e seguiu para a Mount Court. Ali, submeteu as garotas a uma série de tiros, duas voltas de aquecimento pelo *campus*, uma corrida de cinco quilômetros e mais tiros para arrematar. Correu com elas, exigindo o máximo que podia de si mesma. Quando elas protestaram, Paige limitou-se a murmurar:

— É por uma boa causa.

O que ela não precisava era de Noah Perrine, observando os tiros finais da entrada do distante prédio da administração. Mas ele estava ali, com os braços cruzados, os óculos faiscando ao sol do final da tarde. Irritada, Paige parou, cruzou os braços sobre o peito ofegante e olhou de volta. As garotas se agruparam ao seu redor.

— Ele observa tudo...

— Fica esperando que alguém cometa um erro.

— Um sádico.

Paige baixou os braços.

— Aposto que ele não tem nem uma fração de nossa forma.

— Ele também corre — informou uma das garotas.

— É mesmo?

— Todas as manhãs...

— Dez voltas no *campus*.

— Como se fosse o senhor feudal policiando seu domínio.

Paige soltou um suspiro.

— Então podemos todas nos sentir um pouco mais seguras. Vamos embora. — Ela se encaminhou para o vestiário. — O treino acabou.

Pouco depois, estava voltando para casa. Mas, preocupada, pensando em Jill, em mais uma pessoa na casa, antes silenciosa e vazia, toda sua, demorou a perceber que o carro a levava para a casa de Mara.

Parou na entrada, tentando não olhar para a garagem. Pensou na agonia que Mara devia ter experimentado ao entrar na garagem. Saiu do carro, entrou na casa e fechou a porta. O estalido da tranca foi seguido pelo silêncio, em seguida por passos leves, enquanto Paige seguia de um cômodo para outro. Depois de algum tempo, subiu a escada. Parou na porta do quarto de Mara.

A enorme cama Windsor dominava o espaço. O resto dos móveis — mesinhas-de-cabeceira, uma cômoda, uma cadeira de balanço — fora comprado na mesma ocasião da cama, acompanhando o estilo. Mas era o mais próximo de uma coordenação a que Mara pudera chegar. A colcha era de um azul-escuro esverdeado, a almofada na cadeira de balanço era laranja, e o tapete de retalhos ao pé da cama um amontoado de cores dissonantes, que nunca exibiria a sujeira, como Mara havia jurado. Já que Mara tinha aversão a faxina, isso tinha a maior importância; e já que o tapete era uma amostra feita por uma estudante do curso comunitário de artes manuais, podia-se dizer que, tecnicamente, era como que o resultado de um furto. Mara adorava se apropriar de graça de coisas como tapetes. Mas, quando se tratava de crianças, nenhum investimento — seja de dinheiro, tempo ou amor — era grande demais.

Paige correu os olhos pelo quarto. Sentiu um aperto no coração ao pensar nos sonhos que haviam sido acalentados ali; as longas, solitárias e escuras horas em que os pensamentos noturnos projetavam uma vida mais feliz, imagens que haviam sido destruídas porque... porque... por quê? Porque Mara fizera um aborto quando tinha 16 anos? Porque tomara Daniel sob sua proteção e não conseguira curá-lo? Porque Tanya John fora tão maltratada, que passara a desconfiar de todos os adultos? Porque um empregado inexperiente na Air India transmitira errado uma informação trágica?

Ela arriou na beira da cama. Passou os dedos pela mesinha-de-cabeceira. Abriu a gaveta, lentamente. Lá dentro havia um resto de dropes Life Savers, duas canetas e um lápis, várias agulhas de crochê e pedaços de papel, com lembretes anotados. Alguns tinham a ver com o trabalho, outros com obrigações domésticas, mas a maioria, pelo menos as mais recentes, relacionavam-se com Sami.

Havia um caderno de palavras cruzadas, com lombada em espiral, por baixo dos papéis. Paige folheou-o. Quase todos os diagramas tinham algumas palavras preenchidas, não mais que sete ou oito, antes de serem abandonados. Alguns exibiam um risco, rabiscado em diagonal, sugerindo frustração. Paige imaginou Mara pegando o livro durante a noite, numa tentativa de se distrair das vozes em sua cabeça, e se tornando mais e mais irritada, à medida que as vozes prevaleciam.

Por que não disse nada, Mara? Eu sabia quanto você queria Sami. Se eu soubesse que ela chegaria tão cedo — se soubesse o que o homem da Air India havia dito — poderia ter ajudado.

Mas Mara guardara tudo para si mesma... o excitamento e o desespero, assim como o Valium, o aborto aos 16 anos, e sabia Deus o que mais.

— Mas que droga, Mara! Isso não foi justo! — exclamou Paige, pondo o caderno de volta na gaveta. Como não entrasse direito, ela empurrou com mais força. — Você não podia guardar segredos! Afinal, éramos *amigas*!

Ela suspirou. Largou de lado o caderno e estendeu a mão por dentro da gaveta para descobrir o que bloqueava a passagem. Os dedos encontraram alguma coisa. Deu um puxão... e continuou a puxar, quando a soltou. Segundos depois, descobriu-se a olhar atordoada para o que tinha em sua mão: um suspensório de *paisley*.

Paige já o vira antes, muitas vezes, embora não ultimamente. Ela procurou a etiqueta. Era também familiar, apreciado pelos tipos cosmopolitas. E só havia uma pessoa em Tucker que usava suspensório de *paisley*; e só uma pessoa em Tucker era bastante vaidosa para apreciar aquela marca específica.

Essa pessoa era Peter Grace.

# Seis

Angie estava atrasada. Apressada, escreveu várias anotações de última hora, de coisas que Dottie deveria verificar de manhã bem cedo. Depois, vestiu o *blazer*, pegou a bolsa na gaveta da mesa, olhou ao redor, para se certificar de que estava tudo em ordem, passou pela porta e atravessou o corredor.

A clínica estava em silêncio, num tremendo contraste com o barulho do dia. Angie pensava que Peter também já havia ido embora, até que passou por sua sala e o viu lá. Ele sentava à sua mesa, com um lápis na mão, embora a maneira como arriara na cadeira indicasse que não estava escrevendo.

— Tudo bem? — indagou ela.

Peter levantou os olhos. Largou o lápis e recostou-se na cadeira. Tinha os olhos cansados, a voz tensa.

— Precisamos de ajuda. Esta é a primeira vez que consigo me sentar hoje. Alguma coisa está acontecendo nesta cidade. A asma disparou. Sei que é a temporada, mas nunca foi tão ruim assim antes.

Angie ofereceu um sorriso triste.

— Nunca estivemos sem Mara antes. Quantos dos pacientes de asma eram atendidos por ela?

— Mais da metade.

— Os ataques de asma podem ser igualmente provocados, com a mesma facilidade, pela emoção e pelo pólen. Os pacientes de Mara que tenho recebido estão transtornados com a sua ausência... e os pais parecem piores do que as crianças. Precisavam da garantia de que o nebulizador estaria aqui com ou sem Mara. Não se preocupe, Peter. A situação logo vai se acalmar.

Ele fitou-a nos olhos.

— Esta clínica foi projetada para quatro médicos. Nossa carga de trabalho baseia-se em quatro médicos.

Angie levantou a mão.

— Ainda não posso pensar nisso. É cedo demais.

— Ora, Angie, já são seis e meia, e nós dois ainda estamos aqui. Acha que Ben e Dougie aceitarão essa situação por muito tempo?

— Ben e Dougie não vão se importar. Sabem que as coisas serão difíceis por algum tempo. Já afixei uma nova tabela de horários no quadro da cozinha.

— Hoje foi uma prévia do que vai acontecer. Ficaremos aqui até as seis e meia em muitas noites. Ou começamos a recusar pacientes... e juramos que nunca faríamos isso.

— Não faremos. Vamos nos organizar e ser mais eficientes. Se isso não der certo, começaremos a procurar por mais um médico. Relaxe, Peter. Tudo vai acabar bem. Não podemos funcionar em plena capacidade neste momento, com a morte de Mara tão recente. Passei uma boa parte do dia falando a seu respeito. Mas não será sempre assim.

Ele soltou um grunhido.

— As pessoas se esquecem com facilidade.

— Não é isso. Mas depois de algum tempo, quando não há respostas para certas perguntas, as pessoas deixam de fazê-las. A vida continua. — Angie olhou para o relógio. — Tenho de correr. Até amanhã.

— Até amanhã.

— Tudo vai acabar bem — repetiu ela, alteando a voz, enquanto se afastava pelo corredor.

Se Peter respondeu, Angie não ouviu. Já estava quase correndo pela escada que terminava na porta para o estacionamento.

Cinco minutos depois, ela passou sob a arcada de ferro batido da Mount Court, avançou devagar pelo caminho e parou na frente da biblioteca. Os estudantes formavam grupos espalhados pelo gramado, mas ela não avistou Dougie. Olhou para o relógio. Eram seis e quarenta.

Dois minutos depois ele se aproximou correndo, jogou os livros no banco de trás e sentou na frente.

— Desculpe, mamãe. Está aqui há muito tempo?

— Não. Também me atrasei um pouco.

Angie sabia que não devia se inclinar em busca de um beijo. Meninos de 14 anos não beijam a mãe quando os colegas podem ver. Em vez disso, ela ligou o carro.

— Teve um bom dia?

— Claro.

— De onde veio agora?

Não viera da biblioteca, onde ela esperava encontrá-lo.

— Do refeitório. Jantei com a turma. Não se importa, não é?

— Claro que me importo — respondeu ela, com uma pontada de desapontamento. — Estou fazendo o jantar em casa.

— Sei disso, mas eu estava morrendo de fome. O treino de futebol não foi fácil. Tivemos de correr dez vezes em torno do campo. E, quando um cara disse uma coisa de que o treinador não gostou, tivemos de correr de novo. Fiquei exausto. Precisava comer alguma coisa para continuar de pé.

— Oh, Dougie... — Angie suspirou. Considerava o jantar como um importante evento diário da família. — O que você comeu?

— Alguma coisa com galinha. Estava muito gostosa.

Angie podia imaginar um caldo com pedaços ocasionais de galinha picada, purê de batata, pão com manteiga e bolo.

— Muito diferente do bife que eu tencionava grelhar em casa.

— Eu estava faminto. Não sei se conseguirei agüentar todas as noites até as sete horas. É muito tarde, mamãe.

— Só mais quarenta e cinco minutos do que o habitual. — Ela entrou na estrada principal. — É apenas uma questão de se acostumar. Além do mais, despachei-o com uma fruta para lanchar.

Angie lançou um olhar rápido para o filho, antes de perguntar:

— O que aconteceu com essa fruta?

O garoto olhou pela janela, de rosto franzido.

— Não vou comer fruta na frente dos caras. Talvez uma Coca ou um chocolate, mas não uma fruta. — Dougie virou-se para a mãe e acrescentou, com uma veemência surpreendente: — E o que há de tão horrível em jantar com a turma de vez em quando? Se a comida aqui é boa para os outros, também é para mim. Ainda por cima, é divertido comer aqui.

— Pode ser. Mas não é interno em parte porque gosto de conversar com você durante o jantar. É um dos momentos mais agradáveis do meu dia.

Ela sabia que esse tempo era limitado, que Dougie se tornaria cada vez mais independente, que muito em breve ele deixaria a cidade para ingressar numa universidade e que essa era a ordem natural das coisas. Mas, por enquanto, não tinha a menor intenção de renunciar ao filho.

— O jantar em casa não é o mesmo sem você. Além do mais, pensei que havíamos combinado que você passaria na biblioteca o tempo extra no final do dia. Assim, poderia adiantar os deveres de casa, e eu não ficaria irritada quando o telefone começasse a tocar à noite.

Angie achava que era um bom acordo.

— Eu estava com fome. Parecia a coisa certa para fazer naquele momento.

Ela sorriu.

— Ora, não foi nada demais. E me atrasei um pouco. Quando os bifes estiverem prontos, sua fome já terá voltado. Agora, conte as novidades. Como foi a prova de espanhol?

A volta para casa significava aproveitar melhor o tempo. Angie considerava muito importantes aqueles poucos minutos em que ficava a sós com o filho no carro, quando ele podia partilhar os pequenos detalhes de sua vida. E os detalhes daquele dia, depois que Dougie falou num instante sobre a prova de espanhol, relacionavam-se com o novo projeto especial do diretor.

— Ele está construindo uma casa.

— Uma casa?!?

— Para os ex-alunos. Terão assim um lugar para ficar quando vierem fazer uma visita. Quem não pratica um esporte depois das aulas tem de trabalhar na casa.

— Interessante.

— Uma droga, isso, sim. Todos estão furiosos. Antes, sempre podiam ficar de folga na hora dos esportes. Mas isso acabou agora. Estão dizendo que é um trabalho infantil.

— Para mim, parece mais uma ação comunitária.

— Foi o que o diretor disse. Um ex-aluno que é arquiteto doou o projeto. Ele obteve aprovação do conselho de administração para a madeira e os outros materiais de construção. E contratou um carpinteiro daqui para supervisionar a obra, em troca de seu filho estudar na escola de graça.

— É um bom acordo.

— O garoto é um idiota. É natural de Tucker. Nunca vai se ajustar.

— Pelo que me lembro, era o seu caso também quando entrou na academia, há dois anos.

— Sabe o que estou querendo dizer, mamãe. O pai dele é carpinteiro.

— E daí?

— E daí que os pais da maioria dos alunos podem comprar e vender dez vezes mais do que gente assim.

— O que acontece também conosco.

— Há uma diferença.

— Porque seu pai não é um trabalhador braçal? Não, Dougie, não há diferença. Esse garoto pode ser tão inteligente quanto qualquer outro da Mount Court. Tem direito à mesma oportunidade. E, se o pai foi bastante esperto para encontrar um meio de oferecer essa oportunidade, não posso deixar de admirá-lo. Por falar nisso, quem é ele?

— Jason Druart.

Angie sorriu.

— Gosto de Jason. Bom para ele. E bom para os outros garotos da Mount Court. Construir uma casa será educativo. Dará uma idéia do que é preciso para se fazer algo a que eles não dão o mínimo valor. Será bom inclusive para você. Vai ajudar?

— Claro que não. Trato de me manter tão longe do diretor quanto possível. Ele significa encrenca.

— É curioso, porque o achei muito simpático.

Angie conhecera o novo diretor numa recepção, pouco depois que ele fora contratado, na primavera anterior. O homem lhe parecera um líder, qualidade da qual a escola precisava.

Ela parou o carro em casa. Dougie pegou a bolsa com os livros no banco de trás e saiu do carro no mesmo instante. Angie seguiu-o. Encontrou Ben na cozinha com uma toalha de papel úmida comprimida em torno de um dedo.

— O que foi isso? — perguntou ela, largando a bolsa para dar uma olhada.

— Já era tarde — disse Ben, com a irritação que os homens costumam demonstrar quando as coisas não dão certo —, e por isso pensei em preparar a salada. Estava cortando cenoura e acabei acertando o dedo. Precisa levar pontos?

— Não. Quase já não está sangrando. Um Band-Aid resolverá o problema. Dougie? *Dougie?*

Como o filho não respondesse, ela tornou a cobrir o talho com a toalha de papel, disse a Ben para apertar com firmeza e foi pegar o Band-Aid no armarinho de remédios no banheiro. Um minuto depois, o dedo já estava com o Band-Aid, a toalha de papel fora descartada, e ela terminava de preparar a salada que Ben começara.

— Não precisava se preocupar com isso. — Ela lançou um olhar afetuoso para o marido, encostado no balcão, de calça *jeans* e camisa, como sempre, com uma expressão terna, embora aflita. — Eu disse que viria fazer o jantar.

— Fiquei com fome.

— Lamento por você e Dougie. Mas também não estamos jantando tão tarde assim.

— Mas dá impressão. O tempo extra parece uma eternidade quando se está cansado e com fome.

— Teve um bom dia?

Angie pôs a salada de lado e foi pegar os bifes na geladeira.

— Mandei algumas coisas por fax. — Ele abriu a porta da geladeira para a mulher e fechou-a depois que os bifes já estavam no balcão. — Detesto quando você chega tarde. Quando vão contratar outro médico?

— Assim que superarmos o choque. Estamos muito ocupados neste momento e emocionados demais.

Paige compreendia. Peter e Ben, homens típicos, vendo sempre os negócios primeiro, não conseguiam entender.

— Mara ainda está quente na sepultura — acrescentou Angie. — Parece errado nos apressarmos em substituí-la.

— Não é o estômago de Mara que está protestando — disse Ben, saindo da cozinha.

Angie sorriu e gritou para ele:

— Você vai sobreviver. O jantar ficará pronto em dez minutos.

E ficou mesmo. Dez minutos depois, Ben sentava-se à mesa, e ela chamava Dougie, gritando pela escada.

— Já comi na escola.

— Você comeu lá. Agora é o jantar.

— Mas não estou com fome.

— Venha sentar conosco, querido. Só um pouquinho.

— Tenho de fazer o dever de casa, mamãe.

— Cinco minutos conosco, só isso. Depois deixarei que volte ao dever.

Para Ben, enquanto servia o leite de Dougie, ela acrescentou:

— Houve ocasiões em que me preocupei porque ele era cordato demais. Esses protestos agora são um alívio. Tipicamente adolescentes. — Angie transferiu uma batata quente do microondas para o prato de Dougie, outra para Ben e uma terceira para ela. — Os Harkins estiveram na clínica esta tarde, com a caçula. Gerry perguntou por você.

— A filha está doente?

— Vem tendo problemas na escola e parece que a professora não sabe o que fazer. Tenho a impressão de que é um transtorno de déficit de atenção, o que pode ser tratado com facilidade, depois que é diagnosticado. Recomendei que providenciassem exames...

Angie levantou os olhos.

— Finalmente desceu. — Ela empurrou a cadeira de Dougie. — Tenho até creme azedo para as batatas.

Mas Dougie não se sentou.

— Já disse que não estou com fome, mamãe.

Ela sorriu. Era um menino bonito. Já era quando criança e se tornara ainda mais na adolescência. No ritmo em que crescia, nenhuma quantidade de comida poderia fazê-lo engordar.

— Diga isso de novo depois de provar o bife.

— Não vou comer. Jantei às seis horas. Sentia fome naquele momento. Não sinto mais.

Angie largou o garfo. Alguma coisa no tom do filho ia além do protesto que ela considerara um alívio poucos momentos antes. Seria capaz de jurar que ouvia uma acusação. Mas não era possível. Dougie a adorava.

— Pois então coma um pouco de batata. A casca é a melhor parte.

— Não tenho fome.

— Mas isto é o jantar. Sente-se, querido. Eu lhe disse esta manhã que comeríamos às sete horas. — Ela gesticulou para o quadro de avisos. — Incluí nos novos horários.

Dougie fez uma careta que ela nunca vira antes.

— Não gosto desses horários. Tenho de acordar mais cedo de manhã e jantar mais tarde. É um saco.

— Apenas é novo, mais nada. Dentro de uma semana você até esquecerá que é diferente.

— Duvido muito.

— Ora, querido... — Angie recostou-se na cadeira. Mantinha a voz sempre gentil. — Está aborrecido com a mudança porque se sente perturbado pela morte de Mara. É natural. Não tem qualquer problema. Mas dê uma chance aos novos horários. Agora que não contamos mais com Mara, a situação na clínica é caótica. Isso é o melhor que posso fazer neste momento. Seja paciente... vai acabar se ajustando.

— Eu *sempre* me ajusto — queixou-se Dougie.

— Depois que tudo se acalmar na clínica, depois que tivermos outro médico para nos ajudar, poderemos voltar ao que era antes...

— Não quero voltar ao que era antes.

Angie não podia entender.

— O que você quer?

Ele abriu a boca para falar, mas tornou a fechá-la. A mãe inclinou-se para a frente e insistiu:

— Não se preocupe. Pode dizer o que quiser. Eu escutarei. Sempre escuto. O que você quer?

— Quero passar mais tempo na escola. É horrível ser um aluno externo. Perde-se a metade da diversão.

— Mas é justamente essa a vantagem — comentou Angie, jovial. — Você aproveita metade da diversão e ainda tem a convivência com a família.

— Mas quero ficar com a minha turma. Quero passar a noite no dormitório.

A idéia era absurda.

— Lamento, mas não há a menor possibilidade.

— Por quê?

— Porque não é o que eu quero para você. Matriculei-o na Mount Court porque achei que ali teria um desafio acadêmico maior do que na escola secundária pública. Mas ser interno é muito diferente.

— Por que não posso experimentar?

— Porque você só tem 14 anos. Não me importo se passar a noite no dormitório de vez em quando... já fez isso no ano passado... mas não creio que seja necessário sair de casa.

— Mas fica a apenas cinco minutos de carro daqui!

Angie tornou a sacudir a cabeça.

— Terá de ficar no dormitório quando ingressar na universidade. Não precisa começar agora.

Dougie fitou-a em silêncio, depois se virou e deixou a sala de jantar. Surpresa com a persistência do filho, ela olhou para Ben.

— De onde veio isso?

Ele terminou de mastigar um pedaço de carne.

— Vem se desenvolvendo há algum tempo.

— Mas como? Ele nunca disse que se sentia infeliz por morar aqui.

— E não está dizendo agora. Só comentou que seria divertido passar as noites no dormitório da Mount Court.

— *Você* acha que seria divertido?

— Se eu tivesse 14 anos, com a confiança que ele tem, provavelmente acharia. Dougie sente-se poderoso. Escuta as histórias que os amigos contam sobre a vida no dormitório, histórias que devem ser bastante exageradas, e acha que a vida ali é sensacional.

Mas Angie criara um lar que considerava maravilhoso, um lar que muitas crianças desejariam ter. Não podia imaginar que Dougie preferisse ficar num dormitório.

— Só pode ser o problema de Mara — concluiu ela. — Todos estamos deprimidos desde que ela morreu. Dougie sente saudade e quer ir para algum lugar onde não espere encontrá-la. Sente a presença dela nesta casa.

Ben bateu com o garfo no prato.

— Não, não sente. Não tente encontrar explicações metafísicas, Angie. É muito simples. O garoto está crescendo.

— Sei disso.

— Pois então pare de sufocá-lo.

Ela ficou aturdida.

— Não o estou sufocando.

— Claro que está. Vigia-o o tempo todo.

— Isso não é sufocar. É ser mãe.

Ben largou o garfo. Fitou-a com uma expressão quase tão estranha quanto a que Dougie exibira.

— É o que se pode esperar de uma mãe quando o filho tem 4, 7 ou até 10 anos. Mas agora ele tem 14, e você continua a lhe dizer o que deve fazer. Prepara de noite as roupas que ele vai vestir no dia seguinte, revisa os deveres de casa, controla os telefonemas.

— Isso é errado? — perguntou Angie, espantada. — Devo ficar de braços cruzados e deixar que ele passe a noite inteira falando ao telefone, com quem quiser? Se eu permitisse, Dougie nunca faria os deveres de casa. E o que aconteceria?

— Ele pode tirar notas baixas em algumas provas, mas pelo menos saberia o que acontece quando não faz os deveres de casa. Em algum momento, a iniciativa tem de partir de Dougie. Em algum momento, ele tem de desenvolver seu próprio senso de responsabilidade. Mas você sequer o deixa chegar perto desse momento. Você o sufoca, Angie. É tão claro quanto a luz do dia.

Não, não sufoco meu filho, pensou Angie. Não podia compreender o que estava acontecendo. Ben nunca a criticara. Sempre se mostrava satisfeito com tudo que ela fazia.

— É por causa de Mara?

— Como assim?
— Tudo isso...
Ela gesticulou.
— Claro que não. Por que insiste em dizer isso?
— Porque não compreendo o que mais poderia ser. A morte de uma amiga é tão perturbadora, que você começa a encontrar defeitos em coisas que de outra forma acharia ótimas.

Ben franziu o rosto para o que restava de seu jantar. Com o silêncio do marido, Angie sentiu uma onda de alívio. Tinha razão, afinal de contas. A morte de Mara deixou todos nervosos. Tudo voltaria a ser como antes depois que a dor pela perda diminuísse.

Mas foi nesse instante que Ben ergueu o rosto para fitá-la nos olhos e dizer, com uma voz tensa:

— A morte de Mara pode ter sido o catalisador, o fator que nos deixou mais sensíveis, e por isso mais propensos a falar. Mas continua sendo verdade o que eu disse antes. O problema vem se desenvolvendo há muitos meses. Era apenas uma questão de tempo antes que aflorasse. O fato é que você sufoca Doug. Ele tem 14 anos e precisa se encontrar com os amigos na loja de vídeos sexta-feira à noite. Os adolescentes fazem essas coisas.

— Alguns fazem, outros não.
— Doug queria fazer. E como esteve ao nosso lado durante todo o funeral de Mara e aquele pesadelo que foi o almoço depois, até que podia aproveitar alguns momentos de relaxamento.
— Sugeri que ele jogasse basquete.
— Comigo, que sou seu pai. Não é a mesma coisa. Ele precisa da companhia dos amigos por mais tempo do que você permite.

Lá estava de novo a repreensão inesperada.

— Não consigo entender, Ben. Por que a súbita crítica? Sempre concordou comigo antes.

— Não — murmurou ele, fazendo uma pausa ameaçadora. — Sempre aceitei. Isso não significa necessariamente que concordava.

Angie sentiu um ímpeto de raiva.

— Por que nunca falou nada?

Ben também parecia não entender seu silêncio anterior. Levantou-se, foi até a pia e ficou olhando pela janela. Demorou algum tempo para se virar e dizer:

— Porque você sempre teve todo o controle. Desde a época em que Doug era um bebê que você tinha todas as respostas. — Ele ergueu a mão. — Para ser mais preciso, é ainda mais antigo. Você tinha todas as respostas desde o dia em que a conheci. Sempre soube que queria ser esposa, mãe e médica. Começou a me namorar no início de seu último ano, a fim de que pudéssemos casar assim que se formasse...

— Fala como se tivesse sido um ato frio e calculista — protestou Angie. — Mas foi você quem me pediu em casamento, não o contrário... e até insistiu. E eu estava sinceramente apaixonada por você quando me pediu em casamento.

— Formou-se a tempo de se casar comigo, acabou a lua-de-mel a tempo de iniciar a faculdade de medicina, terminou o curso e a residência a tempo de ter um filho, tirou-o da fralda e matriculou-o na escola a tempo de se mudar para cá e começar a trabalhar com Paige. Organizou tudo de uma maneira meticulosa, Angie, e o mais espantoso é que deu certo. É uma mulher de uma extraordinária competência. Planeja tudo, as coisas acontecem como você quer, e raramente precisa de ajuda. Eu seria um pai mais ativo quando Dougie era pequeno se sentisse que era necessário. Mas você já tinha feito tudo antes que eu pudesse sequer oferecer o meu auxílio.

— Eu queria facilitar tudo para você — argumentou Angie. — Devia pensar em sua carreira. Tinha prazos para cumprir. E nos sustentava sozinho na ocasião. Meu *trabalho* era cuidar de Dougie.

— Mesmo depois que voltou a clinicar? Ele já estava na escola nessa ocasião. Ainda assim, eu poderia ter feito alguma coisa. Passo o dia em casa. Sei guiar. E também amo o nosso filho. Mas você ajustou seus horários para poder deixá-lo na escola a caminho da clínica e buscá-lo na hora de sair. E sempre deu um jeito para passar os fins de semana e férias com ele.

— Fizemos coisas *maravilhosas* nos fins de semana e nas férias — lembrou Angie.

Foram viagens de carro e de avião, idas a Boston para visitar museus e locais históricos.

— Não é essa a questão — insistiu Ben. — O problema é que você mesma planejou toda a infância de Dougie. Não precisava da minha ajuda. Depois de algum tempo, não me dei mais ao trabalho de oferecer o meu auxílio. A mensagem de que eu era supérfluo vinha clara e objetivamente. Apenas me recostei e observei, o que é quase a única coisa que venho fazendo há anos.

Angie engoliu em seco. Ben continuava a bater e bater. Ela sentia-se totalmente confusa.

— Eu estava fazendo alguma coisa errada?

— *Não.* Fazia tudo *certo. Sempre* fez tudo certo. Esposa, mãe e médica... fez tudo quando deveria fazer, mesmo que significasse estar programada da manhã até a noite. Mas as coisas estão mudando agora. Dougie não é mais um bebê. Não pode programar sua vida como fez até agora. Ele está crescendo. Precisa de espaço.

— Eu lhe dou espaço.

— Mas não o suficiente. Diz a ele o que fazer, quando e por quê. Não o deixa tomar decisões sozinho.

— Quero apenas *ajudar*. A vida é difícil.

— Você o está castrando, Angie.

— Como posso fazer *isso*? Ele ainda não é um *homem*.

— E nunca se tornará se você continuar a se comportar dessa maneira. Nega coisas que o fariam se sentir bem consigo mesmo. É verdade que ele se sente confiante agora. Mas depois de algum tempo, quando começar a pensar que não pode tomar decisões sozinho, porque você sempre decide por ele, Doug enfrentará as maiores dificuldades. Você está tirando o seu senso de poder. Faz com que ele se sinta impotente, o que é destrutivo. Sei disso. É o que vem fazendo comigo há anos.

Ela respirou fundo.

— Não é verdade.

Ben balançou a cabeça, devagar, determinado.

— Você nos trata como crianças, como se não merecêssemos confiança, como se não fôssemos capazes de pensar por nós mesmos. E organiza nossas vidas para atender às suas necessidades.

— Não é verdade, Ben!

— É, sim. E quando ousamos protestar, você nos afaga a cabeça e nos despacha, como crianças pequenas demais para compreender o que é a vida. É insultuoso, Angie. É humilhante. É *irritante*.

Ela podia perceber esse fato. As mãos de Ben, na beira do balcão, tinham as articulações esbranquiçadas. Mas não fazia sentido. Ben era um homem de fala mansa. Cuidava de sua vida sem maiores dificuldades; passivo, mas de uma maneira positiva. Aquela crítica severa era totalmente inesperada. Angie fez um esforço para compreender o que estava acontecendo com o marido.

— Sei que você não se sente satisfeito porque estou trabalhando mais tempo, Ben. Mas é apenas uma situação temporária.

— Não é o problema do horário, Angie. É a maneira como você trata o problema. Não lhe ocorreu em nenhum momento sentar comigo para discutir como planejava lidar com a morte de Mara. Decidiu o que ia fazer, baseada no que era melhor para você e para a clínica. Depois, apresentou uma nova programação para nós, presumindo que aceitaríamos tudo. Mas a programação não está dando certo, nem para Doug, nem para mim.

Angie sentia o estômago embrulhado.

— Claro que está dando certo. — Ela tinha de insistir, porque isso sempre fora um dos pontos básicos de sua vida. Orgulhava-se de ter uma carreira bem-sucedida, um filho ajuizado e um casamento sólido. — Você é completamente feliz.

— *Viu só?* Está fazendo de novo, dizendo como me sinto! Mas devo lhe dizer que *não* sou completamente feliz. Passo horas e horas sozinho nesta casa...

— Está *trabalhando*.

— Não o tempo todo. Tiro folgas e não passo mais do que cinco horas por dia à prancheta. O que eu faço quando acabo? Vagueio por esta casa num silêncio angustiante, sentindo uma profunda solidão.

— Isso é absurdo, Ben. Até esta semana, eu quase nunca trabalhava mais de seis horas por dia.

— E quando ficava em casa, só se preocupava com Doug. — Quando ela sacudiu a cabeça, Ben insistiu: — É verdade, Angie. Sua carreira vem em primeiro lugar, depois seu filho e depois eu.

Ela ficou atordoada com um pensamento.

— Você está com *ciúme*?

— Se estou, tenho todo o direito. — Ben bateu com um dedo no peito. — Sou um homem e sou humano. Preciso de companhia.

— Escolheu uma ocupação solitária.

— Escolhi uma ocupação em que era bom, que por acaso era solitária. Mas não era de forma alguma solitária quando morávamos em Nova York. — Ele parecia incapaz de parar, agora que começara. — Eu podia entregar o material pessoalmente e almoçar com os caras no jornal. Podia sentar na redação pelo tempo que quisesse. Agora, tenho a TV a cabo para me estimular. Não há comparação, Angie.

Parecia que ele encontrava defeito em tudo. Angie sentia-se arrasada.

— Agora é Vermont que você detesta? Mas aceitou a mudança. Não protestou uma única vez.

— Porque a mudança fazia sentido. Você procurava uma clínica em que não precisasse se matar de tanto trabalhar. Queríamos comprar uma casa, o que não poderíamos fazer em Nova York. Meu trabalho podia ser feito em qualquer lugar. A qualidade de vida aqui parecia muito melhor. Calculei que os aspectos positivos superavam os negativos... e, se você se sentia feliz, isso significava metade da batalha. Por isso nos mudamos, e você foi feliz.

— Você também foi — insistiu Angie, porque se lembrava de muitos sorrisos e momentos agradáveis para que não fosse assim.

— Em alguns aspectos, fui mesmo. Você trabalhava como queria. Eu trabalhava. Tínhamos a nossa casa e a liberdade de ir de carro ao centro da cidade sem encontrar qualquer engarrafamento.

— Tem sido bom — disse Angie, tentando encontrar pontos favoráveis, apenas para ser derrubada de novo.

— Tem sido solitário. A princípio, ainda mantive contato com a turma no jornal. Depois de alguns anos, no entanto, mesmo com as viagens ocasionais, já não era a mesma coisa. Há um alto índice de rotatividade num jornal. Não demorou muito para que eu não soubesse mais quem deveria procurar. Você passava o dia inteiro na clínica e depois se preocupava com Dougie desde o instante em que voltava para casa. Mas também tenho necessidades.

— Deveria ter falado.

Ben ergueu o queixo.

— E falei, só que você nunca me ouviu. Mesmo agora, quando pergunto se você pode tirar uma hora de folga do trabalho para almoçar comigo, você responde que tem pacientes durante o dia inteiro. Quando sugiro uma viagem no fim de semana, você cita alguma coisa que Dougie tem de fazer aqui. Quando ele vai deitar, você também vai. Onde isso me deixa?

— Mas faço coisas com você. — Ela não podia entender as críticas. — Saímos para jantar fora. Temos amigos.

— Você decide, você convida, você planeja.

— E viajamos. Temos a cerimônia de entrega dos prêmios em Nova York no mês que vem.

— É uma cerimônia sobre reconhecimento e prestígio. Não tem nada a ver comigo. Eu não me importaria nem um pouco se não ganhasse um prêmio. Você é que quer.

— Por você.

— Mas não é o que *eu* quero — insistiu Ben. — Mas você não sabe o que eu quero, não é mesmo? Formou uma idéia de quem sou e do que faço, incorporando essa idéia em sua vida. Pode ouvir minhas palavras, mas não escuta meus pensamentos. Não escuta minhas necessidades. Sequer me vê. Há anos que não me vê.

Angie levantou-se e foi se postar na frente do marido.

— Não é verdade. Você é o meu marido. Posso não estar aqui durante o tempo todo, mas sei muito bem o que você faz.

Ele sacudiu a cabeça.

— Fica tão absorvida em sua própria vida, que não faz a menor idéia de nada.

— Você está totalmente enganado.

— Não estou, não. — Ele fitou-a nos olhos. — Se percebesse o que eu sinto, se ouvisse as minhas perguntas e olhasse para mim, olhasse de verdade, saberia que há algo diferente acontecendo em minha vida. Mas é tão cega para qualquer coisa que não esteja em sua programação, que não tem nenhuma idéia, absolutamente nenhuma.

Ben fez uma pausa, passando a mão pelo cabelo.

— Pelo amor de Deus, Angie, tenho um relacionamento com outra mulher há quase oito anos, e você não faz a mínima idéia.

Angie teve a sensação de que suas entranhas tivessem ido parar em outra parte de seu corpo. Levou a mão ao peito, para tentar segurar o coração.

— O quê? — balbuciou ela, a voz trêmula.

— Você ouviu.

Tenho um relacionamento com outra mulher há quase oito anos... Fora o que ele dissera. Mas não podia ser verdade. Ela conhecia o marido. Era um homem leal e devotado. E a amava.

— Está dizendo isso só para me magoar?

Era a única coisa que ela podia pensar. Mesmo assim, não fazia muito sentido. Ben não era de magoar ninguém. Era gentil, introspectivo e inofensivo. Ele desviou os olhos.

— Falei porque é a verdade e porque não sabia mais o que dizer para fazer você entender.

— Quem é ela?

Parecia importante adquirir todas as informações possíveis. Ele virou-se para a janela, com as mãos nos quadris. Por um momento, Angie pensou que não haveria uma resposta. Mas, finalmente, Ben murmurou:

— Nora Eaton.

Angie projetou a imagem de uma mulher de aparência agradável, média em quase todos os aspectos, exceto pela cabeça de cachos grisalhos, longos e vibrantes. Era a bibliotecária de Tucker e assustadoramente real.

— Ela é mais velha do que nós — disse Angie, incapaz de pensar em outra coisa.

Ben deu de ombros.

— Nunca pensei a respeito disso.

Angie sentiu as pernas tremerem. Teve de sentar-se.

— Com que freqüência se encontram?

— Não sei... uma ou duas vezes por semana. Escute, Angie... —

Ele tornou a se virar. — ... não é nenhum tipo de perversão sexual. Há ocasiões em que apenas conversamos, como você e eu costumávamos fazer antes de casarmos. Sinto falta disso. Sinto falta de sua presença.

— Nunca me disse.

— Disse, sim, mas você optou por não ouvir.

— Mas, se a tem agora, não sente falta de mais nada — murmurou Angie, sentindo-se solitária, vazia por dentro.

— Não é verdade. Ainda sinto sua falta. Ela é uma solução provisória, não uma cura. Não chega a seus pés. Mas... — A raiva que se manifestara pouco antes voltava agora. — Não posso passar o resto da vida competindo por sua atenção, e chegando em último lugar.

Ben afastou-se do balcão, saiu pela porta dos fundos e desapareceu na noite, deixando Angie com os fragmentos dispersos de sua vida.

Peter passou uma hora procurando pela pilha de negativos, à procura do que ele queria. Levou o negativo para o ampliador, que ajustou no tamanho desejado. Fez uma exposição experimental, levou a cópia para as soluções de revelação, depois acendeu a luz para examinar a reprodução. Outra vez de luz apagada, tirou uma segunda cópia, mais escura, depois uma terceira, com um contraste maior. A cada nova cópia, focalizava os detalhes.

Só depois de uma dúzia de cópias é que se sentiu satisfeito. Voltou aos negativos, selecionou um segundo e repetiu todo o processo.

Já passava da meia-noite quando esvaziou as bacias com as soluções e deixou o laboratório. A essa altura, sentia-se cansado demais para fazer outra coisa senão cair na cama e dormir.

Levantou-se às sete hora da manhã. Voltou ao laboratório, e examinou as reproduções que deixara secando; mas o que achara bom, na noite anterior, não parecia mais adequado. Por isso, com pressa, recolheu tudo, meteu as cópias na lata de lixo e jurou fazer melhor naquela noite.

A frustração acompanhou-o até a clínica, onde os primeiros

pacientes da manhã já esperavam. Baseando-se na teoria de que, quanto mais trabalhasse, menos pensaria, Peter recebeu um paciente atrás do outro, até as dez e meia, quando parou para tomar um café. Foi nesse momento que Paige o pressionou.

Sete

Paige retirou o suspensório de *paisley* do bolso do jaleco. Estendeu-o e observou o rosto de Peter. Embora a sua expressão não se alterasse, ele empalideceu o suficiente para responder à pergunta que Paige não fizera.

— Encontrei-o na mesinha-de-cabeceira de Mara. Um lugar estranho para um suspensório.

— Também acho. — Ele estalou os dedos. — Na mesinha-de-cabeceira de Mara? Muito interessante.

— Não sabia que estava ali?

— Se soubesse, teria pegado. É o meu suspensório predileto. Pensei que tivesse perdido na academia. Obrigado. — Ele tirou o suspensório da mão de Paige e guardou-o no bolso. — Por que revistou a mesinha-de-cabeceira de Mara?

Era uma pergunta adequada. Teoricamente, a morte de Mara podia ser explicada pelo Valium, fadiga e um telefonema inoportuno. Mas Paige não se sentia satisfeita. Quanto mais descobria, mais Mara se tornava um mistério... e o mistério a assediava. Paige era impelida a descobrir cada vez mais. Após a morte, Mara se tornara sua responsabilidade pessoal.

— Eu estava em seu quarto, tentando compreender melhor o que acontecera. As cômodas e escrivaninhas podem ser esclarecedoras. As mesinhas-de-cabeceira também. Por isso, abri a gaveta para ver o que havia lá dentro. Como seu suspensório pode ter ido parar ali?

Peter tomou um gole do café, fez uma careta, acrescentou outra colher de creme e mexeu.

— Acho que Mara gostava muito dele.

— E você também. Costumava usá-lo quase todos os dias. Como Mara se apossou dele?

— Ela ia muito na minha casa. Deve ter levado.

— Sem que você percebesse?

— Mara podia circular à vontade pela casa. Eu não a seguia verificando tudo em que ela tocava.

— Mas por que ela pegaria seu suspensório e o esconderia na mesinha-de-cabeceira?

Ele tomou mais um gole do café.

— Peter?

Ele fitou-a nos olhos.

— Porque Mara sentia uma coisa por mim. E você sabia disso, Paige.

Paige não sabia de nada. Sua expressão indicava isso.

— É verdade — insistiu Peter.

— Vocês eram amigos. Às vezes faziam coisas juntos. O que está querendo dizer ao falar que ela tinha "uma coisa" por você?

— Ela *gostava* de mim. Era *obcecada* por mim.

Paige sacudiu a cabeça.

— Obcecada? Pode esquecer. Mara não era obcecada por você. Eu saberia se fosse.

— Como sabia sobre o Valium? Como sabia que a menina estava vindo de Bombaim? Encare a verdade, Paige. Mara guardava segredos. Era um pouco exagerada nesse ponto. — Peter fez uma pausa, depois fez a pergunta que atormentara Paige durante a maior parte da noite: — Por que acha que o suspensório estava ali?

— Pensei... — Paige hesitou. A verdade era que não chegara a nenhuma conclusão, mesmo depois de pensar muito a respeito. — Pensei que tinha passado a noite na casa e esquecido o suspensório ao ir embora.

— Por que eu passaria a noite ali, se já era demais lidar com Mara durante o dia inteiro? Por que eu estenderia a tortura com uma convivência noturna?

— Porque gostava dela.

— Claro que gostava, para fazer alguns programas juntos às vezes. Mas a companhia de Mara por um período mais prolongado era como ter uma pedrinha no sapato. Então por que eu passaria a noite em sua casa?

— Porque *gostava* dela.

— Não, não gostava.

— Claro que gostava. E ela gostava de você. Também podiam se odiar às vezes... vocês dois nos levavam à loucura com suas brigas... mas mesmo assim eram amigos.

— Amigos, não amantes. O que lhe deu a idéia de que éramos amantes? É um pensamento absurdo.

Paige não dissera que eram amantes. Não usara essa palavra nem uma única vez. Imaginou que Mara e Peter podiam ter ficado juntos até tarde, fazendo alguma coisa, e depois pegaram no sono. Um suspensório podia muito bem ter sido tirado, por uma questão de conforto, e depois esquecido na casa. Era estranho, sem dúvida, o lugar em que o suspensório fora guardado, mas Mara poderia tê-lo encontrado em outra parte e metido na mesinha-de-cabeceira, só para que não ficasse à vista.

Não, Paige não dissera em momento algum que eram amantes. E era muito interessante que Peter tivesse usado a palavra.

— Oi — disse Angie, lançando um rápido olhar para cada um, antes de se virar para a cafeteira. — Estou interrompendo alguma coisa?

Peter deu um passo para o lado.

— Nada importante.

— Por que tenho a impressão de que vocês falavam sobre Mara? Angie serviu-se de um café.

— Talvez porque ela ainda esteja no primeiro plano de nossas mentes — respondeu Paige. — Querem saber o que descobri na tarde de ontem?

Ela relatou a conversa que tivera com o supervisor da Air India. Angie ficou visivelmente abalada.

— Pobre Mara! Pode ter sido um golpe terrível. Ela queria demais uma criança. Se pensou que o avião de Sameera tivesse caído, depois de tudo que passara para adotá-la, deve ter ficado transtornada.

Mas Peter balançou a cabeça.

— Ela já havia perdido pacientes sem se descontrolar, mesmo conhecendo as crianças. E não conhecia Sameera.

— Mas Sami seria sua filha — ressaltou Angie. — É uma diferença e tanto. Se tivesse filhos, Peter, saberia disso. Quando se é pai ou mãe, o envolvimento emocional é muito maior. Mara empenhou seu coração para adotar aquela criança.

Paige não era mãe, assim como Peter não era pai, mas concordava.

— Ela considerava a adoção de Sami como a sua maior chance de maternidade.

— É isso que não compreendo — argumentou Peter. — Por que era tão importante para ela?

— Talvez pela idade. Mara tinha 39 anos. Sabia que o tempo passava depressa.

— Você é da mesma idade. Está ficando desesperada?

Paige não tinha tempo para se sentir desesperada.

— Nunca passo horas a fio sem conseguir dormir, como acontecia com Mara. E são os pensamentos noturnos que acabam com uma pessoa. Além do mais, venho de um lugar diferente.

Seus pais eram frívolos e não tinham raízes. Consideravam a paternidade um fardo. Mara, por outro lado, viera de uma família em que ter filhos era algo reverenciado.

Ela recordou as palavras que Thomas O'Neill lhe dissera, nos degraus na frente da casa funerária.

— Filhos eram o que seus pais mais queriam.

— Mas ela odiava os pais. Rejeitava tudo que eles representavam.

— Por fora, talvez. Por dentro talvez nem tanto.

— Ela alguma vez disse isso?

— Não — admitiu Paige. — Mas faz sentido. Mara adorava crianças e se entusiasmava com a maternidade. Por falar nisso...

Ela olhou para Angie, que parecia distraída. Tratou de recuperar sua atenção, ao acrescentar:

— Jill Stickley tinha um bom motivo para querer me ver ontem. Ela está grávida.

Peter encostou a xícara na testa.

— Oh, Deus! Quando essas garotas vão aprender?

Ele encaminhou-se para a porta.

— É preciso dois para dançar um tango — gritou Paige para ele, um tanto ríspida, pois detestava os comentários sexistas, mesmo quando feitos de brincadeira.

Ela relatou para Angie a história de Jill e depois acrescentou:

— Conversei com a mãe dela esta manhã. Ela avisará na escola que a filha não voltará antes de setembro. Enquanto isso, Jill vai trabalhar e morar na minha casa.

Angie balançou a cabeça em sinal de concordância.

— Parece ser a melhor solução.

— Pelo menos até que a agência de adoção encontre um lar permanente para Sami. Ela é uma ternura, Angie. Merece o melhor.

— Mara gostaria que fosse assim. Mas... — Angie olhou para o teto. — ... quem sou eu para dizer do que Mara gostaria? Pensava que a conhecia, mas acho que não era bem assim.

Paige dissera a mesma coisa para si mesma, com bastante freqüência, nos últimos dias... e o mistério continuava.

— Angie, acha que Mara e Peter tinham um envolvimento amoroso?

— Amoroso?

— Sexual.

Angie hesitou.

— É uma perspectiva interessante. Por que a pergunta?

Paige falou sobre o suspensório.

— Se ela se sentia atraída por Peter, nunca me disse.

— Nem para mim. Mas... — Angie franziu o rosto, olhando para o café. — ... talvez ela tenha feito insinuações a que não prestei atenção. Se isso aconteceu, não teria sido a primeira.

Ela tomou um gole de café, encobrindo o rosto com a xícara. Paige experimentou uma súbita apreensão.

— Como assim?

Apesar de toda a sua competência, Angie nunca fora arrogante. Mas também nunca fora humilde. Ela suspirou, cansada.

— Não sei...

Angie passou o polegar pela borda da xícara, de um lado para outro.

— Angie?

Ela levantou os olhos. Estavam cheios de lágrimas.

— Acho que meti os pés pelas mãos...

Paige pôs a mão em seu braço.

— Você? Não há a menor possibilidade.

— Sempre pensei assim — murmurou Angie. — Mas estava enganada. Ben e eu tivemos uma briga terrível ontem à noite.

— Também não acredito nisso. Você e Ben não brigam. Ele é calmo demais, e você sempre faz tudo direito.

— Não foi assim ontem à noite.

Angie pegou um lenço de papel numa caixa próxima. Comprimiu-o contra os olhos. Paige sentia-se abalada. Nunca vira a amiga tão vulnerável.

— Então vocês tiveram uma briga. Mas a situação não pode ser tão ruim assim.

— Ele tem uma amante — sussurrou Angie, abafada pelo lenço de papel.

Paige ficou atônita.

— *Ben?*

Angie confirmou com um aceno de cabeça. Alteou a voz para informar, a voz trêmula:

— Com a bibliotecária da cidade.

— Está brincando? — Mas Paige sabia que Angie não diria isso, não estaria chorando, não se mostraria nem um pouco vulnerável se estivesse de brincadeira. — Por que ele teria um caso com outra mulher?

Um minuto e vários soluços silenciosos se passaram antes que Angie recuperasse um pouco do controle para responder:

— Ele diz que não o escuto. Que não o vejo. Que se sente solitário.

— Por que não falou antes?

— Ele disse que falou, mas que eu nunca levei a sério o que ele dissera. Poderia até pensar que ele estava errado se não fosse por Mara. Eu era sua sócia e amiga, mas não percebi a iminência do seu suicídio. Talvez não tenha percebido também o que Ben sentia. E, quando ele disse ele o nome da mulher, o que mais eu poderia dizer? Nora Eaton. Meu Deus!

Paige nunca teria imaginado que Ben fosse capaz de infidelidade, o que era uma triste constatação sobre sua própria perspicácia. E, como Angie, também não percebera o estado de espírito de Mara, apesar de ser supostamente uma amiga muito mais íntima.

Ela passou o braço pelos ombros de Angie e ofereceu o conforto que podia.

— Sinto muito, Angie. O que posso fazer para ajudá-la?

— Nada — murmurou ela, entre as lágrimas. — O pior já foi consumado.

— O que vai acontecer agora?

Angie parecia completamente desnorteada.

— Não tenho a menor idéia. Nunca estive nessa situação antes.

— Mas seu instinto é bom.

— Não é o que parece, se deixei de perceber isso. Meu marido tem um caso com outra mulher... há oito anos... — A voz tremia. — ... e eu não fazia a menor idéia. Venho repassando minha vida com Ben, como fiz em relação a Mara, procurando descobrir onde errei. Procuro coisas que não tinha visto antes, mas até agora, que Deus me ajude, continua tudo em branco. Nunca houve uma mancha de batom em sua camisa. Nunca houve um perfume estranho em suas roupas... nem em seu corpo.

Angie estremeceu. Paige podia imaginar o rumo de seus pensamentos. Perguntou, gentilmente:

— Houve alguma mudança no comportamento de Ben em relação a você?

Angie lançou-lhe um olhar constrangido.

— Não na cama. Nosso relacionamento nunca foi muito físico. Nunca tivemos tempo... *eu* nunca tive tempo. Não fazíamos amor com freqüência. Mas, quando fazíamos, era bom e continuou a ser, pelo menos para mim. Pensava que Ben também gostava. — Ela fechou os olhos, apertando-os com força. — Pensava que era melhor ter qualidade, em vez de quantidade. Sinto-me uma tola.

— Não é uma tola.

— Pode imaginá-lo fazendo amor comigo e pensando nela?

— Talvez não fosse assim.

— Oito anos... Como é possível que eu nunca tenha percebido?

— Se não percebeu no início, seria quase impossível ter percebido depois. Ao longo de oito anos, o que Ben fazia se tornaria a rotina. Não haveria nada fora do normal para que você percebesse.

Angie exibiu um sorriso irônico.

— O *New England Journal of Medicine* nunca escreveu nada a respeito disso. Estou fora do meu elemento.

Paige sorriu.

— Como vocês encerraram a conversa?

Angie respirou fundo, um pouco trêmula. Encostou-se na beira da mesa, parecendo mais calma, para alívio de Paige.

— Não o expulsei de casa, embora tenha certeza de que Mara me diria para fazer isso. "Processe-o", insistiria ela. "Arranque tudo que ele tem. Se Ben gosta tanto de Nora Eaton, deixe que *ela* lave suas meias." Mara adorava Ben, mas detestava a infidelidade.

Paige sorriu de novo. A análise que Angie fizera de Mara estava absolutamente correta. Apesar de toda a sua suavidade interior, Mara tinha momentos de militante.

— Mas isso não leva em consideração o fato de que você o ama.

— E amo mesmo.

— Ben disse o que queria?

Paige não era capaz de usar a palavra *separação*, muito menos *divórcio*.

— Ele saiu de casa depois que discutimos. Voltou mais tarde; entretanto, não nos falamos. E continuou na cama quando me levantei esta manhã. — Angie comprimiu a mão trêmula contra o lábio superior. Passou os braços em torno de sua cintura e fitou Paige, suplicante. — O que devo fazer?

— Converse com ele. Vá para casa agora e faça isso.

Angie sacudiu a cabeça.

— Há muita coisa para fazer aqui. — Ela afastou-se da mesa. Enxugou os olhos pelo reflexo na porta do microondas. — Meus pacientes estão esperando.

— Os meus também. Mas não acha que isso deve ser prioritário? É o seu marido, Angie.

— Sei disso. Mas preciso de tempo.

— O tempo é um luxo. E não soubemos como aproveitar o tempo com Mara. Dez vezes por dia desejo fazer o relógio voltar e conversar com ela. Converse com Ben, Angie.

Angie hesitou, com a mão na maçaneta da porta. Virou-se de novo para Paige.

— Não sei o que dizer. Pode imaginar como acho tudo isso desconcertante? Quase nunca me sinto desorientada... mas nunca, nem em um milhão de anos, poderia esperar algo assim de Ben. Pensava que ele me amava... e ainda penso... — Ela balançou a cabeça. — Apenas não compreendo. Talvez ele tenha razão. Talvez eu não tenha dado aquilo de que ele precisa.

— Está se justificando?

— Não, mas tenho de assumir parte da responsabilidade. Foi o que você disse a Peter... é preciso dois para dançar um tango. Se um dos dois não escuta a música, o outro pode querer um parceiro diferente.

— *Nada* justifica a infidelidade, Angie.

— Concordo. Mas aconteceu com Ben. Preciso de tempo para decidir como lidar com essa situação.

Paige não insistiu. Pouco depois, voltou a atender seus pacientes. Mas o dilema de Angie permaneceu em sua mente pelo resto do dia. Sentia-o pessoalmente... o abalo de algo que era firme como um rochedo. O casamento de Angie sempre fora um modelo de perfeição, um exemplo exuberante de como as coisas deveriam ser. Durante as ocasiões em que especulava como seria a vida de casada, Paige sonhava com uma união como a de Angie, que permitia conciliar a profissão com a família. Haveria um marido no centro de tudo; e, embora se sentisse atraída por um tipo de homem diferente de Ben, ele também seria constante e firme.

A infidelidade de Ben destruía um ideal. Deixava uma angústia em seu íntimo, quase tão grande quanto a que sentia ao pensar em Mara. Foi por isso que ela decidiu passar em casa primeiro, naquela tarde, antes de ir para a Mount Court. Disse a si mesma que queria apenas verificar como Jill estava passando, mas a verdade é que ver Sami atenuava um pouco a sua angústia. Não tinha importância se Sami não era filha biológica de Mara e se as duas nunca haviam sequer se encontrado. O fato é que Sami parecia ser um pedaço de Mara que fora deixado para Paige.

Como precisava sentir ainda mais essa ligação, ela mandou Jill visitar as amigas e levou Sami para a Mount Court. A diretora de esportes demonstrou a maior satisfação em tomar conta de Sami, enquanto Paige corria com as garotas. Depois, Paige ficou com Sami no colo, enquanto as garotas faziam vários tiros. Ao final do treino, ela pôs Sami no carrinho. Começou a andar, decidida a aproveitar a ensolarada tarde de setembro.

Foi avançando devagar pelo caminho do *campus*. Passou pelos prédios em que ficavam as salas de aula, o prédio das artes e a biblioteca. Passou também pelo prédio da administração. Falava com estudantes e parava de vez em quando para se ajoelhar ao lado de Sami e mostrar alguma coisa. Ao se aproximar dos dormitórios, pôde ouvir o barulho de uma escavadeira. Seguiu na direção do som.

As garotas haviam lhe falado do projeto de construção do novo diretor, mas ouvir era muito diferente de ver. O cenário, depois do último dormitório, era de um bosque. Teria sido uma linda visão, se não fosse pelo buraco cada vez maior que a escavadeira abria no meio.

Estudantes de ambos os sexos, de calça *jeans* e capacetes reluzentes na cabeça, estavam parados ao redor, observando com a mesma expressão de desamparo que havia no rosto de Paige. Um pouco além, não parecendo nem um pouco desamparado — na verdade, concentrado no trabalho, se é que o queixo erguido e o foco dos óculos escuros espelhados serviam de indicação —, ela avistou Noah Perrine.

Ele também usava calça *jeans* e capacete, só que este não parecia tão novo. A camisa era desbotada. O fato de que parecia acostumado a atividades físicas surpreendeu Paige. E também foi uma surpresa verificar o modo como ele gesticulava para o operador da escavadeira. Parecia saber o que fazia, bem à vontade no papel de mestre-de-obras. Dava a impressão de ser mais alto e mais rude do que se mostrara na sexta-feira anterior... e menos do que nunca o diretor da escola.

Sami começou a choramingar. Paige tirou-a do carrinho e embalou-a um pouco.

— Está tudo bem, meu amor. Não deixe que o barulho a assuste. Estão construindo uma casa. Uma nova casa. E tenho de admitir que é incrível conseguir a participação dos estudantes. Para alguém tão pedante, ele parece inteligente.

Ela ficou observando Noah. Ele alternava entre gesticular e ficar imóvel, com as mãos nos quadris. Em determinado momento, quando a escavadeira parou, Noah virou-se para os estudantes e começou a falar. Em vez de ouvir, o que seria impossível àquela distância, com o barulho do motor ligado, Paige tentou interpretar a sua expressão. Mas os óculos escuros atrapalhavam.

A um sinal de Noah, a escavadeira voltou a funcionar. Depois de algum tempo, o operador desligou o motor e saltou da cabine. Noah disse mais alguma coisa para o grupo. Mas, mesmo com a máquina desligada, Paige se encontrava longe demais para ouvir. Depois, os estudantes se dispersaram. Vários pararam para falar com ela — protestos, que Paige descartou com um sorriso indulgente — mas logo se afastaram.

Ela deveria ter ajeitado Sami no carrinho e voltado. Mas alguma coisa manteve-a ali, enquanto Noah se aproximava. Ele parou bem na sua frente.

— Estava esperando por mim? — perguntou ele.

A voz tinha a mesma suave firmeza do encontro anterior. Os óculos escuros eram vagamente intimidativos.

— Pode apostar sua vida que não — respondeu Paige, desejando que seu coração batesse mais devagar. — É um projeto interessante.

Noah tirou o capacete e os óculos escuros. Removeu o suor da testa com o braço. Tornou a pôr os óculos escuros.

— Pensei que era. Mas, pelo que dizem os garotos, é embaraçoso. Acham que está abaixo deles.

Era a essência dos protestos que Paige ouvira.

— Eles são mimados.

— Entre outras coisas. — Noah olhou na direção dos dormitórios. — Pegamos dois estudantes no bosque ontem à noite.

— Fazendo o quê?

— Não pergunte.

— Drogas, álcool ou sexo? Qual dos três?

— Tem importância?

— Claro que tem. Drogas e álcool são ilegais. Sexo é apenas uma insensatez... pelo menos na idade deles.

O coração de Paige disparou quando Noah a encarou em silêncio. Na defensiva, ela acrescentou:

— Presumindo que o sexo seja de consentimento mútuo, e estou me referindo à punição. Se a decisão fosse minha, seria mais rigorosa com drogas e álcool do que com sexo.

— Deve gostar de sexo.

Paige desejou poder ver os olhos do diretor.

— Não é esse o ponto.

— Mas gosta, não é?

Ela seria capaz de jurar que podia ver a insinuação de um sorriso.

— Isso não vem ao caso. Estamos falando de seus alunos. Entretanto... — Paige ergueu a mão, mas logo tornou a baixá-la. Ajeitou Sami no carrinho. — ... o que decide fazer com eles é só da sua conta. É o diretor.

Ela prendeu a faixa em torno de Sami. Começou a se afastar. Precisava sair dali porque Noah Perrine a deixava constrangida.

— Para seu conhecimento — disse ele, adiantando-se para acompanhá-la —, os dois que pegamos no bosque estavam bebendo uma garrafa de vodca. Serão suspensos por três dias e terão uma atenção especial quando voltarem.

Noah soltou um grunhido.

— No ritmo em que vamos, metade dos alunos estará sob atenção especial até o Halloween, o que não será problema meu. Serei o diretor interino até encontrarem alguém permanente. Mas terão dificuldades para encontrar quem aceite, se continuarmos com tantas ações disciplinares pendentes.

— Sempre pode olhar para o outro lado quando as normas são violadas.

Com ou sem óculos escuros, ela sentiu o olhar acusador de Noah.

— Eu deveria saber que uma mulher que mantém uma criança presa ao peito enquanto guia o carro daria esse tipo de resposta.

— Para seu conhecimento — respondeu Paige, incisiva, usando as mesmas palavras —, ela só anda na cadeirinha, agora que aprendi a prendê-la. O que você viu no outro dia foi um ato de desespero. Não tenho o hábito de violar as normas.

— Nem eu — declarou Noah, sem alterar a voz. — É por isso que não posso olhar para o outro lado e deixar os alunos fazerem o que quiserem. Posso ficar aqui apenas por um ano, mas durante esse tempo é o meu nome que vai aparecer como responsável. É a minha reputação que está em jogo. E é a minha preocupação com a vida desses garotos que me torna rigoroso.

— Puxa! — exclamou Paige, com um tom descontraído, a única maneira que pôde pensar para arrematar um discurso tão solene.

— Portanto, não me diga que não gosto deles — acrescentou ele — porque gosto muito.

Aquilo significava que ele se lembrava da última conversa dos dois.

— Isso o incomoda, hein?

— E muito. Faço o melhor que posso numa situação crítica e me esforço porque me importo. Eu não precisava estar aqui. Tinha um bom emprego, que podia manter por tanto tempo quanto quisesse.

— Então por que aceitou o cargo aqui?

Noah não teve pressa para responder. Finalmente, resignado, ele disse:

— Parecia uma boa coisa para fazer durante um ano. Como está a sua equipe?

Com a mudança de assunto, Paige ousou lançar um olhar para o rosto do diretor. Os óculos escuros não deixavam transparecer nada de uma natureza especial. Ela desejou ter óculos iguais ou um boné que lhe encobrisse os olhos... qualquer coisa para fazer com que se sentisse menos exposta.

— A primeira corrida será no sábado. Eu o avisarei na ocasião.
— As garotas se acalmaram?
— Não houve mais telefonemas aflitos, se é isso o que está querendo saber.
— Elas apareceram para conversar no sábado?
— A maioria.
— Inclusive as alunas do segundo ano?
— Por algum tempo.
— E elas fizeram comentários?
— Escutaram apenas, na maior parte do tempo. Como você ressaltou, Sara sequer conheceu a minha amiga.
— E você ressaltou que ela ainda não tem uma base de apoio, sendo nova na escola. Como acha que ela está indo?
— Muito bem. É uma garota quieta e séria. Minha melhor corredora. Estou prevendo que terá uma ótima colocação no sábado.

Os dois continuaram andando. Paige se perguntou para onde ele ia. Gostaria que ele a deixasse logo de uma vez. Sua simples presença parecia agitar o ar em torno dela.

— Eu me identifico com ela.

Paige demorou um momento para compreender que Noah ainda falava sobre Sara, enquanto ele acrescentava:

— Por ser nova aqui e tudo mais. Acha que ela está fazendo amigas?
— Ela se dá bem com a equipe, mas não sei como é fora dos treinos. O que diz a supervisora de seu dormitório?
— Para mim? Absolutamente nada. Sou tão popular com ela como entre os estudantes. Afinal, sou eu quem faz as regras que ela tem de impor.
— Mas ela é da sua equipe. Subordinada a você. Tem que dar as respostas que pedir.

— Há respostas e respostas. As dos funcionários são às vezes tão impregnadas de má vontade quanto as respostas dos alunos. A última coisa que todos querem aqui é se mostrarem meus aliados.

Paige chegou ao caminho que a levaria a seu carro. Sentindo um alívio iminente, ela ergueu a mão num aceno rápido e murmurou:

— Eu também não. Até outro dia.

As palmas das mãos de Angie estavam úmidas de suor. Torceu para que Dougie saísse correndo na sua frente, subindo direto para o quarto. Assim, poderia ter um momento a sós com Ben. Se o filho ouvira alguma coisa da discussão na noite anterior, não deixou transparecer. Além de um comentário, um veemente "Estou morrendo de fome" quando entrara no carro, na escola, os dois conversaram durante o percurso até em casa como se a divergência do dia anterior nunca tivesse ocorrido.

Angie não sabia como encontraria Ben. Uma parte dela ficaria feliz se o marido, como Dougie, agisse como se nada estivesse errado. A outra parte — a parte da mágoa, furiosa, realista — sabia que Nora Eaton existia. E teria de lidar com isso. A questão era quando.

Angie preferia que fosse mais tarde. Por enquanto, ficaria satisfeita se encontrasse o Ben de sempre, assistindo ao noticiário do final da tarde. Poderia preparar o jantar — tirara galinha do refrigerador naquela manhã — e pôr a roupa na máquina de lavar. Encontraria forças na realização das pequenas tarefas cotidianas.

Ela entrou na cozinha e gritou uma saudação, querendo parecer tão jovial como sempre. Ben não respondeu, mas isso também não era novidade. Às vezes ele não ouvia ou estava absorvido demais no noticiário. Depois, quando a escutava se movimentando de um lado para outro, vinha cumprimentá-la.

Não foi o que aconteceu naquela noite. Angie presumiu que ele tinha dúvidas sobre a maneira como seria recebido. Afinal, fora Ben quem a enganara.

Quando o jantar ficou pronto, ela gritou da porta da cozinha. Os passos de Dougie na escada precederam o seu aparecimento. Ele sentou-se à mesa.

— Onde está papai?

— Já está vindo — respondeu Angie, torcendo para que fosse verdade.

Ela começou a servir a comida nos pratos; ainda assim, Ben não apareceu.

— Talvez ele não tenha ouvido — murmurou Angie.

Parando o que fazia, ela foi até a sala íntima. Ben estava mesmo ali, onde esperava encontrá-lo.

— O jantar está pronto.

Ele fitou-a... indeciso, pensou Angie. A expressão que ela assumiu foi de confiança. *Venha jantar agora. Resolveremos tudo mais tarde.* Quando o viu se levantar, ela voltou à cozinha. Pôs o prato servido do marido no lugar de sempre. Servia-se também quando ele sentou à mesa.

— Ei, Doug — disse Ben, batendo com a palma de sua mão na do filho —, como foi a escola hoje?

Angie escutou a repetição das histórias que já ouvira no carro. Quando Ben fez uma pergunta que levou Dougie por outro rumo, ela tentou se concentrar. Mas seus pensamentos insistiam em se fixar no "mais tarde". Mesmo assim, conseguiu fazer alguns comentários apropriados, o suficiente para descartar a suspeita de que havia algo de errado. Até comeu mais da metade da comida em seu prato. Durante todo o tempo, porém, não parava de planejar. O "mais tarde" veio logo depois que ela pôs enormes fatias de bolo de chocolate na frente de Dougie e Ben.

— Estive pensando numa porção de coisas — anunciou ela, num tom que esperava ser conciliador. — Sei que nenhum dos dois se sente satisfeito com as horas adicionais que tenho trabalhado desde a morte de Mara. Meus novos horários não estão funcionando direito. Por isso...

Angie fez uma pausa, limpando a garganta, antes de acrescentar:

— Decidi fazer alguns ajustes.

Os dois mantiveram-se cautelosos.

— Dougie, você protesta por ter de levantar muito cedo de manhã.

— Não é por isso, mamãe. Você me deixa na escola cedo demais. É embaraçoso. Nada está acontecendo. Os garotos no dormitório ainda nem acordaram.

— Mas deveriam, se quisessem tomar o café da manhã antes das aulas começarem... mas isso é problema deles, não nosso — disse Angie. — Agora que Paige tem uma ajudante que mora em sua casa e toma conta de Sami, ela pode se revezar comigo no atendimento dos pacientes de emergência que aparecem de manhã cedo. Com isso, só precisarei sair mais cedo duas vezes por semana. Nesses dias, seu pai poderá levá-lo à escola no horário habitual. Podemos fazer a mesma coisa de tarde. Nos três dias em que tenho de ficar na clínica até mais tarde, seu pai irá buscá-lo. Podem fazer um lanche ao chegarem, a fim de não ficarem morrendo de fome até o jantar, às sete horas.

Nenhum dos dois falou. Angie olhou de um para o outro.

— O que me dizem? Não é melhor assim?

Dougie olhou para Ben, que tinha os lábios contraídos e olhava para o prato.

— E então? — insistiu Angie.

Dougie fitou-a.

— Você não está tocando no ponto principal, mamãe. Eu quero ser interno.

— Concordamos ontem à noite que isso não era viável.

— Você concordou. Eu não.

Angie largou o guardanapo ao lado de seu prato, sentindo-se sinceramente confusa.

— Doug, por que está falando nisso agora? Por que não na primavera passada? Teria sido uma ocasião mais apropriada para decidir se seria ou não interno. Por que agora?

— Porque a turma este ano é sensacional, estou um ano mais velho, e, se não for interno, você vai me encher durante o ano inteiro por usar o telefone à noite. Além do mais, se for interno, vou poder jantar com o resto da turma.

— Acabei de dizer que seu pai irá buscá-lo mais cedo e, com isso, poderá fazer um lanche ao chegar em casa.

— Não quero chegar em casa mais cedo. Quero ficar com a turma até mais tarde.

Ele afastou a cadeira da mesa.

— E seu bolo? — perguntou Angie.

— Não foi você quem fez. Tirou de uma caixa.

— Não posso fazer tudo.

— A cozinheira da escola faz bolo — murmurou Dougie, encaminhando-se para a porta.

Angie estava mais aturdida do que nunca, não entendendo por que o filho reagira daquela maneira. Quando olhou para o marido, em busca de apoio, Ben disse, a voz suave:

— Você não escuta, não é? Ele está lhe dizendo que precisa de mais liberdade, mas você não presta atenção.

— Fiz tudo que podia para agradá-lo. Disse que poderia dormir até mais tarde e que não precisaria ficar na escola até as seis e meia, porque você iria buscá-lo mais cedo. Estou fazendo o melhor que posso para que tudo volte a ser como era antes da morte de Mara.

— Mas não é isso o que Doug quer. Ele já explicou que quer ser interno.

Angie respirou fundo.

— Você quer que ele seja interno?

— Não, mas isso não importa. O principal é que você continua decidindo, e é contra isso que ele se rebela. Doug precisa se libertar dessa sua forma de agir. E eu também.

— Uma família não pode funcionar sem organização.

— Organização é uma coisa, manipulação é outra. Você acaba de comunicar a Doug que eu o levarei à escola duas vezes por semana e irei buscá-lo três vezes, mas sequer perguntou se eu estava de acordo.

Angie sentiu-se completamente enganada, incapaz de falar por um longo espaço de tempo. Depois, apontou um dedo trêmulo para o chão.

— Ontem à noite, bem aqui, você disse que eu o castrava e que nunca o deixava fazer as coisas por nosso filho, porque tinha medo de que não faria certo. Agora, estou lhe dando uma chance. Não compreendo por que ficou transtornado.

— Porque é *seu plano*. Pensou em tudo sozinha. Não me perguntou o que eu achava, se tinha alguma sugestão melhor.

— E você tem?

— Não é essa a questão. — Ben passou a mão pelo cabelo, emitiu um som gutural e levantou-se. — É uma batalha perdida. Não posso continuar.

Ele encaminhou-se para a porta.

— Para onde você vai?

A imagem de Nora Eaton surgiu na mente de Angie.

— Sair.

— Ben...

Mas a porta de tela já fora batida, e ele seguia para o carro. Angie arriou na cadeira e ficou olhando sem ver para as fatias de bolo intactas. Quando o torpor da partida brusca do marido começou a passar, ela sentiu que tremia por dentro.

Tinha certeza de que fazia todas as coisas certas. *Queria* fazer tudo certo. Não podia entender onde errara.

Mas não havia como negar o ressentimento profundo contra ela. Poderia ter atribuído a explosão da noite anterior ao mau humor, se tudo não se repetisse na noite seguinte. Não apenas o ressentimento era profundo, mas também lhe ocorreu que devia vir se acumulando há anos. E durante todo esse tempo ela se mantivera alheia ao que acontecia.

Angie perguntou-se onde estivera ao longo daqueles anos, o que pensara.

— Você não escuta, não é? — indagara Ben, depois de tudo que falara na noite anterior.

Para uma pessoa que se orgulhava de ter um firme controle da sua vida, as palavras do marido eram como um golpe... acompanhado, ainda por cima, pelo fato contundente da infidelidade de Ben. Não haviam sequer se tocado naquela noite. Mas talvez fosse melhor assim. Era um sintoma. Assim como seus horários, originais e revisados, não passavam de placebos.

O problema era que Angie, apesar de todos os seus conhecimentos, apesar de todo o seu treinamento, habilidade e competência, não tinha a menor idéia do que fazer.

 *Oito*

$\mathcal{N}$oah Perrine vinha de uma família de acadêmicos. O pai, a mãe e duas irmãs mais velhas: todos eram professores. Era tácito que ele faria a mesma coisa. E era isso que Noah queria. Criado no *campus* de uma pequena universidade no Sudoeste dos Estados Unidos, onde o seu pai era diretor, ele gostava do senso de comunidade que a vida num *campus* proporcionava. O aparente isolamento não o incomodava nem um pouco. Achava que a comunicação eletrônica tornava o mundo um lugar menor; com isso, podia ser cosmopolita e provinciano ao mesmo tempo.

Para saborear o cosmopolita, ele fez um curso de doutorado em Nova York. Depois, assumiu a direção do Departamento de Ciências de uma escola preparatória nos arredores de Tucson. Mas logo ficou patente que seus talentos seriam desperdiçados se limitasse suas atividades a ensinar. Tinha jeito para lidar com adultos. Possuía capacidade de organização e uma habilidade para os negócios a que poucos na escola conseguiam se igualar. Quase sem querer, acabou se envolvendo com a administração. Depois de algum tempo, foi nomeado diretor de desenvolvimento. Era um cargo que lhe permitia combinar o ensino com relações com ex-alunos e levantamento de fundos, dois elementos críticos para a sobrevivência da instituição. O levantamento de fundos envolvia viagens. Embora não gostasse muito dessa parte, tinha de fazer o que era necessário. Seu objetivo era se tornar diretor, se não daquela escola, então de outra.

Infelizmente, não havia nenhuma vaga disponível na ocasião em que ele sentiu uma tremenda necessidade de deixar Tucson. Por isso, mudou-se para o Norte da Virgínia, a fim de dirigir a Fundação para a Consciência Ambiental, uma organização não lucrativa. Ali, pôde combinar seu conhecimento dos problemas ecológicos e sua habilidade docente com o talento para levantar fundos. E teve sucesso ao longo dos doze anos no cargo. Quando sentia saudade do ambiente aconchegante da vida num pequeno *campus*, consolava-se com o pensamento de que tinha uma posição importante, trabalhando por uma causa em que acreditava.

Ao completar 40 anos, no entanto, começou a se sentir desinteressado. Podia acordar em Minneapolis, Boulder ou Boise, assim como em Alexandria. As pessoas entravam e saíam de sua vida. Ansiava pela centralização da vida que conhecera quando criança.

Um retorno à vida acadêmica era inevitável, algo gravado em seu coração, como um gene extra. Mas demorou a se decidir, querendo a escola certa, no cenário certo.

Não era o caso da Academia Mount Court. Quase insolvente, tinha uma péssima reputação, com uma liderança impotente e um alunado fora de controle. A excelência acadêmica declinara; os problemas disciplinares abundavam. A escola era um desastre consumado, esperando apenas pelo último abalo para desmoronar.

Mas o momento era oportuno. Noah precisava da mudança. A questão de o contrato ser de apenas um ano lhe proporcionava uma cláusula de escape. E havia algo a ser dito quanto ao desafio.

Ele começou em junho. Passou o verão arrumando o caos administrativo deixado por seu antecessor. Em setembro, endireitara a confusa programação com a secretaria. Atualizara as fichas dos ex-alunos com o responsável pela arrecadação de fundos. Com o diretor acadêmico, reavaliara todos os cursos oferecidos. O currículo básico fora melhorado, enquanto as matérias eletivas eram reformuladas, com algumas sendo eliminadas, visando a aumentar a carga horária de cada estudante.

Houve muitos resmungos dos professores, sem o menor entusiasmo em reformular os planos de aula. Mas isso não foi nada comparado com a reação dos alunos quando voltaram às aulas, no início do ano letivo, depois do feriado do Dia do Trabalho, na primeira semana de setembro.

Agora, menos de duas semanas depois de iniciadas as aulas, Noah especulava se estava à altura do cargo. Dizer que não era nem um pouco popular no *campus* era o mínimo. Não tinha um único amigo. Os professores tratavam-no como um forasteiro; os alunos tratavam-no como um inimigo. A força de suas convicções não vacilava — sabia que fazia o que era certo para a escola —, mas isso não tornava seu trabalho mais fácil. E sentia-se solitário.

Fora por isso, refletiu ele, que Paige Pfeiffer atraíra a sua atenção. Era médica, uma mulher inteligente, que apoiaria as mudanças que ele tentava promover. Ou pelo menos era o que Noah supunha. Não se podia dizer que a suposição estivesse errada, mas o problema era que ela encarava a situação do ponto de vista de uma mulher. Paige considerava o lado emocional da questão, enquanto a função de Noah era pensar apenas no lado estrutural. Era ele quem formulava as normas, o disciplinador, enquanto Paige podia ser mais condescendente e permissiva... e até que era uma posição bem melhor. Mas não era ela quem tinha de dar explicações a um exército de pais exigentes e a uma brigada de conselheiros mais ainda.

Mesmo assim, ele a observava. Paige atraía-o. E chegou à conclusão de que era por causa de suas pernas compridas e bem-torneadas de corredora. E, ainda por cima, sensuais.

A impropriedade do pensamento levou-o a lembrar a lamentável situação em que se encontrava. Precisava de uma pessoa amiga em Tucker. Mais do que isso, precisava de estímulo, um sinal de que podia dar certo o que tentava fazer.

Determinado, ele tomou um banho de chuveiro, vestiu uma calça e camisa limpas, e foi para o refeitório. Só que não foi para o seu lugar habitual, na área reservada ao corpo docente, onde teria de suportar algum professor reclamando do curso extra que daria naquele período. Em vez disso, foi sentar com um grupo de alunos do primeiro ano da academia.

E aqueles que não o fitaram, cautelosos, trocaram olhares nervosos entre si.

— Como vocês estão se saindo? — perguntou ele, cordial.
Um aluno mais bravo reuniu coragem suficiente para responder:
— Muito bem.
— Estão gostando das aulas?
Vários deram de ombros. Outros manifestaram um súbito interesse pela comida em seu prato.
— O que acham do projeto de construção? — insistiu Noah, para manter a conversa.
Os estudantes tornaram a trocar olhares. Um deles murmurou:
— É bom.
Outro disse:
— Não temos idade suficiente para trabalhar direito.
Um terceiro acrescentou:
— Pode não ficar muito bom no final. As coisas feitas por amadores nunca saem boas.
— Não há nada de "amador" no prédio que vamos construir — declarou Noah. — O projeto foi feito por um arquiteto experiente, e a construção terá a supervisão de um mestre-de-obras competente.
Outro menino disse:
— Meu irmão vai ajudar. Isso vai ser um desastre.
— Não vai mesmo — assegurou Noah. — Não posso aceitar um desastre. Todos os alunos que ajudarem na obra aprenderão a fazer tudo certo.
— Posso imaginar — comentou outro, lançando um olhar presunçoso para os outros. — Com isso, poderão se formar e construir casas.
— Não há nada de errado nisso.
— Meu pai não está pagando um bocado de dinheiro para eu aprender a construir casas.
— Não, mas seria um pequeno e secundário benefício para a educação formal que está recebendo. E posso lhe garantir que há uma enorme satisfação em construir uma casa.
— Já fez isso?
— Mais de uma vez.
— Sua própria casa?
— Não. Sempre foram casas para outras pessoas, que não teriam condições de construí-las sem a ajuda de amigos.

Um dos meninos resmungou:

— Lá vem a conversa fiada.

— Que conversa fiada? — perguntou Noah.

— Vai nos dizer que a exigência de serviço comunitário é a melhor coisa que já aconteceu no *campus* desde o bufê de saladas... mas eu detesto salada.

— Isso não significa que deva detestar também o serviço comunitário.

— Em Tucker? Está brincando? Esta cidade é o fim do mundo. Não há nada aqui.

— Tem um armazém-geral, uma biblioteca e uma agência dos correios. Tem também uma loja de ferragens, uma serraria e uma livraria. Uma cooperativa de artesãos. O Tavern. E a pousada. Sem falar na sorveteria e na Reels. E no hospital.

— O Hospital-Geral de Tucker — comentou alguém, rindo.

— Pelo que me contaram, o hospital de Tucker já salvou muitos garotos da Mount Court de algum desastre — lembrou Noah. — Portanto, não o menosprezem.

Houve mais risos abafados.

— Eu não gostaria de sofrer um ataque do coração ali — murmurou alguém.

Os outros caíram na gargalhada.

— Por que não? — indagou Noah. — Os médicos de Tucker passaram pelos mesmos hospitais que você conhece e em que confia. Apenas optaram por viver em Vermont. Se eu fosse um apostador, seria capaz de apostar que Tucker oferece mais cuidados pessoais do que os hospitais das grandes cidades.

— Isso acontece porque as enfermeiras de um lugar tão atrasado não têm nada melhor para fazer.

Noah sentia-se desapontado com o ceticismo do garoto, mas não surpreso. O mimado nunca estava longe do arrogante, e o arrogante nunca estava longe do banal. Aqueles garotos de 15 anos eram essas três coisas.

— Acha mesmo isso, John? — Noah experimentou alguma satisfação com a surpresa do menino que acabara de falar. — Pois vamos fazer uma coisa. Você cumpre trinta horas de trabalho voluntário no hospital. Depois, se ainda acreditar nisso, eu o levarei, junto com mais três colegas, para tomar *sundaes* no Scoops.

— Trinta horas? — indagou John, assustado.

— É a condição.

— De que forma arrumaríamos tanto tempo?

— Cinco horas nas manhãs de sábado, durante seis semanas. Pode ser também nas tardes de sábado ou domingo, se não conseguir acordar cedo. Ou, se não quiser trabalhar no hospital, pode dar aulas particulares de matemática para alunos da escola primária. Ou ler para idosos. Ou trabalhar na oficina de reciclagem do depósito de lixo da cidade. O fato é que vocês são privilegiados. Têm facilidades que os outros não têm. Devem à sociedade alguma retribuição.

— Pagamos impostos.

— Seus pais pagam impostos — corrigiu Noah. — Vocês recebem muito sem retribuir.

— Somos jovens demais para retribuir.

— Nunca se é jovem demais.

Noah levantou-se. Se continuasse um pouco mais com aquela conversa, teria uma indigestão... e ainda nem começara a comer.

— Quem sabe? — acrescentou ele, com a bandeja na mão. — O conceito de caridade pode ser assimilado. E você pode descobrir que gosta de fazê-la, deixando a Mount Court como uma pessoa melhor.

Prestes a dizer alguma coisa mais ríspida, ele tratou de se afastar. Foi para a área dos professores e jantou, com uma sensação de derrota. Depois, quando saiu para o ar fresco do crepúsculo, resolveu tentar de novo.

Desta vez foi com o grupo de Paige Pfeiffer: Julie Engel, Alicia Donnelly e Tia Faraday, mais Annie Miller e outras garotas, inclusive Meredith Hill e Sara. Estavam sentadas no gramado, saboreando as diversas misturas de iogurtes congelados servidos como sobremesa. Ele enfiou as mãos nos bolsos e aproximou-se.

— Como está o iogurte?

As meninas fitaram-no com várias graus de cautela. Julie deu de ombros. Annie inclinou a cabeça. Tia murmurou:

— Está bom.

Elas continuaram a comer, algumas lambendo os cones, outras despejando o iogurte em pratos.

— Uma melhora em relação à comida do último ano? — perguntou Noah.

Elas trocaram olhares de consulta. Finalmente, Alicia respondeu:
— Pode ser.

A implicância era evidente. Noah ficou esperando que alguém discorresse a respeito. Como ninguém o fizesse, ele acrescentou:

— Mas não gostaram do *tofu* que tivemos no almoço, não é mesmo?

Annie fez uma careta. Tia soltou um grunhido. Julie resmungou:
— Foi horrível.

— O *tofu* absorve o sabor dos alimentos com os quais é cozinhado — comentou Noah. — Nosso cozinheiro ainda não pegou a idéia. Mas vai aprender. Achei que sua *pizza* ficou ótima.

Fora coberta com uma camada extra de queijo e vegetais diversos; mais importante ainda, não levara aquela porção a mais de azeite que os cozinheiros da escola pensavam erradamente que melhorava o sabor. Ninguém comentou. Noah continuou:

— Ele também vai muito bem com o bufê de saladas. E o de sanduíches.

Eram outras idéias de Noah. Sua teoria era a de que haveria menos desperdício de comida se os estudantes pudessem pegar apenas o que quisessem, deixando o resto. Eles preferiam o pão comum no café da manhã aos bolinhos de milho que o cozinheiro passava uma hora fazendo. Noah tivera a duvidosa honra de provar o bolinho na visita que fizera à escola na primavera anterior.

Alicia esticou as pernas. Tia sussurrou alguma coisa para Julie. Outras garotas pegaram sucrilhos num prato e salpicaram em seus iogurtes. Meredith e Sara pegaram guardanapos de papel de uma pilha na grama.

— Seu pai melhorou, Lindsey?

A menina levantou os olhos, surpresa.

— Como soube que ele estava doente?

— Conversei com ele no dia em que a trouxe, junto com a sua mãe. Ia fazer uma cirurgia.

— Já fez. E está melhor.

Noah assentiu com satisfação. Levantou a cabeça a tempo de avistar um *frisbee* que saíra do rumo, vindo na direção do grupo. Boa pegada, Noah, disse ele a si mesmo, enquanto nenhuma das meninas se manifestou. E mandou o *frisbee* de volta.

— Nesta época, no ano passado — disse ele ao grupo silencioso —, eu estava na serra no Norte da Virgínia. Achei que o outono ali era lindo, mas aqui é ainda mais incrível. Mais algumas semanas, e as cores serão espetaculares.

As meninas tornaram a trocar olhares. Julie comentou:

— Isso torna ainda mais difícil a concentração nas aulas.

— E também nas tarefas de dirigir a escola. Mas tem de ser feito. — Uma pausa e Noah acrescentou, jovial: — Além do mais, concentrar-se quando é mais difícil é o que constrói um caráter.

Ninguém riu. Sequer sorriu. Noah podia sentir um ressentimento tangível contra ele. Alicia levantou-se.

— Vou levar isso de volta para o refeitório.

As outras lhe estenderam os pratos e colheres. Ela se afastou, carregando tudo. Julie também se levantou e disse, incisiva:

— Tenho de me preparar para o estudo.

Ela se afastou. As amigas acompanharam-na. As novas alunas foram as últimas a se retirar. Noah queria conversar com elas, mas preferiu permanecer calado ao perceber o medo profundo nos olhos de Sara.

Noah preocupava-se com ela. Sara viera de San Francisco, deixando uma mãe incapaz de lidar com uma filha adolescente. Devia ter sido um golpe e tanto para Sara. Outro fora deixar todas as suas amigas para trás, e um terceiro começar tudo de novo no meio do curso secundário.

Era um doce de menina. Por trás do estoicismo, que mantinha seus sentimentos ocultos, era bastante sensível. Noah tinha certeza disso. Era o motivo pelo qual não sabia se aquela era a escola apropriada para Sara. Ele gostava de Meredith e das outras alunas do segundo ano, mas não morria de amores pelas garotas do último ano da turma de *cross-country*. Paige Pfeiffer podia gostar muito delas — era fácil, já que passava pouco tempo em sua companhia —, mas elas pareciam difíceis e teimosas para Noah. E ele não sabia se seria capaz de agüentá-las durante um ano inteiro. As novas alunas eram diferentes. Ele tinha uma chance com pessoas como Sara, desde que não fossem desviadas pelas veteranas. Noah prometeu a si mesmo que faria tudo ao seu alcance para evitar que isso acontecesse. Mas não seria nada fácil.

Nada era fácil, ao que tudo indicava, na Mount Court.

Sentindo-se triste, cansado e sozinho, ele atravessou o *campus*. Seguiu pelo caminho através das árvores, por trás da biblioteca e do centro de artes, para a casa do diretor. Era pequena e aconchegante, em estilo Tudor, de alvenaria, coberta de hera. Fora um dos fatores que o levaram a aceitar o convite para a Mount Court... antes de examinar melhor a casa.

Podia-se chamá-la de distinta, elegante, até mesmo imponente, mas a palavra mais apropriada era velha. Embora Noah não fosse contra casas antigas e bem-cuidadas, não era o que acontecia com aquela. Ele já trocara pessoalmente maçanetas pouco funcionais, na frente e nos fundos, calafetara as janelas e trocara várias telhas, quando as tempestades do final de agosto conseguiram afetar o interior da casa. Contratara um encanador para trocar o aquecedor, enquanto especulava se o diretor anterior gostava de banhos frios. Quando constatara que a geladeira não funcionava adequadamente, ele comprara uma nova, com o seu próprio dinheiro.

Era uma casa pequena, como convinha à imagem do diretor, cujos filhos haviam crescido e saído de casa. Noah não era desse tipo, mas gostava da intimidade. O primeiro andar tinha uma sala de estar, uma sala de jantar, a cozinha, e uma sala íntima, que era usada de vez em quando, nas recepções oficiais. A cozinha e a sala íntima projetavam-se dos fundos da casa, como se fossem ramificações da cozinha menor original. Com uma predominância de janelas dando para o bosque, aquela era a parte predileta da casa para Noah.

O segundo andar tinha dois quartos, cada um com o seu próprio banheiro. Ele achara o papel de parede tão depressivo, que mandou arrancá-lo dias depois de chegar. Agora, os rolos do novo papel estavam nas caixas. Ele tencionava fazer o trabalho pessoalmente, assim que tivesse tempo.

Uma parte de Noah achava que ele era doido. Não tinha a responsabilidade, como diretor temporário, de promover melhorias nas instalações, ainda mais à sua própria custa. A outra sabia que fazer coisas como pôr o papel de parede seria terapêutico. No ritmo em que andava em termos de popularidade, assim que chegasse o frio, quando passaria mais tempo à noite e nos fins de semana em casa, estaria desesperado por encontrar coisas para fazer.

Havia satisfação em trabalhar com as mãos. E Deus sabia que ele precisava de algum tipo de satisfação.

Ele pegou o *The Washington Post* na pilha de correspondência diária. Sentiu um conforto imediato. O *Post* era uma relíquia da sua vida antes da Mount Court. Representava um mundo que apreciava pessoas como Noah e aguardava seu retorno. Se optaria por voltar, era outra questão. Mas a opção sempre era sua; enquanto isso, era um consolo saber que tinha o devido reconhecimento em outros lugares.

Noah foi para a cozinha, pensando em ler o jornal sentado à mesa redonda na área envidraçada que servia como copa. O sol já descera por trás das árvores. O crepúsculo se aproximava. Ele acionou o interruptor para acender a lâmpada suspensa sobre a mesa. Como nada acontecesse, apertou de novo o interruptor. A lâmpada não acendeu. Noah soltou um grunhido irritado.

Largou o jornal na mesa, desatarraxou a lâmpada e jogou-a no cesto de lixo. Foi pegar uma nova na despensa. Também não acendeu quando ligou o interruptor. Ele tirou a lâmpada e experimentou uma terceira.

Desta vez, ao acionar o interruptor, faíscas saíram da caixa na parede, com tanta intensidade, que ele deu um pulo para trás. Tornou a praguejar, mais alto. Ficou parado, com as mãos nos quadris, o coração batendo uma mensagem de infelicidade contra as costelas, a cabeça abaixada em derrota. Conhecia o suficiente sistemas elétricos para saber que aquele interruptor teria de ser trocado. E não podia deixar de especular quantos outros estariam no mesmo estado.

Não dava para entender como uma casa tão bonita por fora podia estar tão mal conservada por dentro. Em sua frustração, Noah se perguntou se não haveria uma mensagem mais ampla naquela situação. Viera para a Mount Court com as melhores intenções. Se também estourassem em seu rosto, não saberia o que fazer.

Detestava coisas decrépitas, detestava jovens ricos e esnobes; e, acima de tudo, desprezava a idéia de fracasso. Por isso, pegou as chaves do carro e foi para a garagem. Pouco depois, estava no seu Explorer, percorrendo os caminhos sinuosos da Mount Court. Logo chegou à via principal e seguiu para a arcada de ferro batido. Mantinha os olhos fixados à frente e o pé no acelerador. Não diminuiu a velocidade até que a imagem da Mount Court, vista através de uma janela traseira pontilhada de adesivos de uma vida passada, fosse apenas uma lembrança.

— Ela já morreu há mais de uma semana. Como vão as coisas?

A pergunta partiu de Charlie Grace. Como os três irmãos mais velhos faziam com freqüência, ele sentou no reservado de Peter no Tavern sem ser convidado. Em circunstâncias normais, Peter não se importava. Os irmãos não haviam conseguido muita coisa na vida; por isso, deixá-los sentar ali era um ato de caridade. Mas Peter sentia-se cansado. Concluíra outro longo dia de trabalho, repleto de perguntas sobre Mara, feitas pelos pais das crianças que ela atendia.

— Tudo bem — respondeu ele para Charlie.

Mas não gesticulou para a garçonete — era Beth quem estava de serviço naquela noite — trazer uma cerveja para o irmão, como costumava fazer, benevolente. Não tinha a menor disposição para encorajar o irmão a permanecer ali. Precisava de um tempo sozinho, antes da chegada de Lacey.

— Ela era muito esquisita — comentou Charlie. — Podia ser uma sacana de primeira classe... Jamie Cox é o primeiro a dizer isso... mas seus pacientes a adoravam. Meus filhos achavam que ela era a maior.

Ele gesticulou para que Beth trouxesse uma cerveja. Peter preferia que o irmão não tivesse feito o pedido. Mais do que isso, gostaria que Charlie não o depreciasse.

— Acham que Mara era a maior apenas porque decidi que não devia ser o médico deles. Se eu fosse, passariam a me considerar o maior.

— Os garotos ainda acham que você é o maior — disse Charlie, com uma sinceridade que deixou Peter embaraçado. — Mas ela era mulher, e uma mulher sempre tem alguma coisa a seu favor. Era como uma segunda mãe para as crianças. E, ainda por cima, metade dos homens da cidade era apaixonada por ela.

— Se vai me falar de Spud Harvey, poupe o fôlego. Isso não é novidade.

— Spud? Ele também? Eu pensava em Jackie Kagen, Moose LeMieux e Butchie Lombard. Todos eles saíram com Mara.

— Uma ou duas vezes cada um, mais nada — especificou Peter. — Da maneira como você fala, ela parece uma devassa. Mas não era. Ao contrário, sempre foi decente com os homens. Nunca enganou nenhum. Nunca prometeu mais do que estava disposta a dar.

— Ei, vamos com calma! — Charlie levantou a mão, num gesto apaziguador. — Não a estou acusando de coisa alguma. Além do mais, Norman concorda. Ela não tinha inimigos. Foi o que ele me disse na padaria esta manhã. Verificou tudo.

Charlie fez uma pausa, oferecendo a Beth o sorriso de herói do futebol americano.

— Obrigado, meu bem.

Peter sentiu um alarme indefinido, embora tomasse cuidado para não deixar transparecer.

— Norman verificou tudo? — repetiu ele, com uma notável despreocupação. — Como assim?

— Investigou a sua vida amorosa. Conversou com os homens com quem ela saiu. E também conversou com os que não saíram com ela, mas bem que queriam. Ele não falou com você?

— Eu era um dos sócios de Mara. Nunca tivemos qualquer relacionamento amoroso.

— Essa não, Pete! — protestou Charlie, jovial, baixando a voz. — Vi vocês dois na velha ponte coberta, ao amanhecer, mais de uma vez.

— Éramos ambos fanáticos por fotos. E fotografamos a ponte várias vezes.

— Ao amanhecer? — indagou Charlie, cético.

— As fotos sempre ficam mais interessantes quando a iluminação é indireta. O amanhecer e o pôr-do-sol são as melhores ocasiões. Acredite em mim. Nunca houve nada entre mim e Mara. Por isso, Norman não tinha motivo para falar comigo. Os outros devem ter se irritado.

— Não, não se irritaram. Não tinham nada a esconder. E sabiam que Norman estava apenas cumprindo o seu dever. Pobre coitado! Quase torci para que ele descobrisse alguma coisa emocionante.

— Por exemplo? — perguntou Peter, por cima do copo de cerveja.

— Por exemplo, que Mara mantinha um relacionamento sexual extravagante com alguém da cidade. E que o cara deixou-a sem sentidos no carro, dentro da garagem, com o motor ligado.

Peter engasgou. Tossiu, limpou a garganta, sacudiu a cabeça.

— O legista excluiu essa possibilidade. Não havia nenhuma equimose no corpo.

— Sei disso, Pete. Mas onde está a sua imaginação?

— Sou um médico. Não fico imaginando maneiras horríveis de morrer.

Charlie suspirou.

— Só estou dizendo que Norman poderia ter aproveitado um pouco de excitamento. Mais do que isso, *todos* nós teríamos gostado. Esta cidade é quieta demais. — Ele levantou os olhos. — Ei, Donny, pode sentar e me esperar! Já estou indo!

Donny deu um tapinha no ombro de Peter ao passar. Peter ergueu a mão em saudação. Charlie inclinou-se para a frente.

— Diga-me a verdade, Pete. Juro que não contarei a ninguém. Ela era mesmo gostosa?

— Quem?

— Está falando comigo, Charlie, seu irmão mais velho.

— Quem era gostosa?

Charlie recostou-se.

— Muito bem, posso entrar no jogo. Mas devo adverti-lo de que o velho Henry Mills, quando toma duas ou três, o que acontece quase todas as noites, sentado naquele banco do bar, começa a falar. Ele diz que costumava beber com Mara e que ela falava de você quando começava a ficar de porre. O velho Mills garante que, se havia um homem na cidade que ela amava, era você.

— O que é muito lisonjeiro — comentou Peter, sorrindo.

— E era verdade?

— Ela nunca me disse.

— Nem mesmo no auge da paixão?

Peter não respondeu. Refletiu que o silêncio, acompanhado por uma expressão chateada, era a melhor forma de negação. Charlie murmurou, derrotado:

— Já entendi. — Com a cerveja na mão, ele saiu do reservado. — Você é muito chato. Juro que, se não fosse meu irmão, não gostaria nem um pouco de você.

Ele cutucou o irmão de leve, num gesto afetuoso, e foi para o seu reservado, lá no fundo, deixando Peter ainda mais deprimido. Por uma vez, apenas uma vez, ele queria um motivo legítimo para odiar os irmãos. Torceu para que dissessem alguma coisa desdenhosa sobre a sua profissão. Para que o chamassem de babaca, culpassem-no por diagnosticar errado o filho de um amigo ou criticassem-no por nunca ter se casado. Mas isso nunca acontecia. Eram bons sujeitos, todos três. Podiam levar uma vida pacata, mas eram bons. E ele, com seus triunfos acadêmicos, seus diplomas e a reverência dos moradores da cidade, que adoravam pôr um dos seus no pedestal... ele ainda permanecia na retaguarda em matéria de caráter.

— Oi — murmurou Lacey, sentando-se. — Desculpe o atraso. Aconteceu a coisa mais inacreditável quando saí. Encontrei Jamie Cox no portão, querendo conversar.

Peter relaxou. Jamie Cox era inofensivo, mais uma amolação do que qualquer outra coisa. Podia ser dono de metade da cidade, mas não era dono de Peter.

— Sobre o que ele queria conversar?

— Mara O'Neill.

Peter deveria ter imaginado. Não podia escapar de Mara.

— E sobre você — continuou Lacey. — Queria saber se você vai continuar a luta contra ele, do ponto em que Mara parou. Disse que teve essa impressão quando falou com você aqui. Posso entender. Lembro o que você disse a ele. Declarei a Jamie que os seus argumentos eram válidos. Ele protestou que não eram e que só serviriam para metê-lo numa encrenca.

— Isso foi uma ameaça? — indagou Peter.

— Foi o que perguntei, mas ele negou. Mas continuei achando que era. Expliquei que você tinha a responsabilidade, como médico, de se manifestar quando achava que o bem-estar das pessoas era prejudicado.

— O que Jamie respondeu?

Lacey sorriu.

— Pediu-me para repetir o que eu acabara de dizer, porque não havia entendido direito. Falei tudo de novo. Não tenho certeza se ele entendeu na segunda vez, mas começou a defender tudo o que fazia na cidade. Descreve a si mesmo como o bonzinho, enquanto todos os outros são maus. Vai lutar contra ele, não é?

Peter ainda não pensara a respeito. Até a semana anterior, não precisava se preocupar com isso. Mara havia assumido o papel de oponente principal.

— Não sei.

— Mas precisa! — exclamou Lacey, alarmada.

— Por quê?

— Porque alguém tem de fazê-lo, e você se encontra numa posição melhor do que qualquer outra pessoa. Conheceu Mara. Sabia o que ela defendia. E sabe que ela tinha razão.

Ele não gostou do tom de Lacey. Não gostou da sugestão de que ela sabia o que ele sabia. E não gostava de qualquer pessoa lhe dizendo o que tinha de fazer.

— Isso não significa que eu tenha de assumir suas lutas.

— Mas é a coisa mais certa! — insistiu Lacey.

— E pode também ser inútil. Jamie Cox tem o direito de fazer o que bem quiser com a sua propriedade. É verdade que o bairro pobre de Tucker parece horrível, mas é uma questão de estética. Não há nada de ilegal... ou insalubre.

— E o cinema? Você mesmo disse que não oferecia as mínimas condições de segurança em caso de incêndio.

— Jamie tem uma licença de funcionamento, emitida por ninguém menos que o comissário de obras de Tucker.

Lacey recostou-se, desapontada.

— Você disse que havia um conflito de interesses, já que o comissário reside num dos imóveis de Jamie.

Ocorreu-lhe que o desapontamento era contra ele. Irritado, Peter inclinou-se para a frente.

— Se quer comprar essa briga, Lacey, esteja à vontade. Pode enfrentar Jamie Cox da maneira que quiser. Pode processá-lo, mas vai custar muito dinheiro. Por que acha que Mara nunca tomou essa iniciativa?

— Ela morreu antes de poder fazê-lo.

Peter balançou a cabeça.

— Ela não queria gastar o dinheiro.

— Nem precisava. Tinha um relacionamento de trabalho permanente com os defensores públicos da cidade. Eles entrariam com a ação judicial por Mara. E também farão isso por você.

— Isso exige tempo e mais energia do que tenho. Estou com um excesso de pacientes, porque Mara O'Neill decidiu se matar. E agora você quer que eu assuma também as causas sociais dela? Nem em sonho.

Lacey não respondeu. Franziu o rosto, olhando para um corte na mesa. Finalmente, em voz baixa, ela insistiu:

— É a coisa certa para fazer.

Peter praguejou. Sabia que era mesmo, mas já tinha o suficiente com que se preocupar, sem, ainda por cima, ter de enfrentar Jamie Cox. Não podia acreditar que Mara lhe impusera isso também. Agora, parecia menos que um homem porque se recusava a tomar para si suas lutas absurdas. Com um esforço para conter sua raiva, ele declarou:

— Recebo pacientes das oito da manhã até as cinco e meia ou seis horas. Nos intervalos entre as consultas, telefono para pais, farmacêuticos, laboratórios, radiologistas, até professores. — Ele olhou para o relógio. — E dentro de meia hora tenho de falar no Rotary Club da cidade vizinha. Acho que me saio muito bem, com ou sem as nobres causas sociais de Mara. Sou mais produtivo do que a maioria das pessoas nesta cidade. Se isso não é suficiente para você, então o que é?

— Peter, eu não quis dizer...

— Mas disse. — Ele se levantou. — Disse que não sou bastante bom. Pois muito bem, pode procurar outro. Melhor ainda, volte para a sua cidade grande. Quer se envolver com filantropos em grande estilo? Quer reformadores sociais obstinados? Pode ter certeza de que não vai encontrá-los em Tucker.

Contrariado, ele deixou o Tavern. Não se importava se Lacey teria de pagar a cerveja que ele tomara. Se ela já pensava tão mal a seu respeito, um pouco mais não faria a menor diferença.

Nove

Paige só ficou parada na varanda da frente da casa de Mara pelo tempo suficiente para que a corretora saísse em seu carro para a rua. Depois, tornou a entrar e se concentrou no trabalho. Não tinha a menor vontade de trabalhar, mas não havia opção. Quando se tinha uma casa para vender — quando uma corretora a procurava antes mesmo que pusesse a casa à venda para avisar que uma família nova na cidade estava interessada — não se podia hesitar. Era preciso arrumar a casa, ajeitar os móveis, empilhar a lenha na lareira, escolhendo achas de bétula, como a corretora sugerira, e empacotar tudo e qualquer coisa que estivesse fora do lugar.

O fato de que Paige não se sentia preparada, em termos emocionais, era secundário para as considerações práticas. Além do mais, ela não tinha certeza se algum dia alcançaria o preparo emocional. Como Sami, a casa de Mara era um pouco de Mara. Paige conhecera momentos maravilhosos dentro daquelas paredes. Vender a casa era um ato irremediável, mais um prego no caixão, uma prova adicional de que Mara estava mesmo morta.

Um dos problemas era o fato de que Mara, com a sua morte, tornara-se um mistério que não fora em vida. Deixara muita coisa inacabada. E Paige não conseguia parar de pensar na amiga.

Por isso, talvez tivesse sido melhor que a corretora estivesse pressionando para que a casa fosse logo vendida. Se dependesse apenas dela, Paige poderia adiar para sempre.

Prometera à corretora que a casa estaria limpa e pronta para visitação às nove horas da manhã seguinte. Assim, não tinha tempo a perder... e muito menos para mudar de idéia. Usava uma camisa e calça *jeans* com as pernas cortadas que vestira ao voltar do treino na Mount Court. Agora, ligou para Jill, explicou que ia demorar e deu o telefone de Mara para receber as ligações ali.

Armada com um pano de pó, uma lata de lustrador de móveis, um rolo de toalha de papel, uma lata de limpa-vidro e o aspirador de pó, que dera a Mara como um presente para a casa nova, seis anos antes, ela pôs-se a trabalhar, sob a claridade alaranjada do sol do final da tarde. Lustrou a mesa no vestíbulo, limpou o vidro por cima, lustrou o corrimão e passou o aspirador na escada. Arrumou a sala de visita de uma maneira similar, fazendo o melhor que podia com os móveis que Mara havia colecionado, quase da mesma forma como colecionava pessoas. Assim como sempre se sentira atraída pelos doentes e oprimidos, Mara também escolhera um sofá de couro irregular, com uma almofada desbotada, um tapete esfiapado nas beiras e uma mesinha de centro toda escalavrada, de uma maneira que só os olhos generosos de Mara podiam considerar artística.

A sala nos fundos era diferente. A decoração ali era a mais simples possível: um banco Shaker, duas poltronas Windsor, uma estante de tábuas apoiadas em tijolos. Três coisas evitavam que a sala fosse fria e inóspita. A primeira era a coleção de almofadas de Mara, um sortimento variado, comprado nos lugares mais diferentes, empilhadas em massas que podiam rivalizar com o sofá mais profundo e macio. Paige sorriu à lembrança das tuteladas de Mara, correndo e pulando, jogando almofadas para todos os lados, com gargalhadas histéricas.

A segunda era sua mesa de trabalho, uma velha porta de estábulo, com pernas improvisadas. Continha livros e revistas, correspondência — uma parte aberta, outra não —, mapas rodoviários, uma cesta cheia de retalhos, uma almofada inacabada e um folheto de instruções do curso de colchas de retalhos que ela vinha fazendo.

A terceira eram as fotos que ornamentavam todos os espaços livres na parede. Eram as que Mara havia tirado e revelado, sob o olhar vigilante de Peter. Podia-se esperar que fossem fotos de crianças.

Mas não eram. As fotos eram da natureza — árvores, pontes, campinas, animais —, cada uma captando um sentimento que era tão intenso quanto poderia ser a emoção no rosto de uma criança.

Se dependesse da sua vontade, Paige teria lacrado aquela sala. A lembrança de Mara era quase sufocante ali, envolvendo-a com a mesma incredulidade que experimentara durante os primeiros dias subseqüentes à morte da amiga. E depois veio a tristeza, porque a mente sabia o que o coração ainda não podia aceitar.

Paige respirou fundo e continuou trabalhando. Tirou o que havia em cima da mesa, esguichou um pouco do lustrador, passou o pano. Depois de espanar várias revistas na mesa, ela levou as outras, junto com a correspondência e os mapas, para a mala do carro. Arrumou as colchas da melhor maneira possível, sentindo durante todo o tempo que prestava um tributo a Mara. Teve ainda mais cuidado com as almofadas, arrumando-as de uma maneira, depois de outra, logo uma terceira, quando sentiu que nenhum dos arranjos anteriores captava de maneira apropriada o espírito de Mara.

E isso era importante. Paige prometera a Mara, no dia do funeral, que encontraria uma família que amaria a casa tanto quanto ela. Estava determinada a fazer isso. Se a família que a corretora traria não gostasse daquela sala, não poderia ficar com a casa.

O crepúsculo chegou. Paige acendeu as luzes. Foi para a sala de jantar e começou a polir tudo ali. Mara tinha comprado a mesa comprida e as cadeiras no leilão de um espólio. Achara engraçada a pompa dos móveis... ou pelo menos fora o que alegara. Agora, passando um pano sobre a mesa de cerejeira, Paige especulou se não teria havido um motivo mais profundo. Ela já vira móveis assim antes. E seria capaz de jurar que fora na casa dos O'Neills em Eugene.

A tristeza atingiu-a em ondas, que se tornaram tão fortes, que teve de arriar numa cadeira. Mas descobriu que a inércia era ainda pior. Por isso, imprimiu um ritmo febril ao ir trabalhar na cozinha. Quando começou a suar, prendeu o cabelo com uma fita que pegou na cesta de costura de Mara, tirou a camisa para fora do *short*, abriu a janela e continuou a limpar tudo. Quando os músculos protestaram, ela os ignorou. Estava disposta a fazer qualquer coisa para apagar a sensação de vazio que parecia dominar a sua vida.

Só que aquele vazio não fazia sentido. Mara fora uma parte vibrante de sua vida durante vinte anos. Era compreensível que a sua morte deixasse uma lacuna. Mas que essa lacuna fosse tão grande... e se expandindo... era injusto.

Limpava o fogão, esfregando com uma certa fúria, quando a campainha tocou. Passava um pouco das dez horas. Paige não sentia a menor disposição para receber visitas. Não podia sequer começar a imaginar quem seria, a não ser um vizinho curioso pelas luzes acesas. Atravessou lentamente o corredor até a porta da frente. Acendeu a luz da varanda. Um vulto grande apareceu no outro lado do painel de vidro curvado da porta. Um vizinho, com toda a certeza, refletiu ela, pensando em Duncan Fallon. Ele era do tipo guarda de portaria e, sem dúvida, queria saber quem estava na casa de Mara. Mas era estranho que não tivesse reconhecido o carro de Paige.

Mas não era Duncan. Era Noah Perrine. Paige soltou um suspiro ao vê-lo.

— O momento errado? — perguntou ele, naquela sua voz suave.

— Exatamente. — O coração de Paige batia forte... uma reação retardada pela surpresa da campainha, disse ela a si mesma. — Estou cansada e suja. Sem o menor ânimo para discussões. Não podemos deixar para outra ocasião?

Ela fez uma pausa, franzindo o rosto.

— Como soube que me encontraria aqui?

— Sua babá.

— Passou lá em casa?

Ele sacudiu a cabeça.

— Telefonei.

— Hã... — Um longo momento transcorreu antes que ocorresse a Paige se perguntar por que ele a procurara. Arregalou os olhos. — Oh, Deus! Aconteceu alguma coisa...

— Não — interrompeu Noah. — Está tudo bem.

Paige comprimiu a mão contra o peito.

— Tive uma imagem horrível de... de... apenas uma imagem horrível.

Pílulas, um carro... a sua própria imaginação não podia igualar a de uma adolescente empenhada na autodestruição. Mas ele repetiu:

— Está tudo bem.
— Graças a Deus! — Ela apoiou-se na maçaneta. — Estava apenas dando uma volta?
Era uma noite bastante agradável. Ele deveria ter continuado a passear.
— O *campus* estava opressivo. Eu tinha de escapar.
— Opressivo? A Mount Court?
— Você não é o diretor. — Ele respirou fundo, quase um suspiro que não sabia para onde ir. — Às vezes me sinto cansado. Só isso. Pensei em dar uma volta pela cidade, mas andando sozinho me senti quase tão mal quanto na escola. Pensei em visitar alguém, mas os moradores locais que conheci, desde que vim para cá, não se mostram muito entusiasmados com a Mount Court. Acho que não apreciariam a minha visita.
— Para ser franca...
Mas ele não percebeu a insinuação. Olhava para o interior da casa.
— Fiquei contente ao saber que você arrumou uma babá. Não seria bom para a menina vir até aqui a esta hora da noite. Era a casa da sua amiga?
— Era, sim.
— Uma bela casa.
Paige suspirou.
— A corretora acha que tem um comprador. Vai mostrá-la pela manhã, e preciso arrumar tudo.
Com uma expressão depreciativa, ela olhou para sua camisa e seu *short*, bastante sujos. Constrangida, revirou os olhos.
— Fica muito bem assim — comentou Noah, com um sorriso malicioso. — Pode tirar uma folga?
Ela sacudiu a cabeça.
— Não, se eu quiser acabar a tempo de dormir um pouco, antes de ir trabalhar amanhã.
— Apenas descer a rua para um hambúrguer?
Paige nunca comia hambúrgueres. Entre a carne vermelha e a gordura, achava que praticamente qualquer outra coisa seria melhor.
Naquele momento, porém, um hambúrguer parecia bastante apetitoso. Ainda assim, ela sacudiu a cabeça.

— Preciso acabar a cozinha... e ainda nem comecei no segundo andar.

Além do mais, ela estava horrível. Não poderia ir a lugar nenhum sem tomar um banho, ainda mais em companhia de Noah Perrine. Ele a deixava nervosa. Parecia bom demais.

— Então deixe-me ajudá-la.

— Não precisa.

— Quatro mãos podem trabalhar muito mais depressa do que duas.

— Mas...

Paige deu um passo para trás quando ele entrou na casa.

— Por onde devo começar?

— Mas você está tão bem-arrumado!

Ela sentia-se bastante embaraçada. Afinal, Noah Perrine era um acadêmico, disse a si mesma. Mas, quando tentou imaginá-lo a uma mesa, despachando documentos, a imagem que aflorou foi a de um operário da construção civil.

— Vai estragar as suas roupas — acrescentou Paige.

— Não estamos falando em alimentar os porcos no meio de uma tempestade de lama. Já fiz faxina antes. E não vou estragar as roupas.

— Agradeço sua oferta, Noah, mas...

— Você tem de trabalhar para consumir o sentimento de culpa — murmurou ele, fitando-a nos olhos.

O protesto de Paige definhou antes mesmo de se manifestar. A franqueza de Noah tornou-a séria e objetiva.

— É verdade — admitiu ela, com alguma surpresa, pois não o julgara do tipo perceptivo. — Como soube?

— Também já perdi um amigo íntimo. Foi há seis anos.

— Suicídio?

— De certa forma. Seu problema era o gim. Jurou que nunca tomava mais do que uma ou duas doses durante o jantar. Alegava que a multa ocasional por guiar embriagado, tarde da noite, não passava de uma exceção. Aceitei a sua palavra, até a noite em que ele entrou a toda na traseira de um caminhão parado num pedágio. Aí, já era tarde demais.

Paige não podia negar a analogia de sua situação com Mara.

— Eu deveria ter feito mais por ela quando ainda estava viva. Deveria ter percebido o seu estado de espírito. Deveria ter ajudado mais. Mas não percebi nada e não fiz nada.

Ela flexionou as costas. Pôs as mãos sobre os músculos cansados, por cima da cintura, enquanto olhava para a escada curva.

— A casa é tudo que restou. E me sinto responsável por ela também. Prometi que mandaria pintá-la, instalaria uma nova porta de tela e trocaria uma das venezianas lá em cima. Mas, se a família que virá visitar a casa amanhã gostar e comprar, não terei tempo.

— Use meus garotos.

Paige não tinha a menor idéia do que ele estava querendo dizer. Foi o que expressou, com um olhar.

— Serviço comunitário. É a minha especialidade. Eles podem espernear e gritar, mas pintarão a casa em uma semana.

Ela sacudiu a cabeça.

— Se eles querem pintar uma casa, então que seja alguma no bairro pobre de Tucker. As pessoas ali precisam muito de ajuda. Eu tenho condições de pagar. E posso ter tempo. Talvez as pessoas que virão ver a casa amanhã não sejam as certas. A casa pode permanecer à venda por meses.

— Espero que não, para o seu bem. Você precisa encerrar esse capítulo.

Foi outra declaração olho no olho, um sumário sucinto do problema.

— Encerrar o capítulo... — murmurou Paige, suspirando. — É doloroso, mas precisa ser feito. Como a limpeza do fogão.

Ela gesticulou para a cozinha.

— Tenho de voltar.

— O que posso fazer?

— Nada. Não há necessidade.

— Por favor — insistiu Noah. — Preciso fazer alguma coisa. Ou ajudo você aqui, ou fico circulando de carro por mais algumas horas. Não posso voltar. Ainda não.

Paige especulou por quê, mas não perguntou. Não se sentia bastante forte para absorver os problemas de Noah. Tinha um trabalho para fazer; e, quanto mais demorasse na conversa, mais tarde acabaria.

— Lá em cima — murmurou ela, depois de uma longa pausa, apontando para o material de limpeza. — Há quatro quartos. Dois estão vazios. Pode começar por eles. Tire o pó, passe o aspirador, qualquer coisa que os deixe mais atraentes. A corretora sugeriu que pusesse alguns móveis nesses quartos, mas posso fazer isso mais tarde. Subirei para cuidar dos outros quartos assim que acabar na cozinha.

— Quer uma ajuda lá?

Paige respondeu com um aceno negativo de cabeça. Voltou à cozinha mais triste do que nunca. Havia alguma coisa na inesperada generosidade de Noah que era comovente. Deixava-a aflita, num momento em que não queria se sentir assim. Queria acabar logo o trabalho a que se propusera e voltar para casa.

Por isso, ela acabou de limpar o fogão. Cuidou dos balcões. Depois, limpou a geladeira, que parecia tão triste quanto ela, com uma caixa de leite, metade de um pão de fôrma, um bastão de margarina e um pedaço de queijo. A princípio, deixou tudo lá dentro, enquanto limpava o chão. Voltou depois. Cheirou o leite. Num furioso arroubo, despejou-o na pia. Jogou o pão, a margarina e o queijo na lata de lixo. Tudo cheirava a coisas que haviam estragado. Sentia-se arrasada.

Desesperada por um pouco de ar fresco, passou pela porta de tela curvada, saindo para a varanda do fundo. Empurrou o balanço com o joelho, ouvindo o rangido. Mas saber que Mara gostava daquele balanço não lhe trouxe conforto. Um balanço vazio era uma imagem desolada.

Com um grunhido de desespero, ela deixou a varanda. À tênue claridade que vinha da casa, afastou-se pelo jardim. Os passarinhos haviam silenciado devido à noite, deixando um vazio no ar, que não chegava a ser preenchido pelo canto dos grilos e o farfalhar das folhas secas sob a brisa. Paige afastou-se ainda mais, pela escuridão, esfregando os braços.

Arriou no chão ao chegar no ponto em que o gramado dava lugar ao bosque. A noite escura combinava com os pensamentos sombrios que a dominavam, ampliando-se como se pudessem contaminar todo o seu futuro. Os anos estendiam-se à sua frente, uma continuação dos que haviam passado, contudo diferentes. Mais quietos e, como Mara, solitários. Cada vez mais vazios. Profundamente tristes.

Ela ouviu passos, mas não levantou os olhos.

— O que está fazendo aqui? — perguntou Noah.

— Precisava respirar um pouco de ar fresco.

Paige ouviu-o sentar-se na relva. Teve vontade de protestar. Noah Perrine, com as suas normas e regulamentos, não era o tipo de pessoa que costumava atraí-la. Mas era humano e vivo. Sua presença tornava a noite um pouco menos sinistra. A voz dele saiu mais suave do que nunca:

— Ela era amiga de infância?

— Nós nos conhecemos na universidade. E entramos em sintonia.

— Eram muito parecidas?

— Na aparência mais do que na personalidade. Mara era mais dinâmica do que eu. Mais exuberante. E mais altruísta. De todas as coisas que me lembro de Mara, essa era a melhor. Ela punha o bem-estar de qualquer outra pessoa acima do seu. Se a situação fosse inversa e eu tivesse morrido, é bem provável que ela estivesse tentando criar um memorial para a minha vida. Não estaria sentada aqui, remoendo sobre o seu futuro.

Noah arrancou uma folha da grama e jogou-a para o lado.

— A reflexão é inevitável, quando morre uma amiga.

— É autocompaixão?

— Às vezes, quando a reflexão mostra coisas de que não gostamos.

— Mas eu gosto da minha vida. É muito boa. Faço coisas que valem a pena.

Noah pegou outra folha da grama. Paige ouviu sua própria voz acrescentar:

— Mas há um vazio desde que Mara morreu. Ando mais ocupada do que nunca, especialmente agora, com a menina de Mara comigo. Ainda assim, há ocasiões em que tenho a sensação de que estou afogando. Não consigo deixar de especular se era assim que Mara se sentia na noite em que entrou naquela garagem.

Ela aspirou fundo. Quando a respiração saiu curta e difícil, tentou de novo.

Noah tocou em seu pescoço.

— Estou bem.

Mas Paige não tinha certeza. Junto com o vazio, havia um anseio, quase tão desconcertante quanto o outro sentimento, por sua profundidade.

— Estou bem — sussurrou ela.

Desta vez, o som abafado saiu contra a mão encostada em seu rosto. No instante seguinte, ela sentiu um calor ainda mais intenso ao lado de seu corpo. Encostou-se nele, com um alívio intenso.

A noite não protestou. O murmúrio do vento nas árvores foi se tornando ritmado, hipnótico, embalador. Ela respirava no calor de Noah, o tênue cheiro de sua pele, e quando ele a puxou, aconchegando-a, Paige não resistiu. O vazio parecia de repente menos intenso, e, se o anseio era maior, não chegava a ser desagradável agora.

Foi por isso que ela retribuiu quando Noah a beijou. Ele tinha a boca firme, exigente, mas de uma forma suave, lembrando a sua voz. Mas ele não disse uma só palavra, apenas a beijou de novo, por mais tempo, mais profundamente.

Mais tarde, Paige haveria de se perguntar o que lhe acontecera. Mas naquele momento, sentada atrás da casa de Mara, na escuridão da noite, parecia não haver maneira melhor de manter o vazio a distância. Seu corpo adquiriu uma vida intensa, reagindo ao dele com uma necessidade que se elevava tão depressa quanto os instintos há muito reprimidos.

Ela saboreou o interior da boca de Noah, tocou em seus braços, apoiou-se nele, encontrando conforto em sua força. O frio que sentira, momentos antes, desapareceu por completo, substituído por um calor que começava nos pontos em que ele tocava, irradiando-se para dentro. Paige entregou-se. Era o primeiro alívio que experimentava em muitos dias. E querendo mais, precisando de mais, ela abriu a boca e, quando o beijo aconteceu, perdeu o fôlego.

Não foi somente ela. A respiração de Noah também era ofegante. O som levou-a a fazer uma pausa. Encostou as pontas dos dedos na boca de Noah, depois no malar, na curva dos óculos.

Ele era um estranho. Nada em suas feições era familiar, como um velho amigo ou amante. Mesmo assim, Paige se aconchegou ainda mais. A boca de Noah tornou a recebê-la, mais faminta desta vez. E a fome foi contagiante. Aumentou, espalhou-se, criando uma barreira contra a razão, de tal forma que ela não podia pensar em outra coisa senão satisfazê-la.

Noah jogou os óculos para o lado e comprimiu o rosto em seu pescoço, a respiração cada vez mais pesada e rápida. Durante todo o tempo, ele mantinha as mãos nas costas de Paige, pressionando-a ao encontro de seu peito.

O calor se propagava. Paige deixou escapar um suspiro de alívio quando ele tocou em seus seios. Foi seguido por outro, momentos depois, quando Noah lhe puxou a camisa pela cabeça, abriu o sutiã, e encostou as mãos nos seios, agora expostos.

Ele podia ser rigoroso com as normas e regulamentos da escola, mas não havia nada preconcebido em seu comportamento ali, no gramado. Era um amante magistral, abençoado com uma sensibilidade intuitiva, mesmo no calor da paixão, que lhe dizia do que Paige precisava e quando. No momento certo, ele também tirou a camisa, depois a calça. No instante mesmo em que Paige pensava que morreria, se não tivesse daquele corpo de homem mais do que somente a sua nudez permitia, ele comprimiu-a pelas costas e penetrou-a.

A realidade não tinha mais chance. Entre a escuridão da noite, a fricção dos movimentos e a ânsia de seu próprio corpo, Paige estava perdida. Ele levou-a mais e mais alto, com uma habilidade intuitiva e uma paixão intensa, até que, com um pequeno grito e a contração de todos os músculos do corpo, Paige alcançou um orgasmo convulsivo. E ainda tremia quando Noah também teve o seu gozo.

A sanidade voltou aos poucos, lutando para se firmar, através de um prazer que deixava tudo turvo, aflorando à superfície e tornando a afundar. Como era inevitável, acabou prevalecendo. Com a respiração normalizando, o calor esfriando e a cabeça clareando, Paige descobriu-se deitada nua na grama, ao lado de um homem que mal conhecia, também nu. Pior ainda, ele a penetrara sem qualquer proteção.

— Oh, Deus! — Ela sentou, passou os braços em torno dos joelhos e apertou com força. — Não posso acreditar que fiz isso!

Noah limitou-se a murmurar:

— Não diga nada.

Ela fitou-o, mas a noite ocultava a expressão de Noah. Por isso, Paige comprimiu o rosto contra os joelhos.

Noah encostou a mão em suas costas. Ela teve vontade de se afastar. Mas sentiu de novo uma sensação de conforto, por mais incrível que pudesse parecer, e deixou a mão ali.

— Não vou lhe transmitir nenhuma doença, Paige — murmurou ele, depois de um longo momento. — Mas posso tê-la engravidado. Isso é um problema?

Numa voz mais estridente do que o normal, ela exclamou:

— Claro que é!

Noah deslocou um pouco a mão. *Trataremos disso se acontecer*, Paige sentiu-o dizer. E soltou uma risada, um pouco histérica, pelo absurdo de sua imaginação.

— O que foi, Paige?

Ela sacudiu a cabeça.

— Conte.

A mão era um conector, compreendeu Paige. Mantinha alguma coisa acontecendo entre os dois, um relacionamento que era inocente sob aspectos que a união não fora, mas de certa forma fazia com que fosse menos errada.

— É irônico, Noah. Ganho a vida em parte ensinando os fatos da vida a adolescentes. Encorajo a abstinência sexual. Quando não é mais possível, trato de incutir em suas cabeças a necessidade indispensável do sexo seguro. Muito engraçado, não é? E, quando chega a minha vez, o que eu faço?

Ela soltou um murmúrio depreciativo e tateou à procura de suas roupas. A mão de Noah permaneceu em suas costas, até que ela ficou fora do seu alcance. Paige sentiu então um calafrio. Vestiu-se apressada. Ele não se mexeu. Ela já estava de pé quando Noah perguntou:

— Por que a pressa?

— Tenho um trabalho a fazer.

Ela correu para a casa. Foi direto para o quarto de Mara.

— Isso não aconteceu — murmurou Paige, enquanto olhava ao redor.

Segundos depois, tirava o pó da coleção de vidrinhos na cômoda e lustrava o carvalho por baixo. Também lustrou a cabeceira e o pé da cama de carvalho, além das mesinhas e da cadeira de balanço no canto. Esticou a colcha, endireitou as almofadas na cadeira, passou o aspirador pelas tábuas do assoalho e pelo tapete de retalhos multicolorido.

Fez uma pausa, ofegante pelo esforço. Quando estendeu as mãos para trás, a fim de massagear os músculos por cima da cintura, compreendeu que a tensão não se manifestava apenas ali. As pernas tremiam.

Mas não pensaria a respeito. Não podia. Por isso, atravessou o quarto, sentou na cadeira de balanço, levantou os joelhos e enlaçou-os. Só relaxou quando viu o cesto de vime grande, coberto, ao lado da cadeira. Era o cesto de tricô de Mara, com o que restava de vários projetos.

Paige levantou a tampa, engolindo em seco. Poderia ter adivinhado que o projeto em andamento seria rosa e poderia apostar que era um suéter. Mas era uma manta rosa, mais ou menos do tamanho de um berço.

Ela pôs a lã em seu colo e se balançou na cadeira. Depois de algum tempo, tornou a procurar no cesto e encontrou o suéter. Era amarelo, com as mesmas estrelas azuis distorcidas com que Mara ornamentara o quarto de Sami.

Decidida a concluir as duas peças, Paige vasculhou o cesto ainda mais fundo. Não havia qualquer outro projeto em andamento. Os novelos de lã, em tamanhos variados, eram como os anéis de uma árvore, assinalando a história de Mara, do mais recente ao passado. Paige encontrou um resto de novelo da lã verde com que Mara fizera um cardigã para Tanya John, na primavera passada. Lá estavam os restos de novelos de lã penteada, que ela usara no Natal passado para fazer gorros e luvas para as famílias mais pobres de seus pacientes. O resto do *chenille* com que fizera um volumoso suéter para si mesma no outono anterior. Havia uma linda lã marrom que Paige não conhecia. Mas reconheceu a lã laranja de um suéter que Mara fizera para outra de suas crianças de adoção temporária. Também reconheceu as lãs púrpura e rosa de um cachecol. Havia ainda uma lã branca, o que sobrara do xale que Mara fizera para Nonny anos antes, aproveitando para ensinar a Paige os rudimentos do ofício. Havia ainda as agulhas de tricô e crochê, de todos os tamanhos.

Absorvida na atividade, como se estivesse examinando um álbum de fotos, Paige procurou mais fundo no cesto. Acabara de retirar o que havia restado de dois outros projetos quando sua mão esbarrou num maço de papéis. Presumindo que eram instruções sobre tricô, ela os tirou do cesto.

Eram cartas, escritas em papel creme, presas por uma fita verde. A de cima, a única imediatamente visível, era endereçada a Lizzie Parks, em Eugene, Oregon. O endereço de Mara estava escrito no espaço para a devolução. Mas a carta não fora selada nem carimbada; obviamente, não havia sido enviada.

Lizzie Parks... Paige não reconheceu o nome. Uma amiga de infância? Uma carta escrita antes de Paige e Mara se conhecerem? Mas o endereço para devolução era daquela casa, que Mara possuíra por seis curtos anos.

Ela manteve o maço de cartas na mão, sentindo o peso por algum tempo, até que a curiosidade prevaleceu. Desamarrou o maço e examinou as cartas. Havia meia dúzia, no total, todas endereçadas à mesma Lizzie Parks.

Paige repetiu o nome. E mesmo assim não se lembrou. Sua primeira idéia foi a de selar os envelopes e remetê-los. A segunda foi a de que, se Mara quisesse enviá-las, teria feito isso muito antes, em vez de guardá-las, presas com uma fita. Era evidente que Mara não quisera despachá-las. Embora ainda pudesse admitir que Lizzie Parks tinha direito às cartas, Paige não era tão nobre assim. Mara fora sua amiga. E morrera. Paige queria saber o que havia nas cartas.

Ela virou o envelope de cima. Não havia sido colado. Paige retirou a carta e desdobrou-a. Seu coração começou a bater forte quando verificou que fora escrita menos de uma semana antes da morte de Mara.

Começou a ler:

Querida Lizzie:

Uma notícia emocionante! Enquanto escrevo, a menina que vou adotar está prestes a deixar a Índia. Não dá para descrever o meu alívio. É como se me jogassem um salva-vidas.

Se eu tivesse uma foto extra da menina, mandaria para você. É uma linda criança, cabelo e olhos castanhos, como eu. Ainda não posso acreditar que será minha depois que chegar aqui. Terei de entrar com o pedido de adoção no Estado de Vermont, mas a agência garante que é apenas uma formalidade. A parte difícil foi obter a aprovação das autoridades indianas.

Meus pais não dão muita importância à adoção. Quando lhes falei sobre Sameera, disseram que não era a mesma coisa e que eu poderia lhes telefonar de novo quando estivesse casada e grávida. Mas isso é mais fácil de dizer do que de fazer. Quando não engravidei com Danny, pensei que era por causa do problema dele. Mas também não engravidei depois de Danny, e bem que tentei, tentei muito. Talvez até demais. Dizem que isso acontece.

Paige especulou com quem ela tentara. Não podia pensar em ninguém com quem Mara mantivesse um relacionamento mais sério. A menos que houvesse homens de quem não tomara conhecimento.

Magoada, ela continuou a ler:

Acho que há alguma coisa errada com o meu corpo. Às vezes penso até que há alguma coisa errada também com a minha cabeça. Posso fazer muita coisa certa, mas depois o que desejo com mais intensidade desmorona por completo. Como ter um filho. Por isso, estou adotando Sameera. Não me importo se os meus pais nunca a reconhecerem como a sua neta. Ela será minha.

Desde que Tanya fugiu, tudo tem sido muito difícil. As pessoas dizem que não tive qualquer culpa. Mas, se a culpa não foi minha, então de quem foi? Pensei que a estava ajudando. Ela já começava a dormir durante a noite inteira. Já não molhava tanto a cama. Falava mais do que nunca. Ainda não sei o que saiu errado. Alguma coisa esquisita deve ter aflorado na sua cabeça ou eu devo ter falado alguma coisa que a fez retroceder.

Por isso, preciso de Sameera. Preciso provar para mim mesma que posso fazer as coisas certas. É como se uma pequena janela no tempo se abrisse neste momento. Se eu não aproveitar a oportunidade, ela será fechada para sempre.

Não posso me dar ao luxo de sofrer outro fracasso. Já houve fracassos demais.

Paige deixou a mão cair para o colo. *Outro fracasso.*

— Você não foi um fracasso — argumentou ela, em voz alta. — Se visse as pessoas em seu funeral, saberia disso. Tinha tanto sucesso quanto qualquer outra pessoa.

Mas aquelas cartas não haviam sido escritas pela Mara profissional. Eram da Mara pessoa.

— Não foi um fracasso — repetiu Paige, num sussurro.

E abriu a segunda carta na pilha. Fora escrita logo depois da fuga de Tanya.

Querida Lizzie:

Os Lorenzos estiveram no consultório hoje. Eles têm seis filhos com menos de 10 anos, e com todas as doenças possíveis e imaginárias. Uma das crianças é diabética, outra tem deficiência de audição, e as demais vivem dominadas por uma infecção ou outra. Não consigo deixar de pensar que as noites naquela casa devem ser um circo de tosses, choros e vômitos. Ao se ouvir as queixas dos pais, não dá para pensar em outra coisa. Ainda assim, sinto inveja. As noites na minha casa são silenciosas... mortas... áridas. Faço o que posso para preencher esse vazio, mas inevitavelmente acabo na cama escutando o nada que é a minha vida.

Tenho uma carreira satisfatória, é verdade. Mas isso não conta. O que conta é o que acontece de noite. O momento em que os ornamentos de uma vida ficam de lado e a verdade aflora. O momento em que fico sozinha. É uma triste declaração sobre tudo o que realizei na vida. Já tentei mudar, mas nada parece dar certo. Agora, estou cansada de tentar. Sinto-me derrotada. As noites são vazias, longas e solitárias. A menos que esta adoção se realize, o futuro continuará a ser assim. Não tenho certeza se poderei suportar.

Paige tornou a dobrar a carta, sentindo um calafrio. Ajeitou-a no maço, que prendeu com a fita.

— Deveria ter me falado — murmurou, olhando para as cartas. — Eu poderia ter ajudado.

Mas a verdade é que ela não sabia o que poderia fazer. Não se sentia derrotada como Mara, mas suas noites também não eram preenchidas pelas coisas que a amiga queria. Além do mais, o sentimento de vazio descrito por Mara tinha uma terrível semelhança com o que Paige vinha experimentando ultimamente.

Era como se o tivesse herdado, junto com os outros fios soltos da vida de Mara.

Sem gostar nem um pouco da idéia, Paige voltou a colocar as cartas e o resto no cesto de vime, procurando deixar tudo como encontrara. Fechou o cesto e foi para o outro quarto, que ainda não limpara. Deveria ser o quarto da criança. Estava vazio agora, as coisas de Sami na casa de Paige. Ela começou a passar o aspirador. No meio do trabalho, porém, teve uma necessidade súbita e profunda de companhia. Em poucos minutos, guardou todos os equipamentos e materiais de limpeza, apagou as luzes e foi embora. Pegou o carro e atravessou o Centro de Tucker, a caminho de sua casa.

Por apenas um momento, ao deixar a casa de Mara, especulou quando Noah teria partido. Mas tratou de afastar o pensamento e continuou a guiar. Foi recebida na porta pela gatinha, que roçou em suas pernas, com tanto excitamento, que Paige não teve coragem de dizer — como sempre fazia —, quando pegou o animalzinho no colo, afagou-lhe o pêlo macio e o abraçou, "Só até eu encontrar uma boa casa para você".

Jill dormira no sofá. Paige acordou-a, gentilmente, e despachou-a para a cama. Vestiu uma camisola e subiu também para ver como Sami estava.

A menina dormia de costas. Paige a teria virado de barriga para baixo se não tivesse aprendido o costume da Índia. Além do mais, queria ver o rosto de Sami. Inclinou-se, os antebraços apoiados na grade do berço. A luz noturna fraca projetava as feições da criança em relevo. Paige lhe tocou o rosto, sentindo-o macio e agradavelmente quente.

A criança mexeu-se. Abriu os olhos, sem se deter em nada por um instante. Até que encontrou os olhos de Paige. Contra todas as instruções que sempre dera aos pais, para deixarem as crianças dormirem durante toda a noite, ela pegou Sami no colo.

— Oi, Sami — sussurrou ela. — Como foi seu dia?

Ela deu um beijo na testa da menina.

— Divertiu-se muito com Jill? Já vi que tomou banho e trocou de roupa. Está seca, com um cheiro maravilhoso. Comeu alguma coisa antes de vir para a cama? Leite? Suco de maçã?

Sami piscou os olhos. Esfregou o nariz com o punho.

— Ah, que menina sonolenta... E eu estou mantendo você acordada. Vamos balançar um pouco.

Paige se sentou, com Sami encolhida contra seu peito. Começou a niná-la, lentamente. Cantarolava uma canção sem palavras, que deve ter aprendido com Nonny. Pela maneira como o corpo de Sami relaxou, ela percebeu que a menina logo mergulhara num sono profundo.

Ainda assim, Paige manteve-a em seu colo. Havia algo pacífico em ninar uma criança, sentindo o calor daquele pequeno corpo contra o seu. Até mesmo o ronronar da gatinha, que se acomodara sobre suas pernas, era tranqüilizador. Ela cantarolou outra canção sem palavras, que também vinha de um momento indefinido do passado. Continuou a ninar Sami até que desapareceram de sua mente todos os pensamentos que poderiam mantê-la acordada. Depois, ajeitou a menina sob a manta, no berço. Desceu para o seu quarto. Com a gatinha se aconchegando a seu corpo, pegou no sono num instante.

Foi só quando o despertador tocou, na manhã seguinte, no momento em que se virou na cama e despertou, lentamente, que o cheiro do corpo de Noah no seu lembrou-a do que fizera.

Dez

Se pudesse evitar a ida à Mount Court, Paige não hesitaria. Mas, com uma corrida no sábado, os treinos diários eram indispensáveis. Por isso, nunca faltava, correndo com as meninas, marcando os tempos de seus tiros numa ficha, exortando, às vezes as espicaçando, dispensando-lhes uma atenção total. Não olhava quando as pessoas passavam. E não se virava nunca para o prédio da administração, a fim de verificar se alguém observava dali. Seu único propósito na escola era treinar a equipe de *cross-country*. Até onde lhe dizia respeito, Noah Perrine não existia.

Em circunstâncias normais, ela aguardaria o sábado com ansiedade. Nas competições de fim de semana, o *campus* fervilhava de atividade, as equipes visitantes e os pais espalhando-se por toda parte. Para Paige, era como uma família. E, naquele fim de semana, Doug, filho de Angie, ia jogar futebol, o que aumentava a motivação. Paige bem que gostaria de pôr Sami no carrinho e assistir ao jogo, depois que sua corrida acabasse. Ainda planejava assistir, só que não sabia se sentiria alguma satisfação. Não apenas porque o diretor da escola deveria estar presente, mas também porque sabia que encontraria Ben. Paige não o via desde que tomara conhecimento de sua infidelidade. E, como se sentia muito magoada por conta de Angie, além de uma raiva intensa, não sabia o que poderia dizer.

No final das contas, porém, o sábado amanheceu bastante chuvoso, a ponto de impedir Paige de levar Sami para a Mount Court. As competições seriam realizadas, mas com os espectadores tendo de usar capas e guarda-chuvas, fazendo um esforço para permanecer secos, aquecidos e animados; não haveria mais tanto prazer.

Junto com a chuva, veio o frio, uma indicação para Paige de que as meninas não teriam o seu melhor desempenho. Era verdade que as duas outras equipes também enfrentariam a mesma desvantagem, mas isso não servia muito de consolo. Ela vinha torcendo para que uma das meninas quebrasse seu recorde pessoal. O moral na escola andava baixo, e todos precisavam de uma injeção de ânimo. Mas Paige duvidava que pudesse acontecer naquele dia.

Ainda assim, ela procurou se manter animada. Vestiu-se com elegância — como sempre fazia nos dias de competição —, escolhendo uma calça de gabardine e um suéter. Também pôs uma capa comprida e saiu com um enorme guarda-chuva. A capa serviria para camuflá-la, e o guarda-chuva a manteria escondida. Se ajudassem também a mantê-la seca, melhor ainda.

As meninas faziam o alongamento num canto do ginásio, usando *leggings* idênticos e exibindo rostos mal-humorados. Não sentiam a menor disposição para correr.

— O percurso virou um lamaçal — reclamou Julie. — A corrida devia ser cancelada.

— Não diga bobagem — respondeu Paige, jovial. — Grande parte do percurso é através do bosque. Ficarão abrigadas pelas árvores, mais secas do que nós.

— Mas está muito frio! — protestou Alicia.

— O tempo está fresco, mas não frio — argumentou Paige. — O que é preferível ao calor.

— Meus músculos estão rígidos — resmungou Tia.

— Pois então continue com o alongamento — recomendou Paige. — E faça um pouco mais de aquecimento depois. Não terá problemas. Tenho certeza de que todas vão se sair bem. Basta lembrar tudo que lhes ensinei. Encontrem o ritmo certo. Não deixem que uma adversária que sai em disparada na frente as faça correr demais no início, pois acabariam morrendo na reta final. E mantenham-se concentradas.

— Não podemos vencer a equipe de Wickham Hall — comentou Annie. — Elas são incríveis.

— E nós também somos — garantiu Paige.

— Elas ganharam no ano passado.

— Mas agora será diferente. Se não pensarem de uma maneira positiva, meninas, serão derrotadas antes mesmo de começar. Todas vocês melhoraram os seus tempos nos treinos desta semana, e de uma forma considerável.

— Quando se começa do zero — resmungou Julie.

Paige apontou um dedo para Julie, com uma expressão apenas meio divertida.

— Cale essa boca. — Ela virou-se para as outras. — Uma grande parte do êxito em qualquer batalha é acreditar em si mesma. O percurso é de cinco quilômetros. Se quiserem correr em menos de vinte e um minutos... se disserem a si mesmas que podem e não pararem de repetir... vão conseguir. Não me importo se vamos vencer ou não. Mas gostaria que cada uma fizesse uma corrida de que pudesse se orgulhar. Creio que são capazes. Depende de vocês.

Ela deixou o ginásio com as meninas. Conversou um pouco com as treinadoras visitantes, enquanto as concorrentes davam tiros de aquecimento. Depois, sob a proteção do guarda-chuva, foi para um lado do campo, a fim de esperar pelo início da corrida.

— É você, Paige?

Seu coração teve um sobressalto, mas logo se aquietou quando ela descobriu que a voz não era de quem pensara. Ela olhou para Peter, coberto por uma capa com capuz. O rosto amigável deixou-a reanimada, ao ponto de um sorriso.

— O que está fazendo aqui?

Ele deu de ombros.

— Não tinha nada melhor para fazer. — Peter apalpou uma protuberância no meio do peito, por baixo da capa. — Pensei em tirar algumas fotos.

— Com esta chuva?

— Claro. Quanto pior o tempo, maior o drama. As fotos na lama são engraçadas.

Paige recordou um comentário similar de Mara. Só que não fora sobre a lama, mas a neve. Mara adorava tirar fotos no meio de uma nevasca, quando a neve formava um véu, através do qual o resto do mundo se tornava silencioso. Agora, em retrospectiva, Paige especulou se isso não servia para atenuar coisas que Mara achava angustiantes demais para enfrentar. Num tom mais descontraído, ela perguntou:

— Como foi o movimento na clínica esta manhã? Alguma visita interessante?

— Terá de perguntar a Angie. Ela ficou no meu lugar. Disse que queria adiantar tudo para poder ficar de folga se Doug tiver algum problema por jogar na chuva. Pelos meus cálculos, porém, ela já está muito adiantada. Vem trabalhando demais ultimamente.

Paige podia compreender. Não havia nada como se absorver no trabalho para sufocar os outros pensamentos, mais angustiantes. Mas ela concluiu que Angie não contara a Peter seu problema com Ben. Como seria a última pessoa no mundo a falar a respeito, tratou de declarar o óbvio:

— Doug está crescendo. Passa cada vez mais tempo na escola... e, quando está em casa, passa mais tempo com o pai.

— Oi, Dr. Grace!

Várias corredoras de Paige cumprimentaram Peter ao passar. Ofereceram sorrisos largos, algo que Paige quase nunca testemunhava. E ocorreu-lhe que Julie era muito atraente. Peter também sorriu, oferecendo o sinal do polegar levantado.

— Essas garotas são muito graciosas — murmurou Peter.

Paige observou-as enquanto se afastavam.

— É verdade. Estão crescendo depressa. Aquelas três vão se formar em junho. É difícil de acreditar.

O tempo voava. Ainda se lembrava de quando elas haviam chegado à Mount Court, mais inocentes e menos cínicas, embora já mimadas desde então. No pouco tempo em que passava com elas, todos os dias, Paige tentara lhes ensinar o conceito da disciplina mental. Não sabia se conseguira.

As corredoras ocuparam as suas posições para a partida. Peter preparou a máquina e bateu algumas fotos. Paige aproximou-se da linha de partida, pensando: *Confiança, confiança, confiança*, a fim de que as ondas cerebrais alcançassem suas atletas. O tiro de partida foi dado.

Os espectadores aplaudiram, cada um por sua equipe. Paige gritou palavras de estímulo. Peter foi correndo ao lado, fotografando, até que as corredoras entraram no bosque.

— Um dia horrível.

Paige ouviu o comentário que saiu de algum ponto próximo do guarda-chuva. O coração bateu forte e dessa vez não parou. A reação foi acompanhada pelo aumento da temperatura no ar ao seu redor. Era sempre assim quando ele se aproximava. Noah irradiava uma energia que agitava tudo.

Ela manteve os olhos fixos no bosque, onde a última corredora desaparecia naquele momento.

— Podia ser melhor.

— Como está a disposição das meninas?

A resposta saiu num murmúrio:

— Podia ser melhor.

— E a sua?

— Muito bem — respondeu Paige, de uma maneira que esperava ser convincente.

— Dra. Pfeiffer? — Era o diretor da corrida. — Não recebi os palitos de colocação.

À medida que cada garota terminava a corrida, recebia um palito de sorvete com o número da sua colocação. Depois que todas concluíam o percurso, os palitos eram entregues, os números somados e a equipe vencedora proclamada. Paige viu a sua assistente conversando com as amigas.

— Sheila! — gritou ela.

Paige apontou para o diretor da corrida quando Sheila olhou. A garota aproximou-se correndo, tirou do bolso os palitos e os entregou. O diretor se afastou.

Ela deveria ter aproveitado para fazer a mesma coisa. Mas não pensou nisso até que já era tarde demais, com Noah se espremendo para ficar sob o guarda-chuva.

— Não estou arrependido — declarou ele, numa voz que era suave, mas ao mesmo tempo firme e desafiadora.

Paige correu os olhos pelo bando de pais e mães que haviam viajado até a Mount Court para a corrida, mas não reconheceu ninguém.

— Só lamento não ter usado um preservativo — acrescentou Noah, a voz mais baixa. — A última coisa de que precisamos neste momento é que você tenha engravidado.

Paige não queria pensar sobre essa possibilidade. Não queria pensar em qualquer coisa relacionada com o que acontecera no quintal dos fundos da casa de Mara. Ela limpou a garganta, antes de murmurar:

— Podemos falar sobre isso em outra ocasião?

— Por que não pode ser agora?

— Estou no meio de uma corrida.

— Não tem nada para fazer durante os próximos quinze minutos, quando, se tivermos sorte, alguém vai sair do bosque. — Noah empertigou-se, erguendo a ponta do guarda-chuva para poder vê-la. — Para ser franco, este percurso é o pior possível. Os espectadores não podem ver nada. Como podemos atrair a atenção dos ex-alunos e dos pais se a maior parte da corrida acontece dentro do bosque? Para não falar no fator de segurança. E se acontecer alguma coisa ali?

— As meninas raramente correm sozinhas. Se uma se machucar, outra pode sair da corrida para ajudar. E, num dia como hoje, elas estão melhor dentro do bosque do que aqui.

Paige correu os olhos pelo caminho, à procura de Peter, com a intenção de dar a desculpa de que precisava falar com ele. Mas não o avistou em parte alguma.

— Como acha que as nossas meninas vão se sair? — perguntou Noah.

Era um terreno mais seguro. Um assunto oficial da escola. Melhor assim.

— Quer meu palpite? Na nossa equipe, Merry em terceiro, Annie em segundo e Sara em primeiro.

— Sara é tão boa assim?

— É, sim.

— Extraordinário! — exclamou Noah, quase exultante. — Ainda mais porque é apenas o segundo ano em que ela corre. Só começou no ano passado, na escola em que estudava. Com relutância.

— Por que com relutância?

Paige lançou-lhe um olhar. Noah estava de capa, não muito diferente da que Peter usava. Tinha um capuz com uma pala para proteger os óculos, embora não muito bem. As lentes estavam salpicadas de gotas.

— Ela era relutante em quase tudo que fazia. Não se dava bem com a mãe, e isso afetava todos os aspectos da sua vida. As notas pioraram. Tornou-se retraída, afastando-se das amigas. E houve vários episódios de furto em lojas.

— *Sara?*

— Isso mesmo, Sara.

Paige não podia acreditar, mas Noah parecia falar com absoluto conhecimento.

— Nunca foi nada demais — continuou ele. — Um batom aqui, uma fita de cabelo ali. Era evidente que ela queria punir a mãe. Mas é a velha história... Sara não magoava a mãe tanto quanto a si mesma. Em vez de processá-la, a polícia local impôs condições para não fazê-lo. Uma delas foi a de que Sara participasse de atividades esportivas na escola, durante a tarde. Foi por isso que ela começou a correr. Descarregava a sua raiva na pista.

Paige conhecia muito bem a expressão furiosa que Sara às vezes exibia quando corria.

— Isso explica várias coisas. Ela continua a descarregar, embora fosse de se esperar que a raiva já tivesse se dissipado a essa altura. Aquela história antiga, longe dos olhos, longe do coração.

Noah soltou um grunhido desolado.

— Nunca é tão fácil.

— Ela não quer falar a respeito?

— Não comigo.

A maneira como ele falou fez Paige hesitar. Havia razões óbvias para que Sara não conversasse com Noah, como a posição de autoridade, a impopularidade entre os estudantes. Apesar disso, ela teve um súbito vislumbre de familiaridade... uma expressão, um gesto, um olhar.

— Por que não?

Subitamente, Paige compreendeu. Ou pelo menos achou que compreendia. Os sobrenomes eram diferentes... mas havia as mesmas pernas compridas, os mesmos cabelos louro-avermelhados e o interesse que Noah tinha por Sara. Ele podia alegar que era empatia por outra pessoa que também chegara à Mount Court na mesma ocasião, mas a extensão do interesse era suspeita. E, de repente, pareceu conveniente demais que ambos fossem novos na escola, ambos solitários, ambos corredores.

A expressão de Noah era de constrangimento.

— Por que não me contou? — indagou Paige, sentindo-se magoada.

Afinal, haviam desfrutado do máximo de identidade física que duas pessoas podiam ter, mas ainda assim ele se abstivera de revelar aquele fato básico. Não, o verbo "abster" era errado no caso. Não sabiam quase nada um sobre o outro. E ponto final. A intimidade física fora totalmente prematura. Não premeditada. Impulsiva. Errada.

Noah tirou os óculos. Sacudiu-os. Enxugou-os. E tornou a ajeitá-los no rosto.

— Concordamos que seria mais fácil para ela ser assimilada se não fosse reconhecida como a filha do diretor. E foi uma providência sensata, considerando a minha duvidosa popularidade.

Paige sabia que "duvidosa popularidade" funcionava nos dois sentidos. Noah também não se sentia muito entusiasmado pela Mount Court.

— Aceitou o convite apenas por causa de Sara?

— Não exclusivamente. Ser diretor de uma escola era um antigo objetivo meu. Mas precisava fazer alguma coisa por Sara. Tinha de afastá-la da mãe. Eu procurava os cargos disponíveis. A Mount Court não seria a primeira opção, mas era a única vaga na ocasião.

Então ele era pai. Um pensamento novo, estranho, que não podia deixar de alterar a sua imagem aos olhos de Paige.

— E o sobrenome de Sara? Dickinson é parte do esquema?

— Não. É o seu nome legal.

— De sua esposa?

— Ex-esposa. E não é o nome dela. É do segundo marido de Liv. Sara o usa há muitos anos.

E ele não gostava disso. Sara podia perceber pela frieza em sua voz.

— Que idade ela tinha na ocasião do divórcio?

— Três anos.

— Muito pequena.

— Pequena demais para sentir toda a angústia do rompimento.

— Mas não pequena demais para deixar de sentir falta do pai. Sua esposa teve a custódia desde o início?

— Fazia mais sentido — argumentou ele, defensivo.

Paige especulou sobre a natureza do homem, o fato de ser capaz de deixar uma criança de 3 anos. Era verdade que ela não conhecia os detalhes do rompimento do casamento — e não queria saber, obrigada —, mas ainda assim parecia com a insensibilidade de que o acusara ao se encontrarem pela primeira vez. Noah enfiou as mãos nos bolsos.

— Nem sempre podemos determinar o momento oportuno para as coisas altamente emocionais.

Ele fitou-a com uma expressão que nada tinha a ver com Sara. Paige sacudiu a cabeça.

— Não agora, Noah. Por favor.

— Então quando? Esta noite?

— Não.

— Amanhã?

— Não.

— Está tão arrependida assim? — Havia algo diferente na voz de Noah, não a frieza anterior, mas uma certa mágoa, que provocou uma vibração dentro de Paige. — Foi horrível a esse ponto?

— Claro que não! — exclamou ela. — Não foi nem um pouco horrível. Foi apenas um absurdo. E impróprio. E inoportuno. Eu pensava em Mara, sentia-me solitária... e de repente você apareceu.

— Quer dizer que a culpa foi minha?

Paige bem que gostaria que fosse, mas nenhuma negação de sua parte seria capaz de apoiar essa premissa.

— Eu fiz a minha parte — murmurou ela, olhando para a frente.

— Ativamente.

Ela seria capaz de jurar que um sorriso acompanhou a declaração;

presunçoso ainda por cima. Mas quando fitou-o, Noah tinha os lábios finos sob um controle firme.

Com a intenção de escapar, acima de qualquer outra consideração, Paige encaminhou-se para a beira do bosque, querendo estar ali quando a primeira garota aparecesse. Mas Noah não hesitou em acompanhá-la.

— É um hábito muito grosseiro — comentou ele, da beira do guarda-chuva.

— Qual? — indagou Paige, sem diminuir o passo.

— Virar-se e afastar-se de repente. Você faz isso com freqüência.

— Vai acabar sendo espetado se continuar aí.

O guarda-chuva balançava a cada passo, as pontas perigosamente próximas do rosto de Noah.

— Levante o guarda-chuva.

— Eu ficaria molhada.

— Nesse caso, pare de andar e me explique por que não pode ficar quieta.

O fato de Noah dizer que ela não era capaz se tornou razão suficiente para Paige provar que ele estava errado. Ela parou de andar.

— Eu me afasto porque tenho lugares para ir e coisas para fazer. Minha vida tornou-se complicada demais nas duas últimas semanas. Sinto-me estressada. Além do mais, não sei como lidar com você. Deixa-me intimidada.

— Eu?

Paige continuou a fitá-lo, sem dizer nada.

— Está bem — murmurou Noah. — Admito que sou autoritário.

— E enorme, imponente e persistente.

— São qualidades para se fazerem as coisas.

Paige pensou naquela noite na grama. Noah fora enorme, imponente e persistente na ocasião, mas de uma maneira incrivelmente atraente. E ela não tivera a menor chance, pelo estado de espírito em que estava.

Ela recomeçou a andar. Noah acompanhou-a. Paige fez um esforço para manter o guarda-chuva firme.

— Sei o que está pensando — murmurou ele.

— O que é?

— Que se encontrava muito vulnerável naquela noite e que usei essas mesmas qualidades para consumar a sedução, em que pensava desde o início. Mas está enganada. Se eu pensasse em sexo quando fui ao seu encontro, teria comprado uma camisinha.

Paige olhou ao redor, nervosa.

— Não podemos conversar sobre isso em outra ocasião?

— Eu gostaria, mas você se recusa. Diga-me quando, e continuaremos a conversa depois.

Mas Paige mudou de idéia. Não queria conversar. Queria esquecer que qualquer coisa acontecera naquela noite; e, Deus querendo, poderia fazer isso assim que ficasse menstruada. Ela parou de andar outra vez, perto das pessoas que esperavam na beira do bosque, e disse, com um suspiro:

— Não há qualquer sentido em conversar. O que aconteceu naquela noite foi uma loucura. Uma fraqueza momentânea. Prometo que não acontecerá de novo.

— Por que não?

— Porque não há futuro — respondeu ela, incisiva. — Já tenho muitos problemas na vida. Mais do que suficientes para me manter ocupada. Não preciso de um relacionamento com você. Além do mais, ficará apenas um ano aqui e depois irá embora. Qual o sentido?

Paige recomeçou a andar, apressando-se quando uma corredora saiu do bosque.

Não era da Mount Court. E a segunda corredora também não era. Nem a terceira. Sara, a primeira da Mount Court a cruzar a linha de chegada, foi a sétima no geral. Annie foi a segunda da Mount Court e a décima primeira no geral; e Merry, a terceira, a décima quarta no geral.

Um desempenho decepcionante para a equipe de Paige.

Só que ela não disse isso para as garotas. Nem Noah, que elogiou cada uma — com entusiasmo — pelo excelente desempenho, assim que cruzava a linha de chegada.

Incapaz de esquecer o que ele lhe contara — fascinada, na verdade, quanto mais pensava a respeito —, Paige observou-o com Sara.

Noah perguntou como fora a corrida, quando ela se sentira mais forte e mais fraca, e declarou pelo menos três vezes que Sara correra muito bem. Ela respondeu com um mínimo de palavras; e, quando Noah pôs a mão em seu ombro, tratou de se desvencilhar.

Paige sentiu pena dele. Não queria, mas sentiu. Achava que uma das grandes tragédias da vida era o fato de que muitas famílias não conseguiam se dar bem.

Naquela tarde, sentada no chão, embalando Sami no balanço portátil, ela leu:

Querida Lizzie:
Não tenho certeza quando começou. Acho que foi quando eu era bem pequena, e parecia que não conseguia fazer nada direito. Mamãe queria que eu fosse sua pequena ajudante. Mas eu tinha energia demais para ficar presa dentro de casa. Preferia a companhia de meus irmãos. Eles estavam sempre fazendo alguma coisa, correndo de um lado para outro da cidade. Eu queria conhecer pessoas, ver como o resto do mundo vivia, em vez de permanecer dentro de casa.
Você teve sorte. Seus pais eram diferentes. Podia fazer o que queria.

Paige largou a carta. Era a intrusa, a abelhuda, bisbilhotando os pensamentos de Mara. Sabia que era errado ler a correspondência de outra pessoa. Por isso, deliberadamente, deixara o maço de cartas na casa de Mara, na noite anterior, a fim de não se sentir tentada. Mas não adiantara.

Ao deixar a Mount Court, fizera um desvio até a casa de Mara. A família que estava de mudança para Tucker adorara a casa. Os documentos preliminares já haviam sido elaborados. Esperavam se mudar dentro de um mês. Por isso, Paige tinha agora, além de todo o resto, a tarefa nada invejável de esvaziar a casa. Naquele dia, sua única intenção consciente fora levar para casa as melhores fotos de Mara. Mas, depois de lançar apenas um rápido olhar para as fotos, ela se encaminhara para o cesto de vime e procurara entre os novelos de lã, até que seus dedos encontraram o maço de cartas. Ao tirá-lo, descobrira que era diferente do outro. Aquelas cartas eram escritas em papel azul, presas com uma fita vermelha. Num impulso, Paige virara o cesto. Encontrara quatro pacotes de cartas, no total, cada um contendo de seis a dez cartas. Depois de pegar uma única foto, para aliviar a consciência, ela levara as cartas para casa.

Talvez um dia as remetesse, quando fosse capaz de suportar a angústia de se desfazer delas. Por enquanto, pareciam ser a única fonte de pistas para o mistério que era Mara. A carta continuava:

> Lembra da ocasião em que eu quis fazer uma festa de aniversário no rodeio que apareceu na cidade, quando completei 8 anos? Meus pais disseram que não. Alegaram que uma festa num rodeio não era algo apropriado para uma menina. Quanto mais eu insistia, mais furiosos ficavam. Mas não mudei de idéia. Passei meu aniversário de 8 anos sozinha no quarto. Deixaram-me ali. E fiquei pensando que iriam me buscar se me amassem. Mas não foram me chamar. Quando finalmente saí, apenas comentaram o quanto eu os desapontara.
>
> Acho que fiz isso muitas vezes. E continuo a fazer. Papai vai fazer 75 anos na semana que vem...

O que significava que a carta fora escrita havia três anos. Paige continuou a ler:

> Farão uma festa. Eu nem saberia se a mulher de Chip, Bonnie, não telefonasse para contar que os meninos haviam falado com mamãe, e todos concordavam que eu deveria comparecer. Quando mencionei um presente, Bonnie disse que o melhor presente que eu poderia dar para papai seria levar um genro para a festa. Ela riu ao fazer o comentário, mas eu sabia que não estava brincando. Todos continuam a acalentar a esperança de que eu apareça com um marido e uma porção de filhos, e compre uma casa na mesma rua, como Johnny e Chip fizeram. Mas não farei isso. Não posso.
>
> O que há de errado em ser médica? A maioria das pessoas acha que é uma nobre profissão. Mas, cada vez que isso me passa pela cabeça, paro e começo a pensar no esquema geral da vida, até que me sinto culpada. Sei que papai teve uma infecção em um dos ouvidos que foi mal diagnostica-

da, por tempo suficiente para que ele perdesse a audição nele. Sei que mamãe teria outra menina, depois de mim, se o médico chegasse ao hospital a tempo de desenrolar o cordão umbilical de seu pescoço. Mas isso significa que todos os médicos são ruins?

Eu me pergunto como outra menina da família teria sido. Provavelmente como eles queriam que eu fosse. Talvez parassem de me pressionar se houvesse outra menina. Mas, por outro lado, talvez não. Jamais pude ser do tipo invisível, embora bem que tentasse, por um longo tempo. Afastei-me de todos para cuidar da minha própria vida, mas eles se ressentiram também por isso.

Sua vida é muito diferente da minha. Sempre a invejei por isso. Você faz as pessoas felizes, e isso a deixa feliz. Pode não ter um diploma universitário, mas sente-se satisfeita com sua vida. Já eu não consigo viver em harmonia com as coisas que realmente importam. Bem que tento, mas sempre fracasso.

Angustiada, Paige tornou a largar a carta. Não compreendia como Mara podia se considerar um fracasso. Mas o pensamento também constava na primeira carta.

— Como se sente, querida? — perguntou ela a Sami, que parecia muito pequena no banco informe do balanço.

Com todo o cuidado, Paige pegou a menina. Numa voz suave, que não combinava com a essência das palavras, ela disse:

— Mara não era um fracasso, mas era diferente de seus pais. Talvez como eu. Só que tenho Nonny.

Ela cruzou as pernas e ajeitou Sami no meio. Deslizou um dedo pela barriga da menina e fez cócegas por um instante. Retirou o dedo, mas logo repetiu o gesto.

— Acho que você está engordando. Há mais aqui do que tinha na semana passada. — Ela fez cócegas. — Vamos, Sami, quero um sorriso. Apenas um pequeno sorriso, para me mostrar que estou fazendo as coisas certas.

Ela começara a fazer cócegas de novo quando o telefone tocou. Foi atender com Sami empoleirada em seu quadril.

— Alô?

— Você me perguntou qual era o sentido — disse Noah, sem qualquer preâmbulo. — Posso responder. O sentido é a diversão, pura e simplesmente. Você tem muita coisa acontecendo em sua vida para se envolver com um homem, e eu irei embora dentro de um ano. Enquanto isso, podemos nos divertir.

Paige respirou fundo, para se controlar. Até mesmo a voz de Noah fazia a temperatura subir.

— Diversão é assistir a um filme, jogar Boggle ou conversar sobre um livro. O que fizemos não foi diversão. Foi sexo.

— Sexo é divertido.

— Foi uma fuga. Não foi racional. Não tenho certeza se eu sequer percebia o que estava acontecendo.

— E você é uma criatura absolutamente racional.

As palavras saíram num tom de exasperação, o que não a incomodou nem um pouco. Que ele ficasse tão exasperado quanto quisesse. A longo prazo, era melhor assim.

Paige pensou em Sara e outra vez espantou-se pelo relacionamento entre os dois. Especulou quantas vezes Noah a vira, ao longo dos anos; e até que ponto eram íntimos. Se havia afeto, Sara não deixava transparecer... nem quando as outras garotas falavam mal de Noah, nem quando ele a procurara depois da corrida. E havia também a declaração do próprio Noah, de que a filha nada lhe confidenciava. Era evidente que havia problemas no relacionamento.

Paige se perguntou se algum dia ele se sentira um fracasso por causa de Sara.

— Para uma pessoa tão racional, Paige, você está perdendo alguma coisa com sua equipe — comentou ele, o profissional, do diretor da escola para a treinadora. — Elas correram muito mal.

Quando Sami, hesitante, estendeu a mão para o fio do telefone, Paige tratou de pô-lo ao seu alcance.

— As condições não eram as ideais.

— Eram as mesmas para as outras equipes, que correram melhor do que a nossa. Você é muito indulgente, Paige. É esse o problema. Já observei treinos em que você e as meninas ficam sentadas conversando.

— Temos de conversar quando acontece alguma coisa importante.

Acho que isso é necessário. Não me importo de perder todas as corridas que disputarmos se minha conversa puder ajudar as meninas a passarem pelo pesadelo da adolescência. — Uma pausa, e ela acrescentou, quase pensando em voz alta: — Na verdade, porém, não temos conversado muito ultimamente. Ao contrário, os treinos foram bastante puxados.

— Então por que elas correram tão mal?

Paige suspirou.

— Não é um grande mistério. Nossas garotas não se consideram corredoras, muito menos se imaginam vencedoras. O que precisamos é de uma vitória. Uma só. Mais nada. Vai mudar a maré.

— Mas como pode conseguir essa vitória sem mudar a auto-estima primeiro?

— É o que preciso descobrir. Alguma sugestão?

Noah tinha uma sugestão, mas não ia partilhá-la com Paige. Estava aborrecido, porque não apenas adorara fazer amor com ela, mas também porque não conseguia parar de pensar a respeito. Ela podia não saber direito o que acontecia, mas Noah tivera plena consciência. Lembrava cada detalhe da maneira como as mãos de Paige haviam percorrido seu corpo, a maneira como os mamilos haviam endurecido sob sua língua, os gemidos que subiram por sua garganta no momento do orgasmo.

O desejo de Paige esquecer aquele momento deixava-o furioso. Por isso, não falou nada sobre seu plano — não era da conta dela —, inclusive porque ainda não sabia se daria certo. Precisava obter as autorizações, comprar os equipamentos, ou roubar, ou tomar emprestado. Mesmo depois que tudo isso estivesse resolvido, ainda seria um risco. É verdade que a história estava a seu favor, mas nem por isso estaria menos vulnerável ao se lançar num projeto que podia fracassar. E, diante da opinião desfavorável da comunidade da Mount Court a seu respeito, por cima da atitude negativa de Sara, o fracasso era a última coisa de que precisava.

# *Onze*

$\mathcal{A}$ngie voltou para casa mais cedo. Transferira algumas consultas para ter algumas horas de folga. Não sabia o que fazer com esse tempo extra, apenas tinha certeza de que precisava fazer alguma coisa. Vinha trabalhando por mais e mais horas, na esperança de que o trabalho bloqueasse os pensamentos angustiantes. Mas os pensamentos persistiam. Se os empurrava para o fundo da mente, davam um jeito de voltar na primeira oportunidade. Ela não podia escapar. Sua vida se transformara num pesadelo de ter de realizar os movimentos habituais, quando nada mais era habitual.

Dougie, que sempre fora generoso com suas palavras e afeição, mostrava-se de repente avaro com as duas coisas. No percurso de ida e volta da escola, sentava-se em silêncio no carro, oferecendo as respostas mais lacônicas às suas perguntas, sem contar qualquer coisa voluntariamente. A situação não era muito diferente em casa, onde ele passava quase todo o tempo em seu quarto, estudando ou falando ao telefone. Era evidente que Dougie tinha imensos problemas ocupando seus pensamentos, inclusive a tensão que havia agora entre os pais.

Ben mal olhava para ela, quase nunca lhe falava e jamais a tocava. Vivia na casa sem estar ali... embora a segunda parte fosse duvidosa agora. Angie pensou que o encontraria trabalhando quando chegou, mas a casa se achava vazia. O estúdio estava todo apagado, as canetas com as tampas, os papéis arrumados com precisão. A televisão desligada. E o carro de Ben desaparecera.

Ela sentou à mesa da cozinha, não tanto para esperar, e sim para tentar decidir o que fazer em seguida. Se Ben estivesse em casa, poderiam conversar. Angie refletiu que pensara nisso ao deixar a clínica mais cedo. Mas encontrara a casa em silêncio, tão vazia quanto sua mente. Sentia-se desamparada. A paralisia de não saber o que fazer era quase tão terrível quanto o fato de apenas não saber.

A ironia era que ela sabia muito, só que não as coisas certas. Sabia como o corpo humano funcionava, fizera um curso depois de outro sobre suas complexidades e se tornara uma mecânica eficiente. Podia pegar o que existia, limpar, consertar, fazer com que voltasse a funcionar. Mas não era capaz de criar. Não conseguia produzir coisa alguma onde nada existia antes. Não podia pegar o vazio e preenchê-lo com significado.

Sem o marido nem o filho para conversar, Angie tinha a sensação de que alguma coisa vital fora removida, como se o corpo continuasse a funcionar apenas pela força do impulso. Mas não poderia se manter assim por muito mais tempo. O vazio por dentro era imenso e continuava a crescer. Como um buraco negro, acabaria por absorvê-la totalmente, depois de algum tempo.

Ela se perguntou onde Ben estaria. Se ele fora ao correio. Ou ao Tavern. Ou à biblioteca.

Entrelaçou os dedos por cima da mesa, mas logo separou as mãos. Eram finas, retas e eficientes, as unhas bem cortadas, sem qualquer esmalte. Depois de anos a lavá-las muitas vezes por dia, a umidificação era pouco mais que um placebo. Tinha as mãos de um operário. Exibiam seus 42 anos em cada prega, em cada pequena cicatriz, em cada veia que não era tão proeminente no ano anterior.

Angie suspirou e olhou para a janela. Seu reflexo fitou-a, os cabelos escuros como a meia-noite, cortados em ângulo na direção do rosto, para dar a impressão de elegância prática. O rosto era pálido e estreito. Era uma mulher pequena, cujo nível de conhecimento sempre acrescentara alguns centímetros à sua altura.

Só que o nível de conhecimento não valia nada agora, fazendo com que se sentisse pequena, desamparada e impotente. Tornou a entrelaçar os dedos, para soltá-los segundos depois. Baixou as mãos para o colo. Pensou no passado, a eficiência com que sempre conduzira sua vida. E no trauma do presente, preocupada com o futuro. Depois que Dougie fosse para a universidade, Ben e ela ficariam sós, de uma maneira que jamais ocorrera durante todo o casamento.

Ela ouviu o carro de Ben. Levantou-se, dominada por um súbito nervosismo. Havia coisas a fazer... sempre havia coisas a fazer. A ociosidade não levada a nada e só servia para deixar mais coisas por fazer. Podia começar a preparar o jantar. Ou pôr a roupa para lavar. Ou regar as plantas. Ou ligar para o banco e perguntar sobre o novo cartão magnético, que já estava atrasado.

Mas Angie não fez nada disso. Era como se a paralisia no comando de sua mente agora se espalhasse para os joelhos. Tornou a arriar na cadeira, inerte.

Ben estacionou o carro. Ela ouviu a porta ser batida, os passos no caminho, depois nos degraus. Ben abriu a porta da cozinha, entrou, e parou no instante seguinte.

— Olá, Angie. Não sabia que estava em casa.

— Guardei o carro na garagem.

Ela não pôde deixar de especular o que poderia ter acontecido se seu carro estivesse à vista. Talvez Ben passasse direto. Era evidente que ele não se sentia satisfeito em vê-la; dava para perceber pela voz. Apreensiva, Angie esfregou os dedos. Juntou os polegares.

— Alguma coisa errada? — perguntou ele, cauteloso.

Angie quase riu. Se havia alguma coisa errada? O mais básico de suas vidas estava errado! Ela fitou-o com uma cara aturdida.

— Está doente? — acrescentou Ben, mais específico.

Ela sacudiu a cabeça.

— Dougie só voltará da escola daqui a duas horas — lembrou ele.

— Sei disso.

Ben esperou, sempre cauteloso, parado quase à porta, como se dependesse de uma palavra para entrar ou sair.

— Por que sou eu que me sinto culpada? — indagou ela, quando não pôde mais suportar o olhar do marido, que se mantinha em silêncio e cautela, com uma sutil acusação. — É você quem tem um caso com outra mulher, mas eu sou a culpada. Não faz sentido.

Mas a expressão de Ben dizia que fazia muito sentido. Fora ela quem o privara durante o casamento, levando-o a procurar conforto em outra mulher. Se ele errara ao arranjar uma amante, Angie também errara, muito antes que isso acontecesse.

Ela sentia um peso enorme nas pernas, na barriga, nos braços. Pela primeira vez, especulou se não havia um lado positivo na paralisia. Libertava a vítima da ação e reação de toda e qualquer responsabilidade.

Mas, se ela não agisse, ninguém mais o faria. Ben sempre seguira sua orientação, e Angie nunca se importara com isso antes. Agora, porém, parecia importante. Gostaria que o marido, por uma vez, tomasse a iniciativa.

Mas treinara-o bem. Ele esperou. Finalmente, com um suspiro, Angie declarou:

— Nós precisamos falar.

— Nós? — indagou Ben. — Ou você?

— Você. — Angie despejou nessa única palavra todo o sentimento negativo que acumulara. Ben a magoara de uma maneira inconcebível. E ela não fizera nada para merecer aquilo. — Preciso que me explique o que está acontecendo. Fazemos tudo como se a vida continuasse a mesma, mas é apenas uma farsa. Nossa família desmorona mais e mais. Rodeamos um ao outro. Evitamos nos fitar nos olhos. Não há qualquer comunicação.

Ele não moveu um músculo sequer.

— Ben?

Ele deu de ombros.

— O que posso acrescentar? Você já disse tudo.

Angie respirou fundo, tremendo um pouco. Os antigos hábitos resistiam ao máximo; e ele não ajudava nem um pouco. A voz baixa, cansada, humilde, ela murmurou:

— Por favor, Ben. Diga-me o que está pensando. Com toda a sinceridade. É um pedido. Não sei o que se passa em sua cabeça. Não sei o que você quer. Não sei o que eu deveria fazer.

— É uma mudança.

Ela olhou para as mãos.

— Está certo. Mereci isso. — Angie olhou para o lado. — Mas saber o que fazer faz parte do meu jeito de ser. Sempre me orgulhei disso, e ninguém... inclusive você... jamais me desencorajou de ser assim. Nunca pensei que isso o incomodava. Talvez você se sentisse rebaixado, mas nunca tive essa intenção. Apenas fazia o que achava certo.

— A mulher perfeita.

Angie tornou a estudar suas mãos. A força do ressentimento do marido continuava a surpreendê-la, com seus golpes reiterados. E ela murmurou, recolhendo os fragmentos de sua auto-estima:

— Obviamente não era, ou eu não estaria sentada aqui neste momento. Fale comigo, Ben. Diga o que vai acontecer em seguida. O que você quer que aconteça. Disse que eu nunca o escutava. É o que tento fazer agora. Mas não posso escutar se você não falar.

Ele enfiou as mãos pela cintura da calça de veludo cotelê. Pensou por um momento, antes de dizer:

— Muito bem. Temos de fazer alguma coisa em relação a Doug. Ele está irritado com nós dois neste momento. E duvido que fale comigo mais do que com você. Recebi um telefonema de sua professora de espanhol esta manhã, perguntando se havia algum problema em casa.

— Como ela soube?

Angie começou a sentir um súbito horror. Imaginou que todo mundo sabia e sentiu-se consternada.

— Doug teve uma péssima nota numa prova, o que nunca havia acontecido antes.

— Nunca mesmo.

Sentiu-se derrotada. Não era pela nota. Ninguém passava pela escola sem tirar uma ou outra nota ruim. Doug podia compensar e se igualar aos colegas na média. Não era esse o problema. O importante é que ele não tiraria uma nota baixa se não estivesse profundamente transtornado.

— Por isso, precisamos conversar com Doug.

Algumas semanas antes, Angie cuidaria sozinha da conversa. Mas Ben a acusara de ser controladora e manipuladora. Por isso, ela perguntou:

— O que devemos dizer?

Ben empinou um ombro.

— Não sei.

Ela examinou seus dedos mais uma vez. Se Ben não sabia, e ela não deveria lhe dizer, como ficavam? Com um esforço para se conter, Angie fitou o marido e esperou. Depois do que pareceu uma eternidade, Ben murmurou:

— Há duas questões. Uma tem a ver com o que está acontecendo entre nós. A outra tem a ver com Doug e o espaço de que ele precisa.

— As duas estão ligadas.

Angie arrependeu-se de ter falado no instante em que Ben declarou, com sua fala arrastada:

— Obviamente, mas uma é mais fácil de resolver do que a outra. — A fala arrastada foi substituída por um tom mais solene. — Acho que devemos deixá-lo ser interno na escola.

Ela sacudiu a cabeça no mesmo instante. Tudo em seu íntimo rebelava-se contra a idéia, mas não disse nada até que Ben indagou:

— Por que não?

Angie acalmou-se.

— Porque ele ainda é muito novo.

— Ben já está na oitava série. O internato na Mount Court começa na sétima série.

— Mas, se ele vai mal em espanhol, vai precisar de mais supervisão.

Angie tinha um conhecimento superficial da língua e regularmente testava o vocabulário do filho.

— Doug não vai mal em espanhol — corrigiu Ben. — Apenas se saiu mal numa prova. E pode ter uma supervisão melhor na escola, com o estudo obrigatório todas as noites.

— Ele vai se sentir sufocado com a companhia constante dos colegas.

— É possível. Mas provavelmente dirá que é melhor do que passar todas as noites em casa. Você o sufoca, e eu trabalho. E ele se sente solitário. Seria diferente se tivesse um irmão.

— Concordamos que um único filho seria suficiente para nos manter ocupados.

— Você concordou. Outra decisão de Angie.

— Como você não contestou, é tão culpado quanto eu.

Ela recordou o tempo em que Dougie era pequeno. Não podia sequer se lembrar de uma conversa sobre ter outro filho. Eles haviam planejado tudo para que Angie pudesse voltar logo a trabalhar.

Eles haviam planejado? Ou fora apenas ela quem planejara? Angie teve o pensamento horrível de que fora somente ela. E deu um suspiro desanimado.

— É um pouco tarde para falar sobre isso agora. Assim como é tarde para falar sobre a internação de Dougie. O semestre já começou. Duvido que o aceitem.

Ben soltou uma gargalhada.

— A Mount Court? Pela mensalidade do internato, eles aceitariam até um chimpanzé.

Angie teve a sensação de que se encontrava num cabo-de-guerra, com Dougie no meio e Ben no outro lado.

— Você não tem nenhum receio? — indagou ela, aturdida.

— Claro que tenho. Também adoro o meu garoto. Gosto de sua companhia. Mas é o que ele quer, Angie.

— Ele também quer ganhar um carro quando fizer 16 anos, mas isso não significa que temos de dar.

— Não é a mesma coisa. Um carro é um luxo. Admito que a internação também é, mas pelo menos será uma experiência com algum mérito.

— Tem razão. Os meninos internos aprendem grandes coisas.

— Acha que ele não vai aprender essas coisas de qualquer maneira? Pensa que Doug não sabe que alguns cigarros não são feitos com tabaco? Pensa que ele não sabe o que é ser um drogado? Ora, Angie, acorde. Ele é um garoto inteligente. E normal. Vai começar a falar com os amigos sobre os seios das meninas mesmo que não seja interno. E, se quiser uma camisinha, não pedirá a você para comprar.

— Ele só tem 14 anos!

— Não significa que ele vai usar, mas os meninos falam a respeito durante anos, antes de começarem.

Ben estendeu a mão para a nuca e a apertou com firmeza. Angie não o via fazer esse gesto desde o dia em que haviam se mudado para Vermont, quando o pessoal da companhia de mudança deixara cair seu computador.

— Por que não pensa um pouco a respeito, Angie? — acrescentou ele. — Você criou o menino. Durante quatorze anos ensinou-o a ser honesto, bem-educado e estudioso. Esses valores são parte de Doug agora. Ele não vai esquecê-los de um momento para outro... a menos que você o ponha numa gaiola, o que fará com que tente escapar por todos os meios possíveis. Dê-lhe ar para respirar, Angie. Confie um pouco em seu filho.

— Como confiei em você?

As palavras pairaram no ar. Pela primeira vez, ela viu a culpa no rosto de Ben.

— Pois confiei, e você sabe disso — continuou Angie, a voz mais contida. — Presumi que acreditava na fidelidade. Nunca me ocorreu que teria um caso extraconjugal. Mas nunca mesmo.

Ele tornou a pôr a mão na nuca. Deixou escapar um suspiro.

— Não foi intencional. Apenas aconteceu.

— Durante oito anos? Você é que tem de acordar, Ben. Se tivesse acontecido apenas uma vez, eu seria capaz de aceitar que não foi intencional. Mas continuar por tanto tempo? Você é um cara inteligente. Sabe o que acontece no mundo. Pode discorrer durante a janta sobre o último escândalo que abalou o governo. Às vezes é um problema de dinheiro, outras, de disputa de cargos, e mais outras, de sexo. Nem posso lembrar o número de vezes em que me falou sobre homens que enganavam as mulheres. Não viu que você próprio fazia isso?

Ben desviou os olhos.

— Claro que eu sabia.

— E sabe também quanto isso magoa?

Ele tornou a fitá-la. Embora Angie não tivesse planejado, as lágrimas afloraram em seus olhos. Tratou de removê-las, para que Ben não a chamasse de manipuladora. Mas as lágrimas voltaram. Ignorando-as, ela perguntou:

— Como começou?
— Não é importante.
— É para mim.
— Talvez eu não queira falar a respeito.
— Porque é especial? Porque é um caso seu, não meu? Porque tem medo de que eu tente controlar de alguma forma?
— Eu nunca deveria ter dito nada. Sabia que você não esperava. Sabia que a magoaria. Posso ter falado sem pensar, num acesso de raiva. Mas não foi assim durante todo o tempo. Não fiz por desafio, mas sim porque tinha uma necessidade concreta, que não estava sendo satisfeita.

Uma necessidade que Angie fora capaz de atender. Ela sentiu-se totalmente inadequada, pela centésima vez em uma semana... e agora já não era tão chocante quanto na primeira ocasião. Não podia fazer tudo. E não podia ser tudo. Começava a aceitar esse fato.

Ben encostou-se na parede, os braços cruzados, os tornozelos cruzados, olhando para os sapatos de lona. Em voz cansada, ele murmurou:
— Sempre vou à biblioteca para dar uma olhada nos jornais e revistas. Ela estava sempre ali. E viramos amigos.
— Quando se tornou algo mais?
— Não sei.

Angie esperou. Depois de certa hesitação, Ben acrescentou:
— Já devíamos nos conhecer há mais de um ano quando aconteceu.
— Para onde foram? Para a casa dela?
— Angie, isso não é...
— Claro que é — insistiu ela, a voz suave e triste. — Esta é uma cidade pequena. Conheço a maioria das pessoas. E me encontro com muitas em caráter profissional. É importante para mim saber quantas estão a par da situação.
— Pela sua imagem.
— É mais do que isso. Minha auto-imagem foi abalada. Você me diz que errei. Dougie me diz que errei. Preciso saber se posso sair daqui e fingir que ainda sou capaz de fazer alguma coisa certa.
— Faz muitas coisas certas. Não vamos ser dramáticos demais.

Angie levantou-se de um pulo.

— Dramáticos demais? Sou a *última* pessoa a bancar a dramática. Há dias que venho me comportando como se nada de errado tivesse acontecido. — Ela tornou a sentar-se. A voz era menos veemente quando continuou: — Tenho de tatear em busca do caminho nesta situação, que é nova para mim. Faço o melhor que posso. Mas, se perguntar alguma coisa que você considere imprópria, peço que me desculpe. Não pode ver o problema pela minha perspectiva.

Ela fez uma pausa, suspirando.

— Só quero saber se todos na cidade souberam do caso antes de mim.

— Ninguém mais sabe. Tomamos todo o cuidado.

— Ainda tomam, agora que eu sei?

Era uma maneira indireta de fazer outra pergunta, mais assustadora.

— Não estive com ela desde que contei a você. Pelo menos não na cama.

— Mas conversaram.

— Ela é minha maior amiga.

— Sempre pensei que fosse eu.

— Já foi. Até que deixou de ter tempo para mim. Eu não era mais do que um móvel, um utensílio. Depois que fiquei em meu lugar, você só precisava tirar o pó de vez em quando, afofar as almofadas, virar para um lado ou outro. A compra original foi a única parte crítica. Depois... — Ele soltou um grunhido depreciativo. — ... o hábito prevaleceu.

— É uma crise da meia-idade?

Angie tinha esperança de que fosse apenas isso. Afinal, as crises da meia-idade logo passavam. Mas ele sacudiu a cabeça.

— É mais sério do que isso.

Ela comprimiu os lábios.

— Vamos nos separar?

Ben demorou algum tempo para responder, olhando para o chão, o rosto franzido. A voz era contida e a expressão cautelosa quando falou:

— Não sei. É isso que você quer?

Pelo menos não fora uma resposta negativa expressa. Ela se preocupara com essa possibilidade. Tardiamente, começou a tremer.

— Não, não é o que eu quero. Gosto de nosso casamento...

— Como também gosta de nosso edredom?

Lá estava de novo a amargura. Pela sua intensidade, espantava-a que Ben tivesse conseguido esconder por tanto tempo. A menos que ele não tivesse escondido, mas ela se mantivera alienada. Era o que Ben alegava. Só que Angie não podia acreditar que deixara de perceber um sentimento tão forte.

— Você está muito zangado.

— Tem toda a razão. Sinto raiva porque você não foi mais atenta. Porque o seu trabalho é tão importante. Porque pôs Dougie na minha frente. E sinto ainda mais raiva por precisar tanto de alguma coisa a ponto de traí-la para conseguir.

— Não sou a vilã da história — insistiu Angie. — Não tive a intenção de fazer nada disso. Se tivesse me falado antes... falado de verdade, como faz agora, em vez de se limitar a fazer vagas insinuações... poderíamos ter evitado muita coisa. Oito anos é muito tempo para você se sentir mal por alguma coisa sem dizer nada.

Ben levantou um ombro.

— Já aconteceu. E não adianta chorar pelo leite derramado.

— Mas o que vamos fazer agora?

Era um retorno ao ponto de partida. Ben também compreendeu isso. Dava para perceber pela maneira como seus ombros vergaram. Angie lembrou quando costumava massagear aqueles ombros, quando eram mais jovens, mais dependentes um do outro... e os melhores amigos. Nos primeiros meses do casamento, ela adorava acariciá-los. Depois, os carinhos foram se tornando mais escassos, até que perdera o jeito.

Ela especulou se poderia voltar a ser como antes e se era mesmo isso o que queria. Mas, antes que pudesse dispensar ao problema toda a atenção que merecia, Ben falou, numa resposta retardada para a pergunta que ela fizera:

— Começamos por deixar que Dougie se torne interno. Talvez por um semestre, a título de experiência, com a garantia de que ele poderá voltar para casa no momento em que quiser, se não der certo.

Angie lutava uma batalha perdida, em inferioridade numérica: eram os dois contra ela.

— A perspectiva não me agrada nem um pouco.

— Então, deixe-o ser interno por cinco dias. Ele pode voltar para casa nos fins de semana.

Não parecia tão ruim... isto é, era horrível, mas não tanto quanto a possibilidade anterior.

— Dougie vai concordar?

— Se for essa a única opção que lhe oferecermos.

Mas havia também desvantagens nessa situação. Angie podia pensar em todas e as teria enumerado se não fosse dominada por um súbito ataque de insegurança. Antes, sabia quase tudo que havia para saber; e, quando o conhecimento lhe faltava, a intuição indicava o que fazer. Mas ultimamente — primeiro com Mara, agora com Ben e até mesmo com Dougie — descobria que ignorava muita coisa.

— O que é? — indagou Ben, impaciente.

Ela sacudiu a cabeça.

— Prefiro que me diga logo o que está pensando, em vez de vir mais tarde com aquela história de "eu não falei" — insistiu Ben.

Angie sentiu-se meio tentada a fazer isso. Ben queria que Dougie se tornasse interno na escola; ela podia aceitar e depois culpá-lo se algo saísse errado.

O único problema é que falavam da vida de Dougie. Não queria que nada saísse errado para o filho. Era um dos motivos pelos quais hesitava tanto em deixá-lo ser interno na Mount Court. Podia, é claro, ouvir os argumentos de Ben a favor; e podia lhes conceder algum crédito. Ainda assim, havia outro ponto que não podia ignorar. Ela começou com alguma hesitação:

— O que me preocupa é o momento. Se o mandarmos viver na escola agora, ele pode pensar que isso acontece porque o queremos fora de casa para podermos brigar ou acertar o divórcio. E vai se preocupar mais do que se ficasse aqui.

Ben pensou a respeito, em silêncio. No passado, Angie poderia preencher esse silêncio com mais alguns de seus pensamentos. Agora, preferiu se manter calada. Ben finalmente respondeu:

— Ele vai se sair bem se cuidarmos de tudo direito.

Angie esperou que o marido continuasse. Estava ansiosa por saber o que ele diria, porque iria à essência do problema.

Por mais incrível que pudesse parecer, no entanto, Ben fitou-a em busca de ajuda. Mas ela se manteve calada.

— Podemos dizer que resolvemos permitir porque é algo que ele quer muito — acrescentou Ben.

O que não tratava da questão principal. Angie continuou em silêncio. Mas sua expressão devia ter transmitido alguma coisa — ou era a consciência de Ben que reagia — porque ele se apressou em declarar:

— Podemos lhe dizer que ambos estaremos aqui, à sua espera, quando vier para casa, nos fins de semana.

— E estaremos?

— Eu estarei — garantiu Ben. — Não decepcionaria Doug com minha ausência.

O que não era a resposta que ela queria ouvir, sobre o que Ben tencionava fazer com o casamento.

— E você? — perguntou ele, quando Angie deixou o silêncio se prolongar.

— Esta é a minha casa. Não tenho outro lugar para ir. Mas acho que estamos evitando a questão principal.

Ben empertigou-se. Olhou para o relógio.

— Vou buscá-lo. Está na hora. Não falarei nada até o jantar. Então poderemos discutir tudo com ele.

Ben deixou-a sozinha, mais perturbada do que nunca.

Peter também se encontrava sozinho e igualmente perturbado ao deixar o Tavern. Não ficara muito tempo, apenas o necessário para tomar uma cerveja. Sem ninguém para conversar, só podia pensar nas fotos secando em seu laboratório.

Passara horas trabalhando nelas na noite anterior. Encontrara o negativo certo desta vez — ou pelo menos era o que pensava — e tirara todos os tipos de cópias imagináveis. Depois, passara o dia recebendo pacientes, conversando com os pais, sugerindo soluções para problemas. E sempre se sentindo muito bem, porque tinha certeza de que conseguira o que queria. Ao voltar para casa, no entanto, ainda à luz do dia, constatara que nenhuma foto era a certa. Nenhuma captava o sentimento que ele queria. Nenhuma fazia justiça a ela.

A cerveja não atenuara seu desapontamento nem um pouco. Só o fizera sentir com mais intensidade que se encontrava sozinho, enquanto todo mundo tinha seu par. O que poderia ter também se Lacey não se mostrasse tão melindrosa.

Sempre carregando a câmera, ele foi até o final do quarteirão e entrou na Main Street. O sol baixava no céu, criando sombras que proporcionavam a maior profundidade para as lojas dali. Ele tirou uma foto de frente da livraria. Estendeu a lente do *zoom* para uma foto da igreja, na extremidade da rua. Bateu outra foto, panorâmica, dos três quarteirões que formavam o Centro da cidade. A pedra cor de âmbar parecia mais dourada ao sol, as placas pareciam mais autenticamente antigas, as vitrines mais atraentes.

Peter encostou-se numa lixeira, no outro lado do quarteirão em que ficava a farmácia, a papelaria, a loja de presentes e a Reels. Tornou a ajustar o *zoom* para tirar fotos da Reels. A garotada da Mount Court estava na cidade; dava para vê-los através da vitrine. Reunidos em grupos, alguns examinavam fitas de vídeo para alugar, outros apenas conversavam, e vários sentavam nos bancos nos fundos da loja, onde ficavam as torneiras de refrigerantes.

Ele avistou Julie Engel. Ela tinha uma fita na mão. Leu a sinopse, pôs de volta no lugar, pegou outra. Peter atravessou a rua, parando onde os carros estacionavam, em diagonal. Tirou várias fotos de Julie, através do vidro. Se já era extraordinária com os cabelos presos e a pele exposta, ela parecia ainda mais impressionante agora. Os cabelos compridos eram lustrosos e ondulados; a maquiagem era mínima, mas realçava os olhos; a roupa era recatada, mas de um jeito que sugeria o oposto.

Enquanto ele observava, Julie separou-se do grupo e foi para a frente da loja. E foi nesse instante que o viu. Sorriu e acenou. Virou-se para dizer alguma coisa às amigas, antes de sair da loja.

— Oi, Dr. Grace.
— Como tem passado, Julie?
— Muito bem.
— Escolheu algum filme para alugar?
— Não. Já vi tudo que é bom pelo menos três vezes. Fica chato depois de algum tempo. — Ela gesticulou para a câmera. — Tirando fotos de alguma coisa em especial?

Peter inclinou a cabeça para a rua.
— Apenas da cidade. A luz está apropriada.
— Quer tirar uma foto minha?
— Sua?
— O aniversário de minha madrasta é no mês que vem. Eu adoraria lhe enviar alguma coisa boa. Ela pensa o pior de mim, na maior parte do tempo. Não seria ótimo se ela recebesse uma foto angelical? — Julie olhou para a igreja, ao lado da qual havia um pequeno parque.
— Podemos ir até lá.

Sem a menor cerimônia, Julie pegou-o pelo braço e começou a levá-lo. Peter sentiu alguma apreensão. Julie Engel era tão maliciosa quanto bonita, a acreditar nas histórias que ele ouvira a seu respeito. Não podia saber se o aniversário da madrasta era mesmo em outubro. Nem se havia de fato uma madrasta. E só podia ouvir a voz de Mara, alertando-o contra as garotas maliciosas.

Mas, por outro lado, o parque ao lado da igreja era um lugar seguro.
— E suas amigas? — perguntou ele.
— Séculos vão passar antes que escolham um filme, tomem um refrigerante ou um sorvete no outro lado da rua. Não temos mais sorvete na escola. O Sr. Perrine acha que iogurte congelado é mais saudável. — Julie passou o braço pelo de Peter. — Não acha que ele é um chato insuportável?

Peter se desvencilhou. Tucker era uma cidade pequena. As pessoas viam coisas; e, quando não viam, imaginavam; e, se não imaginavam, os vizinhos o faziam. Não queria que ninguém fizesse uma idéia errada de sua pessoa. Não se envolvia com garotas. Nunca o fizera e jamais faria.

— Para ser franco, até que gosto do diretor — comentou ele. — E respeito suas normas.

— Só porque não tem de segui-las. Não precisa estar no dormitório às dez horas da noite nos dias de semana e às onze nos fins de semana... e isso para o pessoal do último ano! É um saco! — Ela afastou os cabelos do rosto. — Eu já tenho 18 anos e não sei por que tantas proibições.

Peter não acreditou por um instante sequer. Dezessete, talvez. Até dezessete e meio. Mas não 18.

Julie saiu correndo na frente. Parou ao lado de uma árvore, na beira do parque. O sol incidia em seus cabelos, que brilhavam; Peter ergueu a câmera e registrou a imagem, enquanto se aproximava. Tirou vários *closes*, de ângulos diferentes. Estava refocalizando quando Julie correu mais para o fundo do parque até um banco de madeira. Sentou-se nele, com um ar inocente, olhando para a lente na foto seguinte, desviando os olhos para a outra.

— Levante o queixo... Assim está ótimo. Quando é mesmo o aniversário de sua madrasta?

— Novembro. Temos bastante tempo para tirar uma boa foto. Vou pagar, é claro. Será meu fotógrafo oficial. — Julie levantou-se. — Que tal ali?

Ela apontou para um grupo de bétulas. Os últimos raios de sol iluminavam os troncos, criando a impressão de um incêndio.

Peter, que não tinha a menor intenção de cobrar de Julie uma foto sequer para sua madrasta, que fazia aniversário em outubro ou novembro, na dependência do capricho da jovem, ignorou-a por um momento, enquanto fotografava as árvores. Tinha o olho no visor quando ela tornou a entrar em foco. Baixou a câmera no mesmo instante, ao descobrir o que ela fizera.

— Julie...

— Só algumas — sussurrou ela, tirando a blusa quando Peter se aproximou. — A luz está ótima.

— Trate de se vestir.

Mas ela jogou a blusa para o lado; se usava um sutiã antes, também o descartara.

Os seios eram empinados, cheios, fascinantes, como costuma acontecer com uma jovem que se aproxima do auge de sua atração física. Julie podia ter 18, 21 ou 25 anos. Mas era uma paciente, uma aluna da escola em que ele era o médico oficial. O que significava encrenca. Num gesto ostensivo, Peter empurrou a câmera para trás do ombro.

— Não vou fotografá-la nua desse jeito.

— Não estou nua — murmurou ela, chegando mais perto. — Ainda estou de calça.

— Vista-se logo, Julie. Vou levá-la de volta para suas amigas.

Ela sacudiu a cabeça. Com a confiança de quem conhecia seu poder, fitou-o nos olhos e sussurrou:

— Quero que me acaricie.

— Não — respondeu Peter, balançando a cabeça.

— Não me acha atraente?

— Claro que acho. Acontece que é minha paciente, além de ser uma criança.

— Não sou mais uma criança. Já tenho 18 anos. E sou paciente da Dra. Pfeiffer, agora que a Dra. O'Neill morreu.

Agora que a Dra. O'Neill morreu. Mara estaria às gargalhadas se pudesse vê-lo naquela situação. Concentrado nesse pensamento, ele se deslocou para o lado, a fim de pegar a blusa no chão. Mas Julie o acompanhou.

— Você é o homem mais atraente da cidade.

Ele enfiou a blusa nos ombros de Julie, só para descobrir que as mangas estavam pelo avesso. Tornou a tirá-la e a endireitou.

— Metade das garotas da escola está apaixonada por você.

Ela comprimiu os lábios contra o queixo de Peter, que vestiu um dos braços e passou ao outro.

— Não sou mais virgem, se é isso que o incomoda. Já transei antes.

— Poupe-me, Julie.

Ele ajeitou a segunda manga. Esticou a blusa nos ombros, apenas para descobrir que a puxara ao seu encontro. As mãos de Julie desceram para o cinto de sua calça. Uma foi ainda mais baixo.

— Você me quer! — exclamou ela, com um sorriso vitorioso.

— Não! — Peter deu um passo para trás. — Não!

Ele ergueu os braços, numa rendição simbólica, enquanto acrescentava:

— Claro que me sinto lisonjeado. Você é uma linda jovem. Mas qualquer coisa entre nós é impossível.

— Eu senti!

Peter suspirou.

— O que sentiu mesmo foi a diferença entre o corpo de um menino e o corpo de um homem. E o que você fez aqui foi uma invasão da minha privacidade. — Ele pôs as mãos nos quadris. — Agora, posso levá-la de volta para a cidade sem a blusa, para que todos vejam a mercadoria. Mas, se não é isso o que tinha em mente, sugiro que a abotoe.

Foi o que ela fez, mas seus olhos diziam que não acreditava que não o deixara excitado. O sorriso ocasional que lançava para Peter, enquanto voltavam para a Reels, dizia a mesma coisa. Peter ficou aliviado quando ela o deixou e correu ao encontro das amigas. Julie começara a fazer com que se sentisse um eunuco. O que não era nem um pouco. Tinha um apetite normal e saudável por mulheres atraentes... um apetite que estaria satisfeito naquele momento se Lacey não tentasse determinar como ele deveria orientar sua vida. Bem que poderia dizer algumas coisas a respeito. E ocorreu-lhe que deveria fazer isso.

Atravessou a rua, voltou pelo caminho de onde viera, virando a esquina para entrar no estacionamento do Tavern. Minutos depois, estava a caminho do condomínio Weeble.

Parou na frente da garagem. Subiu a escada estreita para o apartamento. Bateu na porta. Podia ouvir o som da banda de *rock* de Tucker, a Henderson Wheel, que conseguira alcançar o sucesso, com três álbuns de platina seguidos. Bateu de novo, mais alto.

— Quem é? — gritou Lacey, acima da música.

— Sou eu! Peter!

Não sabia como seria recebido. Não falava com Lacey desde que a deixara sozinha no Tavern.

Ela demorou um pouco para abrir a porta. Usava um roupão comprido e exibia uma expressão sóbria.

— Deveria ter ligado primeiro. Estou muito cansada.

— Não ficarei muito tempo.

Peter entrou no apartamento, passando por ela. Esperou para ouvir o barulho da porta sendo fechada. Como isso não acontecesse, virou-se para vê-la imóvel, com a mão na maçaneta. Os cabelos louros caíam pelas costas, até o ponto em que o roupão fora apertado na cintura, logo acima da curva dos quadris. Ele sentiu uma comichão intensa na virilha.

Foi até Lacey, comprimindo o rosto contra seus cabelos. Fechou a porta, enquanto apertava seu corpo.

— Não, Peter...

Ela tentou se desvencilhar-lhe mas os braços dele continuaram a envolvê-la.

— Sei que sou um desgraçado, mas nós dois temos assuntos inacabados.

E Peter começou a acariciar-lhe os seios. Ela se contorceu.

— Não faça isso.

Ele deixou que Lacey se virasse, antes de imobilizá-la contra a porta. Segurou o rosto dela com uma das mãos, enquanto baixava a outra.

— Você gosta disso. Sei que gosta.

— Peter...

— Sei quais são os pontos que mais aprecia... — A mão encontrou o que procurava. — ... ainda mais quando não está de calcinha. Fez isso para mim?

— Como poderia? — protestou Lacey, empurrando-o pelo peito. — Não sabia que você viria. Peter, não quero...

Ele impediu as palavras adicionais com a boca. Devorou aqueles lábios, enquanto a acariciava. Mas no instante em que sentia o corpo de Lacey se movimentar em seu ritmo, ela desviou a boca.

— Não tem o direito de entrar aqui desse jeito e esperar que eu me entregue — balbuciou ela, empurrando-o de novo, sem muita convicção.

— Mas você adora — murmurou Peter, abrindo-lhe o roupão e depois sua calça.

Sentia-se poderoso e viril, duro como pedra, prestes a explodir.

— Não quero...

— Quer, sim... claro que quer!

Peter abriu as pernas de Lacey, sem muita gentileza. Tornou a beijá-la, no instante mesmo em que a penetrava. Não sabia se o grito que ela soltou foi de dor ou de prazer. Também não se importava, porque a necessidade que o impelia era intensa demais.

A porta por trás tremia, barulhenta, sob o impacto das arremetidas de Peter. Mas era algo distante, como as pernas de Lacey a envolvê-lo, muito longe da tensão dentro de Peter, aumentando cada vez mais. Ele rangeu os dentes, soltando um grito gutural ao atingir o orgasmo, que parecia se prolongar, interminável. Não tinha consciência de mais nada além do extraordinário prazer que experimentava.

Devagar, pouco a pouco, ele recuperou a noção do lugar em que se encontrava, seu corpo inerte contra o de Lacey, a respiração entrecortada. Mais um longo momento transcorreu antes que sentisse a rigidez de Lacey.

Ele recuou. Fitou-a nos olhos, para descobrir que estavam frios como gelo. Lacey desvencilhou-se. Fechou o roupão. Atravessou a sala. Pôs a mão num obelisco de pedra, que estava em cima da mesinha baixa.

— Acho melhor você ir embora, Peter. Agora.

A maneira como ela segurava o obelisco dizia-lhe que era melhor permanecer junto da porta. Peter puxou o zíper da calça.

— Por que está tão furiosa?

— Não quero você aqui. Já não o queria aqui quando bateu na porta, mas você entrou assim mesmo. É um homem grosseiro e violento.

— Já sei. Ficou irritada porque eu a deixei sozinha para pagar a conta.

— A conta não foi nada. Eu podia pagar. Mas você foi embora quando ousei criticá-lo. Não sabia que era tão inseguro.

— Lá vem você, me analisando de novo.

Lacey já balançava a cabeça antes mesmo que ele acabasse de falar.

— Não estou analisando. Apenas enunciando o óbvio. Você não é capaz de aceitar a menor crítica e não admite uma rejeição. Isso para mim significa insegurança, e é a última coisa que procuro num homem. Ao contrário do que prefere acreditar, eu *não* preciso de você, Peter. Voltarei para Boston dentro de um mês. Foi bom, mas acabou.

Ele não sabia se acreditava. Afinal, era o melhor que Tucker tinha a oferecer, mesmo que apenas pelo último mês.

Lacey lançou um olhar exasperado para o teto.

— Tem de me escutar, Peter. Acabou mesmo. Tivemos alguma diversão, mas acabou. E nem sequer pense em voltar aqui. Se tentar, vou processá-lo.

— Vai me processar? Pelo quê? — Ele não se deixaria intimidar pela ameaça. — O que aconteceu aqui não foi estupro.

— Eu sei que não foi. Acho que você tem razão num ponto: sabe como me atiçar. Mas na próxima vez não vai chegar nem perto para fazer isso. Chamarei a polícia primeiro. — Lacey mudou a posição da mão no obelisco. — Agora saia.

Peter lançou-lhe um último e longo olhar. Ela era atraente, mas estava longe de ser a melhor amante que já tivera. Não precisava dela, com toda a certeza. Lacey podia terminar logo seu trabalho e voltar para Boston. Continuaria a viver muito bem sem ela. Deu de ombros e abriu a porta.

— Você é quem sai perdendo! — gritou ele, enquanto descia a escada.

A batida da porta lá em cima fechou outro capítulo na história de seus amores. O que não o incomodava nem um pouco. Outro logo começaria. Era um homem de destaque na cidade, importante, respeitado. As mulheres adoravam isso. Não ficaria sozinho por muito tempo.

Doze

Noah ficou espantado pela maneira como seu plano foi recebido. Não tinha certeza se o crédito devia ser concedido ao plano propriamente dito ou ao fato de ter algum plano. A Mount Court se encontrava estagnada há muito tempo. A perspectiva de alguém fazer algo novo, jamais tentado antes, criou um entusiasmo imediato.

As autorizações dos pais envolvidos chegaram por fax, acompanhadas por vários telefonemas de encorajamento. O equipamento foi doado por um ex-aluno, que entrara no negócio de *orienteering*, o esporte em que os participantes percorrem um terreno desconhecido, orientados por um mapa e uma bússola. Seria curioso, pela reputação do atual corpo discente da Mount Court, descobrir como seria usado. Noah telefonou para contatos antigos, até encontrar dois montanhistas profissionais — um jovem casal —, que proporcionariam o apoio necessário, em troca de um salário recebido com satisfação, embora fosse pequeno.

Escolheu o grupo com todo o cuidado, selecionando os trinta alunos e quatro professores que achava que mais precisavam do desafio. A proporção entre homens e mulheres foi igual, assim como a divisão entre as séries. Incluiu Sara no grupo pelos mesmos critérios que aplicou aos outros, além de mais alguns. O montanhismo era, em primeiro lugar e acima de tudo, um exercício de cooperação e confiança do grupo. Se tudo corresse como planejado, haveria um vínculo entre os participantes. E queria que Sara experimentasse isso. Também queria que ela compreendesse que o pai não era o vilão que todos imaginavam, mas sim um homem experiente, bem-informado e aventureiro.

Na noite anterior à excursão, ele chamou os professores à sua casa para relatar o plano. Todos opuseram alguma resistência, mas Noah já esperava por isso. Os quatro tinham os mesmos problemas de atitude que os alunos e fora justamente por isso que os escolhera.

— O Katahdin? — perguntou um deles. — É um plano ambicioso demais para um grupo que nunca escalou uma montanha antes.

Outro sacudiu a cabeça, cauteloso.

— Se a nova ênfase é na disciplina e estudo, perder aulas é um grande erro.

— Levar esses garotos é o erro — advertiu um terceiro. — Sua lista inclui alguns dos piores arruaceiros da escola. Podem decidir parar tudo no meio da escalada.

— Não farão isso — garantiu Noah. — Ficariam com medo demais de serem deixados para trás. Partiremos amanhã de tarde, logo depois das aulas. É uma viagem de quatro horas de carro até o Parque Estadual Baxter, o que significa que alcançaremos o acampamento-base a tempo para o jantar.

— E há bons restaurantes nas proximidades?

Noah sacudiu lentamente a cabeça.

— Nós vamos cozinhar.

— *Nós?*

— Vocês quatro, mais os dois guias, os trinta alunos e eu. Todos ajudam, todos comem. Passaremos a noite no acampamento e começaremos a escalada antes do amanhecer.

— Antes do amanhecer...

Noah ignorou o eco.

— Teremos de carregar apenas mochilas com alimentos para um dia. As *vans* estarão nos esperando no outro lado da montanha, na noite de amanhã, para nos trazer de volta. Assim, perderemos apenas um dia de aula.

— Por que ir durante a semana e perder um dia?

— Porque não quero que pensem que é apenas um passeio de fim de semana. É uma coisa séria. Uma parte de acréscimo ao currículo. Tão importante quanto qualquer aula.

— Mas, se a viagem até Baxter leva quatro horas, deveremos voltar para a escola já de madrugada. Como pode pedir aos alunos que assistam às aulas quase sem dormir?

A pergunta foi de Tony Phillips, professor de matemática, treinador do futebol americano e ex-jogador, o mais preguiçoso de todos. Noah não ficou surpreso por sua preocupação com o sono... e não era exatamente com o dos alunos. Com toda a certeza, ele só se interessava pelo próprio sono.

— Os garotos podem fazer esse tipo de sacrifício quando querem — declarou Noah, confiante. — E vão dormir como uma pedra na noite de sexta-feira.

— Mas temos um treino marcado na tarde de sexta-feira, além de um jogo no sábado.

Noah balançou a cabeça.

— Sei disso. Os garotos vão protestar, e é por isso que preciso que vocês estejam animados e os encorajem. Eles podem conseguir tudo, escalar o Katahdin, participar do treino e jogar. Vão se sentir no topo do mundo. A idéia é lhes proporcionar um senso de realização.

Abby Cooke, que era professora de história, soltou um grunhido, com uma cara de dúvida.

— Qual é o problema? — indagou Noah.

— Nenhum.

— Não foi essa a impressão que você deu. Tem restrições ao plano?

Ela hesitou, mas acabou dizendo:

— Tenho, sim. Os alunos não estão nem um pouco interessados em escalar montanhas. Não vão se empenhar. E não haverá nenhum senso de realização.

— Talvez não — admitiu Noah. — Mas, por outro lado, é possível que tenham. Não quero despertar o interesse de ninguém por montanhismo, mas apenas lhes proporcionar o gosto do sucesso. Já convivi com grupos assim antes. Até os mais relutantes são afetados de alguma forma.

Houve um momento de silêncio, rompido por uma pergunta:
— Qual é a previsão do tempo?
Noah deu de ombros.
— Qualquer uma serve. Não vai fazer diferença.
Outro longo momento de silêncio.
— Quando os alunos serão informados?
— Receberão um bilhete ao final da última aula, pedindo que se apresentem no auditório. Vocês quatro e eu estaremos à espera para explicar o que vamos fazer e dar uma lista das coisas que devem levar na mochila. Eles terão meia hora para se aprontar, e em seguida partiremos. Já tenho as autorizações dos pais. Mais alguma pergunta?
— Só uma — disse Gordon McClennan, que era professor de latim. — Podemos optar por não participar?
Noah sacudiu a cabeça, lentamente. Gordon olhou ao redor.
— Mas por que nós?
Porque vocês quatro são preguiçosos e desinteressados, pensou Noah. Porque sou capaz de apostar todo o meu dinheiro que nenhum jamais tentou qualquer coisa parecida antes. Porque vocês têm me criado problemas desde que aceitei este cargo ingrato. E porque precisam muito do exercício. Mas decidiu que era melhor ser diplomático.
— Porque vocês têm um relacionamento melhor com os estudantes que vamos levar do que os outros professores. Reconheço que é um grupo difícil. Uma turma que não está acostumada a condições inóspitas. Não tem o hábito de explorar a natureza nem de atuar como um grupo. E nenhum deles, com toda a certeza, conhece técnicas de sobrevivência. Foi por isso que contratei dois profissionais para nos ajudarem a ensinar. Não que possa haver algum perigo, se todos prestarem atenção e seguirem as instruções. Mas o Katahdin também não é nada fácil. A palavra-chave aqui é "desafio". É o sentido da excursão.

Foi o que Noah disse aos estudantes que se reuniram no auditório, na tarde seguinte. Todos se mostraram horrorizados e inventaram uma desculpa depois da outra. Finalmente, perdendo a paciência, Noah declarou:

— A excursão não é opcional. — Ele olhou para o relógio. — Vocês têm meia hora para se aprontarem e embarcarem no ônibus.

— E se não formos? — perguntou um dos meninos.

Noah o conhecia muito bem. Ele já violara regras suficientes para ter estudo extra durante um mês. Noah sorriu.

— É curioso que pergunte isso, Brian. Seus pais acham que deveria ir. E disseram que, se não for, pode passar o próximo fim de semana com eles.

Era a última coisa que Brian queria, por causa de seu atrito com os pais. Noah olhou para os outros.

— Tenho promessas similares dos outros pais. — Ele esfregou as mãos. — Mais alguma pergunta?

Partiram meia hora depois. Noah sentou-se sozinho, no banco logo atrás do motorista. O outro banco da frente também estava vazio, assim como os quatro atrás dele. Mais além, até o fim do ônibus, havia pares sucessivos de rostos sombrios.

Chegaram ao acampamento na hora prevista. Ali, foram recebidos pelos guias contratados, Jane e Steve. Ainda bem, na opinião de Noah. Não apenas os professores eram participantes tão relutantes quanto os alunos, mas também nenhum deles tinha a menor noção sobre a maneira de cozinhar num pequeno fogareiro de acampamento, muito menos escavar uma latrina e menos ainda armar uma barraca.

Com base numa lista preparada, que separava amigos e arruaceiros, Noah dividiu os trinta estudantes em grupos de cinco, mais um adulto. Depois, foi de grupo em grupo, detalhando o que tinha de ser feito. Jane e Steve apoiaram-no, cuidando de seus próprios grupos e dos adjacentes, enquanto Noah circulava. Apesar dos grunhidos, gemidos e resmungos abafados, os estudantes cooperaram. Pareciam compreender que ninguém comeria enquanto o jantar não ficasse todo pronto; e, quanto mais todos colaborassem, mais depressa ficaria.

O jantar consistia em ensopado de carne enlatada, pão da cozinha da Mount Court e sidra quente. Durante todo o tempo, Noah deslocou-se de um pequeno círculo para outro, ouvindo as queixas e respondendo às perguntas. As meninas queixavam-se mais, protestando contra a comida, os insetos e a falta de banheiros. Falavam ansiosas por voltar para a escola, como se a Mount Court fosse o paraíso. Os meninos não reclamavam tanto; em vez disso, assumiam ares de superioridade, como se soubessem tudo que se devia fazer e estivessem entediados com aquelas reclamações.

Noah havia designado Sara para um grupo formado pelos estudantes que considerava menos agitados. Mas não passou mais tempo com esse grupo do que com os outros. Não ousou abordá-la pessoalmente, embora quisesse muito saber o que ela pensava e sentia. Qualquer demonstração de favoritismo seria negativa.

Depois que todos comeram, ele circulou de novo entre os grupos, para verificar se a limpeza fora bem-feita e explicar o que aconteceria no dia seguinte. Depois, distribuiu as lonas e ensinou como esticá-las entre as árvores, a fim de proporcionar abrigo para a noite. Fez uma ronda final para ter certeza de que todas as lonas estavam bem presas.

A chuva começou à meia-noite e se prolongou por várias horas. O sono de Noah não era muito profundo, e por isso ele viu quando um grupo se esgueirou para dormir numa das *vans*. Mas não os obrigou a saírem. Sabia que os outros estariam se sentindo muito mais satisfeitos consigo mesmos quando amanhecesse. Foi o que de fato aconteceu. Os dorminhocos da *van* foram gozados pelos outros. Ele até que poderia sentir prazer pela satisfação dos que dormiram fora se não houvesse resmungos gerais contra a hora horrível.

Mas pelo menos a chuva parara. O ar estava úmido e gelado, embora o frio diminuísse um pouco com o raiar do dia. O café da manhã consistia em maçã, mingau de aveia e chocolate quente, ao som de discussões intermitentes, que Noah deliberadamente ignorou. Depois que tudo estava limpo, as *vans* levaram-nos para o ponto de partida, numa viagem de quarenta e cinco minutos. Noah descreveu as trilhas que seguiriam até o topo da montanha, o ritmo que deveriam manter, as dificuldades que poderiam encontrar e as regras que deveriam ser obedecidas. Partiram em seguida.

Os que usavam casacos e calças de moletom não demoraram a tirá-los, enrolando na cintura ou guardando na mochila, à medida que começou a esquentar. Andavam numa fila comprida, serpenteando entre as árvores, em seis grupos, cada qual com cinco estudantes e um adulto. Noah ia na frente; Steve, o montanhista experiente, ia no meio, com seu grupo; Jane, a outra montanhista, fechava a fila com seu grupo.

Noah podia ouvir os sons da montanha e dos excursionistas que vinham logo atrás. As botas ressoavam no caminho de terra, o suficiente para ele saber que todos acompanhavam seu ritmo. Gostaria de pensar que os estudantes estavam entrando no espírito da aventura, mas desconfiava que o silêncio mantido era um desafio.

Depois de duas horas de subida fácil, alcançaram Chimney Pond, onde encontraram água fresca e um guarda florestal. O ar começou a esfriar, e os jovens tornaram a vestir os casacos e calças de moletom. Comeram barras de cereais e beberam água. Encheram as garrafas, e a escalada recomeçou.

Seguiram pela Cathedral Trail, até que as árvores começaram a ficar escassas e menores. Noah parou e vestiu um casaco de lã. Esperou que os outros fizessem a mesma coisa.

— Foi daqui que Thoreau voltou — comentou ele, numa tentativa de estimular os alunos. — Sentia-se muito cansado. Decidiu que nunca seria capaz de alcançar o topo.

Houve grunhidos e murmúrios. Ele ouviu palavras como *fraco*, *esperto* e *maluco*, uma crítica mista, que o deixava no escuro sobre o sucesso de seu plano.

Passaram além da linha das árvores. A terra deu lugar a enormes extensões de rocha. As nuvens começaram a se acumular por cima.

— E se chover? — perguntou uma das meninas, mais apreensiva do que se queixando.

— Temos capas para nos manter secos — respondeu Noah, gentilmente.

— Mas a rocha não vai ficar escorregadia? — perguntou outra.

— Não demais.

— Quanto mais escorregadio, melhor! — gritou um dos meninos. — Bem que precisamos de alguma emoção. Isto está muito chato.

— Chama isso de chato? — indagou Noah.

Ele virou-se para contemplar a vista, que era espetacular, mesmo com as nuvens. Criado no Sudoeste dos Estados Unidos, ele adorava subir as colinas no deserto, imaginando que retrocedia dois séculos na história. Aqui, as montanhas eram mais altas, mais verdes, com um senso de história ainda maior.

— Quando poderemos ver o topo da montanha? — perguntou uma menina a seu lado.

Noah esperou que um pequeno grupo se reunisse ao seu redor.

— Fica ali. — Ele apontou. — Esperem um instante. As nuvens estão se afastando... Podem ver agora?

— É tão longe!

— Deve estar congelando lá em cima!

— Não vamos conseguir!

— Claro que vamos — assegurou Noah. — Não parece tão longe quanto aparenta ser.

— Mas fica entre as nuvens. Não podemos chegar lá.

— Claro que podemos.

A essa altura, os que vinham mais atrás já haviam chegado. Ele avistou Sara e gritou, na direção da filha, mas não direto para ela:

— Vistam outro agasalho! Vai esfriar mais ainda, antes de começar a esquentar!

— A montanha em que esquiamos é muito maior — comentou um dos meninos.

Ele era o capitão do time de futebol, e um dos poucos que ainda não pusera nada por cima do *short*.

Os outros trataram de tirar os casacos de suas mochilas e vesti-los. Noah, que tirara um gorro de lã de sua mochila, disse para o rapaz ao seu lado, numa voz que os outros não podiam ouvir:

— Tenho certeza de que já viu coisa pior, Ryan, mas pode fazer muito frio mais adiante. E, depois que você ficar gelado, terá a maior dificuldade para se aquecer.

— Estou bem assim — declarou Ryan, voltando em seguida para junto dos amigos.

Noah ajeitou o gorro na cabeça. Também pôs luvas de lã. Correu os olhos pela longa fileira. Ficou aliviado ao constatar que muitos dos outros haviam se agasalhado da mesma maneira, inclusive Sara. Depois que todos estavam prontos, ele recomeçou a escalada.

Subiram pelo terreno rochoso por mais uma hora, antes de fazer uma pausa para comer bolachas com manteiga de amendoim e vestir mais agasalhos. Quando começou uma discussão num dos grupos, Noah aproximou-se. Mas não interferiu. Ryan insistia que não fazia tanto frio assim, mas os outros jovens do grupo contestavam e alegavam que ele os atrasaria se ficasse gelado mais adiante, o que não seria justo. Ao final, Ryan cedeu, vestindo um casaco e uma calça de moletom. Noah ficou satisfeito; por um lado, porque não queria que o garoto congelasse só por causa de seu orgulho e, por outro, porque a dinâmica de grupo começava a funcionar.

Desta vez, quando recomeçaram, os que estavam na frente trataram de se aproximar ainda mais de Noah. Estavam assustados, o que ele achava ótimo. Sem medo não haveria o sentimento de realização, que era o que mais queria para os estudantes.

A chuva começou a cair, devagar, uma gota aqui, outra ali, causando mais apreensão do que estragos. Embora agora usassem capas, estavam expostos e vulneráveis, uma linha irregular de montanhistas, em grupos de seis, avançando pelo nevoeiro na direção de um ponto que não podiam avistar.

Noah podia sentir a expectativa aumentando, tanto em si mesmo quanto nos outros mais próximos.

— Cansados? — perguntou ele.

Ficou satisfeito quando viu cabeças acenando em negativa, em vez de ouvir queixas e protestos. Havia o medo, é verdade, mas haviam percorrido um longo caminho para voltar. A obstinação e a determinação prevaleciam. Todos sopravam e bufavam, mas continuavam a subir.

Quando o céu se abriu e a chuva passou a cair mais forte, houve algumas queixas e epítetos ostensivos dos professores, mas as vozes eram prontamente abafadas. Todos inclinados contra o dilúvio e o nevoeiro em constante movimento, o grupo se tornou mais compacto. Passaram a subir mais devagar, cada vez mais alto, até que alcançaram um platô, que parecia igual a outros pelos quais já haviam passado antes. Noah parou.

— Chegamos! — anunciou ele. — Knife Edge.

O silêncio por trás era total. Noah virou a cabeça para olhar. Viu que os mais próximos contemplavam a trilha à frente com expressões horrorizadas. O mesmo acontecia com outros que iam chegando ao platô, com exceção do casal de montanhistas, que já percorrera aquela trilha inúmeras vezes.

Knife Edge era uma extensão rochosa que não devia ter mais que três metros de largura, ondulando até o topo da montanha. Seguiriam por um quilômetro e meio, até alcançarem a trilha de descida.

Noah podia sentir todo o terror. Até partilhou um pouco, especulando se não teria cometido um erro. Mesmo com a presença de dois guias experientes, ele era o supremo responsável pelo grupo, como o diretor da Academia Mount Court. Knife Edge já causara a desistência de montanhistas melhores do que eles.

— Não podemos continuar por aqui! — gritou alguém.

Outro jovem acrescentou:

— Só tem nuvem nos dois lados!

E mais outro:

— Não há nada para nos impedir de cair!

— Ninguém vai cair — assegurou Noah. — Já estive aqui com neve, e ninguém caiu. Jane, Steve, vocês acham que podem perder alguém nesta trilha?

— Claro que não!

— Não há a menor possibilidade!

— A trilha é absolutamente segura — continuou Noah. — Basta seguir devagar.

— Não vou seguir por aqui.

— Nem eu.

— Vamos voltar pelo caminho por onde viemos.

Noah quisera um desafio, e era o que tinha agora. Tirou os óculos para limpar as gotas da chuva.

— Não podemos voltar pelo caminho de subida. As *vans* estarão nos esperando no outro lado. — Ele tornou a pôr os óculos e disse, bastante calmo, mas alto o suficiente para ser ouvido acima da chuva: — A trilha é segura. Vamos seguir em fila indiana, bem próximos. E quem se sentir preocupado por andar sozinho, pode segurar no outro. Combinado?

Como sabia que todos ficariam mais assustados quanto mais tempo permanecessem ali, Noah chamou Abby Cooke. Sua voz não admitia contestação.

— Você segue na frente com seu grupo. Steve irá logo atrás.

Abby olhou hesitante para a trilha, que naquele instante parecia uma estreita fita de rocha, através do caldeirão turbilhonante de nevoeiro. Noah sabia muito bem que mais de uma pessoa já morrera ali, ao cair da trilha em pânico. Pôs a mão no ombro de Abby.

— A trilha parece mais larga quando se começa a percorrê-la. Segue assim, ondulando, até o topo da montanha. Ande devagar, mas não pare. O dia está passando depressa.

Preferia não pressioná-la, mas, se não percorressem logo Knife Edge e começassem a descer, seriam envolvidos pela escuridão muito antes de chegar lá embaixo. O que constituía o maior desafio.

Pálida e calada, Abby começou a andar. Noah despachou cada jovem de seu grupo, com um aperto no braço e palavras de estímulo.

— Fiquem no meio da trilha e relaxem. Um depois do outro... Assim está ótimo. Segurem o casaco de quem vai na frente se ficarem muito assustados.

Aquele era o grupo de Sara. Noah calculava que seria capaz de percorrer Knife Edge melhor do que os outros, dando um bom exemplo. Se alguém se descontrolasse, ele preferia que fosse no grupo de Steve ou de Jane; ou, melhor ainda, no final da linha, onde poucos poderiam ver e ser contagiados.

Steve partiu com seus cinco alunos. Depois, foi a vez de Gordon, muito cauteloso.

— Pelo meio, Sherri — exortou Noah. — Isso mesmo. Muito bem, Morgan. Continue assim.

Quando o terceiro grupo começou a se afastar do platô, o grupo de Abby já sumira no meio do nevoeiro. A chuva não parava de cair.

O quarto grupo também partiu, igual a uma lagarta relutante, num avanço lento e irregular por trás de Jane. O quinto grupo reuniu-se em torno de Noah. Annie Miller estava em lágrimas. Noah passou um braço por seus ombros e murmurou, perto de seu ouvido:

— Você vai conseguir, Annie. Tem mais coordenação motora do que a maioria.

— Mas não posso ver a trilha!

— Claro que pode. É mais larga do que imagina... dá para seguir com folga. E não se esqueça que deve dar um passo de cada vez.

Ele virou-se para Ryan e murmurou:

— Annie seguirá atrás de você, Ryan. E vai segurar em seu casaco. Siga devagar, mas sem parar. Entendido?

Ryan acenou com a cabeça em concordância, embora ele próprio parecesse hesitante. Noah apertou o braço de Annie.

— Estaremos logo atrás de você. Vai se sair muito bem.

Ela partiu, cautelosa, segurando o casaco de Ryan, toda encolhida, mas ainda assim em movimento.

— Permaneçam juntos — exortou Noah, despachando os outros.

Restavam apenas Tony Phillips e seus cinco estudantes. Ele virou-se para ver uma das meninas sentada no chão. Foi se ajoelhar ao seu lado.

— Julie?

Ela balançou a cabeça. Não tinha a menor intenção de sair dali.

— Não pode ficar aqui para sempre — argumentou Noah, preocupado com a passagem do tempo, o frio e a chuva.

A garota tornou a balançar a cabeça. Os outros do grupo ajoelharam-se ao seu redor, a água escorrendo, tremendo.

— Temos de seguir em frente, Julie.

— Está muito frio para continuar aqui.

— Você vai conseguir.

— Nunca pedi para escalar uma montanha! — protestou Julie.

— Nem nós, mas estamos aqui.

— Viemos muito longe para voltar.

— Chegamos ao alto da montanha. Agora vem a parte fácil.

— *Isto não é nada fácil!* — gritou Julie, num tom que indicava que estava prestes a perder o controle.

Noah, sabendo que a situação não ia melhorar até que ela verificasse pessoalmente que a trilha não era feita com uma fina camada de gelo, passou um braço ao redor de Julie e levantou-a. Os outros a cercaram.

— Pode segurar meu casaco, Julie. — A oferta foi de Mac, o único aluno da última série no grupo. Ele já fora punido por usar uma linguagem sexual desdenhosa com uma professora. Mas seu chauvinismo era favorável agora. — Irei bem devagar na sua frente.

— Não posso! — insistiu Julie.

— Também estou com medo — interveio outra garota —, mas ninguém à nossa frente caiu até agora.

Julie recuou, esbarrando em Noah, que não saiu do lugar.

— Vamos embora, Julie — murmurou Mac, pegando sua mão.

Entre Mac puxando e Noah empurrando gentilmente por trás, eles foram para o início da trilha. Tony Phillips partiu, seguido por Brian, Hope, Mac, Julie e Marney, que entrara na frente de Noah. Ela pôs as mãos na cintura de Julie.

— Não deixarei que você caia! — gritou ela para Julie. Depois, olhou para trás, apavorada, e acrescentou para Noah: — Não me deixe cair também!

— Não deixarei.

Noah permaneceu logo atrás de Marney, falando com ela, para que a garota soubesse que continuava ali. De vez em quando gritava palavras de estímulo para Julie e os outros. Esquadrinhava o nevoeiro à frente, à procura dos outros, mas a visibilidade era mínima, e não dava para avistar ninguém.

Fazia um esforço para remover da mente os pensamentos de tragédia, que sempre voltavam, acompanhados por um remorso implacável. Criticou-se por pensar que seria capaz de conduzir um grupo tão grande, iniciante e relutante, mesmo com a ajuda de dois guias experientes. Criticou a montanha, criticou o tempo, criticou o conselho administrativo da Mount Court por contratá-lo, e o que causara tudo aquilo.

Knife Edge poderia ser percorrido em meia hora, mas eles levaram três horas. O mau tempo reduzia o avanço a um ritmo angustiante, retardado ainda mais pelas paradas por causa do pânico. Quando o grupo trabalhava unido, superava o medo. O que era algum conforto, atenuando a autocensura que Noah sentia.

O céu escureceu. O crepúsculo aproximava-se depressa, o que era um mau presságio.

— Não podemos ir mais depressa? — indagou Noah, para logo acrescentar: — Esqueçam. Estamos indo muito bem.

Continuaram sob a chuva, passando de um trecho para outro.

— No meio da trilha! — gritava Noah, sempre que alguém se aproximava perigosamente da beira.

Ele estava encharcado por um suor frio quando finalmente chegaram ao ponto onde Knife Edge terminava, o terreno rochoso se alargando num platô mais largo e mais seguro.

Foram recebidos pelos aplausos e aclamações dos grupos à espera, com abraços e risos... até mesmo Noah foi abraçado. Nesse curto período, antes que a realidade da descida pudesse assomar, Noah compreendeu que a excursão fora um sucesso. Todos estavam com frio, molhados e exaustos, mas bastante animados e exultantes para incluí-lo em sua alegria. Haviam provado o gosto da vitória, pela primeira vez.

Foi o que os manteve estimulados, mesmo depois que a noite caiu e a descida se tornou mais árdua. Com as paradas para descanso e para comer, além de outras eventuais, quando alguém tropeçava e caía no escuro, já passava da meia-noite quando alcançaram as *vans*; e já passava das quatro horas da madrugada quando as *vans* finalmente passaram pela arcada de ferro batido e deram a volta em direção aos dormitórios.

— Podem dormir até a hora que quiserem — disse Noah, ao despachá-los.

Por uma vez, ninguém contestou. Exausto, ele foi para sua casa. Mas a excitação mantinha-o acordado. Passou algum tempo na janela dos fundos, com uma xícara de chocolate quente, pensando no quanto queria contar a alguém o que acontecera, quanto menos não fosse para manter tudo bem real. Mas não tinha com quem falar. A tristeza dessa situação parecia completamente errada, em contraste com a vitória que tivera. Por isso, quando a primeira insinuação de claridade abriu uma linha fina no horizonte, ele pôs o *short* de corrida e partiu para a cidade.

Paige acordou às seis horas, com os pequenos ruídos que saíam da babá eletrônica, que ligava seu quarto com o de Sami. Subiu para trocar a fralda, depois desceu com a menina, esquentou uma mamadeira e recostou-se na cama. A gatinha também subiu na cama, enroscando-se como uma bola, aos pés de Paige.

— Esta bom assim? — sussurrou ela para Sami. Tornou a ajeitar os travesseiros. — Melhorou?

Confortável e indolente, com o prazer de ficar na cama numa manhã fria de outubro, ainda mais quando sabia que teria de levantar dali a pouco, ela ficou observando Sami tomar o leite. As mãos pequenas envolviam a mamadeira, por cima das mãos de Paige. Os olhos de Sami fixavam-se nos dela.

— Está gostoso? — sussurrou Paige, com um sorriso de satisfação.
— Aposto que sim. Leite quente descendo pela goela é uma delícia.

Enquanto falava, ela passou o polegar pela barriga de Sami. A menina ergueu as pernas e deixou escapar um gorgolejo, que Paige optou por concluir que era uma risada. Ela deu um beijo na ponta do nariz de Sami.

Recostada nos travesseiros, imaginou que aquele era um momento encantador. Tornara-se uma pequena rotina o encontro matutino com Sami, momento aproveitado às pressas, antes do dia movimentado começar. Reinava silêncio na casa, exceto pelo ruído de Sami mamando e da chuva caindo nas folhas das árvores. Entre esses sons embaladores e o calor da cama, de Sami, e até da gata, Paige sentiu uma paz inesperada. Sabia que não podia durar. Sami e a gata eram acessórios temporários em sua vida; e tinha certeza de que era a novidade que lhe proporcionava a ilusão de paz. Ainda assim, era bastante agradável.

Foi nesse instante que ela ouviu uma batida na janela. Constatou que era um galho do bordo ao lado e ignorou a batida, até ouvi-la de novo, mais insistente. Depois de ajeitar Sami na cama, levantou-se e foi suspender o vidro.

— O que faz aqui a essa hora? — indagou ela, num sussurro urgente.

A última coisa que ela queria naquele momento era que Jill acordasse, olhasse para baixo e visse Noah.

— Estava correndo. — Ele ofegava. — Tive uma experiência incrível. Precisava lhe contar.

A experiência incrível era vê-lo ali, a pouca roupa que vestia colada ao corpo.

— São seis e meia da manhã!

— Posso entrar?

— Não!

Ela tentou se aconchegar na camisola, mas era um substituto insuficiente para um roupão. Sami começou a choramingar. Ela voltou apressada para a cama.

— Calma, querida, calma. É apenas Noah.

Paige arriou na cama. Pôs a mamadeira nas mãos da menina. Virou a cabeça no instante em que ele passava pela janela. Seu protesto saiu tarde demais. Ele já entrara no quarto e fechara a janela.

— Noah, esta é a minha casa!

E ele viera perturbar sua paz. Noah olhou ao redor. Avistou o banheiro. Foi até lá, apenas para sair segundos depois com uma toalha, enxugando primeiro os óculos, depois o rosto e o pescoço. Os ombros eram musculosos, brilhando com a chuva e o suor.

— Continua a chover — informou ele, desnecessariamente. Os tênis, o *short* de corredor e a camisa estavam encharcados. — Mas foi incrível. Subimos até o topo da montanha.

Ele tirou a camisa, jogou-a para o lado e esfregou-se com a toalha.

— Cheguei a pensar que havia cometido um tremendo erro. Afinal, chovia muito. E o nevoeiro envolvia a trilha. Os garotos estavam apavorados... — Noah tirou o *short*, enquanto se esfregava com a toalha. — ... e eu também. Pensava que haveria um terrível desastre...

Ele tirou um tênis com o outro pé e abaixou-se para enxugar a perna.

— ... como alguém caindo da trilha ou empurrando outro lá de cima. — Ele tirou o outro tênis. — Mas, no final, todos acabaram sãos e salvos... e unidos, como deveria acontecer, embora eu não pensasse que fosse possível. Juro que não contava com isso.

Jogando a toalha para o lado, ele foi para a cama e meteu-se por baixo das cobertas.

— Puxa, estou congelando! — Ele chegou mais perto de Paige. — E exausto. Não durmo há vinte e quatro horas.

Depois de tirar os óculos, Noah fechou os olhos.

— Só queria lhe falar. A boa notícia.

Paige precisava dizer alguma coisa. Tentou pensar no que seria. Mas a visão de Noah Perrine nu, em sua cama, removeu todos os pensamentos de sua mente. Depois, já era tarde demais. Enquanto ela o olhava, atordoada, as feições de Noah relaxaram, a respiração se tornou mais lenta, e ele mergulhou num sono profundo.

Por um momento, ela não sabia o que fazer. Noah não podia continuar ali. Ter um homem nu em sua cama era o pior tipo de exemplo que poderia dar a Jill. Além disso, não sabia se Sami deveria vê-lo, embora a menina não parecesse nem um pouco pior pela experiência. Continuava a tomar o leite na maior satisfação, emitindo os mesmos sons, agora misturados com o murmúrio da respiração de Noah.

A gatinha levantou e esticou-se toda. Pulou por cima das protuberâncias na cama até alcançar o rosto de Noah. Explorou-o com o focinho. Ele não se mexeu. A gatinha avistou um canto do lençol estendendo-se além de seu ombro. Noah não se mexeu nesse instante, nem quando ela começou a brincar.

Ocorreu a Paige que tinha agora um verdadeiro bando em sua cama, depois de anos e anos a desfrutá-la sozinha. Ao assegurar a si mesma que era apenas uma condição temporária, ela sentiu uma pontada estranha no fundo do estômago. Mas a pontada não era desconhecida. Esperou que Sami acabasse a mamadeira e arrotasse, antes de sentá-la no cercadinho. Foi para o banheiro.

Saiu pouco depois, de banho tomado. Noah não se mexera. Seus cabelos úmidos pareciam mais escuros do que o habitual, ainda mais em contraste com a fronha branca. As pernas e braços pareciam se esticar intermináveis por baixo das cobertas. Ele tinha o corpo sólido de um corredor casual, mas não esquelético, como o de um fanático. Mesmo enquanto dizia a si mesma que ele não tinha o direito de estar em sua cama, Paige tinha de reconhecer que aquele corpo de homem moldava as cobertas de uma maneira maravilhosa.

Sami continuava sentada — uma habilidade que aprendera depressa, como Paige tivera certeza de que aconteceria — e estudava com um ar solene um pequeno cachorro de pelúcia. Enquanto isso, a gatinha tentava escalar a lateral trançada do cercadinho. Conseguiu chegar à metade, antes de perder o equilíbrio e cair. Na tentativa seguinte, no entanto, foi até o topo e pulou para dentro do cercadinho. Sami olhou para a gatinha, soltou um murmúrio de cumprimento e estendeu a mão.

Havia pelo menos alguma coisa ali que reagia ao seu esforço, pensou Paige, com mais do que apenas um pouco de orgulho. Era verdade que outra pessoa logo estaria cuidando de Sami, mas Mara com certeza ficaria satisfeita com o que ela fizera. Não que tivesse sido tão difícil assim. Sami era uma criança muito fácil. Comia e dormia bem. Tomava as injeções quase sem dar um pio e não protestava contra os exercícios que Paige lhe fazia, de manhã e de noite. A infecção amebiana já acabara. Se ainda havia problemas emocionais, estavam respondendo ao amor.

Com uma toalha grande enrolada no corpo, Paige inclinou-se para o cercadinho. Estendeu a mão para acarinhar a cabeça de Sami.

— Aí está a gatinha. Pode pronunciar? Ga... ti... nha. Olhe para ela brincando. Ei, pegou sua bola. Vamos tirar?

Paige pegou a bola cheia de protuberâncias. Apertou-a para produzir um guincho. Estendeu-a para a menina.

E Sami ficou olhando para ela.

— Tome aqui.

Paige esfregou a bola na mão de Sami, que baixou os olhos para examiná-la. Depois, cautelosa, estendeu as mãos para pegá-la.

— É assim que se faz — murmurou Paige, satisfeita. — Essa é a minha menina.

Ela empertigou-se e olhou para Noah, que continuava morto para o mundo. Vestiu-se e enxugou os cabelos. Tirou Sami do cercadinho. O silêncio no segundo andar indicava que Jill continuava a dormir, o que não era novidade. Afinal, ela era uma adolescente típica. Paige não tinha coragem de acordá-la até que fosse absolutamente necessário.

Com Sami no quadril, um escudo contra a tentação, ela apoiou um joelho na cama e chamou:

— Noah? Acorde, Noah.

A respiração continuou profunda.

— Não pode dormir aqui — acrescentou Paige. — Tenho crianças impressionáveis nesta casa.

Na verdade, Sami não parecia nem um pouco impressionada. Estudava Noah da mesma maneira como examinara o cachorrinho de pelúcia, curiosa, mas sem maior envolvimento.

— Noah? — chamou Paige de novo, mais alto. — *Noah!*

Ele respirou fundo e virou-se. Paige suspirou. Empertigou-se e disse, em voz alta:

— Está bem. Só até Sami e eu acabarmos de comer. Depois, você tem de ir embora.

Ela fechou a porta, com a gatinha dentro do quarto. Murmurou para Sami:

— Quero ver se Noah não vai acordar depois que a gatinha pular em cima dele algumas vezes.

Mas isso não aconteceu. Vinte minutos depois, seu sono continuava tão profundo quanto antes. Desta vez, Paige sacudiu-o pelo ombro.

— Noah? — Ela sacudiu-o de novo. — Acorde, Noah.

Ele soltou um grunhido atordoado.

— *Noah!*

Um olho abriu. Paige não viu qualquer sinal de reconhecimento.

— Tem de se levantar, Noah. Não pode dormir aqui. Jill acordará daqui a pouco, e uma representante da agência de adoção nos fará uma visita. A última coisa de que preciso é que qualquer das duas o veja.

Ele fitou-a em silêncio por mais um momento.

— Paige?

Ela revirou os olhos. Noah olhou ao redor, confuso. Deixou escapar um murmúrio cansado.

— Eu bem que gostaria de deixá-lo dormir aqui. — Uma parte de Paige não estava mentindo. — Mas o momento é o pior possível. A chuva parou. Você pode voltar correndo para a Mount Court.

Ele tinha os dois olhos bem abertos agora, fixados nela, embora um pouco turvos.

— Há quanto tempo você está acordada? — perguntou Noah.

— Há algum tempo.

— Está linda.

Paige não queria seus elogios. Eram poderosos demais, numa ocasião em que ela tinha de pensar em outras coisas.

— Precisa ir embora, Noah.

— Já falei sobre a excursão? — perguntou ele, sem levantar a cabeça do travesseiro.

Ela confirmou com um aceno de cabeça.

— Fico contente por tudo ter corrido bem, ainda mais porque metade da minha equipe faltou ao treino ontem. Onde está o diretor tão rigoroso com a disciplina?

— Segui seu conselho e me tornei flexível. — Ele se esticou por baixo das cobertas. — Sua cama é maravilhosa.

— Não deveria estar aqui.

— Já menstruou?

Paige balançou a cabeça, numa resposta afirmativa.

— Obrigado por me avisar.

— Veio esta manhã.

— Ficou aliviada?

— Claro. E você?

— Também. Filhos devem ser planejados. Tratei de comprar uma caixa de preservativos. É claro que não trouxe nenhum quando vim correndo para cá.

— Não faria nenhuma diferença, porque nada vai acontecer.

Mas Paige sentiu uma agitação por dentro que desmentia suas

palavras. Alguma coisa estava mesmo acontecendo. Noah nem a tocara, mas já se sentia cada vez mais excitada; o que era incrível, por causa da dor que a menstruação causava. Ela se levantou e suplicou:

— Por favor, Noah, vá embora. Tenho de começar o dia e não posso fazer isso com você na minha cama.

Um braço comprido saiu de debaixo das cobertas. Descansou sobre o edredom por um momento, antes que o resto de Noah emergisse.

Paige recuou. Disse a si mesma para sair do quarto... e depois disse que ficasse, para ter certeza de que ele ia mesmo embora. Enquanto Noah se vestia, ela não desviou os olhos por um momento sequer. Quando acabou, ele pôs os óculos e passou os dedos pelos cabelos. Ficou imóvel, em silêncio, fitando-a.

— O que foi? — perguntou Paige, sem a menor firmeza.

Ele não disse nada. Apenas adiantou-se, pegou seu rosto entre as mãos e beijou-a na boca.

Só depois que ouviu a porta da frente bater é que ela pensou que Noah deveria ter saído pela janela, esgueirando-se por entre as árvores.

Uma hora depois, Paige estava sentada na sala de estar, com Sami no colo, enquanto Joan Felix, a representante da agência de adoção, examinava os documentos que acabara de receber.

— Relatório financeiro, relatório pessoal, relatório médico, registro profissional, certidão de nascimento... tudo parece em ordem. — Ela sorriu para Paige. — Nunca houve qualquer dúvida, é claro, sobre sua condição para uma adoção temporária. Tem todas as qualificações necessárias. Não preciso examinar os documentos para saber que pode ficar com a menina a longo prazo. Posso presumir que está disposta a fazer isso?

Paige virava uma chave colorida de plástico depois da outra, numa argola também de plástico, enquanto Sami olhava, fascinada.

— Desde o início, eu disse que ficaria com Sami até que a família certa fosse encontrada. A última coisa de que ela precisa é trocar de casa a todo instante.

— Não vai se incomodar de participar das sessões de pré-adoção que realizamos?

Mara havia conversado a respeito com Paige. Eram reuniões quinzenais, em Rutland, com os pais de adoção temporária e pais permanentes de crianças nascidas no exterior. O propósito era educacional e colaborador.

— Não haverá qualquer problema — respondeu Paige.

— Pode demorar um pouco até encontrarmos a família certa.

— Eu compreendo.

— Compreende mesmo? — perguntou Joan, o tom suave, mas incisivo. — Pelas origens de Sameera, não será tão fácil colocá-la quanto com outras crianças, ainda mais num estado tão homogêneo como Vermont. Entre as famílias que constam no momento em nossos arquivos, nenhuma é apropriada. Novas famílias estão sempre se apresentando, e também temos um intercâmbio com agências de outros estados. Mas acho que você precisa saber qual é a situação.

Ao contemplar Sami, adorável em seu macacão de listras verdes e brancas, com uma fita nos cabelos, Paige não podia entender por que pais em potencial não se apaixonariam por ela no mesmo instante. Era uma menina saudável, calma e inteligente. Paige também podia jurar que percebia os germes da afeição, já que a maneira como a menina aderia a seu braço servia de indicação.

— E se demorar um ou dois anos? — indagou Joan.

Um ou dois anos... Paige sentiu uma pontada de angústia, por Sami.

— Não será mais difícil encontrar uma família à medida que ela for crescendo?

— Sim e não. Quanto mais velha ela fica, mais personalidade adquire e mais atraente pode se tornar. Os pais em potencial muitas vezes se assustam com as estatísticas. Saber que, por ser mulher, ela quase foi morta ao nascer, saber que ficou escondida durante os dois primeiros meses de vida, antes de passar de um orfanato para outro, isso é uma coisa terrível. Quanto mais velha ela fica, no entanto, mais estes fatos perdem importância. E, quanto mais velha, mais ela se torna americanizada. Os vermonteses gostam disso.

Paige soltou um grunhido. Joan continuou:

— O problema é que ela vai se tornar mais afeiçoada a você, à medida que cresce... e vice-versa. Todos os pais de adoção temporária enfrentam esse problema. Quando chegar o momento, será capaz de renunciar a ela?

— Acho que sim. — Paige não olhou para Sami desta vez. — Há muitas outras coisas acontecendo em minha vida.

— E essas coisas dificultam os cuidados com Sameera?

— Mas é claro que não! — Paige apertou Sami com mais firmeza, adorando seu calor, o cheiro agradável de bebê. — Nem um pouco. Não há qualquer problema. Ela é bem cuidada.

— Isso é óbvio. — Joan recostou-se, olhando de Paige para Sami. — Não gostaria de adotá-la em caráter permanente?

— Eu? Não poderia. Nunca planejei ter uma criança.

— O que não significa que não seria uma mãe maravilhosa.

Mas Paige tinha dúvidas. Sua própria mãe fora péssima. Ela precisava de liberdade; embora gostasse de ficar em casa muito mais do que Chloe, tudo era relativo. Para Paige, ficar em casa não significava tomar conta de uma criança. Passava o dia inteiro fora, só voltando à noite. Por enquanto, podia contar com Jill para ficar com Sami. Mas não demoraria muito para que Jill tivesse sua própria criança. Quando isso acontecesse, Paige teria de contratar outra babá. O que não seria justo com Sami. Ela merecia uma mãe em tempo integral.

— Muito bem... — Joan suspirou e guardou os documentos em sua pasta. — Pense a respeito. Enviarei estes documentos e voltarei na semana que vem para outra conversa. Enquanto isso, continuaremos a procurar a família certa... se você tem mesmo certeza de que é isso o que quer.

— É o melhor para Sami.

Paige acreditava nisso, com toda a convicção, e passou a acreditar ainda mais quando Peter a procurou, na manhã seguinte.

Treze

— Qual é o problema? — indagou Paige, recostando-se em sua cadeira, com uma xícara de café na mão, fitando Peter com alguma curiosidade.

— Precisamos conversar — anunciou ele, da porta. Depois de lançar um olhar para Angie, ele cruzou os braços. — O que vem acontecendo aqui é um absurdo. Estou cansado, você está cansada, e Angie está cansada. A situação deveria acalmar depois que passasse o trauma da morte de Mara, mas não foi o que aconteceu. Precisamos de ajuda. Um quarto médico é indispensável.

Angie soltou um suspiro profundo, expressando com precisão o sentimento de Paige.

— Sei que é difícil para vocês. — Peter olhou de uma para outra. — Ainda sentem uma lealdade a Mara. Mas ela morreu. Está debaixo da terra, fria como uma pedra. Não sabe que estamos exaustos de tanto trabalhar. Qual é o sentido?

Paige não era capaz de traduzir em palavras o que sentia.

— Você não quer ver outra pessoa ocupando a sala de Mara, não é mesmo? — insistiu Peter. — Mas não vendeu a casa?

— Tinha de vender — respondeu Paige, defendendo a decisão, apesar de toda a sua relutância ao tomá-la. — O pagamento mensal da hipoteca seria um desperdício. Além do mais, a corretora tinha um bom comprador.

Paige gostara da família. Marido e mulher eram corretores de valores. Haviam se cansado da vida na cidade grande e estavam determinados a trabalhar em casa, através do computador. Tinham dois filhos e gostaram da idéia de alimentar os passarinhos.

— Mas não foi fácil para mim — acrescentou ela. — Não parece certo que Mara não esteja mais lá.

— Ela *morreu* — disse Peter, incisivo. — Por que as pessoas não podem aceitar isso? É terrível aqui na clínica. Não se passa um dia sem que alguém pergunte por ela, como se tivesse uma simples gripe e se preparasse para voltar no fim de semana. E isso acontece por toda a cidade.

— Ela era amada — comentou Angie, com inveja e uma tristeza que não era nada pequena.

Você também é, pensou Paige, tentando desesperadamente atrair a atenção de Angie, para transmitir a mensagem. Mas Angie olhava para Peter, que tinha o rosto franzido de irritação.

Por isso, ela tirou do bolso e desdobrou a carta que lera naquela manhã, antes de sair para trabalhar.

— Mara achava que não era amada.

— Está brincando? — indagou Peter, bruscamente. — Ela vivia cercada por pessoas. E adorava.

— Pois então escutem. — Paige começou a ler. — "A vida é tão movimentada aqui, que às vezes me engano, pensando que há um sentido mais profundo. Mas a verdade é que todos têm sua própria vida, separada da minha. As pessoas me procuram, falam comigo, até dizem que sou maravilhosa. Depois, voltam para suas próprias vidas e não pensam mais em mim. Sou incidental no esquema geral das coisas. Chego e passo na vida das pessoas, assim como as pessoas chegam e passam em minha vida. Os relacionamentos só vão até certo ponto. Param em seguida, sempre antes de uma ligação mais profunda. E não posso deixar de me perguntar o que está errado."

Angie ficou espantada.

— Mara escreveu isso?

— Quando? — perguntou Peter.

— Não encontrei uma data exata — respondeu Paige. — Faz parte de uma série de cartas. Nenhuma delas foi remetida, mas todas estavam endereçadas a Lizzie Parks. Sabem quem é?

— Eu não sei — respondeu Angie.
— Uma série de cartas? — indagou Peter. — Você leu todas?
— Nem todas. São angustiantes. Só consigo absorver em pequenas doses. Ela se considerava um fracasso.
— O que diziam as outras cartas? — perguntou ele.
— A maioria das que li até agora falam de sua família. Ela queria que acreditássemos que não se importava com a família, mas isso não era verdade. Chamar de obsessão pode ser um exagero, mas ela pensava demais na família.

Peter saiu da porta. Pegou a carta, examinando frente e verso.
— Por que não nos falou a respeito antes?
— Porque me sentia culpada em ler as cartas, que pareciam muito particulares. Agora, cometo uma traição contra Mara ao ler em voz alta.
— Então por que leu?

Não fora premeditado, uma atitude impulsiva. Mas Paige não se arrependia.
— Estamos todos muito tensos. Pensei que partilhar esses pensamentos poderia ajudar. É fácil sentir pena de nós mesmos, por termos de assumir o que restou da vida de Mara. Mas a verdade é que, em comparação com ela, estamos em boas condições. Uma ligação mais profunda... uma frase terrível. O fato de que ela se sentia tão sozinha é assustador.

Peter largou a carta na mesa.
— Mara era desequilibrada. Há semanas que venho dizendo isso. — Ele olhou para Angie, depois para Paige. — Podemos entrevistar um substituto agora ou vamos esperar por mais tempo, angustiados por causa de Mara?

Com a situação expressa naqueles termos, Paige sentiu-se uma insensata.
— Acho que você tem razão. Não há sentido em continuar esperando. Precisaremos mesmo de alguém, mais cedo ou mais tarde... e mais cedo será melhor.

Quando ela pensou que Peter saborearia a vitória, viu-o olhar para o relógio.

— Estou de saída para uma reunião do grupo de estudos sobre alergia em Montpelier. Vão me dar cobertura, certo?

Angie empertigou-se.

— Não, não é certo. Eu deveria tirar folga esta tarde. Que reunião sobre alergia?

— A de sempre.

— Mas é na segunda-feira.

— É uma reunião complementar.

— Ginny não tinha nada na agenda.

— Então Ginny se enganou. — Peter encaminhou-se para a porta. — É por isso que precisamos de outro médico. Pode ajudar Paige ou devo faltar à reunião?

— Posso ajudar — murmurou Angie.

Peter foi embora. Paige virou-se para Angie, sentada no lado da sala, o rosto pálido, a expressão cansada. Paige sabia que não era por falta de sono. Dougie era agora interno na Mount Court, o que a deixava a sós em casa com Ben. Ou melhor, esperando por Ben, que só aparecia de vez em quando, por breves períodos. Os dois vinham se tratando com a maior cerimônia. Paige exortara Angie a conversar com ele, argumentar, até mesmo suplicar que procurassem um conselheiro. Mas ela se recusava. Fora criticada por todos os anos em que assumira o comando. Agora, preferia se manter retraída, esperando que o marido tomasse a iniciativa. Era uma espera dolorosa. E Angie morria um pouco mais a cada dia que passava.

Paige, por sua vez, sentia a agonia de ver uma amiga sofrer e queria ajudar, mas sem saber como.

— Trabalhar agora atrapalha você, Angie?

Angie suspirou.

— Não, não atrapalha. Não tinha planos específicos. Ultimamente, parece que nunca tenho. Mas sinto que preciso de tempo para pensar. E, quando penso que vou fazer isso, não consigo.

— Conversou com Dougie ontem à noite?

— Claro. Ele está se divertindo para valer... é o que ele diz. E não me pergunte o que isso significa. É bem possível que ele esteja fazendo pouco do que deve e muito do que não deve. Mas uma coisa é certa: ele está satisfeito por se ver livre de mim.

— Não acha que exagera ao considerar isso tão pessoal?

— É possível. — Angie puxou uma cutícula. — Seja como for, Ben não está preocupado. Acha que qualquer coisa que acontecer com Dougie na Mount Court é importante para seu desenvolvimento.

— Você deve ter concordado em algum nível ou não aceitaria a decisão de deixar Dougie se tornar interno.

— Claro que concordo... eu acho. — Ela baixou a mão para o colo. — Não sei, Paige. Fico apavorada quando penso em todo o mal que pode ser causado à mente, corpo e ego de meu filho, se não der certo. Mas, por outro lado, alguns dos argumentos de Ben têm seus méritos. Tenho sido muito protetora. Talvez demais. Posso perceber isso agora. Apenas gostaria que pudéssemos encontrar uma solução intermediária. O internato é demais.

Angie fez uma pausa, esfregando uma das palmas da mão na saia.

— Mas ele passa os fins de semana em casa. Nessas ocasiões, tem se mostrado afetuoso como era antes. O que significa que talvez Ben estivesse certo. Talvez o problema fosse meu, no final das contas.

Paige podia sentir que uma explosão era iminente. Saiu de sua mesa.

— Angie...

— Fracassei como mãe.

— Não, não fracassou. — Ela se acomodou na cadeira ao lado de Angie. — E tem um filho extraordinário para provar isso. Pense um pouco, Angie. Tratamos de centenas de garotos, ao longo dos anos. Alguns eram perturbados de uma maneira que derivava diretamente dos pais. Pense nos Welkes, nos Foggs, nos Legeres... *eles* são um fracasso como pais. Mas você não parece nem de longe com qualquer um deles. Dougie não é um menino perturbado. Não é suicida. Não falta às aulas para se divertir com as meninas por trás do prédio da manutenção. Não bebe nos degraus do memorial da guerra. Não rouba calotas dos carros de turistas que passam pela cidade. É um garoto ajuizado, que chegou ao estágio muito normal de precisar partilhar mais de sua vida com os colegas. É possível que ele nunca quisesse ser interno se a Mount Court ficasse a três horas de carro daqui. Mas a tentação era muito grande... ser interno e ainda ter os pais por perto. Ele tem todas as vantagens. É um garoto muito esperto.

— Não tão garoto — murmurou Angie. — Tenho de me lembrar disso a todo instante... e ainda do fato de que é colega de quarto de um dos primeiros de sua turma, de que o supervisor do dormitório é novo e muito bom e de que o diretor da escola tem tanta confiança no sistema, que deixa a própria filha viver num dormitório. Sabia que ele tem uma filha na Mount Court?

Paige já sabia, mas pensava que era um segredo.

— Quem lhe contou?

— Marian Fowler — respondeu Angie, referindo-se a uma das poucas pessoas de Tucker que integravam o conselho de administração da escola. — Liguei para ela antes que Dougie fosse para o dormitório. Sabia que me daria uma imagem positiva da escola, mas era isso mesmo que eu queria. Marian disse que, se o novo diretor tinha confiança suficiente na escola para deixar sua filha num dormitório, eu também deveria ter.

Ela fez uma pausa, antes de acrescentar, cautelosa:

— Ouvi também outra coisa sobre o novo diretor.

Paige alteou uma sobrancelha, contendo sua curiosidade.

— Soube que ele foi visto saindo de sua casa de manhã. Costuma correr com ele?

A porta da frente, em vez da janela. Paige sabia que o fato voltaria para afligi-la.

— Não. Mas somos amigos. Ele passou correndo lá por casa e parou para me cumprimentar.

— Bons amigos?

Paige deu de ombros, aparentando tanta despreocupação quanto podia. Não sabia como classificar o tipo de amizade que tinha com Noah. Não sabia sequer se podia chamá-lo de amigo; mas as alternativas eram chefe ou amante, e nenhuma delas se aplicava.

— Ele é um homem bonito — murmurou Angie.

Se Paige negasse, a amiga ficaria desconfiada no mesmo instante. Por isso, nem tentou.

— Foi a primeira coisa que me ocorreu. E pensei que as garotas na Mount Court ficariam apaixonadas por ele. — Paige balançou a cabeça. — Mas elas não suportam suas regras. Nem eu. Ele pode ser rigoroso demais.

— O que é tranqüilizador, do ponto de vista dos pais — comentou Angie. — Foi só depois que conversei com ele que me senti mais sossegada com a internação de Dougie.

Paige imaginou Noah à sua mesa, conversando com Angie. Não podia haver a menor dúvida de que ele seria tranqüilizador. Era articulado, simpático, obviamente dedicado. Como seu contrato era de apenas um ano, poderia deixar tudo como estava. Em vez disso, optara pelo mais difícil, assumindo posições impopulares. Paige podia não concordar com algumas dessas posições, mas tinha de respeitar sua coragem.

Não o via desde a manhã em que ele saíra de sua cama. Ou pelo menos não na vida real. Em sua imaginação, continuava a vê-lo, em muitas ocasiões... e sempre pelado.

— Paige?

— Hein?

— Que olhar é esse?

— Apenas pensamentos irrelevantes — respondeu ela, embaraçada.

— Pois então acrescente os seguintes. A última escola em que Noah trabalhou era particular, nos arredores de Tucson. Ele passou de professor de ciências a diretor de desenvolvimento. Estava a caminho de se tornar diretor quando, subitamente, pediu demissão. Aparentemente, demitiu-se porque o cargo exigia viagens freqüentes. A esposa, que era nova-iorquina e não gostava nem um pouco de viver no deserto, sentiu-se ainda menos satisfeita quando ele começou a viajar. Achava que Noah a abandonava, deixando-a com o encargo de criar a filha sozinha. Por isso, ela teve um caso com outro professor. Quando Noah voltou de sua última viagem, toda a escola já sabia o que estava acontecendo.

Paige sentiu um aperto no coração por Noah.

— Que coisa terrível!

— Era uma escola pequena. A notícia espalhou-se depressa. Ele compreendeu que nunca poderia se tornar diretor. E foi embora.

— Ele deve ter se sentido humilhado. — Paige não podia acreditar que Noah fora embora apenas porque nunca poderia ser diretor. Ele não lhe parecera um homem de ambição desmedida. — Num ambiente tão fechado, seria uma situação insustentável.

Angie continuou a falar, parecendo mais firme, agora que transmitia informações.

— A esposa e o namorado também foram embora, pouco depois. Mudaram-se para San Francisco e se casaram. Durante anos foram parte do que consideravam ser a elite acadêmica. Separaram-se no ano passado.

Isso podia explicar os problemas entre Sara, que Paige sempre considerara como mais magoada do que maldosa, e a mãe. Se a tensão de um casamento encerrado abalava a família, se Sara culpava a mãe por isso, se perdia o pai cujo nome assumira anos antes, virando-se para Noah como uma fonte de estabilidade, a iniciativa fazia sentido.

É claro, no entanto, que não explicava o envolvimento incerto que Noah tivera com Sara, ao longo dos anos, e o fato de que o relacionamento entre os dois estava longe de ser sólido. Angie parecia angustiada.

— Parece que acontece cada vez mais. Os pais se separam, e os filhos sofrem. É o que mais me preocupa.

Paige fez um esforço para retomar a conversa.

— Dougie?

— O que ele está pensando de Ben e de mim.

— E o que *você* está pensando sobre o relacionamento? — O telefone tocou nesse instante. Paige apertou o botão do interfone. — O que é, Ginny?

— Os pacientes estão esperando nas salas de exame.

— Já vou.

Ela desligou. Olhou para Angie, em expectativa.

— Não estou pensando muito — murmurou Angie, consternada, enquanto se levantava. — Tento viver apenas um dia de cada vez.

— Mas se conversar com Ben...

— Se eu conversar com ele — disse Angie, encaminhando-se para a porta —, posso ouvir coisas que não quero ouvir.

Paige foi se postar ao seu lado, mantendo a porta fechada.

— Por exemplo?

— Que sem Dougie não resta mais nada entre nós. Que seguimos por rumos diferentes. Que ele quer o divórcio. Que ele ama a outra.

Só coisas angustiantes. Paige queria negar cada uma, mas não era uma especialista em Ben ou em qualquer outro homem, pelo menos nas questões do coração. Sabia apenas que não queria que o fim do casamento de Angie a atormentasse tanto quanto a morte de Mara.

— Por isso, você não vai dizer nada, na esperança de que o problema desapareça. Só que não vai desaparecer, Angie. Pode retroceder por algum tempo, mas, se existe, vai continuar. E você não poderá ignorá-lo para sempre. Converse com ele. Tem de fazê-lo.

— Eu sei, eu sei... — Angie empertigou-se, outra vez a profissional. — Temos de trabalhar.

— Vai conversar com Ben?

— Pensarei a respeito.

— Por favor, Angie. Não demore muito.

Com um olhar que dizia "Já chega", Angie abriu a porta e saiu da sala.

Paige e Angie examinaram todos os pacientes com hora marcada, depois mais alguns que foram encaixados no horário do almoço. Como acontecia com freqüência, Paige demorou com o último paciente. Ficou com dez minutos apenas para comer um sanduíche de atum e ligar para casa, a fim de verificar como Sami estava, antes de começar a receber os pacientes da tarde. Tinha consultas até as quinze horas, quando iria buscar Sami e seguiria para a Mount Court. Jill pedira a tarde e a noite de folga, a fim de ajudar a mãe de uma de suas amigas a preparar uma festa de aniversário de surpresa para a garota. Paige não podia recusar. Jill precisava da companhia das amigas. E Paige gostava de sair com Sami.

Pouco depois das quatorze horas, no entanto, Jill telefonou, ofegante e transtornada.

— Levei Sami para um longo passeio, como disse que faria. Quando voltei, encontrei a porta dos fundos aberta. Alguém esteve na casa, Dra. Pfeiffer. E revistou suas coisas.

Paige sentiu o estômago embrulhar.

— A porta foi arrombada?

— Eu não a tinha trancado. Mas tenho certeza de que a fechei. Não a deixaria aberta. Não com a gatinha correndo de um lado para outro. Chamei-a quando cheguei, mas ela sumiu.

— Sami está bem?

— Está, sim.

— Onde você está agora?

— Na casa dos Corkells. Não sei o que fazer.

Paige encostou as pontas dos dedos na testa, tentando pensar. Seu coração batia forte.

— Não faça nada, Jill. Fique onde está. Nem chegue perto da casa. Ligarei para Norman Fitch. Ele se encontrará comigo lá.

Por sorte, Peter voltara e pôde receber o último de seus pacientes. Paige só esperou pelo tempo suficiente para telefonar para a Mount Court e cancelar o treino da tarde. Minutos depois estava em seu carro, atravessando a cidade, fazendo um esforço para não deixar que a imaginação entrasse em delírio. Nada parecido jamais lhe ocorrera antes, não na próspera comunidade suburbana em que fora criada, do tipo que os ladrões adoravam, nem durante os anos de estudo na cidade grande. O último lugar do mundo em que pensava que isso poderia acontecer era Tucker... uma cidade pequena e cordial, de cidadãos que respeitavam a lei.

Mas acontecera. Alguém entrara em sua casa sem ser convidado. Gavetas haviam sido vasculhadas, livros tirados da estante, documentos e revistas folheados. Havia roupas espalhadas pelo chão do *closet*, parecendo menos jogadas e mais deixadas cair por distração. Mas isso não fazia com que a violação fosse menos fácil de aceitar. Um intruso cuidadoso não deixava de ser um intruso. Apenas o armarinho de remédios não fora revistado, o que indicava que a procura não fora por drogas.

Nada parecia ter sido levado, exceto a gatinha, que sumira por completo. Enquanto Norman e seu assistente procuravam impressões digitais, Paige correu para a casa dos Corkells. Pegou Sami e abraçou-a com firmeza. Voltou para casa, com Sami no colo. Foi de cômodo em cômodo.

— Gatinha? Gatinha? Onde você está?

Ela fez uma segunda ronda, desta vez levando biscoitos para gato, o que era uma maneira infalível de fazê-la sair de seu esconderijo. Mas nenhuma bola de pêlos correu pelo assoalho. Paige foi se tornando mais e mais assustada.

Voltou ao vestíbulo para deparar com Norman conversando com ninguém menos que Noah Perrine.

— Soube que você cancelou o treino — disse Noah, como explicação para sua presença.

Mas a mente de Paige só estava preocupada com uma coisa.

— Não consigo encontrar minha gatinha. Ela deve ter fugido de casa enquanto a porta estava aberta.

Ela saiu para a varanda e gritou:

— Gatinha? Volte para casa!

Paige desceu os degraus e começou a procurar pelo terreno, atrás das moitas, entre as árvores, pela janela do porão.

— Onde você está, gatinha?

Noah foi ao seu encontro na garagem.

— Não consigo encontrá-la.

Paige estava à beira das lágrimas.

— Ela é muito pequena. Não está acostumada a viver fora de casa. Não tem condições de se proteger contra os outros animais e, se for muito longe, não será capaz de encontrar o caminho de volta.

Ainda com Sami no colo, ela foi para a propriedade do vizinho. Procurou por toda parte, como fizera em seu jardim. Jill também procurava, assim como Betty Corkell. Não demorou muito para que a busca se estendesse por toda a rua. Paige tinha os ombros doloridos quando voltou para casa. Arriou nos degraus da varanda. Pôs Sami no degrau de baixo, entre suas pernas, e cobriu o rosto com as mãos.

Não precisou olhar para saber que fora Noah quem sentara a seu lado. Sua firmeza era tangível, antes mesmo que começasse a massagear os ombros de Paige. Tinha mãos magistrais, que sabiam com precisão onde doía.

— Ela vai aparecer, Paige. Não pode ter ido muito longe.

— Mas ela não tem uma coleira! Só ficaria com ela por algum tempo, até encontrar alguém para dar. Como ela passava o tempo todo dentro de casa, não me preocupei em providenciar uma identificação. Mas agora ninguém saberá a quem ela pertence.

— Talvez alguém a encontre e decida ficar com ela. Não é isso o que você quer?

— Não! — Paige lançou-lhe um olhar rápido. — Eu mesma quero encontrar uma casa para ela. Uma boa casa. Não apenas um lugar em que ela possa aparecer de repente. Sabe o que as pessoas fazem com gatos que acolhem num impulso repentino para depois se cansar?

— Não presuma o pior.

— Ela já foi abandonada uma vez. É bem provável que esteja agora vagueando por aí, pensando que aconteceu de novo. Estava muito triste na ocasião. Pode ser maior agora, mas continua desamparada.

— Gatos não são desamparados. Sempre conseguem se virar sozinhos.

— Esta não sabe.

— É uma questão de instinto.

— Mas ela é muito pequena! — Paige apoiou o queixo na palma da mão. Em um nível, sabia que estava sendo tola. Em outro, sentia-se arrasada. — Vou espalhar alguns cartazes. Alguém deve ter visto a gatinha.

Isto é, presumindo que a pessoa que entrara na casa não tivesse levado a gatinha em seu carro, largando-a em algum lugar distante.

Os dedos de Noah continuaram a massagem. Depois de vários minutos, deixando uma das mãos no braço de Paige, ele passou para o degrau de baixo.

— Oi — murmurou ele, estudando Sami. Para Paige, ele acrescentou: — Ela está crescendo. E não parece nem um pouco perturbada com a agitação por aqui.

Paige puxou Sami para seu colo. A menina não lhe pertencia, nem a gatinha, mas a preocupação persistia.

— Graças a Deus que ela e Jill não estavam em casa. — Sentia a garganta apertada de tanta emoção. Forçou a passagem das palavras. — Se alguma coisa acontecesse com qualquer uma das duas, não sei o que eu faria.

— Tem alguma idéia de quem pode ter entrado em sua casa ou por quê? — indagou Noah.

Ela sacudiu a cabeça em negativa.

— Não está faltando nada?

— Nada óbvio. Televisão, som, aparelho de CD... nada foi tirado. Nem a prataria que era de meus pais e que poderia dar um bom dinheiro no mercado negro.

— Guarda fichas de pacientes aqui, relatórios confidenciais, qualquer coisa que alguém pudesse querer?

— Nada.

— Portanto, roubo não foi o motivo, pelo menos o roubo no sentido tradicional. Roubar sua paz de espírito é outra coisa. Tem inimigos que possam querer assustá-la?

— Inimigos? Em Tucker?

— Um caso difícil que possa ter deixado um pai transtornado? Ou um pai *instável*?

— Tenho vários, mas não posso imaginar que sejam capazes de fazer isso. Os médicos de cidade pequena contam com uma certa proteção. Você pode discordar de alguma coisa que ele diga, mas não pode mandá-lo para o inferno; caso contrário, não terá a quem recorrer na próxima vez em que ficar doente.

Ela se levantou de repente. Desceu os degraus.

— Gatinha? — Ela olhou para Noah. — Tive a impressão de ouvir alguma coisa.

Paige puxou um galho de rododendro.

— Gatinha?

Mas não havia qualquer movimento ou ruído.

Desanimada, ela tornou a subir os degraus. Encostou-se na grade de madeira, olhando para a casa. Lá dentro, Norman tomava anotações num bloco. Paige experimentou uma súbita e intensa sensação de náusea no fundo do estômago.

— Você está bem? — perguntou Noah.

— Acho que sim. É apenas a angústia de um estranho revistando minhas coisas. A intrusão. A violação.

A imaginação levou-a um pouco além, para uma imagem da gatinha mutilada e abandonada para morrer, miando desesperada, as forças se esvaindo.

Noah deixou os degraus e começou a procurar no rododendro.

— Ela não está aí — murmurou Paige. — Terei de espalhar cartazes por toda a vizinhança.

Mas ele passou para a próxima moita, procurando ali. Ergueu-se depois de um momento, com um sorriso largo e a gatinha nas mãos.

— Você ouviu mesmo alguma coisa.

Com um alívio instantâneo, sorrindo, Paige pegou a gatinha com a mão livre, abraçando-a, junto com Sami. Comprimiu o rosto contra o pescoço peludo, macio, quente e abençoadamente intacto.

— Fiquei tão preocupada...

Naquele momento, ela não podia se imaginar dormindo em sua cama sem a gatinha.

— Paige? — chamou Norman, da porta. — Não encontrei nenhum sinal de arrombamento. Mas, como as portas não estavam trancadas, isso é compreensível. Mickey vai continuar aqui, enquanto eu dou uma volta pela vizinhança, para descobrir se alguém viu qualquer coisa. É possível que a pessoa tenha entrado e saído pelos fundos, passando pelas árvores. Neste caso, ninguém a veria. Mas vale a pena tentar. Pode fazer o favor de não mexer em nada até Mickey acabar?

Paige acenou com a cabeça em concordância. Olhou para a casa e engoliu em seco. Sentiu a pele arrepiar ao pensar em tocar em alguma coisa depois que um estranho mexera em tudo.

— Vou chamar as meninas de sua equipe — disse Noah. — Elas ajudarão a arrumar tudo.

— Não, não faça isso — respondeu Paige, embora se sentisse comovida com o oferecimento.

— Por que não?

— Porque elas ficarão assustadas. São jovens demais.

— Mas não jovens demais para ajudar alguém que as ajudou muitas vezes. É uma boa lição. Além do mais, elas gostam de você e vão adorar a oportunidade de sair do *campus*.

Mas Paige detestava a idéia de as meninas perderem as horas de folga no final da tarde para arrumar sua casa.

— Elas não precisarão cumprir a hora de estudo por isso — acrescentou Noah.

Paige não pôde evitar um sorriso satisfeito. Ele se levantou.

— Volto num instante.

Noah atravessou o gramado, em algumas passadas largas, e entrou em seu carro.

A *van* estava lotada, com as meninas da equipe de Paige e várias *pizzas*. Quando chegou à casa, Mickey já fora embora, e o chaveiro local instalava as trancas, que Paige nunca teria comprado se fosse a única envolvida. Mas havia Sami agora, além de Jill. Paige não conseguiria ir despreocupada para o trabalho se soubesse que elas poderiam se tornar presas fáceis de um ladrão à solta.

Por outro lado, era possível que o ladrão tivesse esperado deliberadamente que elas saíssem de casa, escondido por trás das moitas, observando. Embora fosse tranqüilizador concluir que elas não haviam corrido qualquer perigo, o pensamento de que alguém podia ser tão calculista e deliberado era assustador.

Paige tentou pensar em quem poderia ser e o que estaria procurando. Ainda não constatara o desaparecimento de qualquer coisa. Enquanto as meninas arrumavam a sala e a cozinha, ela cuidou do quarto.

— É o que ficou em pior estado — comentou Noah, da porta.

Quase todas as gavetas haviam sido abertas e vasculhadas, deixando pilhas de roupas femininas amontoadas de qualquer maneira. As prateleiras do *closet* haviam sido arrumadas de novo, mas sem o menor cuidado. O cesto de tricô de Mara fora virado, espalhando novelos por toda parte.

Paige jogou as roupas íntimas num cesto. Não importava quantas vezes tivesse de ligar a máquina; se fosse preciso, passaria a noite inteira lavando tudo, a fim de restaurar um sentimento de pureza em sua vida.

— Não posso imaginar por que alguém faria isso.

— O mundo está cheio de pervertidos.

Furiosa, repugnada, ela jogou uma camisola no cesto de roupa suja.

— Sempre pensei que Tucker fosse diferente.

— Nenhum lugar é diferente. Não que isto tenha sido obra de um criminoso perigoso. Pode ter sido alguém com um estranho senso de humor. Tem certeza de que não sumiu nada?

Paige já verificara sua caixa de jóias, mas tudo continuava ali. Verificara o arquivo no *closet* em que guardava os documentos da hipoteca, o seguro, a conta de aposentadoria. Nada estava sequer fora do lugar, como poderia acontecer se tivessem sido fotografados.

Com uma súbita pontada de angústia, ela se lembrou das cartas de Mara. Empurrou para o lado vestidos, blusas e calças, para pegar o avental que Mara lhe dera de presente, vários aniversários antes. Fora uma brincadeira. Paige nunca fora grande coisa como cozinheira, apesar das tentativas de Mara de influenciá-la. A última tentativa fora aquele avental. Tinha nada menos que uma dúzia de bolsos na frente. Mara alegara que eram bastante fundos para conter todos os ingredientes que Paige precisaria para fazer um bolo de chocolate de uma maneira organizada.

Paige não sabia se era verdade, já que ainda não tentara fazer um bolo de chocolate. Mas os bolsos tinham profundidade suficiente para conter os maços de cartas. Estavam intactos, todos quatro, cada um com a fita amarrada.

— Nada desapareceu.

Ela não pôde deixar de especular por que pensara nas cartas com tanta angústia. Talvez porque tivessem um enorme significado pessoal. Mas, para um ladrão, esse mesmo motivo não teria o menor interesse. E tudo indicava que não tinha mesmo, já que nem tocara nas cartas. A menos que não as tivesse encontrado.

Mas por que alguém ia querer as cartas de Mara?

— O que é isso? — perguntou Noah.

Ela sacudiu a cabeça.

— Nada de especial.
— Mas você empalideceu ao procurar.
— É uma coisa pessoal.
— Cartas de um namorado?

Paige lançou-lhe um olhar irônico.

— Não, não são cartas de um namorado. Nunca tive um namorado que fosse tão romântico.

— Mas gostaria de ter? — perguntou Noah, encostando-se na cômoda. — Ou considera que o sentimentalismo é um sinal de fraqueza?

Ela começou a jogar camisas num segundo cesto de roupa suja.

— Não, não acho que o sentimentalismo seja um sinal de fraqueza. Mas também não é suficiente para fazer com que um namorado seja de primeira classe.

— O que mais é necessário?

— Força, individualismo, convicção... valores tradicionais num homem, embora sejam machistas quando isolados. Misturados com um pouco de sensibilidade... — Paige respirou fundo. — ... é poderoso demais.

— Nunca encontrou um homem assim?

— Nunca.

— Foi por isso que jamais se casou?

— Nunca me casei porque o casamento como uma instituição nunca foi uma grande atração para mim — respondeu Paige, enquanto cuidava da gaveta com anáguas, combinações e meias. — Não precisava.

— Não precisava do compromisso?

— Não precisava do fardo.

— Que fardo?

— O *fardo*, é claro. Obrigações. Expectativas que não podem ser atendidas.

— Está querendo dizer que não quer ficar presa a um homem?

Paige fez uma careta para demonstrar o absurdo de tal união.

— Mas quais são as expectativas que você não pode atender?

— Trabalho fora, para começar. Não em horário fixo, de nove às cinco. Tenho de sair para trabalhar em muitas noites e fins de semana. Se alguém ficasse me esperando em casa, teria de esperar muito tempo.

— Talvez ele também tivesse coisas para fazer. E talvez não se importasse.

— É possível. Mas a questão é irrelevante, já que não estou perdidamente apaixonada por alguém de Tucker.

— E eu?

— Primeiro, não estou perdidamente apaixonada por você. Segundo, irá embora dentro de um ano. Por isso, não conta.

Paige concluiu com o que julgava ser um floreio confiante. Foi nesse instante que percebeu um movimento na porta. Virou-se para deparar com Sara. Atravessou o quarto apressada.

— Como vai a arrumação, Sara?

— A criança está chorando. Posso pegá-la no colo? Tenho um irmão pequeno em casa. Sei o que fazer.

Paige respirou fundo.

— Claro.

Ela observou Sara se retirar. Virou-se para Noah, que recolhia as roupas espalhadas pelo chão do *closet*.

— Não sabia que havia uma criança do segundo casamento.

O que complicava a situação ainda mais.

— Vai lavar isto também? — perguntou ele, com uma expressão sombria.

Paige balançou a cabeça.

— Lavagem a seco. Pode deixar na cama.

— Mas você tem de dormir ali.

— Então no sofá.

— Levarei para o carro — disse Noah, e saiu.

Com os dois cestos cheios de roupa, Paige pôs um em cima do outro e foi para a lavanderia. Começou a pôr a primeira carga na máquina. Parou de repente. Depois, resolveu subir.

Sara estava encostada na grade do berço de Sami, sem tocar, apenas olhando. Paige foi se postar ao seu lado e sussurrou:

— Ela dormiu?

— Acho que sim. — Sara estendeu a mão para dentro do berço e afagou a gatinha, toda enroscada. — Ele a mandou atrás de mim?

— Não. Está lá fora, pondo coisas em meu carro.

— Já sabe, não é?

Paige não simulou ignorância.

— Que ele é seu pai? Sei, sim.

Não acreditava em tentar enganar essas adolescentes, que muitas vezes eram mais espertas do que ela. No caso de Sara, a sinceridade era indispensável.

— Ele lhe disse para não confiar em mim?

— Não. Por que faria isso?

— Porque ele próprio não confia em mim. Sabe que eu minto.

— Nunca a ouvi mentir — murmurou Paige, incapaz de dizer o que Noah sabia ou deixava de saber.

— Já ouviu, sim. — Ela virou-se para Paige, com um ar de desafio. — Não há nenhuma criança lá em casa. Mamãe já tinha trabalho suficiente comigo. Não queria outro filho.

Aquela mágoa era familiar para Paige.

— Ela lhe disse isso?

Sara segurou uma pata da gatinha.

— Não. Mas dava para perceber. Tudo corria bem enquanto eu me mantinha invisível. Depois de algum tempo, no entanto, era difícil permanecer invisível.

— Sei disso.

— Não, não sabe.

— Pode ter certeza de que sei. Meus pais me tiveram quando tinham 19 anos. Eu era um peso pendurado em seus pescoços. Queriam viajar pelo mundo inteiro, não ficar em casa para criar uma menina.

— Mas ficaram?

— Em casa? Apenas por três longos e relutantes anos. Depois foram embora.

— Quem cuidou de você?

— Minha avó.

— Ela era feliz com isso?

— E muito. Foi outra oportunidade de ser mãe. E sentiu que podia fazer tudo certo na segunda vez.

— Não vou dizer que é isso que meu pai está sentindo, porque ele não fez nada na primeira vez.

— Talvez ele tenha compreendido que foi um erro. E tenta corrigir agora.

Sara não respondeu. Depois de afagar a orelha da gatinha por um momento, ela colocou-a mais perto de Sami.

— Gosta dele?

— De seu pai? Claro. É uma boa pessoa.

— Mas gosta dele de verdade? — indagou Sara, a voz pausada.

Paige respondeu da mesma maneira:

— Não o conheço bastante bem para dizer.

— Ele parecia à vontade em seu quarto.

— Estava ajudando a recolher as roupas. E dando apoio moral. O que aconteceu aqui é assustador. — Paige olhou ao redor. — Quem esteve aqui revistou até as coisas de Sami. Por que alguém faria isso?

— Não sei. Arrombar casas não é minha especialidade. Eu apenas furto lojas.

Paige suspirou. Passou o braço pelos ombros de Sara, murmurando:

— Fico contente que tenha me contado. Se você só furta lojas, então a prataria de meus pais está segura, assim como os cristais Waterford de vovó e os brincos de diamantes que papai me deu quando fiz 16 anos. — Ela puxou Sara na direção da porta. — Vamos descer. Você pode ajudar em meu quarto. Será melhor do que seu pai. É coisa para mulher.

Tarde da noite, depois que um arremedo de ordem fora restaurado e todos foram embora, depois que Sami tomou a mamadeira da noite com alguma relutância, depois que Jill já estava dormindo e as novas trancas das portas já estavam em seus lugares, Paige foi para a cama. Jogou uma bolinha de papel para a gatinha ir buscar, distraída, enquanto abria outro maço das cartas de Mara.

"Acho que o amo", ela escrevera. Paige procurou uma data, mas não encontrou. Era muito antiga, se Mara se referia a Daniel com o verbo no presente. Afinal, Daniel já morrera há quatorze anos.

Parece que já o conheço há bastante tempo, e passamos a metade do tempo discutindo. Mas há um lado dele que poucas pessoas conhecem. Ele se apresenta como um homem absolutamente confiante, quando na verdade é o oposto. Era o caçula da família e o menos capaz de fazer as coisas que os outros faziam. E nesse ponto me identifico com ele. Talvez seja por isso que posso compreender tanto do que ele sente. Quando tentei lhe explicar isso, ele ficou furioso. Agora, não falo mais nada. Mas posso perceber em tudo que ele faz, especialmente quando está comigo e precisa estar no controle.

Pobre coitado... Ele diz a si mesmo que é o mais importante na clínica, quando todo mundo sabe que não é. Ofereceu seus contatos locais ao grupo, mas não tem o menor tino para os negócios. Tinha um consultório no outro lado de Tucker...

Tucker?

... quando chegamos. Foi Paige quem providenciou o espaço aqui, perto do hospital, que é o lugar onde ele deveria estar desde o início. Foi Paige quem organizou o grupo. Foi ela quem decorou as salas, desenhou o papel timbrado, contratou Ginny e Dottie.

Paige baixou a carta, aturdida. Mara falava de *Peter*! E continuou a ler:

Ela fez isso de propósito, é claro. Deixou-o assumir o crédito. Talvez estivesse sendo polida ou diplomática. Ou talvez soubesse também como ele era inseguro. O que ela não sabia na ocasião — e continua a não saber agora — é a determinação com que ele lutou contra essa insegurança. Foi estudioso e dedicado na escola, fez medicina e voltou a Tucker para provar do que era capaz. Admiro-o por isso... e porque é um bom médico. Pode às vezes ser arrogante, mas há ocasiões em que é como um menino sentado sozinho num canto do pátio da escola, preparando-se para ouvir as zombarias, que sabe que são inevitáveis. São essas as ocasiões em que me derreto. Paige diz que tenho uma queda pelos fracos e oprimidos. Ela deveria saber até que ponto isso vai.

Paige correu os olhos rapidamente pelo resto da carta, largou-a no lado, pegou outra. Mais ou menos no meio, leu o seguinte:

Ele vem no meio da noite e nunca fica muito tempo. Diz que não seria bom para o grupo se as outras soubessem do nosso envolvimento. Talvez tenha razão. Paige e Angie não compreenderiam a atração. Ele pode às vezes ser um pé no saco. Mas elas não sabem como é bom estar em sua companhia. Durante a noite ele gruda em mim. Segura-me como se tivesse medo de que alguém aparecesse para me arrebatar. Mesmo quando isso acontece em seu sono, não me importo. Faz com que eu me sinta bem.

Mara e Peter... Então era verdade. E Paige nem desconfiara.

Ela correu os olhos pelo resto dessa carta. Leu várias outras, passando depressa pelos trechos clamorosamente físicos. Só foi ler mais devagar a última carta daquele maço.

Eu não deveria realmente me surpreender. Nunca fui capaz de manter um relacionamento por muito tempo. Algo sempre sai errado.

Mas não foi culpa minha desta vez. Estávamos arrumando tudo, depois do trabalho no laboratório, quando descobri as fotos, por baixo de uma pilha. A princípio, pensei que eram recortadas de um livro, de tão impressionantes. Depois, reconheci a modelo. Ela formou-se na Mount Court há dois anos. Peter alega que a garota já era maior de idade na ocasião em que tirou as fotos. Ela até pode ter-lhe dito isso, mas ele queria se enganar. Poderia ter verificado na ficha médica. A garota mal completara 17 anos... e posou nua, de uma maneira que o levaria para trás das grades por anos.

Ele diz que é arte. Eu digo que é encrenca. Peter indaga quem sou eu para falar, depois de eu dar a meu marido as pílulas que o mataram. É claro que não foi absolutamente o que aconteceu. Mas o problema é que pos-

so dar adeus à minha carreira se ele falar. Portanto, estamos num impasse: eu não o denuncio, e ele não me denuncia.

Paige dobrou a carta com as mãos trêmulas. Não queria ler mais, pelo menos não naquela noite. Sentia-se nauseada.

Naquela manhã, Peter tomara conhecimento da existência das cartas de Mara. E, subitamente, tivera uma reunião que não constava na agenda. Durante sua ausência da clínica, alguém revistara a casa de Paige.

Era coincidência demais.

Quatorze

Paige telefonou para Peter no início da manhã seguinte, marcando um encontro no café que ficava na esquina do hospital. Haveria mais privacidade na casa de Peter, mas ela não se sentia bastante segura para encontrá-lo ali. Se o pior fosse verdade, Peter sendo mesmo culpado por tudo que imaginara durante a longa noite, ele era muito diferente da pessoa que Paige julgava conhecer.

Claro que sabia que ele era inseguro. Durante as reuniões semanais do grupo, Peter se manifestava em sua defesa com mais freqüência que as colegas. Além disso, sempre desconfiara que seus sentimentos por Mara eram mais profundos do que deixava transparecer. Angie dissera que era um relacionamento de amor e ódio; Paige concordava.

Mas o resto... era muito difícil de aceitar.

— Oi, Paige! — gritou ele, em saudação, elegante como sempre, em seu *blazer* de *tweed*. Piscou para a caixa, ao se encaminhar para a mesa que Paige ocupara. — O que aconteceu?

Peter puxou uma cadeira e sentou-se.

— Café?

— Claro.

Ele desvirou a caneca à sua frente. Paige se serviu do bule que a garçonete trouxera, mas deixou sua caneca virada para baixo. Já se sentia bastante nervosa sem a cafeína. Peter acrescentou creme e dois torrões de açúcar. Tomou um gole. Satisfeito, tomou outro. Largou a caneca.

— Problemas?

— Não sei.

Paige tentava avaliar o ânimo de Peter, mas não tinha sorte. Ele continuava a ser o mesmo vermontês despreocupado do primeiro encontro. O problema era determinar se toda aquela despreocupação era natural ou deliberada.

— Você é que vai me dizer se há problemas — acrescentou ela.

Peter apoiou os cotovelos na mesa.

— Pode falar.

— Lembra das cartas de Mara de que falei ontem?

— O que há com elas?

— Li outras ontem à noite, e algumas falavam de você.

Ele pôs a caneca em cima da mesa, com um baque firme.

— Isto a surpreende? Eu disse que ela se sentia atraída por mim.

— Eram cartas bastante específicas — continuou Paige, baixando a voz. — Falavam sobre um relacionamento amoroso. E de acusações recíprocas, do impasse causado pelo fato de que nenhum dos dois podia denunciar o outro.

Peter estava visivelmente abalado.

— Mara era maluca.

— Não é a impressão que se tem pelas cartas — argumentou Paige. — Fazem muito sentido. Implicam você, tanto quanto ela mesma.

— Implicam em quê? Nos delírios de uma mulher faminta de amor?

Subitamente, Paige deixou de sentir tanta simpatia e compaixão. Mara podia ser faminta de amor, mas Peter não era menos, à sua maneira.

— Não se apresse em menosprezá-la, Peter — advertiu Paige. — Ela escreveu algumas coisas terríveis. Não posso guardar as cartas e esquecer tudo.

A irritação de Peter era evidente.

— Está falando das fotos. Ela criou o maior caso por isso. Ficou furiosa... em grande parte porque eram artisticamente superiores a qualquer coisa que ela podia produzir. Eram fotos lindas.

— Foi o que Mara escreveu.
— E não eram pornográficas.
Paige inclinou-se para a frente.
— Mas ela disse que a modelo era menor de idade. Se isso for verdade, temos um problema.
— Ela tinha 18 anos.
— Na ocasião em que as fotos foram tiradas?
— Ela me disse que tinha 18.

Paige comprimiu as pontas dos dedos contra as têmporas. Fez um esforço para se manter calma, embora sua vontade fosse gritar com Peter por ser tão idiota.

— O problema é que ela pode ter mentido. Não vi as fotos e por isso não sei como seriam consideradas por um júri...
— Um júri? Pelo amor de Deus, Paige, isto não é um caso judicial! Nunca foi! Já passou! Acabou!

Ela ergueu a mão.

— Preste atenção. Não sei qual é o limite entre pornografia e arte, mas sei que você é um pediatra. Ganha a vida trabalhando com crianças. Participa de uma clínica devotada a crianças. Tem alguma idéia do que aconteceria... com você, conosco... se alguém, qualquer pessoa, visse essas fotos?

— Está presumindo que são obscenas. — Peter começou a se levantar. — Obrigado pelo voto de confiança.

Paige agarrou-o pelo braço.

— Por favor, Peter. Isto envolve todos nós. Não quero presumir nada. É por isso que estou conversando com você agora. Não falei nada para Angie. Ficará apenas entre nós dois. *Sente-se.*

Ele lançou um olhar desdenhoso para Paige, mas sentou-se.

— Obrigada. — Ela deixou escapar um suspiro de alívio. — A situação é muito difícil para mim. Só estou tentando manter tudo sob controle.

Ele estalou as articulações dos dedos.

— À minha custa.

— Não. Você é parte do que quero manter. Gosto de você, Peter. Sempre gostei. E respeito sua competência médica. Se não fosse por isso, nunca teria me associado a você em Tucker e muito menos traria minhas amigas para cá. — A responsabilidade era sua, e tremenda ainda por cima. — Talvez tivesse sido melhor para Mara se eu não a tivesse chamado.

O rosto de Peter se contraiu.

— Não fui responsável por sua morte.

— Não falei que foi. Mas tudo indica que ela precisava de alguma coisa que nenhum de nós podia dar. O sentimento de desespero, de fracasso total e absoluto, evidente em suas cartas, é angustiante. Quando o pai veio para o funeral, comentou que aquilo não teria acontecido se ela permanecesse em Eugene.

— Mas nesse caso ela não se tornaria médica, o que era a sua maior fonte de recompensa.

— Foi o que eu disse a ele. Mesmo assim, há ocasiões em que não posso deixar de pensar... — Ela parou de falar, censurando-se. — Não adianta. Já passou. Está acabado.

Paige respirou fundo.

— Mas não é o nosso caso, Peter. Ainda estamos aqui, e quero que continue assim. Gosto do que temos, e foi por isso que fiquei tão transtornada.

Peter girou sua caneca.

— Não há motivo para se sentir transtornada. As fotos não existem mais. Destruí tudo, inclusive os negativos.

— Mas por quê, se achava que era arte?

— Porque não sou estúpido, Paige. Você tem razão. Não sabemos como um júri poderia considerá-las. Se caíssem nas mãos erradas, eu poderia afundar na merda. Não valia a pena. — Ele fez uma pausa. — Não se sente satisfeita? A evidência incriminadora desapareceu. A clínica foi salva. Ninguém pode acusar um de seus pediatras de transar com as pacientes.

Paige estudou as mãos, sem saber como dizer o que precisava ser dito. Peter podia ser agressivo quando se sentia ameaçado, e, naquele momento, a ameaça era inequívoca.

— A evidência pode ter desaparecido, Peter, mas, se há um problema, ainda existe. — Paige segurou-o pelo braço, antes que ele pudesse ficar de pé. — Não fique com raiva. Quero apenas que responda. É um problema? Mara ficou mais transtornada pelas fotos ou pelo fato de que você as fez? Preciso saber, Peter. Lidamos com crianças. Não posso correr o risco de que uma delas seja prejudicada.

— Isto é um insulto.

Paige apertou o braço dele.

— Estou apenas perguntando.

— Se me conhecesse ou confiasse em mim, não teria de perguntar.

— Não tem nada a ver com confiança, mas sim com o que excita as pessoas e que nem sempre pode ser controlado.

Peter desvencilhou o braço. Pegou a caneca com as duas mãos. Fitou-a nos olhos e disse, a voz baixa e furiosa:

— Direi apenas uma vez, nada mais. Adoro crianças porque são inocentes e confiantes. São seres humanos com uma bondade intrínseca. Mas não as desejo sexualmente. Sinto desejo por mulheres. É um impulso saudável, partilhado por todos os homens saudáveis. E, já que estamos falando no assunto, quero lhe dizer mais uma coisa. Legalmente, tenho todo o direito de trepar com uma mulher de 18 anos que der seu consentimento.

— Sei que tem, mas trata-se de um detalhe jurídico. Posso lhe garantir que, se for divulgado que você tem um caso com uma mulher de 18 anos, vai perder metade de seus pacientes.

— Tem toda a razão. É por isso que eu nunca teria uma namorada dessa idade.

— Mas seria capaz de entrar às escondidas em minha casa? — Ao fazer tal indagação, Paige ponderara que era mais respeitável ser um ladrão do que um pedófilo; e, como Peter se defendera da segunda acusação sem ter um acesso de raiva, podia muito bem lidar com a primeira. — Se achasse que as cartas de Mara eram incriminadoras, tentaria roubá-las?

Quando ele se levantou agora, Paige não estendeu a mão para detê-lo.

— Não confia realmente em mim, não é mesmo, Paige?

— Quero confiar. Mas tenho vasculhado o cérebro, à procura de qualquer outra pessoa que possa ter feito isso, e não consegui pensar em mais ninguém que pudesse ter um motivo, além de você.

Peter virou-se, enfiou a mão no bolso e deixou o café sem dizer mais nada.

Ele não falou mais com Paige naquele dia. Nem no seguinte. Nas ocasiões em que se cruzaram, Peter estudava uma ficha, parecia absorvido com outro problema. Quando Angie comentou a distância entre os dois, Paige deu de ombros, como se não tivesse a menor importância. Mas sentia-se uma hipócrita. *Deve se comunicar*, dizia a Angie. *Devem se comunicar*, dizia às meninas na Mount Court. *Devem se comunicar*, dizia às famílias dos pacientes, todos os dias da semana.

Por isso, ela tentou. Depois de vários dias de silêncio, foi até a sala de Peter.

— Sei que está com raiva, mas não poderemos resolver nada se não conversarmos.

— Não há nada para conversar — declarou Peter, fitando-a com absoluta frieza. — Você deixou bem claro o que pensava. Não preciso que repita.

— Eu não disse que você fez. Apenas perguntei.

— Foi o suficiente.

— Mas eu tinha de perguntar — argumentou Paige, em sua defesa. — Pense do meu ponto de vista. Em termos circunstanciais, você tinha a oportunidade e o motivo. Se não foi você, preciso saber quem foi. *Alguém entrou em minha casa às escondidas.* Não é apenas minha segurança que está em jogo, mas também a de Sami e a de Jill.

— Lamento, mas não posso ajudá-la.

Ele escreveu algumas anotações no relatório que estava preparando.

— Peter... — Paige suspirou. — Não podemos continuar juntos se não formos capazes de conversar.

— Mas podemos conversar, é claro. — Ele largou a caneta e recostou-se. — Podemos conversar sobre qualquer paciente. Pode perguntar o que quiser.

— Você amava Mara?

— Mara não era uma paciente.
— Disse a Mara que foi ela quem matou Daniel?
— Daniel era um viciado em drogas — respondeu Peter, a raiva crescendo de novo. — Mara apaixonou-se porque ele era um necessitado e se casou porque achava que a pura força do amor o tiraria do buraco em que se encontrava. Quando não deu certo, ela tentou o tratamento farmacêutico. Não posso dizer que ela o matou. Eu não estava presente. Mas a própria Mara admitiu que dava drogas ao marido.
— Estava tentando tirá-lo das drogas com doses cada vez menores.
— O cara morreu de *overdose*. Isso é um fato. Se foi Mara quem forneceu a droga ou se foi o traficante local, só um conselho médico poderia determinar, depois de meses de investigação.
— Você ameaçou mesmo denunciá-la?
Paige não acreditava absolutamente que Mara fosse responsável pela morte de Daniel. Mas, se houvesse a denúncia, o caso seria levado ao conselho de medicina; e, se Mara fosse considerada culpada, tendo sua licença cassada, isso a mataria da mesma maneira que a descarga do carro na garagem fechada. A carreira significava tudo para ela. Mas Peter não pensava assim.
— Claro que a ameacei. Ela assumiu uma posição altiva e arrogante, dizendo o que o conselho faria com minhas fotos. Tratei de inverter a situação. Mara podia ser uma sacana insuportável. — Ele passou a mão pelos cabelos. — E ainda pode. Não conseguimos nos livrar dela. Continua em cima de nós.
Era verdade, pensou Paige. Nada mais fora igual desde que Mara morrera. Ela não sabia se algum dia tudo voltaria a ser como antes. Desanimada, encostou-se na porta.
— É verdade. O que faremos agora?
— Não sei.
— Não podemos continuar assim. A tensão está insuportável.
— Então vamos nos separar. Você fica com seus pacientes, Angie com os dela e eu com os meus.
— Mas não é o que eu quero! — A separação seria o último recurso. — Gosto dos seus pacientes tanto quanto dos meus. E gosto de trabalhar em grupo. Quero que tudo continue como era antes. Levávamos uma vida tranqüila.

Peter não disse nada. Nem olhou para Paige. Quando pegou a caneta e retomou o relatório que escrevia, ela saiu da sala, resignada. Depois que o último de seus pacientes foi embora, seguiu para a Mount Court.

O treino foi ótimo. Paige correu dos demônios do dia, exigindo de si mesma e das meninas que percorressem uma distância maior, em menos tempo. Por isso, sentia-se mais cansada do que o habitual quando voltou para o carro e seguiu para casa. Foi o motivo, a que chegou em retrospectiva, para que não percebesse que havia alguma coisa errada, até que parou o carro, saltou e abriu a porta do passageiro para pegar as roupas que usara no trabalho. Soltou um grito de alarme quando um rosto ergueu-se do banco traseiro.

— Sara!

Sara fitou-a com uma expressão sombria. Com a mão no peito, Paige acalmou a respiração.

— Você me deu um susto. Não sabia que estava aqui. Por que não disse nada?

— Se eu falasse, você me levaria de volta.

— Ainda posso fazer isso.

Mas Sara saiu do carro, atravessou o gramado e foi se instalar nos degraus da varanda.

Paige sentou-se a seu lado. Por mais ansiosa que estivesse por ver Sami, o instinto lhe dizia que Sara era quem mais precisava dela naquele momento. A garota precisava de uma amiga. E Paige gostava da idéia de se tornar essa amiga.

— Apenas fazendo uma visita?

Sara acenou com a cabeça numa resposta afirmativa.

— Alguém sabe que está aqui?

— Pedi autorização para sair.

— Por quanto tempo?

— Até as dez horas.

— Hã...

A noite... Antes um tempo sagrado de privacidade para Paige, agora um tempo para dividir com Sami. E Jill e Sara. Um tempo de família, de uma maneira improvisada, que era até muito agradável, talvez por ser uma novidade.

— Vai ficar para jantar?

Sara deu de ombros.

— Se você quiser.

— Claro que eu quero. Mas devo avisá-la que estou de plantão. Se o telefone tocar, irei para o hospital. Trouxe os deveres?

Sara sacudiu a cabeça em negativa.

— Não tem deveres para fazer?

— Acabei tudo antes do treino.

— Isso é ótimo. Tirei galinha do congelador esta manhã. Gosta?

Sara tornou a dar de ombros.

Paige apertou o ombro da garota enquanto entravam na casa. Estendeu os braços para Sami, que brincava com Jill no tapete da sala de estar.

— Olá, querida. Como vai minha menina?

— Gaaaaaaaaaa.

— Que linda saudação! Vai começar a falar num instante. Jill, esta é Sara. Ela é da Mount Court. — Para Sara, Paige explicou: — Jill está morando aqui para me ajudar com Sami. Foi visitar amigas na noite em que vocês vieram.

Sara se mostrou subitamente apreensiva.

— Pensei que era apenas você e Sami.

— Uma pessoa a mais não é problema. — Ela pôs Sami nos braços de Sara, antes que esta pudesse dizer que nunca pegara numa criança pequena. — Não quer tirar uma folga, Jill?

Jill subiu correndo no mesmo instante, a fim de telefonar para as amigas. Paige pegou a gatinha.

— Um olá para você também. Como vai minha segunda menina?

A gatinha miou.

Sara, que tentava ajeitar Sami em seus braços, meio atabalhoada, murmurou:

— Acho que não estou fazendo direito. Talvez seja melhor ela ficar no seu colo.

— Pode ajeitá-la no quadril... Assim está ótimo.

Sara e Sami trocaram olhares cautelosos.

— Vai adotá-la? — perguntou Sara.

— Não. Ficarei com ela apenas até encontrarem um lar permanente.
— Acha que ela sabe?

Ainda com a gatinha nos braços, Paige adiantou-se.

— Creio que ela é muito pequena para compreender. Sabe se está limpa e seca, com a barriga cheia e se seu mundo é pacífico. Sabe se há barulho e agitação, se está com pessoas que cuidam dela. É verdade, Sami reconhece as pessoas que trocam sua fralda. E sabe também distinguir pessoas novas das que já conhece. Mas compreender que percorreu milhares de quilômetros e que ainda tem uma longa distância a percorrer, antes de finalmente assentar? Duvido muito.

Sara continuou a olhar para a menina.

— É horrível ser jogada de um lado para outro.
— Foi o que aconteceu com você?

Era a pergunta sugerida pela declaração. Paige queria que Sara soubesse que podia conversar sobre qualquer coisa com ela.

— Nem tanto. Ou talvez um pouco. Meu pai aparecia na cidade e saía comigo por um dia. Eu detestava.

— Por quê?
— Ele era estranho.
— Estranho?
— Um estranho. Eu não o conhecia. Não sabia por que ele me procurava.
— Queria vê-la. Amava você.
— Nem tanto. Era apenas um dever de consciência. Eu era sua filha. Portanto, tinha de me amar. Não era uma coisa emocional.
— Você o subestima.
— Se o amor era real, por que ele deixou de me visitar?
— Talvez se sentisse constrangido por causa de sua mãe e o marido.
— Mas ele era meu pai.
— Pode ter pensado que você queria esquecer esse fato. Não tinha o sobrenome dele.
— Foi idéia de mamãe. E ele não protestou.

Paige desejou saber mais sobre o lado de Noah na história.

— Alguma vez perguntou por que ele não a visitou mais?

Sara torceu o nariz e sacudiu a cabeça.

— Talvez devesse.
— Não conversamos sobre essas coisas.
— Talvez fosse melhor. Se a incomoda...
— Eu não disse que me incomodava. Não me interessa o motivo pelo qual ele deixou de me procurar. Papai leva a sua vida, e eu levo a minha.
— Parece que as duas estão se sobrepondo neste momento.
— Não muito. Não o vejo com freqüência. Ele me evita.

Paige largou a gatinha no chão e foi para a cozinha, gesticulando para que Sara a acompanhasse.

— Tive a impressão de que ele a evitava porque vocês dois concordaram em manter o relacionamento em segredo.

Ela tirou um pacote da geladeira e abriu-o.

— Era essa a idéia, mas não está dando certo. As pessoas estão descobrindo.

— Ele está contando?

Paige não podia imaginar. Sua impressão era de que Noah sentia uma decidida lealdade para com Sara. Não contara a Paige que a garota mentira ao dizer que tinha um irmão pequeno, quando poderia fazê-lo com a maior facilidade.

— A turma sempre descobre. Todos fazem perguntas. Querem saber de onde você vem, com quem vive, o que vai fazer no feriado do Dia de Ação de Graças.

— E você contou?

— Apenas para algumas — respondeu Sara, na defensiva. — Minhas melhores amigas. Tinha de contar.

Sua expressão se tornou amargurada, enquanto acrescentava:

— O restante vai descobrir em breve. O feriado do outono se aproxima. Quase todo mundo vai viajar. Eu ficarei aqui. Vão querer saber por quê.

— Pode dizer que a Califórnia é muito longe para passar apenas um fim de semana — sugeriu Paige. — Por outro lado, você pode querer que todos saibam a verdade. Já a conhecem bem a essa altura. Têm uma opinião formada a seu respeito. E talvez a opinião dos estudantes sobre seu pai já não seja tão severa.

Sara manteve uma expressão neutra.

— Mudou ou não? — insistiu Paige. — Continua a haver tantos resmungos quanto no começo?

Sara deu de ombros.

— A escalada da montanha não ajudou?

— Um pouco, eu acho.

— Já é alguma coisa. — Sara tirou dois vidros da geladeira. — Devo avisar-lhe que não sou a cozinheira mais criativa do mundo. Sempre faço a galinha na grelha lá atrás, mas hoje posso fazer com molho de mostarda e mel ou molho de *teriyaki*. O que você prefere?

— Mostarda e mel. Falou sério quando disse na outra noite que não era apaixonada por ele?

Paige tirou a tampa do molho de mostarda e mel.

— Não o conheço muito bem. Como poderia estar apaixonada por ele?

Ela cobriu a galinha com o molho.

— Acha que ele é bonito?

— Muito.

— Acha que ele é inteligente?

— Também. Mas essas coisas não figuram no alto de minha lista de prioridades. Quando me apaixonar por alguém, será pelo que a pessoa tem por dentro. — Ela pegou uma caixa de fósforos. — Guarde esse pensamento. Volto num instante.

Ela saiu, acendeu a grelha e voltou para descobrir que Sara guardara o pensamento, só que um pouco diferente do que Paige formulara.

— Gostaria de ser apaixonada por ele?

— Para dizer a verdade, não sei se gostaria de me apaixonar por alguém neste momento — respondeu Paige, enquanto preparava a salada e pegava pão francês na geladeira. — Minha vida anda muito movimentada.

Sara balançou a cabeça. Mudou a posição de Sami em seu colo.

— Muito pesada? — perguntou Paige.

— Não.

Jill voltou. Parecia excitada, mas indecisa. Em resposta ao olhar inquisitivo de Paige, ela explicou:

— Minha amiga Kathy tem ingressos para o *show* do Henderson Wheel. Diz que eu posso ficar com um, se você não precisar de mim na noite do *show*. Será no próximo sábado, no cinema.

Paige não gostava de qualquer espetáculo no cinema, mas sabia que seria realizado com ou sem sua aprovação. Também sabia que Jill precisava de uma boa diversão.

— Não ia mesmo precisar de você. Até veio a calhar. Trabalho de manhã, mas estava pensando em passar a noite na casa da minha avó. Ela adora Sami.

— Quer dizer que posso ir? — indagou Jill, com um entusiasmo que Paige não via com freqüência em seu rosto.

— Ligue para Kathy e diga que sim, antes que ela dê o ingresso a outra pessoa.

Jill saiu correndo. Ocorreu a Paige que o *show* seria no mesmo fim de semana em que Sara ia ser uma das poucas alunas a permanecer na Mount Court.

— Não é fã do Henderson Wheel?

Sara emitiu um grunhido indefinido.

— Isso significa sim ou não?

— É um mais ou menos.

— Posso tentar arrumar alguns ingressos se você quiser... — Perdoe-me, Mara, mas é por uma boa causa. — ... para quem ficar na Mount Court com você.

Sara sacudiu a cabeça.

— Será um público local. E eles não gostam muito de nós.

— Quem lhe disse isso?

— Todo mundo sabe. Acham que somos ricos e mimados. Gostam do nosso dinheiro, mas isso é tudo.

Paige bem que gostaria de negar, mas anos de mau comportamento nas ruas de Tucker haviam formado uma imagem definitiva na mente dos moradores locais.

— Talvez isso mude com seu pai. Não houve até agora qualquer incidente embaraçoso. As regras que ele impôs devem estar dando resultado.

Ela deixou a cozinha o tempo suficiente para pôr a galinha na grelha. Voltou para terminar de aprontar a salada. Quando ficou pronta, Jill já descera de novo. Paige pegou Sami.

— Essa menina precisa trocar a fralda. Jill, você sabe onde estão as coisas. Por que não põe a mesa? Sara, a galinha já deve estar pronta. Pode pegá-la?

Paige brincou com Sami enquanto subia a escada e trocava a fralda. Começava a ver primórdios de sorriso e ria cada vez que isso acontecia. O que mais apreciava, porém, era a maneira como os braços de Sami a envolviam naturalmente, sempre que a pegava no colo.

— Esta é a minha menina — murmurou Paige, enquanto descia.

Ela ajeitou Sami numa cadeira alta na cozinha, serviu purê de galinha de um pote e banana cortada, depois se sentou para comer com Sara e Jill. Não comera mais do que dois pedaços de galinha quando o telefone tocou. Ela olhou para Sara.

— Eu avisei. Estou de plantão.

Mas não era o serviço de recados. Era Noah.

— Estou começando a ficar desesperado, Paige. Preciso de sua ajuda. Procuramos em todo o *campus*, mas não encontramos Sara. Ela não é vista desde o treino.

— Ela está comigo.

— Com você?

— Deixou o *campus* comigo. Estamos jantando.

— Graças a Deus! — balbuciou Noah. — Imaginei as piores coisas.

— Não deveria. Ela pediu autorização para sair.

— Não, não pediu.

Paige percebeu a expressão culpada de Sara.

— Hã... acho que não. — Para Sara, em tom de censura, ela disse: — Seu pai entrou em pânico. Procuraram você por toda parte.

Se Sara ficou comovida, não deixou transparecer. Paige queria deixá-la abalada. No outro lado da linha, Noah parecia angustiado.

— As garotas não paravam de falar dos Irmãos Devil, dizendo que era apenas uma questão de tempo eles seqüestrarem uma aluna. Quem são os Irmãos Devil?

— Não é Devil. O nome é DeVille. São dois pobres coitados, simpáticos e simplórios, que viraram os eternos bodes expiatórios de Tucker. São inofensivos.

— Entendi. As garotas estavam alvoroçadas e me contagiaram. Receio que nosso segredo, Sara e meu, tenha sido revelado. Então ela está aí. Graças a Deus! — Noah suspirou. — Se ela pensa que vai escapar da ação disciplinar, está enganada. Ainda mais agora que as pessoas sabem de nosso relacionamento. Terei de fazer o maior esforço para ser imparcial. Ela deixou o *campus* sem autorização. Isso representa um longo período de detenção.

— O que ele está dizendo? — sussurrou Sara.

— Você não vai querer saber — sussurrou Paige em resposta. Ao telefone, ela perguntou: — Podemos pelo menos acabar o jantar?

— Estarei aí dentro de meia hora.

— Aumente para uma hora.

— Meia. — Ele respirou fundo, meio trêmulo. — Graças a Deus! Eu já começava a pensar que a tirara da mãe apenas para sujeitá-la a horrores indescritíveis.

Noah respirou fundo de novo, um pouco mais firme desta vez.

— O que vocês estão jantando?

— Galinha, mas não restou nada para você. Venha dentro de uma hora e poderá comer *brownies*.

Paige desligou antes que ele pudesse argumentar.

— *Brownies*? — indagou Jill. — Não temos *brownies* em casa.

Paige olhou de uma para outra.

— Então é melhor pegarmos os ingredientes no armário e começarmos a preparar, não acham?

Noah adorou os *brownies*. Não gostou do constrangimento entre Sara e ele na viagem de volta para a Mount Court. Conversar com adolescentes era o seu forte, sendo esse um dos motivos para que a dificuldade de se comunicar com Sara o deixasse tão perturbado. O outro era que Sara precisava de um pai tanto quanto ele precisava de uma filha.

Mas falar sobre sentimentos, talvez criticar e ser criticado, era muito arriscado para duas pessoas que não se conheciam direito. Depois de vários minutos de silêncio, Noah apenas conseguiu dizer:

— Fiquei preocupado.

— Sinto muito — respondeu ela, embora não desse a impressão de sentir qualquer arrependimento.

— Por que não pediu autorização?

— Não pensei nisso.

É uma das regras fundamentais da vida no dormitório, Noah teve vontade de dizer. É preciso avisar quando se deixa o *campus*. Se todos ficarem indo e vindo à vontade, no momento em que quiser, nunca saberemos o paradeiro dos alunos. Os pais entregam seus filhos aos cuidados da escola. Somos os responsáveis por nossos alunos.

— Quer saber de uma coisa? — murmurou ele. — Quando pensei em ter minha filha na escola em que era diretor, imaginei que haveria problemas. Afinal, já estive numa situação parecida com a sua. Sabia como podia ser difícil para você. Mas há um outro lado da questão em que não pensei. Eu. Em circunstâncias normais, os pais estão a quilômetros de distância da escola. Não tomam conhecimento dos pequenos problemas até que já estejam resolvidos. Não passam pelo inferno de preocupação que tive de enfrentar.

Sara permaneceu calada por tanto tempo, que Noah chegou a pensar que ela não ouvira. Quando fitou-a, ela disse:

— Pode me mandar de volta para casa a qualquer momento. Assim, não tomará mais conhecimento dos problemas.

— Não quero mandar você para casa. Quero que continue aqui.

— Talvez eu não queira ficar.

— Não quer?

Ela não respondeu.

— E então, Sara?

— Não sei.

— Sente tanta saudade da Califórnia?

— Talvez.

— E aguarda ansiosa o Dia de Ação de Graças? — Como ela não respondesse, Noah tornou a fitá-la. — Fala com sua mãe todas as semanas, não é?

— Hum, hum.

— Ela está bem?

— Claro.

Noah recebera um telefonema irado da mulher vários dias antes, dizendo que o telefone do dormitório estava sempre ocupado e querendo saber por que Sara não ligava. Segundo Liv, as duas não se falavam há três semanas.

Pela história anterior de Sara, Noah tendia a acreditar em Liv. Mas não podia dizer isso a Sara. Fazia o melhor que podia para confiar nela, na esperança de que um dia pudesse, em troca, conquistar a confiança da filha.

Infelizmente, estava demorando mais do que ele previra. Sua paciência era cada vez menor.

Por esse motivo, ele aguardava com ansiedade o feriado prolongado do outono. Seriam cinco dias, de quinta a segunda. Mas seria a primeira vez em que Sara ficaria em casa com ele. Também seria o período mais longo que passariam juntos, a sós. A semana anual com os pais de Noah não contava. Era diferente.

A perspectiva poderia deixá-lo nervoso se não estivesse tão animado. Queria que Sara começasse a gostar dele. Para isso, planejava um jantar fora e uma viagem para fazer compras em Boston. Iriam ao cinema, se ela quisesse. Jogariam Boggle. Esperava envolvê-la na reforma da casa, ao menos para que Sara soubesse que era sua também.

Noah planejava passear de canoa com a filha no rio ao norte de Tucker. A canoagem era um esporte relaxante e tranquilo. Era uma atividade em dupla, envolvendo coordenação e cooperação. Criava o tipo de clima em que o início de um relacionamento podia ser estabelecido. Ou pelo menos era o que ele esperava. Sabia que encontraria resistência pelo caminho, mas estava determinado a insistir. Se o fim de semana fosse um fracasso, não seria por falta de empenho de sua parte.

Quinze

Angie também aguardava ansiosa pelo feriado prolongado do outono. Com bastante antecedência, avisou a Peter e Paige que não a veriam na clínica naqueles dias. Queria um tempo de folga com Dougie — dormir até tarde, tomar o café da manhã sem pressa, ficar em casa, acender a lareira. Queria que o filho sentisse o prazer de permanecer em casa.

Se fosse só ela, bem que poderia fazer tudo sem qualquer dificuldade. Mas tinha de levar Ben em consideração. Por dois dias, um fim de semana normal, podiam fingir que estava tudo bem. Mas seria muito mais difícil em cinco dias.

Haviam cancelado a viagem a Nova York. Ben não queria mesmo ir e ficou feliz em deixar que seu agente recebesse o prêmio. Em outros tempos, Angie teria insistido para que comparecessem. Mas seus dias de insistência haviam ficado para trás. Não se sentia mais qualificada a insistir em qualquer coisa relacionada a Ben. Enquanto antes falava por ele, agora se mantinha calada. Não sabia o que ele pensava, não sabia o que ele sentia. Ben não lhe dizia muita coisa, mas entrava e saía a qualquer momento, deixando por conta da imaginação de Angie especular como ele preenchia o tempo. Às vezes, ela ia em casa durante o dia, mas quase nunca o encontrava. Ben fazia seu trabalho e depois saía.

Angie não sabia para onde ia e não sentia coragem suficiente para perguntar, principalmente porque não tinha certeza se queria saber.

Sabia apenas que pensar em Ben com outra mulher continuava a deixá-la angustiada.

Disse a si mesma que alguma coisa precisava ser resolvida antes que Dougie estivesse em casa para o fim de semana prolongado, com todo o potencial de constrangimento que isso traria. Por isso, voltou para casa mais cedo no dia anterior. Verificou que o carro de Ben não estava lá e continuou em frente. Foi até a agência do correio no Centro de Tucker, mas o Honda azul também não estava lá. Angie continuou pela Main Street, passando pela fileira de carros estacionados em diagonal, na frente do armazém, loja de ferragens e livraria. Virou a esquina e foi verificar no estacionamento do Tavern; depois, no estacionamento da Tucker Inn. Voltou pela Main Street, passando pela Reels e pela sorveteria, e pensando que poderia não ter percebido o Honda na primeira passagem.

Depois, foi até a biblioteca. Era um prédio pequeno, cinza, com frisos brancos, uma relíquia da época colonial, quase tão reverenciado pelos moradores quanto a igreja. Quando Dougie era pequeno, Angie levava-o para ouvir histórias ali; quando o filho entrara na escola, ajudava-o a fazer suas pesquisas ali. A julgar pelo número de volumes que mantinha à disposição do público, a biblioteca pública de Tucker era deficiente. Julgada pelo charme do prédio e pelo calor humano do interior, nada podia superá-la.

O Honda azul estava estacionado sob uma árvore. Angie parou ao lado. Continuou sentada, de cabeça baixa. De vez em quando levantava os olhos, mas o panorama era desanimador. As folhas que exibiam exuberantes tons vermelhos e dourados na semana anterior já começavam a esmaecer. Com as beiras enroscadas, pareciam menores, mais tristes, mais retraídas. A intervalos de poucos minutos, quando havia um sopro fatal da brisa, uma delas caía do galho para o chão.

E nisso estava a boa notícia. O carro de Ben não tinha folhas suficientes em cima para sugerir que se encontrava ali há muito tempo. A má notícia era o fato de estar ali.

Como fizera com freqüência nas últimas semanas, Angie recordou a primeira vez em que vira o marido. Sentira-se atraída antes de mais nada por seu ar de certeza tranqüila; depois, pelo humor seco; e, em terceiro lugar, pela maneira como seu sorriso lhe provocava um frio no estômago. Ben era capaz de persuadi-la a interromper o estudo para ir a uma sessão de cinema à meia-noite, passar a noite rindo em companhia de amigos ou pegar o carro e circular por horas, com o rádio ligado no volume máximo, tocando as músicas prediletas dos dois.

Sua frivolidade complementava a seriedade de Angie. Despertavam o que havia de melhor um no outro.

Angie não sabia quando isso mudara. Os anos entre aquele primeiro dia e o presente pareciam agrupados, vinte e um anos fazendo tudo que era produtivo e proveitoso. Em algum momento, ao longo do caminho, a espontaneidade se perdera. Suas vidas haviam se tornado programadas.

Por conveniência dela. Ben tinha razão nesse ponto. Muito bem, ela era culpada, mas isso não justificava a relação de Ben com Nora Eaton.

Ela ouviu uma batida de leve na janela. Levantou os olhos para constatar que Ben encostara em seu carro, a poucos centímetros do lugar em que estava sentada. Ele usava o blusão de couro que lhe dera anos antes, aberto para mostrar uma camisa xadrez. Tinha as mãos nos bolsos da calça *jeans*. Parecia saudável, até exuberante, com os cabelos grisalhos nas têmporas. Mas não exibia mais aquela certeza tranqüila. Nem o sorriso. Ele olhou para o Honda, depois para o chão. Naquele instante, se pudesse, Angie teria ligado o carro, feito a volta e se afastado a toda velocidade. Mas Ben ficaria machucado, para começar. E havia também a questão de suas lágrimas. Surgiram do nada e começaram a escorrer pelas faces. Ela teve de recorrer às duas mãos para se esconder. A porta de passageiro foi aberta e fechada. Ben inclinou-se e abraçou-a, por cima do câmbio, com surpreendente facilidade.

— Calma, Angie. Não é tão ruim assim.

— É terrível! — A proximidade de Ben, a familiaridade de seu contato, a fragrância de sua água-de-colônia, tudo contribuía para acentuar ainda mais o dilema. — Minha vida está desmoronando!

— Nós apenas estamos tendo alguns problemas.

— Mas é a *minha* vida. *Nós* envolve o resto. É o que mantém tudo unido.

Ben não disse nada. Ela não sabia de onde viera o comentário. Não planejara dizer aquilo. Mas as palavras haviam saído e não podia cancelá-las. Eram mais certas do que ela queria acreditar, tal qual uma mulher com uma carreira.

Um longo momento se passou antes que ela recuperasse um arremedo de controle. Recuou, tateou o bolso do casaco à procura de um lenço de papel, enxugou os olhos.

— Desculpe. Não tinha a intenção de me descontrolar. Acho que foi por um acúmulo de coisas. — Como Ben continuasse em silêncio, ela respirou fundo. Estremeceu quando o ar saiu. — Nunca pensei que a vida pudesse ser tão maravilhosa num dia e horrível no seguinte. Desde que Mara morreu...

Angie tornou a sentir um aperto na garganta.

— O que está acontecendo entre nós não tem nada a ver com Mara.

— Sei disso.

Ela queria dizer que a morte de Mara desencadeara uma sucessão de eventos, porque era assim que parecia. Mas Ben tinha razão. Os problemas do casamento não tinham nada a ver com Mara.

— Por que não está na clínica?

Angie olhou para todos os lados, menos para ele.

— Eu... hã... às vezes tiro uma folga no meio do dia, pensando que poderíamos almoçar juntos. Mas, quando vou para casa, nunca o encontro. De um modo geral, não quero saber onde está. Hoje foi diferente.

— Como assim?

Angie pensou em mencionar o fim de semana prolongado com Dougie em casa, mas compreendeu que era tão irrelevante quanto a morte de Mara. E Dougie também era, se fossem conversar sobre o futuro. Pela primeira vez, ela podia aceitar esse fato. Apertando o lenço de papel na mão, ela disse, a voz trêmula:

— Não posso continuar assim. Não consigo me concentrar no que faço, porque a mente sempre volta a pensar em nosso problema. — A sensação de derrota de Angie era sufocante. — Precisava saber se você estava com ela.

— Hoje é o dia de folga de Nora. Ultimamente só tenho vindo aqui quando sei que ela não está.

Angie levantou os olhos, para descobrir que ele a fitava.

— É verdade?

Ben confirmou com um aceno de cabeça.

— Ela deve ter muitos dias de folga. Nunca encontro seu carro em casa.

— Fico dando voltas por aí. — Ben falou com tanta relutância, que só podia ser verdade. — Não suporto o silêncio. Por isso, saio de carro. Há dias em que começo muito cedo, às dez da manhã.

— Em que pensa enquanto dirige?

Ele soltou uma risada.

— Em nós. Sobre o que mais poderia ser?

Ben olhava pela janela agora. Angie já não se sentia tão desesperada.

— Mas sobre o quê?

— Penso nas coisas que costumávamos fazer e de que eu gostava muito.

Que coisas?, ela quis pressionar, mas fez um esforço para se conter. Tinha de parar de orientar a conversa. Ben não era mais um menino. Se quisesse discorrer a respeito de qualquer coisa, ele o faria. Foi o que aconteceu, porque Ben acrescentou, depois de um minuto:

— Eu gostava quando fazíamos coisas espontâneas. Por exemplo, cozinhar no braseiro daquela pequena varanda do primeiro apartamento em que moramos. Ou jogar gamão até as três horas da madrugada. Gostava quando a neve não nos deixava sair de casa, quando dormíamos até tarde e quando saíamos a qualquer hora para dar uma volta. Essas coisas.

— Depois, eu me tornei ocupada demais para ficar em casa mesmo quando nevava.

— E eu permiti. Deixei que acontecesse. Portanto, sou culpado também.

Obrigada, pensou Angie. Se as horas que ele passara no carro, dirigindo de um lado para outro, haviam produzido aquela compreensão, ela o perdoava pelos passeios. Mas a infidelidade era diferente.

— Vai pedir o divórcio? — perguntou Ben agora, fitando-a.

Angie sacudiu a cabeça em negativa.

— Não estou disposta a desistir. Mas preciso saber o que está acontecendo entre você e ela.

— Nada. Acabou o que havia entre nós.

Ele parecia sério, mas Angie tinha de saber mais.

— Por quê?

— Ela era uma substituta. Uma maneira de preencher o tempo.

— E essa situação se prolongou por oito anos. O que mudou agora?

— Agora você sabe. E me sinto como um merda.

A parte irada de Angie ficou satisfeita por ouvir isso; a parte desmoralizada sentiu uma certa redenção. Sempre pensara em Ben como um homem de consciência. Seus cartuns eram um alento para as pessoas que não tinham condições de lutar por si mesmas. Mara adorava isso. E Angie sempre se orgulhara.

Apesar de um lapso, a consciência prevalecera. Era gratificante saber que ela não se enganara totalmente.

— E o nosso relacionamento? — indagou Angie. — Podemos recuperar alguma coisa que faça sentido entre nós?

Ele esticou a perna e esfregou a coxa.

— Não sei. Às vezes ainda sinto raiva.

— Quando estou trabalhando?

— Principalmente.

— Quer que eu pare?

Ele fitou-a com uma expressão cautelosa.

— Faria isso?

Angie já se fizera essa pergunta. Não havia como escapar pela tangente.

— Faria não é a questão — murmurou ela, tentando explicar. — A pergunta tem de ser outra: eu poderia?

Ela respirou fundo, tremendo um pouco.

— Não sei. Ser médica é parte de quem eu sou. Não sei se poderia renunciar por completo, assim como você não seria capaz de parar de desenhar.

— Venho desenhando desde os 2 anos de idade.

— E eu venho querendo ser médica há quase tanto tempo.

— A arte é parte da psique.
— E a necessidade de curar também.
O silêncio se instalou entre os dois, oprimindo o coração de Angie. No fundo de sua mente, ressoavam as exortações insistentes de Paige — *Fale com ele, Angie, diga o que sente* — e também o que Mara escrevera — *chego e passo na vida das pessoas, assim como as pessoas chegam e passam na minha vida.*

Nesse momento, Angie identificou-se com Mara. Mas era a última coisa que ela queria.

— Tem de haver uma solução conciliatória. — A humildade não tinha sentido quando se chegava a uma encruzilhada na vida. — Não pode acabar assim. Temos muitas coisas em comum, muitas coisas de que ambos gostamos. Temos uma história juntos...

— E um filho que voltará para casa amanhã, a fim de passar o fim de semana prolongado conosco — interrompeu Ben, com o tom de sarcasmo que vinha adotando ultimamente. — O problema é esse?

Uma folha morta caiu no capô do carro, opaca e murcha, bastante desalentadora para impelir Angie a continuar:

— Não é isso, Ben. Passei a compreender coisas que não percebia antes. Você tinha razão sobre Dougie. Não estou dizendo que me sinto satisfeita pelo fato de ele ser interno... e acho que isso nunca vai acontecer. Mas é como no tempo em que ele era pequeno e subia no assento do balanço. Eu fechava os olhos e deixava-o fazer, porque sabia que ele nunca aprenderia se não tentasse. Dougie vem se saindo bem como interno. É o que ele quer. É possível até que seja do que ele precisa. — Angie respirou fundo. — Não tem nada a ver com Dougie, Ben. O problema é nosso.

O que fechava o círculo.

— E o que faremos agora? — indagou Ben, olhando para o painel.

Angie não podia responder.

— Você é que tem de me dizer. Venho me sentindo cautelosa e tímida demais para dar uma orientação.

— Não posso decidir sozinho.

— Mas eu não sei o que dizer. Sei apenas o que quero. Que continuemos juntos, que tentemos fazer com que tudo dê certo. Mas não sei se é isso o que você também quer.

Ben ficou imóvel. Depois do que parecera uma eternidade, murmurou:

— É, sim.

— Então tem de haver uma solução. Talvez devêssemos pensar a respeito por algum tempo, antes de voltarmos a conversar.

Parecia um pouco com a realização de negociações a distância, mas Angie não sabia o que mais dizer. Se havia esperança, ela podia esperar.

— E Nora? — Quando ela fitou-o, com uma expressão alarmada, Ben balançou a cabeça e acrescentou: — Você pode esquecê-la?

— E você pode?

Parecia a pergunta mais apropriada naquele momento. Angie esperou na maior ansiedade.

— Ela foi uma boa amiga. Se não fosse por ela, talvez eu já tivesse ido embora.

Angie não pôde evitar o sarcasmo.

— Eu até que poderia agradecer a ela, se não fosse pelo fato de que espero nunca mais tornar a vê-la. Ela levou meu marido para a cama. Não sei se posso perdoá-la por isso. E, se você tivesse ido embora, talvez eu descobrisse o problema mais cedo. Não sei, Ben. — Ela sentia-se aturdida outra vez. — Com toda a sinceridade, não sei.

Ele fitou-a em silêncio. Depois, com uma ternura a mundos de distância do sarcasmo, murmurou:

— Eu sei.

E saiu do carro.

Os estudantes começaram a deixar o *campus* ao final das aulas na quarta-feira. *Vans* partiram para o aeroporto a todo instante, ao longo da tarde. Pais chegavam em carros, embarcavam os filhos com suas malas e partiam.

Como sabia que Sara tinha um treino de *cross-country*, depois uma hora de estudo, como parte de sua punição por deixar a Mount Court sem autorização, Noah não a esperava em casa antes da hora do jantar. Em vez de cozinhar, ele fez uma reserva no Bernie's Béarnaise, pensando que seria uma maneira especial de começar o fim de semana prolongado.

Cinco e meia chegou e passou. Noah resolveu dar mais algum tempo, calculando que ela estava arrumando algumas coisas. Mas, quando Sara não apareceu às seis horas, nem às seis e meia, ele partiu para o dormitório. No prazo de dois minutos que demorou para chegar até lá, imaginou que ela fugira, fora seqüestrada ou se refugiara de novo na casa de Paige.

Não teria se importado com a última possibilidade. Gostava de qualquer desculpa para ver Paige novamente. Não tinham futuro, mas ainda assim ela o fascinava; e não era apenas sexualmente, embora fosse isso também. Paige sempre dava as respostas apropriadas sem qualquer hesitação. Se não gostava de alguma coisa, se ficava contrariada com algo que ele dissesse ou fizesse, nunca deixava a reação para depois. Podia fitá-lo nos olhos, declarar que ele estava completamente errado e encerrar o assunto.

Além do mais, ela era um bom exemplo para Sara.

Noah encontrou o MacKenzie Lounge vazio. Subiu a escada para o terceiro andar. Percorreu o longo corredor até o quarto de Sara. A porta estava fechada, mas havia sons lá dentro. Ele bateu.

— Sara?

— O que é?

Ele virou a maçaneta, mas a porta estava trancada.

— Abra.

Um minuto inteiro transcorreu antes que ela abrisse. Usava calça *jeans* e um blusão de moletom, estava de meias, mas sem sapatos. Um pequeno aparelho de televisão proporcionava a conversa de fundo.

— Onde você estava?

Noah tentou manter um tom descontraído. Sara não podia ter esquecido que era um fim de semana prolongado. Todas as suas amigas haviam viajado. O dormitório ficara vazio. O refeitório permaneceria fechado.

Ela deu de ombros.

— Estava aqui.

— Mas eu esperava por você.

— Por quê?
— Porque vai passar o fim de semana comigo.
— Eu não sabia.
Noah suspirou.
— Sara, como poderia ignorar? Deixei um bilhete em sua caixa de correspondência. Dizendo que jantaríamos no Bernie's Béarnaise. E faríamos um passeio de canoa.
— Não falou que eu ficaria em sua casa.
Ele respirou fundo, impaciente.
— Onde mais poderia ficar?
— Aqui. Há outros internos que não viajaram.
— Não muitos, e não no MacKenzie. Todo mundo está no Logan. É o único dormitório com supervisão neste fim de semana.
Noah tentava manter o controle, mas sentia-se frustrado e magoado. Era a mesma mágoa que experimentara muitas e muitas vezes, quando ia visitar Sara e era recebido com frieza. Sentia-se rejeitado pela pessoa que mais queria no mundo.
— Muito bem. — Ele correu os olhos pelo ambiente. — Pegue algumas coisas e vamos embora. Poderemos voltar amanhã para buscar o resto do que precisar.
— Prefiro ficar aqui.
Noah desligou a televisão.
— A mochila é suficiente. Não precisa levar muita coisa.
— Tenho toneladas de deveres para fazer.
— Vai precisar de uma saia ou vestido para esta noite. Lembra daquele vestido púrpura que usou para o teatro no último fim de semana? Ficou linda. Pode usá-lo.
Sara virou-se. Depois de um momento, foi até a mesa e disse, de costas para o pai:
— Não precisa fazer isso. Posso ficar muito bem com os outros internos.
Ele explodiu.
— Mas eu quero que venha comigo. É minha filha, e além disso estou de folga no fim de semana. Fiz tudo que tinha de fazer. Deixei-a em paz, para que pudesse se adaptar à escola, como qualquer outro

aluno. Mas este fim de semana é para a recuperação do tempo perdido. Preciso disso. Foram muitos meses longos e solitários. Preciso de minha filha. Preciso de minha família, se é que você e eu podemos ser chamados de uma família.

— Não somos uma família — argumentou Sara, embora mais comedida.

— Claro que somos. Sou seu pai, e você é minha filha.

— Mal nos conhecemos.

— É por isso que eu aguardava ansioso por este feriado. Não acha que já é tempo de nos conhecermos melhor?

Ela deu de ombros.

— As coisas não eram tão horríveis antes.

— Eram *terríveis*. Respeitei o fato de que sua mãe precisa ter sua própria vida, uma vida nova, com um novo marido. Tentei dar espaço para que ela a criasse, sem a minha interferência. E o que aconteceu? Eu a via um dia ou outro e, durante uma semana por ano, na casa de meus pais. Se eu pudesse voltar atrás, faria tudo diferente. Lutaria para ter mais contato com você. E exigiria que mantivesse *meu* nome. Não seria tão benevolente com Liv.

Noah fez um esforço para se controlar, antes de dizer mais a respeito. Jurara que não falaria mal de Liv, embora a considerasse culpada pelo fim do casamento. Ele apressou-se em acrescentar, abrandando a voz:

— Mas esses anos passaram, Sara. Não posso obrigá-la a gostar de mim, mas vamos tentar.

Os ombros de Sara penderam. Demorou um pouco antes que Noah percebesse que ela estava chorando. Ele atravessou o quarto para abraçá-la.

— Ah, meu bem, não chore... Vamos dar um jeito em tudo. Prometo.

Sara chorava baixinho. Embora não enlaçasse o pai, também não se desvencilhou. Subitamente, os anos desapareceram. Ela era de novo uma criança de 2 ou 3 anos, chorando por causa de uma queda, e ele procurava confortar a filha, que adorava.

— Sei que é difícil. Sua vida foi virada pelo avesso nos últimos meses. É natural que esteja se sentindo tão transtornada. Por isso, é importante que tentemos retomar o contato.

— Pensava que não queria minha companhia — disse ela, soluçando.

— Neste fim de semana?

— Durante todos esses anos.

— Está brincando? Viu as fotos que tenho no consolo da lareira. Não consegui tirar muitas de sua mãe, mas batia uma foto sempre que estávamos juntos. Você detestava quando eu fazia isso... sempre tentava se virar, lembra?... mas eu *vivia* graças àquelas fotos.

— Nunca ia me visitar.

— Pensei que fazia um favor, minimizando a confusão sobre quem era seu pai. Mas há o outro lado da questão, Sara. Você nunca me pediu para visitá-la. Quando eu a deixava na casa de Liv, você nunca perguntava quando me veria de novo. Nunca era informado de coisas como apresentações de dança, embora sua mãe tivesse em casa uma porção de fotos em exposição. E quando você começou a correr... o que fez por minha causa, sabe disso, porque me via correndo quando ficávamos na casa de meus pais... nunca me disse uma só palavra.

— Pensei que não queria saber.

— Mas eu queria. Pensava em você durante todo o tempo. Nunca deixei um aniversário passar sem uma visita ou um telefonema, muito menos sem um presente. Mandava cartões em todas as ocasiões especiais e não me limitava a assinar "Com amor, papai". Sempre escrevia alguma coisa que achava que seria importante, sobre o significado do cartão, ou o que eu fazia com a minha vida, ou o que achava que você poderia fazer com a sua. — Ele lhe alisou os cabelos compridos, que eram da mesma cor que os seus. — Eu me preocupava com você, Sara. Sempre me preocupei, durante todos esses anos, e continuo a me preocupar agora.

— Mas detesta a Mount Court. Só aceitou o emprego porque precisava de um lugar para me internar. Mas irá embora no final do ano, e eu continuarei sozinha aqui por mais dois anos.

— Se você ficar, eu fico também.

Sara ficou imóvel, em silêncio, por um momento.

— Não vai mais embora?
— Não sei. Mas, se eu for, você irá comigo.
Outro momento de silêncio.
— Porque eu posso estudar de graça na escola em que você estiver.
— Eu pagaria dezenas de milhares de dólares se você quisesse ir para outra escola que não fosse a minha, sua espertinha. O problema não é o dinheiro. Quero você comigo. E ponto final.
Sara recomeçou a chorar.
— Este momento sempre foi o pior e o melhor em ser pai — murmurou ele, contra o topo da cabeça da filha. — Era o pior porque o choro significava que você se sentia infeliz, e o melhor porque era eu quem a confortava. Eu gostaria de poder fazer a mesma coisa agora, da maneira como fazia quando você tinha 1 ano de idade. Só que agora os problemas são mais complexos.
Noah continuou a abraçá-la, até que os soluços começaram a diminuir.
— Eu amo você, Sara. Sei que não acredita em mim, mas é verdade. Dê-me uma oportunidade, por menor que seja, e poderei provar.
Ela fungou. Virou-se para pegar um lenço de papel.
— Não sei por que me amaria. Não sou uma pessoa amável.
— Quem lhe disse isso? — Noah desconfiava que Liv dissera isso, muito mais de uma vez. Ergueu a mão. — Não importa. Não quero saber. Quem disse estava errado. Todas as pessoas do mundo são amáveis, de alguma forma. É apenas uma questão de contornar... de contornar...
Ora, que se dane!, pensou Noah.
— ... de contornar toda a merda para alcançar a parte amável.
Sara estava de pé junto da cômoda, de costas para ele.
— Portanto, vamos começar logo a contornar a merda — acrescentou Noah, mais gentilmente. — O que me diz?
Como a filha permanecesse calada, ele compreendeu que não seria fácil. Mas também nunca pensara que pudesse ser. Não se podia apagar anos e anos de impressões equivocadas com uma única conversa, por mais eloqüente que fosse o orador. Quer fosse por causa de Liv, o marido de Liv, Jeff, ou alguma coisa na própria Sara, o fato é que ela crescera pensando o pior do pai. Mudar isso levaria tempo.

— Adorei aquele vestido púrpura — repetiu Noah. — Ponha o que precisar na mochila, dê-me algumas roupas nos cabides e iremos para minha casa. Quero lhe mostrar uma coisa.

A coisa era o quarto que ele arrumara para a filha. Passara dias fazendo compras, uma cama, uma mesinha-de-cabeceira e uma cômoda, mas também uma colcha que combinava com os lençóis floridos, que por sua vez combinavam com o carpete verde-claro. Sara não fez qualquer comentário quando viu o quarto, mas dava para perceber que estava satisfeita. Ficou parada à porta, em silêncio, os olhos arregalados, e o que podia ser, por um exagero otimista da imaginação, a insinuação de um sorriso.

Satisfeito, ele pendurou as roupas no *closet* e deixou-a sozinha, para trocar de roupa. Quinze minutos depois, inebriado com a filha deslumbrante a seu lado, no carro, Noah guiou o Explorer para o Bernie's Béarnaise. Ao passar pelo prédio da clínica pediátrica, teve a impressão de ver o carro de Paige parar lá.

Se estivesse sozinho, teria parado e partilhado sua pequena vitória com ela. Pensava em Paige com freqüência, em geral de madrugada, quando acordava de repente numa cama que parecia muito grande, muito fria e muito árida... o que era incrível, já que dormia na mesma cama há anos e nunca sentira essas coisas. Paige era como uma pressão na base da coluna; se deixasse assim, sem tomar qualquer providência, acabaria se espalhando para a frente e para baixo. Era um assunto inacabado.

Por um momento, mesmo com Sara no carro, ele pensou em parar. Mas decidiu que não. Aquele era um momento para ficar a sós com Sara. Era importante que não houvesse nenhuma interferência.

Paige estacionou o carro, entrou apressada no prédio e subiu a escada. Encontrou Ginny de pé, ao lado do telefone, com um saco de papel pardo na mão. Preocupada, ela sussurrou:

— Comprei uma caixa de leite na hora do almoço. Esqueci aqui quando saí. Voltei para buscar e foi então que o vi.

Paige pôs a mão em seu braço.

— Fico satisfeita por isso. Obrigada, Ginny. Pode deixar que falarei com ele.

Peter estava em sua sala, sentado à mesa, mas com um equilíbrio precário. Dava a impressão de que o menor empurrão o faria arriar no chão.

— Oi. — Paige sorriu ao se aproximar da mesa. — O que está fazendo?

Peter deslocou os antebraços por cima de alguma coisa que fora amarrotada e desdobrada.

— Apenas descansando.

As pontas dos dedos esbarraram em duas garrafas de uísque. A que estava quase vazia caiu. Ele tentou segurá-la, mas não conseguiu. Paige endireitou a garrafa. Enquanto Peter resmungava baixinho, pelo desperdício de um bom uísque, ela enxugou o pouco que derramara.

— A essa altura, você costuma estar no Tavern. Já jantou?

— Não quero comer. Não tem sentido.

— Claro que tem. Precisa manter as forças. Tem pacientes que dependem de você.

Nenhum dos quais, orou Paige, ligaria por causa de uma emergência naquela noite. É verdade que ela poderia lhe dar cobertura em qualquer emergência. Mas, se Peter saísse cambaleando pela rua, toda a cidade saberia de manhã que seu filho predileto tomara um porre.

Paige nunca o vira tão bêbado antes. Gostaria de saber o que havia por trás daquele porre.

Peter tornou a movimentar os braços, como se tentasse esconder o que havia por baixo.

— O que você tem aí? — perguntou ela.

— Não é nada — respondeu Peter, enunciando cada sílaba devagar.

Era uma foto. Paige podia ver pelo menos isso, embora nada mais. Sentia uma depressão angustiante lá no fundo.

— Disse que tinha destruído todas as fotos, Peter.

— Bem que tentei. Joguei todas no lixo. Mas voltei a retirar. É tudo que tenho dela agora.

— Mas não é certo — argumentou Paige. — Você sabe muito bem que não é. Essas fotos são impróprias, quer ela tivesse ou não 18 anos.

Peter soltou uma risada.

— Ela não tinha 18 anos. Talvez quisesse ter... mas havia aquelas linhas mínimas nas mãos... — Ele gesticulou. — ... e no pescoço... aquelas veias azuladas nas coxas... e posso lhe garantir que ela não gostava disso nem um pouco.

Paige aproveitou a oportunidade dos gestos para pegar a foto na mesa. Antes mesmo de virá-la para o lado certo, ela teve um estranho pressentimento do que encontraria. Era uma foto de Mara, completamente vestida, sorrindo para a câmera, com uma imobilidade que poucas pessoas jamais haviam testemunhado.

A grande depressão interior aumentou ainda mais. Não era pedofilia. O que era então? Fascinação? Obsessão? *Amor?*

— É linda — murmurou Paige. — Não sabia que você havia tirado fotos dela.

Ele pegou a foto. Pôs na mesa. Esfregou a superfície com as palmas, numa tentativa de alisar as dobras.

— Centenas — balbuciou Peter. — Mais do que centenas.

Paige puxou uma cadeira e sentou-se ao lado dele.

— Ela devia gostar. Devia se sentir desejada.

Peter franziu o rosto.

— Ela era... era... desejada.

— Amada também?

— Amada... hum... — Ele tornou a franzir o rosto. — Ela dizia que eu estragava as coisas.

— Estragava o quê?

— Nós. Que eu sempre encontrava um meio de arruinar tudo. — Peter levantou o rosto para fitar Paige. — Com as mulheres.

A expressão era sugestiva. Ele voltou a se fixar na foto, pensativo.

— Disse que eu pensava que não merecia nada bom. Não é uma estupidez?

Peter tornou a levantar os olhos. Antes que Paige pudesse responder, ele estendeu a mão para a garrafa. Ela segurou-a.

— Não acha que já bebeu o suficiente?

— Nunca é suficiente quando se está sozinho.

— Você não está sozinho. Tem amigos por toda a cidade.

— Mas ela morreu!

O rosto, subitamente, contraiu-se todo. Para horror de Paige, ele começou a chorar. Ela pôs a mão em seu ombro.

— Oh, Peter, sinto muito, mas muito mesmo.

Era amor. Um amigo trágico.

— Ela era a melhor — balbuciou ele, entre soluços.

— Sei disso.

— E eu nunca lhe disse. Ela se matou porque achava que ninguém se importava.

— Não foi por isso. Houve uma combinação de fatores...

— Foi por minha causa!

Paige apertou o braço dele.

— Não, Peter, não foi você, como também não fui eu, Angie ou a família dela. Todos nós pensávamos que ela era mais dura do que na realidade. Por isso, cometemos erros com Mara. Mas não foi qualquer um desses erros que a levou ao desespero. Houve uma série de coisas, e não tínhamos qualquer controle sobre algumas delas.

Peter sacudia a cabeça. A voz mais suave, Paige acrescentou:

— Não sabemos se foi mesmo suicídio.

— Fui o culpado.

— Pode ter sido por pura exaustão. Mara sempre exigia muito de si mesma. E desta vez pode ter ido além da conta.

Quando ele tornou a estender a mão para o uísque, Paige levou as duas garrafas para a credência por trás da mesa.

— Preciso do uísque — murmurou Peter.

Uma pausa, e ele acrescentou, enquanto a pele adquiria uma ominosa tonalidade esverdeada:

— Não estou me sentindo bem...

Paige conseguiu levá-lo para o banheiro bem a tempo. Depois que Peter despejou o que tinha no estômago, ela ajudou-o a se limpar. Conduziu-o para a cozinha, sentou-o numa cadeira e fez um bule de café, forte e cafeinado. Obrigou-o a tomar, até deixá-lo mais ou menos sóbrio.

— Sente-se melhor?

Peter tinha a cabeça comprimida contra as palmas das mãos. Os cabelos projetavam-se para todos os lados.

— Não muito. Mas pelo menos agora posso pensar. — Ele ficou em silêncio por um momento. — Falei muita coisa?

— Não.

— Nenhuma confissão terrível?

Paige sorriu e balançou a cabeça em negativa. Não havia sentido em chutar um homem que já estava caído.

— Apenas que você gostava de Mara e que sente muita saudade. O que fez com que eu me sentisse um pouco mais normal. Penso nela a todo momento.

— A culpa é sua — resmungou ele. — Está protelando a contratação de um outro médico.

— Não estou, não. Já mandei publicar um anúncio, mas só vai sair daqui a uma semana. Arrumaremos alguém.

— E você acorda e vê aquela menina todos os dias.

— O que me agrada muito.

— Ela faz com que você se lembre de Mara.

— Sami me ajuda a superar a angústia. Quando encontrarem uma família para a adoção definitiva, já estarei me sentindo melhor.

Paige estava servindo a última xícara de café quando se lembrou das garrafas de uísque, que, sob hipótese alguma, deviam ser encontradas.

— Beba todo o café. Volto num instante.

Ela voltou à sala de Peter. Estava pegando as garrafas pelo gargalo quando uma coisa na credência atraiu sua atenção. Era uma carta, escrita à mão, em papel apergaminhado, rosa, com uma fragrância especial. Quando tentou situá-la, ela pensou no mesmo instante na Mount Court.

Apreensiva, Paige pegou a carta. Em cima, no centro, havia um monograma em relevo, com tantos arabescos, que se tornava indecifrável. O que não acontecia com a letra. Era bonita e impecável, o tipo de letra que carecia de maturidade.

"Caro Dr. Grace", ela leu:

Só queria que soubesse que lamento muito se o deixei numa situação embaraçosa no parque. Eu queria apenas ficar com você. Parece que espe-

rei durante toda a minha vida para que você me visse daquele jeito. Não sou mais a menininha que era quando cheguei a Tucker. Já estou crescida. E você sabe disso agora. Tenho certeza de que estão sensacionais as fotos que tirou.

Paige não leu mais nada. Furiosa, voltou à cozinha e jogou a carta na mesa, na frente de Peter.

— O que é isso? — indagou ela.

Ele franziu o rosto. Olhou para o papel e murmurou:

— Uma carta de Julie Engel.

— É óbvio. Mas o que significa?

Peter levantou a mão.

— Não grite.

— Disse que não tinha um problema! — gritou Paige.

Ele estremeceu.

— E não tenho.

— Então por que Julie Engel lhe envia cartas perfumadas?

— Porque ela tem uma imaginação distorcida. Foi ela quem me procurou, e não eu. E tratei de me afastar. A carta é um pedido de desculpa.

— E um agradecimento pelas fotos que você tirou. Que fotos, Peter?

— Fotos dela. Para o aniversário da madrasta.

— Ora, por favor!

Paige revirou os olhos. Depois de ouvir os soluços embriagados de Peter, depois de limpá-lo quando ele vomitara, depois de restaurá-lo na sobriedade, ela sentia-se traída.

— Eram mesmo — insistiu Peter. — Ou pelo menos foi o que ela me contou. E as fotos eram inocentes. Afastei-me no instante em que ela desabotoou a blusa. Quando cheguei em casa, expus o filme.

Ele segurava a xícara de café com as duas mãos, mas ainda assim tremeu um pouco quando a levou à boca. Paige suspirou.

— Espero que sim, Peter. Porque preencher duas vagas de médico seria tão fácil quanto uma só. Vou perguntar pela última vez. Você tem um problema?

— Pergunte a Julie.

— Estou perguntando a você. Preciso de uma resposta. Em nome de todas as crianças que recebemos aqui ao longo de um ano, quero saber se há alguma razão, absolutamente qualquer uma, para que você não esteja clinicando.

Peter levantou-se, parecendo cansado, mas firme.

— Não há nenhuma razão. — Ele apontou com o queixo para a xícara meio vazia de café em cima da mesa. — Obrigado por nada.

Ele se retirou. Paige observou-o se afastar em linha reta pelo corredor, antes de começar a arrumar a cozinha.

Dezesseis

Na noite de sábado, pouco depois das dez horas, Peter entrou na estrada para o cemitério. Acelerou o carro o suficiente para chegar ao alto da colina. Saltou, pegou um pequeno buquê de flores no banco traseiro e atravessou o gramado em direção à sepultura de Mara.

Uma lua crescente pairava baixo no céu, muito delgada para projetar sombras. Mas a escuridão não o assustava. Nem o campo de lápides, delimitando aquela terra dos mortos. Afinal, vivera com um fantasma por semanas. Nada do que encontrasse ali poderia ser pior.

Estava absolutamente sóbrio. Nada mais forte do que um suco de fruta passara por seus lábios desde a noite em que bancara o babaca na frente de Paige. Os detalhes daquela noite eram confusos, lembrava-se apenas de trechos fragmentados da conversa. Mas eram o suficiente para confirmar suas piores suspeitas. Tivera de fazer um grande esforço para fitar Paige nos olhos, na manhã seguinte, e lhe assegurar que se encontrava em condições de receber os pacientes.

A lápide de Mara era um bloco sólido de granito local, ao natural, sem qualquer acabamento, exceto pelo quadrado polido em que seu nome fora esculpido, os anos de nascimento e morte e um epitáfio: "Querida amiga e médica, uma vez amada, nunca esquecida".

Peter removeu as folhas de cima da lápide e depois do chão em sua base. Jogou para o lado o buquê que deixara ali na semana anterior e pôs o novo. As flores eram amarelas e vermelhas, vibrantes, como Mara teria gostado. Embora soubesse que não durariam muito, sentia-se satisfeito por lhe trazer alguma coisa.

Melhor mais tarde do que nunca, pensou Peter, sentando-se sobre a pilha de folhas que formara.

— Apenas uma visita — murmurou ele. — A vida é solitária.

Não vira Lacey desde aquela noite e não tencionava tornar a vê-la. O relacionamento concluíra seu curso e tivera uma morte, ironicamente, mais permanente do que aquela. E fora um relacionamento menos substancial. Já admitira para Paige; podia muito bem admitir para Mara.

— Não há muitas mulheres como você. — Ele sentia uma falta imensa. — Por isso, não sei o que farei agora.

Pode começar a namorar alguma mulher daqui, ele ouviu-a dizer.

— Eis algo que nunca fiz, em toda a minha vida. E você sabe disso.

Pode começar.

— Por que deveria? Não me queriam quando eu era adolescente, e não preciso delas agora. Além do mais, elas sabem demais. Conhecem meus irmãos.

E fariam comparações? Isso é besteira, Peter. Ninguém mais o compara com seus irmãos. Está tudo em sua cabeça.

— É possível, mas nem por isso deixa de ser menos real. E não me diga que sou inseguro. Escreveu sobre isso nas cartas?

Não precisava. Qualquer pessoa que o conheça pode perceber que é inseguro.

— Muito obrigado. Você sempre teve um jeito especial de fazer com que eu me sinta bem. Teria sido tão terrível dizer coisas boas a meu respeito?

Mas eu disse.

— Disse? Sobre o quê?

O que você acha?

— Disse mesmo? — O pensamento agradava-o. — Gostaria de saber se Paige ficou impressionada. Bem que preciso melhorar minha imagem com ela. Neste momento, ela pensa que sinto uma atração por meninas. Insisti que só gosto de mulheres adultas, mas ela não acredita. Acha que não devo mais praticar a medicina.

Tenha paciência com ela, Peter. Paige está sob tensão.
— Eu também estou. Ela está adiando a contratação de outro médico; e tenho certeza de que você seria a primeira a lhe dizer que isso é necessário.
Se ela está protelando, você pode tomar a iniciativa.
— Eu? Nada disso. É função de Paige. Ela entrevista os candidatos e depois os apresenta a mim, para aprovação. Dessa maneira, não preciso perder tempo com qualquer um.
Mas há um outro lado.
— É mesmo?
É, sim. Você não tem tanta influência sobre quem será contratado. Paige pode excluir uma pessoa — por exemplo, uma jovem deslumbrante — com quem você gostaria de trabalhar.
Mara tinha razão nesse ponto.
— Acho que tem razão. Paige toma decisões demais. Tem muito poder. Faz com que se sinta importante. Poderia chegar ao ponto de apresentar acusações infundadas contra mim ao conselho de medicina, pedindo a cassação de minha licença. Se algum dia ela tentar isso, vai ter uma briga e tanto. A licença de médico é tão importante para mim quanto é para você. — Uma pausa, e ele corrigiu. — Quanto era para você. Sem isso, eu estaria morto.
Uma sirene gemeu a distância.
— Um acidente de carro. Onde terá sido desta vez? — Peter levantou a gola do casaco contra o frio da noite. — Provavelmente um velho que jogou sua picape contra uma árvore.
Você é terrível.
— Nada disso. Sou apenas objetivo. — Ele estremeceu e lançou um olhar para as árvores, cada vez mais desfolhadas. — O inverno se aproxima. Teremos neve dentro de um mês.
Peter se perguntou se faria frio por baixo de sete palmos de terra. Tratou de se controlar. Se era mesmo objetivo, tinha de aceitar o fato de que Mara não estaria sentindo absolutamente nada, nem naquele inverno, nem no outro, nem dali a dez ou cem anos. Ela estava morta. M-o-r-t-a.
Ele se levantou, antes que a transitoriedade de tudo o envolvesse por completo.

— Tenho de ir agora. Posso ouvir outra sirene se aproximando. Alguma coisa grave aconteceu. Talvez precisem de um médico.

Peter afastou-se alguns passos, mas logo tornou a se virar e voltou. Ajoelhou-se junto da lápide, pôs as flores mais perto, encostou as pontas dos dedos nas letras do nome e sussurrou:

— Volto depois.

Com uma tremenda pressão no peito, onde estavam seus sentimentos por Mara, ele atravessou o gramado, entrou em seu carro e desceu a colina, em busca de distração.

Com a canoa presa no alto do Explorer, o material de acampamento empilhado na traseira e Tucker a menos de meia hora de viagem, Noah experimentou o tipo de satisfação que vinha da exaustão pelo esforço físico e da recompensa emocional.

Sara dormia no banco, ao seu lado, encostada na porta, esticando todo o cinto de segurança. Ele verificou — pela décima vez — se a porta estava realmente trancada. Mesmo assim, daria qualquer coisa para que a filha se inclinasse na direção oposta, encostando-se nele. A linguagem do corpo era eloqüente. Mas ele podia ser paciente.

Haviam percorrido um longo caminho juntos, nos últimos dias. Não chegaram a conversar muito, mas pelo menos cooperavam em tudo. Sara não se queixara de carregar a canoa, de montar a barraca na noite anterior ou de acordar com uma breve e inesperada nevasca naquela manhã. É verdade que ele teria adorado se a filha demonstrasse algum entusiasmo. Teria adorado se ela dissesse "Puxa, papai, isso é sensacional!", "Como você é bom nessas coisas!" ou "Aposto que nenhuma das minhas amigas está aproveitando tanto o feriado!".

As luzes de uma ambulância apareceram no espelho retrovisor, logo acompanhadas pelo aumento do som da sirene. Noah afastou-se o máximo possível para a direita sem bater no *guard-rail* que delimitava a estrada de duas faixas de rolamento. Não queria saber o que havia além daquela proteção; a topografia da área sugeria uma queda de dez metros, além das árvores, para um córrego passando lá embaixo. Pela décima primeira vez, ele verificou a porta de Sara.

A ambulância passou. Noah voltou à estrada, retomando a velocidade anterior. Eram dez e quinze. Haviam acordado ao amanhecer. Tomaram café e desmontaram o acampamento, antes de entrar na água. Na metade da manhã, o sol trouxera um calor que fez com que a nevasca parecesse uma piada.

Ele sentia-se contente por ter escolhido esse dia para a canoagem. Mais algumas semanas, e a nevasca teria sido muito pior. Ele adorava pensar nisso — a natureza era bela quando envolta por um manto branco, reduzida aos elementos básicos em tamanho e formato, e por isso mais fascinante —, mas não tinha certeza se Sara também apreciaria. Talvez dentro de alguns anos. Poderiam ir mais para o norte. Numa excursão de três ou quatro dias. Inclusive descer pelas corredeiras.

Uma lua crescente espiava pelos galhos vazios das árvores. Um mês antes, estaria oculta pelas folhas, o que seria uma pena. O fantasma de sua totalidade pairando no céu era uma confirmação da fonte vigorosa de sua luz.

Outra ambulância apareceu no espelho retrovisor. Noah tornou a se deslocar para a direita. Não era apenas uma desta vez, mas três ambulâncias, passando em rápida sucessão, numa velocidade que ele julgaria insegura, se não soubesse que tudo era relativo. Três ambulâncias indicavam uma tragédia. Ele se perguntou onde poderia ter sido.

Sara se mexeu. Ergueu a cabeça no instante em que a última luz piscando desaparecia, além de uma curva na estrada.

— O que aconteceu?

— Não sei. Mas deve ter sido algo grave. As ambulâncias estão vindo de toda parte.

Ela se sentou direito.

— Talvez tenha sido um acidente de carro.

— São muitas ambulâncias para um acidente de carro.

— Ou um desastre com um ônibus. Ou um louco dando tiros no Tavern, em Tucker.

Noah lançou um olhar divertido para a filha.

— Você tem uma imaginação delirante, querida.

Ela deu de ombros.

— Aconteceu em San Francisco. Numa lanchonete, com famílias e crianças por toda parte.

— Isso é a violência urbana. A possibilidade de que também aconteça num lugar tão pequeno e tranqüilo quanto Tucker é muito remota.

Mas ele viu outra ambulância se aproximando por trás. Eram duas naquele grupo. Depois que passaram, ele comentou:

— Talvez você tenha razão.

— Podemos ir atrás?

— Não. Só iríamos atrapalhar. — E Noah não tinha a menor intenção de deixar que a filha visse sangue, cenas macabras. — Vamos direto para casa. Se foi alguma coisa grande, saberemos logo.

— Na Mount Court? — A luz do painel iluminava a expressão de "Caia na real" de Sara. — Estamos tão longe de Tucker quanto se pode ficar, embora ainda nos limites da cidade.

— É uma observação perspicaz, Sara. E verdadeira, em muitos níveis.

— Eles nos odeiam.

— Nada disso. Apenas não nos conhecem. Têm uma noção preconcebida de quem somos, do que representamos e de como nos comportamos. Infelizmente, o péssimo comportamento de um pequeno grupo de estudantes, nos últimos anos, alimentou tal ressentimento. Talvez este ano deixemos uma impressão melhor.

Outra ambulância se aproximou, passou direto e desapareceu com a sirene gemendo. Pelas contas de Noah, era a sétima. Já começava a pensar que talvez a imaginação delirante de Sara não estivesse tão longe da verdade quando ela perguntou:

— Acha que a Dra. Pfeiffer está envolvida?

Paige ferida?

— Por Deus, espero que não!

— Mas, se há tantos feridos para encher todas essas ambulâncias, não precisariam de sua ajuda?

Noah tratou de conter o coração disparado.

— Como médica. Tem razão. Claro que precisariam.

— Só que ela viajou neste fim de semana. Foi para a casa da avó. Eu a ouvi dizer isso para a babá na noite em que jantei em sua casa.

Noah sentiu-se aliviado ao saber que Paige se encontrava longe da tragédia, qualquer que fosse.

— Se precisarem dela, tenho certeza de que saberão onde encontrá-la.
— Deve ser horrível.
— O quê?
— Ficar à disposição durante todo o tempo. Pode estar tendo um jantar tranqüilo, até mesmo num restaurante, receber um telefonema, parar de comer e deixar sozinha a pessoa em sua companhia, a fim de correr para o hospital.
— É parte da profissão médica.
— Pois me sinto contente por ela não ser *minha* mãe.

O comentário foi tão incisivo, que Noah precisaria ser totalmente ignorante do funcionamento da mente adolescente para não entender a mensagem.

Angie sentia-se melhor consigo mesma e com sua vida, como não acontecia há semanas. Ela e Ben haviam levado Dougie para Montpelier, onde permaneceram várias horas, passeando pela cidade, antes de jantar cedo. Depois, voltaram para Tucker e pegaram dois filmes na Reels. Já haviam assistido ao primeiro e agora começavam a assistir ao segundo.

A melhor parte era o fato de que ela não resolvera nada. O dia fora decidido por Ben, do começo ao fim... exceto pela pipoca, que ela acabara de fazer no microondas e sobre a qual agora pingava manteiga derretida.

Quase nunca fazia isso. Pingar manteiga derretida sobre a pipoca era uma contradição em relação à facilidade do microondas. Mas hoje ela queria fazer coisas de uma maneira diferente. Estava decidida a sair da rotina por ela determinada nos últimos anos; e, se isso significava pingar manteiga derretida sobre a pipoca, esquecer que o segundo filme fora escolha de Ben e era considerado impróprio para menores ou ignorar os gemidos intermitentes das ambulâncias, nos últimos dez minutos, ela não hesitaria.

— O que terá acontecido? — indagou Ben, quando ela voltou à sala com a pipoca.

— Não tenho a menor idéia — respondeu Angie, com uma indiferença calculada. — O plantão desta noite é de Peter. Ele cuidará de tudo que acontecer.

Ela não olhou para Ben, a fim de verificar se ele ficara satisfeito com a resposta. Só podia estar. A declaração indicava que a família vinha em primeiro lugar, o que era uma parte do que o marido queria.

— Sente aqui, mamãe. — Dougie chegou para o lado, a fim de dar lugar para Angie, entre ele e Ben. — O filme já vai começar. E este é muito bom.

— Como sabe?

— Já assisti.

Angie ousou lançar um olhar rápido para Ben.

— Quando?

— Na escola. Alguns garotos alugaram.

— Mas é impróprio para menores.

— Eles são mais velhos.

— Hã...

— Não há muita diferença se ele assiste conosco ou com os amigos — ressaltou Ben, embora gentilmente.

Ele estava tentando, Angie sabia. O que tornava tudo mais fácil.

— Melhor conosco — declarou ela, jovial. — Assim, podemos esclarecer suas dúvidas. Ou fazer comentários sobre o que está acontecendo... ou tapar seus olhos nas cenas mais explícitas.

— A classificação de impróprio não é por cenas de sexo explícito — informou Dougie. — É pela violência.

— Violência... O filme deve ser adorável. — A sirene de outra ambulância gemeu a distância. — Com os efeitos sonoros lá fora e a violência que você diz que o filme tem, provavelmente serei eu quem terá pesadelos.

Mas a verdade é que ela não se importava. Sentada entre o marido e o filho, com uma tigela de pipoca com manteiga passando de mão em mão, num clima de boa vontade, Angie não se importaria se tivesse pesadelos por vários dias. O momento valia a pena.

Ben estendeu a mão para trás, a fim de apagar a luz. Ficaram no escuro, apenas com o brilho da televisão. O telefone tocou no momento em que os primeiros créditos apareceram na tela.

O reflexo levou Angie a se inclinar para a frente. Mas ela mudou de idéia e cutucou o filho.

— Tem sido para você durante todo o fim de semana. Vá atender. Podemos parar o filme.

Ela pensou que fora uma boa idéia. Afinal, Ben dizia que ela sufocava o filho. Que melhor maneira podia haver para atenuar o controle do que deixá-lo atender suas próprias ligações? E não era pedir muito, apenas uma curta caminhada através da sala. Um momento depois, Dougie avisou:

— É para você, mamãe.

— Desculpe.

Angie levantou-se e foi pegar o fone, que o filho estendia.

— Alô?

Ela sabia que era trabalho. Ninguém ligaria àquela hora da noite de sábado por diversão.

— Angie, temos um problema — declarou Peter.

Se ele ia dizer que estava na cama com uma mulher e queria que ela lhe desse cobertura, a resposta seria não.

— Lembra do *show* do Henderson Wheel no cinema, com a lotação esgotada há dias? — continuou Peter. — O *show* que Jamie Cox ficou tão orgulhoso por ter contratado?

— O que aconteceu? — indagou ela, com um mau pressentimento.

— A porra do balcão desabou. Cem pessoas em cima, outras cem quatro metros abaixo, com madeira apodrecida, reboco e cadeiras por toda parte. — Peter soltou um grunhido de incredulidade. — Ninguém sabe quantas pessoas estão feridas... ou pior ainda. Estão removendo as pessoas da melhor forma possível. A sala de emergência do hospital está uma loucura. Ambulâncias chegam aqui a cada dois minutos trazendo feridos e saem em seguida para buscar mais. Os casos críticos estão sendo levados para outros hospitais de helicóptero, mas temos de cuidar do restante. Precisam de nós, Angie. Sabe onde posso encontrar Paige?

A mente de Angie focalizou todo o horror, muito real, e bem pior do que qualquer filme com a classificação de impróprio. Enlaçando o próprio corpo, contra o frio que a invadia, ela olhou para Ben. O marido levantara-se do sofá e se aproximava.

— Sabe onde está Paige?
— Hã... na casa da avó. Tenho o telefone. Ligarei para ela.
— E venha para cá o mais depressa que puder. É uma tragédia terrível.

Peter desligou.
— Oh, Deus! — balbuciou Angie.
— O que aconteceu? — perguntou Ben.
— O balcão do cinema desabou no meio do *show* do Henderson Wheel. Centenas de pessoas estão feridas, sendo levadas para o hospital.
— O *show*? — repetiu Dougie, muito pálido. — Metade da cidade ia assistir.

Angie pôs a mão no ombro do filho, num gesto confortador, enquanto olhava para Ben com uma expressão suplicante.

— Mara sabia que acabaria acontecendo. Sempre avisou que o cinema não oferecia a menor segurança.
— Mas ela não conseguiria impedir o *show* — declarou Ben. — Cox planejava-o há muito tempo. Nunca permitiria que ela interferisse.
— Acha que ele a matou? — perguntou Dougie.
— Não! — responderam Angie e Ben ao mesmo tempo.

Angie abrandou o tom de voz.
— Tenho certeza de que não. Mas as pessoas pensarão muito em Mara nos próximos dias.

Ela tornou a olhar para o marido, com uma expressão inquisitiva. Ben acenou com a cabeça para a porta, num gesto quase imperceptível.

— Pode ir — murmurou ele. — Precisam de você.
— Eu queria ficar aqui.
— Sei disso. Mas é uma emergência. Não uma coisa que escolheu em vez da nossa companhia. E, neste momento, precisam mais de você no hospital do que nós aqui.

Alguma coisa envolveu o coração de Angie, diminuindo um pouco o frio intenso que surgira com as palavras de Peter. Ela balançou a cabeça. Abraçou Dougie. Depois, num súbito impulso, também abraçou o marido. Foi abrir a gaveta da escrivaninha. Encontrou o número de Nonny no caderninho de telefones e ligou.

Paige estava dormindo, no tapete vermelho de lã na frente do fogo, quando o telefone tocou. O barulho era tão deslocado, que ela teve um sobressalto. Mas Nonny, que lia em sua cadeira de vime branca, apenas estendeu o braço e atendeu.

— Alô? — Ela falou com a mesma ternura que exibia noite e dia. Escutou por um instante, olhou para Paige e disse: — Claro que não me acordou, Angie. Já Paige estava dormindo, assim como minha linda criancinha há horas em seu berço. Mas eu só costumo deitar daqui a uma ou duas horas. Algum problema? Você parece muito ansiosa.

Paige ficou de joelhos, pronta para atender.

— Oh, não... — murmurou Nonny. — Claro... Não, querida, não foi nada. Ela acordou quando o telefone tocou. Vai atender agora.

— Angie? — disse Paige, olhando para o relógio.

— Aconteceu uma coisa horrível, Paige. O balcão do cinema desabou durante o *show* do Henderson Wheel.

— O quê?

— Há dezenas de feridos. Peter acaba de me telefonar. Estou de saída para o hospital. Vamos precisar de toda ajuda possível. O hospital deve estar uma loucura. Detesto lhe pedir que deixe a casa de Nonny, mas é bem possível que alguns dos nossos pacientes tenham ido ao *show*.

Paige comprimiu a mão contra o coração.

— Mais do que isso. Jill foi, com uma amiga. E elas são nossas. *Desabou?*

— Foi o que Peter disse. Você vem?

— Já estou a caminho. Angie, há alguma possibilidade...

Ela não disse mais nada, mas Angie compreendeu.

— Não sei. Descobriremos em breve.

Paige desligou. Relatou para Nonny o que acontecera.

— Tucker não está preparada para tamanho desastre. — Seus pensamentos turbilhonavam. — Mara sempre previu um incêndio. Agora, em vez de queimaduras, teremos corpos esmagados. Preciso voltar.

— Claro, querida.

— Mas não posso levar Sami.

Ainda mais se Jill ficou ferida.

— Ela ficará comigo aqui.

Era a solução mais simples, uma vez que Sami já estava ali.

— Detesto pedir.

— Nem precisava. Já disse que ela ficará comigo.

— Mas voltarei amanhã de manhã para buscá-la.

— Não se trabalhar a noite inteira e precisar dormir. Ela ficará bem comigo, Paige. Você trouxe um estoque de fraldas que dá para uma semana.

— Só até amanhã. Talvez à tarde, se eu estiver muito cansada, e parar em casa para tirar um cochilo. Posso lhe telefonar?

— Claro que sim. Mas, se eu não atender, não fique preocupada. Só quero que deixe aquele carrinho que usamos esta tarde. Gostei muito. Minha amiga Elisabeth sai com os netos no carrinho mais luxuoso que já vi. Alega que é o mais moderno que existe, mas tem tantas camadas de acolchoado, tantos absorvedores de choques e protetores contra o sol, sem falar nas mantas... que mal se consegue ver a criança. Prefiro seu carrinho. Quero ficar vendo a minha Sami.

Ela não é sua Sami, assim como também não é minha, Paige teve vontade de dizer. Afinal, era tão divertido levar Sami para visitar Nonny, que podia se tornar um hábito. E os lembretes regulares dos fatos da vida eram indispensáveis.

Mas os fatos da vida, naquele momento, com a tragédia em Tucker, já eram bastante brutais e não precisavam de um reforço. Por isso, Paige limitou-se a abraçar a avó.

— Você é minha salvadora.

— É para isso que continuo vivendo. Dirija com todo o cuidado, ouviu?

* * *

Paige deu uma volta ao entrar em Tucker, para não ter de passar pelo cinema. A rua devia estar congestionada com as ambulâncias e outros veículos de emergência. Além disso, os helicópteros — ela vira dois levantando vôo e seguindo em direções diferentes — também causariam atrasos. E a última coisa que ela queria era ficar detida no tráfego.

O acesso ao hospital também não era fácil. Por isso, ela estacionou junto de sua clínica e correu até a entrada de emergência do hospital.

Confusão e tragédia reinavam no local. O som atingiu Paige primeiro, a dissonância de gemidos e gritos, anunciando dor e medo, depois o cheiro, o anti-séptico do tratamento preliminar, sobre o qual prevalecia o mofo, que qualquer pessoa que já estivera no velho cinema poderia reconhecer.

A sala de espera estava lotada de vítimas, espalhadas nas mais diversas posições. Algumas estavam sentadas, outras deitadas, outras mais apoiadas de uma forma precária em móveis ou nas paredes, aninhando alguma parte do corpo. Roupas e peles estavam dilaceradas, ensangüentadas e sujas.

O treinamento médico de Paige incluíra conversas sobre desastres com inúmeros feridos. Mas ela nunca passara por essa experiência e nunca imaginara que poderia acontecer numa cidade que conhecia tão bem. Se a multidão fosse só de adultos já seria suficiente para que ela sentisse um pavor gelado, mas a maioria dos rostos que ela avistou, por toda parte, era de adolescentes. Vários eram familiares, mas ela não avistou Jill nem sua amiga. Alguns feridos eram confortados por pais ou irmãos, que haviam corrido para o hospital. Outros se agarravam a jovens também feridos.

A enfermeira de triagem estava parada à porta, com uma prancheta transbordando de papéis, a expressão atordoada.

— Todos já foram registrados? — perguntou Paige.

Ela podia avistar os crachás verdes aqui e ali. A enfermeira confirmou com um aceno de cabeça.

— Acho que sim. Mas há gente demais. Os casos mais críticos foram levados de helicóptero para o centro de traumatismo em Burlington. Dois foram trazidos para cá até ficarem em condições hemodinâmicas estáveis, mas também já foram embora. Você perdeu os piores.

— Fatalidades? — sussurrou Paige.

— Três no local — sussurrou a enfermeira em resposta.

Paige fechou os olhos por um instante, mas foi tudo que se permitiu. Mais de uma hora já transcorrera desde o desabamento. Os casos de maior gravidade, que não haviam sido levados de helicóptero, deviam estar nas salas de cirurgia no segundo andar ou em outras partes do hospital. As vítimas com alguma gravidade, mas em condições estáveis, deviam estar nos cubículos de emergência. Onde sua ajuda seria mais necessária.

Ela tentou seguir em linha reta para lá, mas não havia como se apressar pelo labirinto de gente em sofrimento. Os feridos variavam de adolescentes a pessoas na casa dos 30 anos, agrupados com seus amigos. Ela avistou pacientes e ex-pacientes. Paige tentou confortar cada um, oferecendo palavras de encorajamento. Quando perdia alguém, era chamada no mesmo instante:

— Dra. Pfeiffer! Estou aqui!

Ela alcançou uma menina de 16 anos, cuja família a apoiara no peitoril da janela.

— Disseram que Leila apenas quebrou um braço e tem de esperar — queixou-se Joseph. — Mas ela sente muita dor. Alguém não pode pelo menos dar uma olhada?

Paige removeu com todo o cuidado a gaze que cobria o braço de Leila. Examinou o osso fraturado através da pele. Depois disse, com toda a gentileza possível:

— É uma fratura múltipla. Teremos de fazer uma cirurgia para ajeitar o osso. Mas, se há uma fila de espera para as salas de cirurgia, ela terá de esperar um pouco. Acabei de chegar e ainda não sei o que está acontecendo. — Para Leila, ela murmurou: — Você vai ficar boa. Acha que pode agüentar por mais algum tempo?

Leila acenou com a cabeça, numa resposta afirmativa, enquanto outra voz chamava:

— Dra. Pfeiffer!

Paige virou-se.

— Butch está gravemente ferido, Dra. Pfeiffer.

Butch estava arriado contra uma parede, ao lado da irmã, Catherine. Ex-pacientes de Paige, Catherine tinha agora 21 anos, enquanto Butch estava com 19. Ele comprimia um chumaço de gaze contra a testa, ao mesmo tempo em que segurava as costelas. Paige removeu a gaze para examinar o talho.

— Alguns pontos resolverão este problema.

Ela levantou o braço de Butch para apalpar em torno do ponto dolorido.

— Teremos de enfaixar toda esta área.

Isto é, pensou ela, presumindo que uma costela fraturada não tenha furado algum órgão.

— Sei que não estão bem... — Ela virou o rosto para incluir Catherine. — ... mas não precisam ficar assustados. Você também estava no *show*, Catherine?

Catherine confirmou com um aceno de cabeça.

— Eu estava lá na frente. A música era tão delirante e alta, que pensamos que o estrondo fosse parte do espetáculo, um efeito especial, ou qualquer coisa parecida. Só que o barulho se tornou ainda mais alto. Ouvimos gritos. Viramos para olhar. O balcão havia desabado em cima de todas aquelas pessoas. Butch estava no balcão. As pessoas que estavam embaixo foram... *esmagadas*.

— Algum de vocês viu Jill Stickley?

Três fatalidades. Três fatalidades.

— Ela estava duas filas atrás da minha — informou Butch, o que nada significava para Paige. — Dói muito quando eu falo.

— Então fique calado. E lembre-se que a dor é apenas temporária. Você quebrou algumas costelas... — Paige torcia para que não fosse mais do que isso, embora não pudesse ter certeza até submetê-lo a um exame mais meticuloso. — ... mas vai ficar bom. Agora vou ajudar os feridos mais graves. Quanto mais cedo tirarmos as pessoas das salas de exame, mais depressa você poderá entrar.

Ela foi avançando entre a multidão, pensando durante todo o tempo que Jill estava no balcão, não embaixo. Era algum conforto, mas bem pouco, já que ela poderia estar lá na frente, junto com Catherine, saindo ilesa. Se ficara no grupo dos menos feridos, os que podiam andar, com um crachá verde, poderia ter sido levada de ônibus para um hospital mais distante. Era o procedimento padrão em casos de desastres com muitas vítimas. Se isso acontecera, talvez demorasse para que Paige tivesse alguma notícia.

Paige rezou para que ela estivesse nesse grupo.

A sala de espera estava lotada com vítimas em macas e cadeiras de rodas. Os parentes dos ocupantes agrupavam-se em torno de cada um.

— Quando Trisha será examinada, Dra. Pfeiffer? — perguntou uma mãe transtornada.

Paige inclinou-se — "Oi, Trish" — e tocou a mãe de passagem, num gesto tranqüilizador.

— Assim que for possível.

— Dra. Pfeiffer, Patrick não consegue se mexer! — exclamou outra mãe.

O rapaz estava num imobilizador. Paige pôs a mão em sua testa.

— É de propósito. Não queremos que ele se mexa até podermos determinar a extensão de seus ferimentos. O colarinho duro, os blocos nas têmporas, as correias para prendê-lo na maca... tudo isso é para garantir que ele permaneça tão imóvel quanto possível.

Paige ofereceu um sorriso encorajador. Entrou na Sala A, onde o chefe da equipe de emergência, Ron Mazzie, estava inclinado sobre um dos dois pacientes ali. Era ajudado por uma enfermeira e um especialista. Quando ele levantou os olhos, Paige perguntou:

— O que deseja que eu faça?

— Sala F. Ou G. A que estiver sem atendimento. Há pacientes esperando em ambas. Obrigado por ter vindo, Paige. Precisamos de você.

— Fico contente por ajudar. Não tratou de Jill Stickley, não é?

— Não. Talvez um dos outros tenha tratado.

Paige saiu. Teria parado nas outras salas para perguntar por Jill se não fosse pelos pacientes que a esperavam no final do corredor. Não perdeu tempo à procura de um jaleco. Também não fez uma higiene meticulosa. Limitou-se a lavar as mãos, na Sala G, a que não tinha nenhum médico. Uma enfermeira já estava ali. Os dois pacientes tinham crachás amarelos. Enquanto ela enxugava as mãos, com uma toalha de papel, a enfermeira mostrou-lhe os dados vitais do paciente mais grave.

Seu nome era John Collie. Ele e os irmãos haviam sido pacientes de Peter. John tinha agora 22 anos e não ia mais à clínica, mas reconheceu Paige. Ela falou com ele, baixinho, tranqüilizadora, enquanto trabalhava.

John tinha um corte no queixo e outro, mais longo, no braço. Mas era a dor no lado esquerdo, na parte superior do abdômen, logo abaixo das costelas, que deixou Paige preocupada. Ela podia sentir uma certa rigidez ali. Se uma costela quebrara e perfurou o baço, se o sangue enchesse o órgão a ponto de provocar um rompimento, a situação de John seria muito grave.

— Quero uma tomografia — disse ela, preenchendo o pedido. — Vamos descobrir se há uma hemorragia no baço. As costelas precisam ser radiografadas, mas essa não é a maior prioridade. Há alguém que possa levá-lo para o *scanner*?

A enfermeira estendeu a cabeça pela porta e gritou:

— *Bartholomew!*

— Bartholomew? — repetiu Paige, piscando para John.

Ela examinou as lacerações. A do queixo parecia a pior delas. Depois de limpar a poeira do cinema, Paige examinou o braço.

— Terá de levar alguns pontos no braço, mas faremos a tomografia primeiro.

Ela tornou a conferir os sinais vitais e fez anotações na ficha. Levantou os olhos quando a porta foi aberta.

Bartholomew era um assistente de enfermagem enorme, cabelos e barba brancos, com quase 70 anos. O maior problema que teve, ao passar com a cama de John pela porta, foi a presença da mãe e de duas irmãs do rapaz esperando no corredor. Num tom de voz tranqüilizador, Paige explicou o que descobrira e para onde John estava sendo levado. Mandou que elas seguissem o rapaz e, depois, virou-se para a paciente da segunda maca.

Seu nome era Mary O'Reilly. Tinha 24 anos, casada, mãe de duas crianças pequenas, pacientes de Paige. O marido de Mary, Jimmy, recebera um crachá vermelho e fora levado para outro hospital. Mary sentia tanto pânico pelo marido, que não pensava muito em si mesma; e talvez fosse melhor assim. Sua coxa estava em péssimo estado. Fora perfurada por uma lasca de madeira que caíra do balcão. A lasca fora removida no local, e o talho temporariamente enfaixado. Mas era profundo o suficiente para expor o osso. Paige recorreu a toda a sua habilidade médica para reparar camadas de músculos, tendões e pele. Quando acabou, afastou os cabelos do rosto pálido e suado de Mary.

— Terá de ficar em repouso, Mary.

— Mas tenho de cuidar das crianças. E preciso saber como está Jimmy.

— Com quem estão as crianças agora?

— Com minha senhoria. — A voz elevou-se para uma estridência histérica. — Ela está nos fazendo um favor. Não saíamos desde que as crianças nasceram.

— Seus pais moram perto daqui?

— Só tem meu pai, mas ele vive em St. Johnsbury... e não fala comigo desde que casei com Jimmy.

— E os pais de Jimmy?

— Moram aqui em Tucker. — Ela se mostrou horrorizada. — Alguém tem de avisá-los sobre Jimmy!

E sobre ela também, pensou Paige. Não poderia mantê-la no hospital por muito tempo, com toda aquela multidão. Mas ela não podia ir para casa sozinha. E precisaria de ajuda com as crianças por algum tempo.

— Pedirei a alguém para avisá-los — disse Paige.

— Talvez eles já saibam. E talvez já estejam à procura de Jimmy.

— Nesse caso, sua senhoria ficará com as crianças até eles voltarem. Enquanto isso, tentaremos conseguir notícias sobre Jimmy para você.

— E se ele morreu?

— Nem pense nisso — censurou Paige, gentilmente.

Ela chegou para o lado, quando um assistente de enfermagem retirou a maca da sala. Foi até a recepção, sob o comando de uma enfermeira desesperada, que contava com a ajuda de várias voluntárias ansiosas. Pediu que entrassem em contato com os sogros e a senhoria de Mary. Foi abordada por um pai angustiado quando voltou à Sala G.

— É o meu filho que está ali. Seu nome é Alex Johnson. Quando um médico vai examiná-lo?

— Sou médica, Sr. Johnson. Ele será examinado agora. Se esperar aqui, virei informá-lo do estado de seu filho.

Alex tinha lacerações múltiplas e o fêmur fraturado. Paige trouxe a unidade portátil de radiografia para a sala e verificou a fratura. Constatou que era simples. Engessou a perna e deu pontos nos cortes. Para o pai, ela disse:

— O ideal seria mantê-lo aqui por esta noite. Nestas circunstâncias, porém, não posso fazer isso. Ele terá de usar muletas. Vamos levá-lo na maca até o carro, e o senhor o ajudará a embarcar. Ele terá de manter a perna imobilizada.

— Diga isso a ele. Alex não me escuta.

— É importante, Alex. Não pode se apoiar nessa perna. — Para os dois, Paige acrescentou: — Mantenham a perna levantada para reduzir a inchação ao mínimo. Tome aspirina para a dor. Se ficar muito desconfortável, com o gesso parecendo muito apertado ou frouxo, tem que nos avisar, pois precisamos saber. Combinado?

Ela virou-se para o paciente cuja maca substituíra a de Mary O'Reilly no outro lado da sala. Tim Hightower, de 20 anos, preso num imobilizador, fora paciente de Mara. Tinha equimoses e cortes, além de uma pequena concussão, mas a possibilidade de uma lesão cervical era a causa do medo. Paige examinou-o com todo o cuidado, usando as pontas dos dedos no crânio e no pescoço, à procura de alguma inchação ou área mais sensível. Desceu pelas costas, interrogando-o durante todo o tempo. Para seu alívio, não havia paralisia nem inibição de movimento. Os reflexos estavam como deveriam, assim como a solidez e o formato do estômago, fígado e rins. Mas as costas doíam, motivo pelo qual os paramédicos o haviam imobilizado.

— Vou limpar os cortes e mandá-lo para a unidade de radiografia lá em cima. Mas, a menos que apareça alguma coisa na radiografia, podemos presumir que uma tensão muscular nas costas é a causa de sua dor.

Ela o despachou e examinou a paciente seguinte, uma mulher de 28 anos. Tinha vários ossos faciais fraturados, o suficiente para que Paige a encaminhasse para um cirurgião plástico. Depois, ela tratou de um paciente conhecido, de 17 anos, com fraturas na clavícula e no úmero. O seguinte tinha 33 anos, com uma costela quebrada e um pulmão perfurado. A paciente seguinte tinha 29 anos, apresentando lesões abdominais que exigiriam uma cirurgia.

E assim continuou. Durante as horas subseqüentes, um fluxo incessante de pacientes manteve-a em ação, sem qualquer pausa. Quando um paciente saía, ela se virava para outro; quando este também saía, ela cuidava de outro trazido para a sala. Volta e meia aparecia um dos seus, um adolescente que pensava que teria a maior diversão de sua vida, mas agora se encontrava no hospital, ferido, angustiado, sofrendo muita dor. Mas vivo. Era o que Paige repetia para si mesma. Algumas recuperações seriam lentas. Haveria problemas com a escola, com o emprego depois das aulas, com a prática de esportes, numa cidade que reverenciava suas equipes de estudantes. Mas pelo menos as crianças estavam vivas.

A adrenalina circulava pelo organismo de Paige, encobrindo a fadiga, enquanto ela encanava ossos, dava pontos em lacerações, limpava escoriações e encaminhava para os cirurgiões as fraturas mais graves, hemorragias internas e edemas, em quantidade muito maior do que vira durante os três meses em que passara na emergência quando cursava a faculdade.

Não havia qualquer sinal de Jill, de seus pais ou da amiga. Durante uma breve pausa para um café, Paige encontrou Angie, mas ela também não vira Jill.

Três fatalidades, Paige continuava a ouvir. *Três fatalidades.*

A noite chegou ao fim antes que o último paciente com crachá amarelo fosse atendido. Com o amanhecer, foi a vez dos que tinham crachás verdes, com ferimentos menos graves, mas mesmo assim precisando de cuidados. Paige tomou mais café e comeu uma barra de chocolate na sala dos médicos. E voltou a suturar, engessar e encanar.

No meio da manhã, quando fez uma pausa, Paige ligou para a casa dos Stickleys. Ninguém atendeu. Na esperança de que Jill tivesse escapado ilesa, ela telefonou para sua própria casa. Nonny atendeu.

— O que está fazendo aí? — perguntou Paige, surpresa.

— Levantamos cedo e saímos para dar uma volta pela vizinhança. Depois, resolvemos ajudá-la e viemos para cá. — Nonny parecia bem-disposta, nem um pouco cansada da viagem. — Você está bem?

— Estou — murmurou Paige, exausta. — Mas muitos não estão. Um terrível pesadelo.

— Dormiu um pouco?

— Ainda não. Daqui a pouco. Por acaso teve notícias de Jill?

— Não. Deveria ter?

— Seria o ideal. Se ela telefonar, pode ligar para o hospital e pedir que me dêem o recado?

Nonny disse que assim faria. Paige voltou ao trabalho. Já era meio-dia quando ela arriou, exausta, na sala dos médicos, a fim de recuperar um mínimo de energia para chegar em casa. Foi nesse momento que Peter apareceu com a notícia que ela queria.

— Jill está lá em cima. Estava entre os primeiros atendidos. Teve uma fratura pélvica.

Paige soltou um murmúrio consternado.

— E o bebê?

Ele balançou a mão.

— A situação ainda está indefinida. Ela sofreu uma hemorragia, mas continua com o bebê. Por quanto tempo, ninguém sabe. Ela e a amiga estavam entre os que caíram com o balcão, mas Jill sofreu ferimentos piores. A outra garota foi levada de ônibus para Hanover.

Cansada e deprimida, Paige fechou os olhos. Não importava se Jill não planejara a gravidez... não importava se entregaria o bebê para adoção... a perda da criança seria uma tragédia.

— Tenho de vê-la.

Ela se levantou do sofá. Não dera mais que dois passos quando um rosto alarmado apareceu à porta.

— Precisamos de ajuda. Tiraram mais sete pessoas dos escombros.

Parecia que nunca mais acabaria.

Paige lançou um olhar horrorizado para Peter e saiu correndo a seu lado.

Dezessete

Peter inclinou a cabeça para a pia na Sala D e molhou o rosto. Estava exausto, mas experimentava uma satisfação que não sentia há muito e muito tempo. Ajudara um bocado. Não podia haver a menor dúvida quanto a isso. Fizera a sua parte, trabalhando junto com os outros. Agüentara firme, mesmo com aqueles últimos casos, os mais difíceis.

Se fosse para o Tavern — o que não faria, pois eram duas da tarde e planejava ir para casa, a fim de dormir pelas próximas dezessete horas —, seria aclamado como herói. Afinal, tratara de mais que uns poucos filhos de seus irmãos e amigos. Pagariam cerveja para ele por anos.

Uma boa perspectiva. Depois que dormisse um pouco.

Peter enxugou o rosto, jogou fora a toalha de papel, saiu da sala e caminhou para a saída. Quando virou no canto do corredor, quase esbarrou na maca que estava ali; e na maca, imobilizada, tão branca quanto o lençol que a cobria, estava Kate Ann Murther.

— Por favor, ajude-me — suplicou ela, num fio de voz, presa a tubos de oxigênio e soro. — Por favor, ajude-me.

A cabeça, como o resto do corpo, estava imobilizada, de tal forma que ela não podia vê-lo. Ninguém no posto de enfermagem próximo a ouvira ou ninguém se dera ao trabalho de responder. Kate Ann podia muito bem ser invisível; e quase fora isso durante toda a sua vida. Era introvertida ao extremo, uma criatura retraída, que carecia de coragem para procurar alguns confortos na vida, como amizade, contato físico e respeito.

Peter não lhe devia coisa alguma, certamente não compaixão, por ter sofrido na infância tanto quanto ele. E a última coisa que queria no mundo era se associar a uma pessoa tão insignificante quanto Kate Ann Murther.

Kate era sete anos mais moça do que ele. Jamais casara. Ao que Peter soubesse, nunca sequer tivera um namorado. Morava sozinha numa pequena casa, bem próxima da cidade, sempre com algum problema: canos congelados, telhado vazando, gambás no porão. O mesmo acontecia com seu carro, que tinha uma tendência para enguiçar nas horas e lugares mais inoportunos. Ganhava a vida fazendo a contabilidade de várias pequenas firmas da cidade, embora nenhuma delas divulgasse o fato. Deixavam os livros em sua casa e pegavam quando ela aprontava tudo, sempre depois do anoitecer, para que ninguém visse. Havia comentários zombeteiros sobre o que mais acontecia na ocasião em que os livros eram entregues ou recolhidos, mas ninguém acreditava. Kate Ann era tão tímida ao ponto de ser patética e tão patética ao ponto de ser assexuada. Não era alguém que qualquer pessoa da cidade quisesse assumir o crédito de conhecer.

O que deixou Peter mais aturdido foi o fato de descobrir que ela fora ao *show*.

— Por favor, ajude-me. Por favor, ajude-me.

Mais palavras do que ele jamais a ouvira dizer.

— Alguém me ajude, por favor.

A voz era tão baixa, triste e apavorada, que Peter não podia se virar e deixar o hospital pelos fundos... a menos que fosse feito de pedra.

Ele foi para o lado da maca, assumindo uma posição em que Kate Ann podia vê-lo.

— Qual é o problema, Kate Ann? — perguntou ele, gentilmente.

A generosidade da noite ainda estava em vigor. Ele se entregava aos menos afortunados. Mara ficaria satisfeita. Kate Ann fitou-o, com os olhos cheios de lágrimas.

— Não consigo me mexer.

Ela falou tão baixo, que Peter poderia não entender se não tivesse ouvido aquelas palavras tantas vezes nas últimas horas.

Pegou a ficha no pé da maca. Examinou-a e, contra seu melhor julgamento, sentiu uma pontada de compaixão. Especulou o que o médico que tratara de Kate Ann — segundo a ficha, fora Dick Bruno, embora este não fosse um neurocirurgião — lhe teria dito.

— Não pode se mexer porque estamos tentando mantê-la em absoluta imobilidade — disse ele, gentilmente. — Pode haver alguma lesão em sua medula espinhal. A tomografia indica que há alguma inchação. Um desses tubos de soro contém Solu-Medrol para combater a inchação. A imobilização é para prevenir qualquer dano adicional enquanto esperamos o início da recuperação.

— Mas não consigo sentir nada — sussurrou ela, os olhos tão arregalados quanto os de uma criança.

Envolvido por aqueles olhos, Peter sentiu que voltava à faculdade de medicina, iniciando sua ronda pela pediatria, diante de seu primeiro paciente. A mágoa, o medo, a dependência, depois a adoração absoluta, quando a dor passava, tudo convencera Peter de que devia se tornar um pediatra.

Kate Ann Murther não era uma criança. Não era sua paciente. Não era da sua conta. Mas, de médico para paciente, sentiu-se angustiado por ela. Foi por isso que murmurou:

— O trauma do ferimento deve tê-la deixado entorpecida.

Era a verdade, embora não toda a verdade. Kate Ann não disse nada, mas continuou a fitá-lo com aqueles enormes olhos de criança. Peter teve a súbita impressão de que falara com ela mais do que qualquer outra pessoa naquela noite.

— Falaram em levá-la para um quarto?

— Ninguém responde quando pergunto.

— Perguntarei por você.

A exaustão esquecida, Peter foi até o posto de enfermagem.

— Qual é a história de Kate Ann? — perguntou ele à enfermeira no comando.

— Kate Ann? — repetiu ela, surpresa.

— Murther. Kate Ann Murther.

Peter sacudiu a cabeça na direção da maca. A enfermeira espiou, como se não soubesse que havia alguém ali. O que deixou Peter na maior irritação. Kate Ann podia ser do tipo esquecível, e em momentos de agitação as pessoas assim costumavam ser esquecidas. Mas a agitação já havia cessado. E Kate Ann tinha uma lesão na coluna, uma possível paralisia permanente. Tinha o direito de ficar apavorada. E não era justo que fosse ignorada. Em voz baixa, mas firme, ele declarou:

— Eu gostaria que ela fosse levada para um quarto imediatamente.

A enfermeira acenou com a mão para os papéis em sua mesa.

— Onde devo pô-la? Estamos completamente lotados.

— Quero o Três-B. É lá que costumamos manter os pacientes com lesões na coluna.

— Está também lotado.

— Já sei o que vamos fazer. Eu a levarei pessoalmente lá para cima, enquanto você liga e manda que providenciem um lugar. E eles têm de encontrar. Não quero saber se vão esvaziar um depósito para isso. Mas a mulher está gravemente ferida. Precisa ser monitorada. — Peter olhou para o relógio. — Tem cinco minutos. É o tempo que precisarei para levá-la até lá.

Ele voltou para junto de Kate Ann, cujos olhos suplicavam por ajuda.

— Vou levá-la para cima. Está aquecida o bastante? — Ele tocou no braço. Parecia gelo. — Puxa, Kate Ann, você tem de falar mais alto!

Peter levou-a pelo corredor até um *closet* de suprimentos. Entrou e pegou os três últimos cobertores que havia ali. Estendeu dois sobre o seu corpo, até o queixo, e ajeitou o terceiro nos pés. Depois, levou a maca para o elevador.

A enfermeira-chefe da unidade estava angustiada quando ele chegou.

— Não temos mais nenhum quarto vago. Nossos quartos para dois pacientes já estão com três.

— Só precisamos de um canto. — Peter sentia-se tão cansado, que as palavras saíam engroladas. — Espere mais um instante, Kate Ann. Vou providenciar a melhor vista da cidade.

Foi o que ele fez. Encontrou uma pequena janela num quarto para quatro pessoas, que já tinha cinco, e podia muito bem abrigar uma sexta. Kate Ann não seria capaz de olhar pela janela, mas poderia sentir o calor do sol em seu rosto.

Depois de instalada ali, com sua ficha no posto de enfermagem e um aviso para a enfermeira-chefe de que voltaria no início da manhã seguinte para ver Kate Ann, Peter desceu no elevador. Parou na recepção o tempo suficiente para escrever um bilhete ao chefe da neurocirurgia do hospital, pedindo que dispensasse algum tempo a Kate Ann. Com a exaustão de volta repentinamente, ele foi pegar seu carro e seguiu direto para casa.

Foi só muito mais tarde que compreendeu que nunca deveria ter assinado o bilhete. Se a notícia de que era o defensor de Kate Ann Murther se espalhasse, estaria perdido.

Paige deixou o hospital depois de Peter. Seu último caso talvez tivesse sido o pior, um jovem que não apenas trabalhava no departamento de obras, um trabalho físico, mas também era o astro da liga de basquete da região. Ele ficara preso sob o tremendo peso dos escombros do balcão. Para soltá-lo, a equipe de emergência tivera de amputar sua perna.

Na comoção de sua chegada, Paige fora arrastada para a sala de cirurgia, a fim de ajudar os dois cirurgiões. Depois que os outros se retiraram, ela permaneceu com a família do paciente. Conversaram sobre a recuperação da cirurgia, a fisioterapia, uma prótese. Ninguém mencionou o basquete.

Paige ficou com eles até não poder agüentar mais um minuto sequer. Desceu a escada para o segundo andar, foi até o final do corredor, encontrou Jill entre as quatro pacientes no último quarto. Pegou a mão da jovem e inclinou-se.

— Como se sente, querida?

Jill fez um esforço para abrir os olhos. Paige sabia que levaria algum tempo antes que a tontura passasse. Por baixo do lençol, um gesso estendia-se da cintura até o joelho. Na cabeceira da cama, um monitor fetal batia firme. Numa cadeira próxima, parecendo esgotada, estava a mãe dela.

— Eu me sinto esquisita — balbuciou Jill.

— E vai continuar assim por mais algum tempo. Mas seu estado é bom.

— O bebê... eles não sabem.

— Foi por isso que instalaram um monitor, para que saibamos se o bebê terá algum problema.

Jane levantou-se. Não disse nada, mas parecia contrafeita o suficiente para indicar a Paige que queria conversar.

— Deixe-me acalmar sua mãe — disse Paige a Jill. — Voltarei num instante.

No corredor, fora do alcance da filha, Jane disse:

— Pensaram em tirar o bebê, mas acharam que poderia ser ainda muito pequeno. Disseram que farão isso se houver qualquer problema. Espero que o façam logo. Quanto mais cedo acontecer, mais fácil será tudo, ainda mais agora. Jill não pode mais ter o bebê, com o gesso e todo o resto.

— Pode, sim. Simplesmente vão esperar até que o bebê possa sobreviver sozinho e farão uma cesariana.

— Mas será que não percebe que não vai dar certo? Ela não pode mais ficar com você. Precisa de alguém para cuidar dela, mas o pai não a aceita em casa. Finge que não tem uma filha. E está pior do que nunca.

Ela não precisava dizer mais nada a respeito. Paige tinha vontade de gritar.

— Não precisa passar por isso, Jane. Já lhe disse antes. Pode falar com alguém.

Mas Jane sacudia a cabeça.

— Só serviria para piorar a situação. Ele me dará uma tremenda surra se eu contar a alguém.

— Podemos providenciar uma ordem judicial para afastá-lo.

— Mas não quero expulsá-lo de casa. É meu marido.

Paige aprendera há muito que podia expressar toda a fúria do mundo, mas isso não mudaria o fato de que muitas mulheres maltratadas prefeririam essa situação a ter de viver sozinhas. Não compreendia nem concordava, mas também nunca fora casada. Nunca amara um homem a esse ponto, muito menos alguém com problemas.

Mas isso acontecera com Mara. E Mara teria melhores condições do que Paige de conversar com mulheres como Jane Stickley.

Só que Mara não estava mais ali, e Jill esperava no quarto. Paige apertou o braço de Jane.

— Pense a respeito. Posso ajudar, se você quiser. Enquanto isso, temos de dar todo o apoio de que Jill precisa. O destino do bebê será decidido sem qualquer interferência nossa.

Com Jane em sua esteira, ela voltou ao quarto. Passou algum tempo sentada ao lado da cama de Jill. Quando Jill adormeceu, Paige saiu, com o coração apertado, e foi para casa. Parou atrás do carro de Nonny e entrou pela porta da frente.

Nonny brincava de massinha com Sami na sala de estar, com a gatinha observando, curiosa. As três formavam uma cena animadora, em contraste com a angústia no Hospital-Geral de Tucker. Paige sentiu uma vertigem de emoção.

— Oooooo... — murmurou Sami, erguendo os braços.

Paige pegou-a no colo e abraçou-a.

— Como está a menininha da mamãe?

Ela balançou Sami por um momento.

— É um prazer tornar a ver vocês duas. — Ela olhou para a gatinha. — E você também. Tenho a sensação de que passou um ano e um dia desde que nos separamos.

Paige sentou no sofá, enroscou-se no canto, com Sami ainda no colo. A gatinha subiu para se aninhar por trás de seus joelhos dobrados.

— Todos foram atendidos? — perguntou Nonny.

— Por enquanto. Perdemos mais um em Burlington. Com isso, já temos quatro vítimas fatais. Há mais de cem pessoas hospitalizadas, em Tucker e nos outros hospitais. Sem falar nos que foram tratados e mandados para casa. — Ela fechou os olhos. — O velho cinema. Mara sabia.

Paige respirou fundo.

— O cheiro aqui é tão agradável, puro e saudável, depois de tudo o que enfrentei... — Em contraste, ela sentia-se imunda. Mas estava cansada demais para se mexer. — Jill está péssima. Fraturou a pélvis. O bebê corre perigo.

— Isso é horrível. Sinto muito.

— Eu também. — Cada palavra exigia um tremendo esforço. Sami era tão quente contra seu corpo, que ela se aconchegou ainda mais. — Não vou sufocá-la.

Mas o que ela sentiu em seguida foi Nonny sacudindo-a pelo ombro.

— É melhor você ir para a cama, querida.

— Já vou.

E Paige tornou a cochilar. Desta vez foi o grito de Sami que a acordou, sobressaltada. A menina estava de pé no sofá, com o rosto a poucos centímetros de Paige.

— Ela se desvencilhou de seus braços há meia hora — explicou Nonny. — Mas se recusa a sair do sofá. Acho que estava com saudade de você.

Paige sorriu. Tocou de leve na boca de Sami.

— Iiiiiii! — exclamou a menina, sorrindo.

Paige deu um beijo em seu rosto.

— Você é um doce de criança. Mas mamãe está muito cansada. Precisa dormir. — Com um esforço enorme, ela se levantou. — Apenas por duas ou três horas. Pode ficar aqui, Nonny?

— Eu já tinha essa intenção.

— Apenas por duas ou três horas — repetiu Paige.

As últimas palavras foram retardadas pela lembrança de que ela não tinha mais uma babá.

— Por tanto tempo quanto precisar de mim. — Nonny passou o braço pela cintura da neta e impeliu-a para o quarto. — Você está com um cheiro de mofo.

— É a poeira do cinema. Foi pior do que o sangue.

— Se eu preparar um banho, vai dormir na banheira?

— Pode ter certeza de que sim. É melhor deixar para mais tarde.

Paige foi para o quarto. Mas, sem a agradável fragrância de bebê de Sami, não foi capaz de suportar o próprio cheiro. Entrou no chuveiro, ensaboou-se, enxaguou-se, enxugou-se. Foi para a cama e pegou no sono no mesmo instante.

* * *

Noah e Sara tomaram conhecimento do desastre no cinema quando foram almoçar na cidade, no início da tarde de domingo. Não precisaram fazer perguntas. Ninguém na lanchonete falava de outra coisa. Só precisavam sentar-se no reservado e escutar as conversas ao redor.

— O filho do Horace estava lá. Quebrou a perna. E o filho de Porter quebrou os dois braços.

— Metade da cidade estava naquele cinema. Ossos quebrados é o mínimo.

— O balcão caiu em cima dos que estavam por baixo. Uma coisa horrível.

— Era de se prever que acabaria acontecendo. O cinema era velho demais.

— Muito velho para abrigar um *show* de *rock*, com gente pulando e batendo os pés durante todo o tempo.

— O advogado diz que Jamie vai se estrepar.

— O velho rabugento bem que merece a lição.

— Deviam obrigá-lo a construir uma nova ala no hospital. Ouvi dizer que está transbordando.

— Mas quantos são pacientes e quantos são parentes?

— Não importa. Todos estão tentando ajudar. Não temos enfermeiras em quantidade suficiente. Soube que trouxeram algumas de Hanover.

— E médicos de Abbotsville. Todos os nossos estão trabalhando sem parar.

Sara inclinou-se para a frente.

— Acha que a Dra. Pfeiffer está lá?

— Provavelmente — respondeu Noah. — Alguém da clínica deve tê-la chamado.

— Sua babá ia ao *show*. Gostaria de saber se ela ficou ferida.

Noah deu de ombros e balançou a cabeça. Não tinha como saber. Mas continuou a pensar a respeito — e em Paige também — ao longo da tarde, enquanto ele e Sara punham o novo papel de parede no banheiro. Não era um trabalho fácil. Noah ficou esperando que a filha se queixasse, mas ela estava determinada a não lhe dar essa satisfação. Por isso, quando sua irritação aumentou ainda mais, ele propôs uma pausa.

A pretexto de verificar se ela já deixara o hospital — e, nesse caso, ouvir as notícias de uma fonte direta — seguiram de carro para a casa de Paige.

— Acho que ela tem visita — comentou Sara, quando encontraram dois carros na entrada da casa.

— Não tem problema. Não ficaremos muito tempo. Se Paige estiver em casa, deve estar exausta.

— Num sono profundo — informou a avó, apresentando-se apenas como Nonny e parecendo saber quem eles eram. — Mas vocês podem fazer uma visita a Sami e a mim. Gostamos de visitas.

Noah lançou um olhar inquisitivo para a filha. Sara deu de ombros e murmurou:

— Gosto de Sami.

Eles entraram. Foi Sara quem perguntou por Jill. Ficou consternada quando Nonny relatou o que acontecera.

— Ela vai ficar muito tempo no hospital?

— Acho que sim.

— A família está com ela?

— Tenho certeza de que sim.

— Quem vai tomar conta de Sami quando a Dra. Pfeiffer for trabalhar?

Nonny levantou o queixo.

— Claro que eu. Ela ainda não reconheceu, mas vai acabar aceitando. Sou a melhor babá por aqui.

— Posso tomar conta de Sami — ofereceu Sara.

Ela estava sentada no chão, na frente da menina, rolando uma bola. Noah achou que a filha parecia mais feliz e mais afável do que nunca. Refletiu que devia ser aquela casa, com todo o calor humano que irradiava. Ou talvez o calor viesse de Nonny, uma mulher vigorosa e animada com pouco mais de 70 anos, usando uma malha vermelha e um enorme suéter da mesma cor. Ou de Paige, mergulhada num sono profundo, no quarto ao lado, usando só Deus sabia o quê.

Mas é claro que Sara não poderia tomar conta de Sami. Foi o que Nonny disse:

— Não pode, não, Sara. Tem a escola, que é muito mais importante para você. Além do mais, eu preciso desse trabalho. Quanto mais velha fico, mais inútil me sinto. Isso fará com que eu volte à ativa.

Sara continuou a jogar bola com Sami.

— A Dra. Pfeiffer disse que morou com você quando era pequena. É verdade?

Noah escutava atentamente.

— É, sim. Minha filha... a mãe dela... é uma mulher encantadora, mas não foi feita para ser mãe. Acontece com algumas mulheres. Em geral, é melhor que reconheçam isso antes de ter filhos. Neste caso, porém, tudo acabou bem. É claro que Paige nem sempre concordou. Sentia falta da mãe e do pai. E às vezes ainda sente.

— Onde eles estão agora? — perguntou Noah.

Nonny franziu o rosto. Olhou para o teto.

— Hum... em Capri? Não, Siena... Isso mesmo, Siena.

— O que eles fazem lá? — indagou Sara.

— Não... muita... coisa — respondeu Nonny, enunciando cada palavra com cuidado, deixando transparecer algum desânimo. — Minha filha casou-se com um homem que tem muito dinheiro. Tornaram-se companheiros de diversão quando tinham 18 anos. E continuam assim. Jamais cresceram. E nunca tiveram de assumir qualquer tipo de responsabilidade.

— Mas tiveram uma filha — ressaltou Noah. — Isso é uma responsabilidade.

Contrafeita, Nonny murmurou:

— Infelizmente, eu facilitei para que se esquivassem dessa responsabilidade. Desde o início, Paige foi minha menina. Ela irradiava uma ternura que a mãe nunca demonstrou. Eu a amava por isso. Sempre me sentia feliz quando minha filha e meu genro voltavam para sua *villa*, chalé, *dacha* ou qualquer outro lugar onde estivessem morando na ocasião. Gostava de ficar com Paige só para mim.

Ela sorriu.

— Agora tenho Sami. — O sorriso se alargou para ocupar todo o rosto pequeno, de uma maneira tão encantadora, que Noah quase riu. — E agora tenho vocês dois. É maravilhoso ter visitas.

O sorriso desapareceu, substituído pelos olhos arregalados, numa súplica ansiosa.

— Vão ficar para o jantar, não é?

Com o pedido expresso daquela maneira, Noah não podia desapontá-la. Além do mais, seria capaz de fazer qualquer coisa para não ter de voltar a instalar o papel de parede no banheiro.

— Não queremos incomodar.

— Mas não é incômodo algum!

Noah já desconfiava que seria essa a resposta. Os olhos faiscando, Nonny acrescentou:

— Eu ia mesmo pedir a comida fora. E só encomendar mais um pouco. — Ela inclinou-se para Sara. — Gosta de comida mexicana?

Sara acenou com a cabeça, numa resposta afirmativa.

— Mas meu pai não gosta. Não faz bem a seu estômago. Tínhamos um problema sempre que ele ia me visitar na Califórnia. Papai perguntava o que eu queria, e sempre respondi que preferia comida mexicana. Mas os lugares para onde ele me levava eram muito chatos.

— Podemos providenciar uma canja para ele. Quanto a mim... — Nonny esfregou as mãos. — ... estou com vontade de comer uma coisa bem quente. Como *chili*. Ou *nachos* com a pimenta vermelha *jalapeño*.

Sami ficou com o rosto vermelho. Nonny passou a mão em sua cabeça.

— Também não vai querer *nachos*? Nem *chili*?

— Também deixam o estômago dela embrulhado? — perguntou Sara.

Nonny pegou Sami.

— Na verdade, não é esse o problema. — Para Noah, ela acrescentou, com uma delicadeza encantadora: — Pode nos dar licença por um minuto, enquanto vamos nos ajeitar no toalete?

Ele riu.

— Claro.

Sara levantou-se e foi com Nonny, deixando-o sozinho na sala. Como não era de deixar escapar uma boa oportunidade, Noah foi até o quarto de Paige.

Não a viu a princípio. Ela estava quase desaparecida na cama, com o edredom, lençóis, travesseiros, tudo em tons de marrom, dourado, verde e vermelho. Ele viu o que pensou ser um emaranhado de cabelos, mas descobriu que era uma gatinha, enroscada junto de um travesseiro.

Então divisou Paige. O corpo estava mais ou menos em diagonal, sob o edredom, os cabelos espalhados sobre os travesseiros; embora estivesse camuflada, Noah não teve qualquer dúvida de que era realmente ela. Seu corpo lhe dizia isso, tanto quanto os olhos, embora bem pouco de Paige estivesse à mostra. Como o edredom fora puxado até o queixo, ele não podia adivinhar o que Paige usava.

Noah chegou mais perto, estudando-lhe o rosto. Era pálido, limpo, vulnerável no sono. Os cabelos davam a impressão de estarem úmidos quando ela deitara, espalhados em ondas desordenadas. Ele afastou-os do rosto. Depois, incapaz de resistir, tocou na pele lisa. Passou os dedos pela linha reta do nariz. Pela boca. A respiração de Paige era lenta, muito mais regular que a de Noah. As pálpebras mantinham-se imóveis.

Ele sentou na cama. Ainda assim, Paige não acordou.

Noah pensou no tempo que ela acabara de passar no hospital, horas que deviam ter sido brutais. E sentiu um profundo respeito. Também sentia respeito por Nonny, que criara a filha de uma filha irresponsável para ser eminentemente responsável.

E sentiu outra emoção, esta física, concentrada na virilha. A atração era forte. Era química, desde o início; e, quanto mais ele a via, mais forte se tornava. O momento que haviam passado juntos, no jardim dos fundos da casa de Mara, parecia um sonho agora. Ou talvez fosse, porque ele sonhara tantas vezes com aquele instante, que a realidade acabara se fundindo com a imaginação.

Ele beijou a têmpora de Paige e esperou. Como ela não reagisse, beijou-a nos olhos, no rosto, sem pressa, para absorver a fragrância de sua pele. Fio a fio, Noah empurrou os cabelos de volta para o travesseiro. Passou um dedo pelo contorno da orelha. Enfiou os dedos por baixo do edredom, deixando que absorvessem o calor do pescoço.

Paige deixou escapar um murmúrio de prazer. Ele mexeu os dedos, de leve.

Os olhos se abriram. Focalizaram direto para a frente, depois se deslocaram lentamente para Noah. Ela parecia desorientada, adormecida com os olhos abertos. Mas ele não se importava nem um pouco. A boca parecia muito macia, muito doce, para resistir. Noah baixou a cabeça e beijou-a. Passou a língua ao redor. Mordiscou o lábio inferior, sugou, acariciou.

Um som bastante suave subiu pela garganta de Paige. Fechara os olhos, mas a boca continuava entreaberta, pronta para ser tomada. Noah sentia-se faminto demais para se abster. Tomou-a por completo, usando a língua para explorar o interior.

Paige tornou a emitir o mesmo som, agora acompanhado pelos primórdios de uma reação. Sua respiração ficou mais curta. E a boca comprimiu-se contra a de Noah.

Ele emoldurou o queixo de Paige com a mão, depois desceu, por baixo do edredom, por baixo do lençol. O caminho era de carne exposta, macia e quente, subindo e descendo, com o murmúrio da respiração. Noah encontrou o seio e acariciou-o, pressionando o mamilo entre os dedos. Depois, puxou as cobertas, apenas o suficiente para que a boca substituísse a mão.

Desta vez houve um grito, baixinho, mas ansioso, seguido pelo nome sussurrado de Noah. O corpo de Paige arqueava-se, procurando-o. Ela repetiu o grito quando o mamilo foi sugado.

Noah ergueu o rosto. Ela tinha as faces coradas, os lábios úmidos. Seus olhos estavam abertos de novo, desorientados agora, no turbilhão do prazer. Ele estendeu a mão por baixo das cobertas, descendo pelo abdômen, até encontrar o que procurava.

Ela suspirou alto.

— Psiu...

Noah beijou-a, enquanto movimentava a mão. Absorveu sua respiração quando se tornou mais acelerada, depois seus gritos quando subiram pela garganta, quando o corpo ficou tenso, para tremer segundos depois, num orgasmo intenso.

Ele foi lento para retirar a mão, os dedos espalhados para sentir tudo que podia, antes de romper o contato. Os seios estavam firmes, os mamilos duros. Paige pressionou as mãos sobre a dele, para mantê-la ali, até que a realidade a envolveu, ao que parecia. E nesse instante ela soltou um murmúrio que continha mais do que um pouco de embaraço. Rolou para o lado, puxou as cobertas, de tal maneira que só o topo da cabeça aparecia.

Noah queria falar. Queria lhe dizer para não ficar embaraçada, que seu prazer fora o dele, que o orgasmo fora bom para ela. E queria lhe proporcionar outro. Acima de tudo, queria se despir, meter-se por baixo das cobertas, fundindo-se com Paige, até que nada mais restasse do mundo exterior, a não ser fragmentos de memórias.

Mas o mundo exterior continuava a existir. Podia ouvi-lo em movimento, por cima de sua cabeça. Refletiu que tinha de agradecer a Nonny por manter Sara ocupada. O que seria simpático, mas não muito responsável de sua parte.

Relutante, ele ergueu-se. Empertigou-se, respirou fundo várias vezes, agradecido porque Paige estava oculta sob o edredom e assim não podia ver o contorno em sua calça. No banheiro, molhou o rosto com água fria. Mas entre o sutiã e as outras roupas descartadas, a toalha molhada no suporte e o sabonete perfumado, tudo tão reminiscente daquela pele quente e macia, ele sentiu que todo o seu corpo se contraía de novo.

De volta ao quarto, parou na janela, contemplando o jardim dos fundos. Com a perda das folhas das bétulas e bordos, as coníferas se destacavam ao sol do fim de tarde. Muito em breve aquele sol estaria ainda mais baixo e mais fraco. Muito em breve a neve cobriria os pinheiros. Muito em breve o conselho de administração escolheria o diretor permanente da Mount Court, e o tempo de Noah em Tucker chegaria ao fim.

Ocorreu-lhe que a cidade não era tão ruim assim. Mas algumas coisas estavam escritas nas estrelas, e esta era uma delas. Seu destino era dirigir uma grande escola. E não permanecer na Mount Court.

Um olhar para trás informou que Paige continuava sob as cobertas. Foi nesse instante que os sons no segundo andar aumentaram de intensidade. Aproveitando a deixa, Noah saiu do quarto.

Paige sonhou com coisas tão sedutoras e ardentes, tão eróticas, que acordou coberta de suor. O quarto estava escuro. E ela se encontrava sozinha. Um minuto inteiro transcorreu antes que o corpo parasse de tremer, até que a realidade de sua exaustão e sua causa a envolvessem. Empurrou os cabelos para trás, com o antebraço, e soltou um gemido.

Os ponteiros com um brilho verde do relógio marcavam dez horas e vinte e dois minutos. Calculou que dormira por mais de sete horas e tinha toda a intenção de continuar por mais sete. Nesse curto período, no entanto, pensou em Jill e seu bebê, em todas as outras pessoas feridas no desastre. A vida era frágil, dada como certa no dia-a-dia, embora fosse algo muito tênue. Os pais de Paige quase haviam morrido num desastre de avião. Mas quantas outras tragédias em carros haviam sido evitadas por um triz? Ou andando pelas ruas? Ou quando as pessoas sentavam num cinema, alheias ao perigo, sem imaginar que a construção poderia desabar sobre suas cabeças?

Ela pensou na volta para casa naquela tarde, encontrando Nonny e Sami. Também teve visões de Noah... ele estivera mesmo ali, ou fora apenas um sonho? Meses antes, Paige pensava que a vida era gratificante — e ainda pensava assim —, mas aqueles novos elementos haviam se ajustado com uma facilidade assustadora.

A vida era frágil. Tênue. Podia-se alcançar a felicidade, mas, quando ela acabava, vinha o desespero. Seria mesmo melhor ter amado e perdido, em vez de nunca ter amado? Ela não sabia. A angústia de querer coisas que não se podia ter era devastadora. Às vezes era melhor removê-las do pensamento e fingir que não existiam.

Chega de sonhos. Mas a realidade era mais difícil de ignorar.

E a realidade, naquele momento, era a de dezenas de pacientes, pelos quais Paige não era mais responsável, mas que desejava visitar. A realidade era uma clínica próspera, planejada para quatro médicos, mas com apenas três em atividade, muitas vezes trabalhando em dobro. A realidade era Nonny, que tinha 76 anos, parecendo ter 50, e era Sami, que tinha um ano e quatro meses, parecendo um ano. A realidade era uma equipe de *cross-country* para treinar todas as tardes, uma babá que precisava ser tratada e bem poucas horas no dia para fazer tudo que era necessário.

A exaustão fez Paige voltar a dormir. Mas ela acordou na manhã seguinte sabendo que, dentre os quatro médicos que viriam a Tucker naquela semana para serem entrevistados, um tinha de ser bom.

* * *

E um era mesmo. Ou melhor, uma. Chamava-se Cynthia Wales. Depois de completar a residência em pediatria, passara quatro anos na equipe do Hospital Pediátrico de Boston. Mas era uma mulher que apreciava a vida ao ar livre. Queria viver perto de montanhas e rios; e queria um trabalho mais flexível, deixando-lhe tempo para explorá-los. O melhor de tudo é que viera para a entrevista no início de duas semanas de férias e estava disposta a adiá-las para começar a trabalhar imediatamente na clínica.

Cynthia foi fácil de aceitar. Paige, que recebeu as melhores informações de colegas que haviam trabalhado com ela e sentiu todo o nível de energia da mulher, gostou dela desde o início. O mesmo aconteceu com Angie, que desejava passar mais tempo em casa. Ironicamente, tendo sido o único a pressionar para contratar alguém, Peter mostrou-se hesitante.

— O que o incomoda? — perguntou Paige.

Peter olhava para toda parte, menos para ela.

— Não sei.

— As credenciais de Cynthia são excelentes.

Paige compreendeu que não era uma manobra de jogo de poder da parte de Peter. Seu desnorteamento era sincero.

— Há alguma coisa nela... — Sua expressão era de angústia, mas logo se tornou de frustração. — Não. Talvez não tenha nada a ver com ela.

— Cynthia não é Mara.

— Não, não é — murmurou ele, estalando os dedos.

Paige sentiu-se grata por Peter ser capaz finalmente de admitir. Não sabia o que ele lembrava da noite em que tomara um porre, mas se mostrava menos crítico em relação a Mara desde então.

— Ela não é Mara — repetiu Paige —, mas pode ser maravilhosa com nossas famílias. Por que não experimentamos? Você mesmo disse que temos de seguir adiante, Peter.

Ele fitou-a nos olhos. Suspirou.

— Tem razão. Vamos contratá-la.

* * *

O alívio foi imediato. Cynthia era uma pilha de entusiasmo. Foi tão bem recebida pelas famílias dos pacientes que examinou, que, no final da semana, o grupo enviou uma carta explicando que ela ficaria no lugar de Mara.

Paige passou a respirar com mais facilidade. Com outra médica para normalizar a situação na clínica, podia ir mais ao hospital, onde seus serviços eram muito necessários. Cada leito estava ocupado, sem falar nos extras. Os médicos nunca eram demais, os serviços hospitalares quase não davam conta. Especialistas haviam sido chamados para tratar de muitos pacientes que Paige atendera, mas sempre havia alguma coisa para ela fazer. E ainda havia Jill, imobilizada pelo gesso, escutando o monitor fetal, especulando se o bebê sobreviveria e se era isso mesmo que ela queria. Com o pai ainda a ignorando, a mãe tentando fazer seu trabalho e visitar a filha às escondidas, sem que o marido descobrisse, e a melhor amiga ainda hospitalizada em Hanover, Jill passava a maior parte do tempo sozinha.

Por esse motivo, Paige ficou satisfeita ao entrar em seu quarto, na manhã do sábado seguinte ao desabamento, e encontrar Sara ao lado da cama.

— Mas que bela surpresa! — Ela estendeu o braço pelos ombros de Sara, mas recuou no instante seguinte. — Não me diga que ousou sair sem autorização, Sara Dickinson!

— Não. Vim com meu pai.

— Ainda bem.

Paige sentiu uma onda de calor ao pensar em Noah nas proximidades.

— Você não me disse que Jill estava grávida — comentou Sara.

— Achei que cabia a Jill decidir se queria ou não contar.

— Ela perguntou para que servia o monitor — explicou Jill. — Mas não me importo. Todo mundo sabe.

Paige sorriu em encorajamento.

— Você está bem?

A enfermeira do andar encontrara-a no corredor e informara que o bebê tivera uma crise durante a noite. Por um momento, os médicos pensaram em fazer uma cesariana, mas depois seu estado se estabilizara.

— Estou, sim — respondeu Jill. — Apenas dolorida. E não querem me dar muita coisa para a dor.

— Eles têm medo de que possa afetar o bebê.

— Eu acho que o bebê gostaria — disse Sara.

Ela fez algo com os olhos, dando a ilusão de que giravam em direções opostas ao mesmo tempo.

— Como consegue fazer isso? — indagou Paige, rindo.

Mas Jill rira também; por isso, a resposta era irrelevante. Além do mais, Sara continuou a falar, parecendo impressionada agora.

— Jill disse que os caras do Henderson Wheel vieram fazer uma visita.

Paige olhou para Jill.

— É mesmo?

— Ontem à noite. Depois que você foi embora. Robbie Howe... o baterista... é o máximo. Ficou aqui comigo por dez minutos. Disse que gostaria de ficar mais tempo, mas tinham uma apresentação em Nova Jersey.

— Sobre o que conversaram? — perguntou Sara.

— Música. O *show*. Onde iam tocar depois. Nunca aconteceu com eles nada parecido com o que houve aqui na semana passada. Logo aqui, a cidade onde nasceram. Eles se sentem angustiados. Pretendem voltar para visitar os feridos. Robbie disse que se eu precisasse de alguma coisa... se tivesse problemas de dinheiro... deveria avisar. Eles querem ajudar.

— Meu pai também — informou Sara. — Está lá embaixo agora, conversando com alguém sobre isso. Acha que os alunos da Mount Court podem ajudar as pessoas que ficaram feridas. Não podemos dar assistência médica, é claro, mas podemos visitar os pacientes ou ajudar nos trabalhos de casa.

— Que tal tomar conta de crianças? — perguntou Paige, pensando em Mary O'Reilly.

O marido de Mary sofrera uma lesão na coluna e passaria meses hospitalizado. Depois que ele fosse transferido para Tucker, Mary poderia visitá-lo. Mas ela mesma tinha a mobilidade restrita agora. Por enquanto, os sogros a ajudavam, mas o problema é que ambos trabalhavam fora.

— Claro que podemos cuidar de crianças — garantiu Sara, confiante.

Tomar conta de crianças foi apenas a primeira das coisas em que Paige pensou. A lista ficou enorme, depois que ela começou. Incluía tanto a ajuda para os que ficaram feridos pelo desabamento no cinema quanto a ajuda para os que contavam antes com o apoio dos hospitalizados. Ela transmitiu suas idéias para Noah, que estava determinado a aproveitar a oportunidade de ensinar a seus alunos uma lição de solidariedade e cooperação. O tempo que a diretora de serviços sociais do hospital precisou para organizar tudo permitiu a realização de algumas competições de outono.

Com todo o cuidado, Paige preparou sua equipe para as últimas corridas da temporada. Várias estavam correndo melhor do que nunca: as mesmas que haviam escalado a montanha com Noah e encontraram a autoconfiança lá em cima. Sara era uma delas; seus tempos continuavam a melhorar, junto com seu nível de bem-estar, se é que contar às amigas sobre Noah servia de medida. Mas, por outro lado, ocorreu a Paige que Sara podia se sentir à vontade revelando o parentesco porque a maré virara. Noah ainda não estava ganhando concursos de popularidade, mas pelo menos conquistara um mínimo de respeito no *campus*.

Paige tinha de fazer um enorme esforço para não tremer quando Noah ia assistir aos treinos. Ainda o achava deslumbrante. Até passara a gostar dele. E havia também os sonhos que tinha com bastante freqüência.

Por isso, limitava sua interação com ele a conversas sobre as garotas, que, no final das contas, constituíam o único motivo para sua presença na Mount Court. E havia muito para conversar, em particular sobre Julie Engel.

Ela era um problema. Faltava às aulas e ficava detida; deixava o dormitório depois da hora permitida e ficava detida; fumava em seu quarto e ficava detida. Enquanto os outros estudantes, de um modo geral, haviam reagido bem às táticas de Noah, o mesmo não acontecera com Julie. Em vez de ser estimulada pela experiência em Knife Edge, ela se sentia humilhada.

— Não fui capaz — comentou ela, quando Paige levantou o assunto, numa tentativa de chegar ao fundo do problema.

— Claro que foi capaz. Fez a travessia.

— Fui fraca e chorona.

— Mas escalou a montanha, Julie. É o que conta. Tem de parar de considerar que o copo está meio vazio. Está meio cheio... e você pode encher o resto se quiser. Mas tem de querer.

Infelizmente, a única coisa que Julie queria relacionava-se com o sexo oposto. Entre todas as garotas da última série, era a que mais tinha consciência de si mesma como mulher. O que deixava Paige um pouco apreensiva, por causa da carta que ela escrevera para Peter.

Por sorte, Peter tinha noção do problema e começou a enviar Cynthia para a Mount Court sempre que a enfermaria chamava. Com o retorno da normalidade na clínica, ele também, como Paige, passava algum tempo no hospital, todos os dias, ajudando os pacientes feridos no desabamento do cinema.

Por causa do julgamento que fizera sobre Peter, ela considerou que sua dedicação era redentora. Quando fez um comentário casual a respeito, Peter se mostrou incisivo.

— Não acha que é o mínimo que posso fazer? Não foi um incêndio, é verdade, mas Jamie Cox não podia lotar o cinema daquele jeito. Eu sabia tão bem quanto Mara, mas fui covarde demais para continuar a briga do ponto em que ela parou. Se o tivesse feito, talvez o desabamento não ocorresse.

Paige sentiu-se criticada.

— Sou tão culpada quanto você. Também não fiz nada.

— É verdade. Mas pense no que está fazendo agora. Assumiu a criança de Mara. É uma obrigação e tanto.

— Não é nenhuma obrigação — respondeu Paige. — Obrigação parece uma coisa pesada. E não é o caso de Sami.

— Ela representa trabalho e responsabilidade.
— Mas sem nada de negativo. E é temporário.

Era o que Paige sempre lembrava a si mesma. As visitas semanais de Joan Felix ajudavam, assim como as reuniões quinzenais com outros pais da agência de adoção. As conversas focalizavam os altos e baixos da adoção em geral e da adoção inter-racial em particular. Embora esses altos e baixos não intimidassem Paige nem um pouco, as reuniões proporcionavam um contato com a realidade. Sem isso, ela poderia fingir que Sami seria sua para sempre.

A menina era um tesouro, uma pessoa pequena desabrochando, um motivo maravilhoso para se acordar pela manhã, para vir em casa almoçar e para jantar à noite. Como pediatra, Paige conhecia o milagre do desenvolvimento de uma criança. Mas acompanhar nos filhos dos outros era uma coisa; testemunhar em sua própria criança era outra. Sami tinha uma novidade a cada dia, algo que proporcionava o maior orgulho a Paige. A criança engordava e crescia, alcançava o nível de sua idade com uma rapidez espantosa. Paige tinha certeza de que ela seria a menina mais inteligente da turma quando entrasse na escola.

O problema de contratar uma babá a angustiava. Sabia que devia procurar, mas sempre adiava. Por mais culpada que se sentisse por interferir tanto na vida de Nonny, a verdade é que ela não confiava em mais ninguém para entregar Sami além da avó... que, para todos os efeitos práticos, mudara-se para sua casa. Nonny ocupara o quarto no segundo andar, trazendo muitas coisas, inclusive o tapete vermelho e branco de retalhos, um enorme edredom, uma cadeira de balanço de vime branca, para criar seu próprio ambiente.

Eram uma família: Nonny, Sami e Paige. Saíam juntas para passear de carro, fazer compras e visitar pessoas. Paige adorava cada minuto. Nas ocasiões em que se sentia culpada por tanta diversão, lembrava a si mesma que era apenas temporário; e a culpa se dissipava. O mesmo acontecia quando Noah convidava as três para jantar fora. Ele também estava de passagem por Tucker, como Nonny e Sami. A transitoriedade tornava tudo mais seguro.

Aquela vida temporária era tão diferente da que Paige conhecia como permanente, e ela se sentia tão resguardada da realidade, que, em meados de novembro, perto de seu aniversário, decidiu romper uma tradição. Normalmente, preenchia o dia com todos os compromissos que pudesse arrumar. O objetivo era chegar em casa à noite tão cansada, que não podia fazer outra coisa senão cair na cama... sempre cansada demais para pensar. Quando acordava, na manhã seguinte, o dia terrível já passara.

Mas, naquele ano, ela se sentia mais corajosa.

# Dezoito

O aniversário de Paige caiu numa quinta-feira. Ela acertou tudo para tirar o dia de folga. Como a temporada de *cross-country* terminara no fim de semana anterior, não havia treino para interromper um dia de ócio. Planejava passá-lo em casa, com Nonny e Sami.

"Encontro às vezes, em alguns pacientes", escrevera Mara numa carta que deixara Paige bastante comovida, "aquelas poucas famílias afortunadas que conhecem o prazer de ficar juntas, sem qualquer outro motivo senão o de se reunir. É necessária a aceitação de uma pessoa por outra, apesar de todas as diferenças. É necessário o tipo de amor que não exige nada, apenas existe."

Paige considerava Nonny e Sami como sua família, em muitas dessas considerações. Na esteira da tragédia no cinema, ela sentia-se grata por contar com as duas.

Queria um café da manhã especial, depois ler o jornal sem pressa. Queria agasalhar todo mundo contra o frio e dar um passeio pela cidade. Queria pôr Sami no balanço para crianças pequenas do parque ao lado da igreja. Queria voltar para casa, escutar música e tricotar, enquanto Sami cochilava. Depois, levaria a menina e Nonny através da fronteira do estado para um jantar de aniversário em Hanover.

Mal ela acabara de comer o último dos *waffles* belgas de Nonny, porém, quando a primeira neve do ano começou a cair. Quando acabou de ler o jornal, da primeira à última página, os flocos caíam em maior abundância. Pegou Sami no cercadinho e levou-a até a janela grande, na cozinha, que dava para o jardim dos fundos. Nonny já estava lá.

— Não é lindo? — murmurou Nonny.

— É, sim. Veja, Sami, é a neve. — Paige olhou para Nonny. — É sua primeira neve. Um marco.

Sami encostou a mão na janela.

— Pode dizer neve?

Como a menina não dissesse nada, Paige insistiu:

— Que tal Nonny? Non-ny. Vamos, tente. Non-ny. Não? Então tente mamãe. Ma-mãe.

Nonny alteou uma sobrancelha.

— É genérico — assegurou Paige.

— Não precisa ser. Você pode adotá-la em definitivo.

— Não, não posso. Ela precisa de uma mãe em tempo integral.

— E é o que ela tem: você e eu. Antes que perceba, Sami já estará entrando na escola. Quando isso acontecer, você não vai mais precisar de mim. Pode fazer a mesma coisa que Angie fez durante todos esses anos: trabalhar enquanto o filho está na escola e sair a tempo de ir buscá-lo. O que acha que Mara planejava?

— Exatamente isso — admitiu Paige. — Mas eu não sou Mara. Ela tinha fascinação por ser mãe. Era obcecada por esse tipo de relacionamento.

A ligação profunda, como ela chamava.

— Não tenho esse tipo de necessidade — arrematou Paige.

— Você é mais independente?

— Mais autoconfiante.

— Não diga bobagem. Precisa de uma família tanto quanto o resto das pessoas.

— Sei disso, mas não tão *imediatamente* quanto Mara. Nem com tanta intimidade. Mas eu me sentia muito satisfeita com minha vida antes de Mara morrer.

— Mas adora ter Sami.

— Tem razão. Eu me sinto bem em saber que posso dar amor a ela, enquanto a agência procura pais permanentes.

— E se não encontrarem ninguém?

— Vão encontrar. É apenas uma questão de tempo.

— Enquanto isso, você se torna mais e mais afeiçoada a ela. Não pode me enganar, Paige. Vejo quando sobe para o quarto de Sami, todas as noites, depois que ela dorme.

— Quero me certificar de que ela está bem.

— Fica parada junto do berço de quinze a vinte minutos. Enfrente a verdade, querida. Você está apaixonada.

Paige levou a mão de Sami à boca. Beijou-a e depois encostou os dedinhos em seu queixo.

— Mara escreveu sobre o papel de mãe adotiva temporária em algumas de suas cartas. Disse que sempre havia um problema com a separação, mas que a satisfação de ajudar uma criança fazia com que a angústia valesse a pena. Tenho ajudado Sami. Proporcionei-lhe um bom começo aqui. Sinto essa satisfação.

— E a angústia? Vai senti-la também?

— Quando chegar o momento.

Nonny não disse mais nada, e Paige não pediu. Era o seu aniversário, um dia bastante difícil por si só. Queria se manter tão animada quanto possível.

Por isso, ela brincou com Sami. Depois, subiu para dar banho e vestir a menina. Mas, quando pensou em sair para dar uma volta, descobriu que a neve caía com mais intensidade. Nonny juntou-se a ela na janela da frente.

— Está aumentando.

— É verdade. Quanto você acha que já tem? Cinco centímetros?

— Sete ou oito. Não dá para empurrar um carrinho de criança com tanta neve.

— Não dá mesmo. Eu gostaria que tivéssemos um trenó. Talvez eu possa pôr Sami no Snugli e cobri-la com minha parca.

— Ela não veria nada.

— Posso virar ao contrário para que ela espie. Melhor ainda, por que não pegamos o carro e vamos até Hanover agora? A estrada não pode estar tão ruim.

O olhar de Nonny dizia que podia estar, talvez até pior. E, depois, o olhar tornou-se triste.

— Sei o que você está fazendo, Paige. É a mesma coisa que vem fazendo há vários anos. Talvez haja alguma modificação, mas a estratégia básica é a mesma. Se der um jeito de sair de casa, não estará aqui quando o telefone não tocar. — Nonny parecia angustiada. — Eles não vão ligar, Paige. Podem telefonar daqui a duas ou cinco semanas, mas não estão sintonizados em se lembrar de seu aniversário. É simples assim.

Paige continuou a olhar para a neve.

— Jamais consegui entender. Se eles tivessem oito filhos, tudo bem. Poderiam confundir as datas. Mas eu sou filha única. Minha mãe só deu à luz uma única vez. Esse dia não significou nada para ela?

— Claro que significou. Só que não a mesma coisa que teria significado para mim ou para você se fosse a mulher que desse à luz.

— Eu passaria semanas antecipando o dia. Planejaria uma festa. Pensaria em todas as coisas que minha filha mais quisesse fazer... e saberia o que era, mesmo sem perguntar.

— Porque você é você. Mas Chloe é diferente e não vai mudar.

Paige pensou a respeito por um momento. Depois, ofereceu um sorriso a Nonny e deu de ombros.

— Ainda tem esperança? — perguntou Nonny.

O sorriso de Paige se tornou irônico.

— Talvez um dia, por um acidente do destino, eles se lembrem no dia certo. — Ela estudou a neve. — Mas você tem razão, Nonny. Não devemos sair. Que tal acender o fogo na lareira e jogar Scrabble?

Isso exigiria concentração. Afastaria seus pensamentos do telefone. Nonny franziu o rosto.

— Você sempre ganha.

— Permitirei que deixe uma letra vazia em cada jogada.

Nonny gostou da idéia. Sami também, pois adorou mexer nas pastilhas com as letras. Paige ainda ganhou, apesar da vantagem oferecida, mas a essa altura Nonny já pensava no almoço. Depois de almoçarem, Sami dormiu, enquanto Nonny cochilava no sofá da sala.

Paige instalou-se diante do fogo, longe do telefone. Pegou seu tricô. Estava terminando a manta para Sami que Mara havia começado. Parecia a coisa perfeita para ligar Sami à sua vida atual e depois levar para a próxima. Um presente de Mara. Através de Paige.

A gatinha entrou na sala. Passara a manhã como sempre fazia, vagueando pela casa, subindo num peitoril depois do outro, mostrando os dentes para qualquer coisa que desse a impressão de que podia ser um passarinho. Agora, enroscou-se aos pés de Paige e ficou olhando para o fio, à medida que este saía do novelo. Atacava a intervalos de poucos minutos. Abocanhava o fio e o sacudia. Quando Paige dava um puxão, ela soltava, tornava a se sentar e continuava a olhar para o fio saindo do novelo.

Paige largou o tricô e pegou-a. A gatinha estava crescendo. Seu pêlo era mais longo agora, mais macio. Paige gostava da sensação de tê-la ao pé da cama todas as noites. Havia algo agradável em estender a mão e tocá-la, no ronronar que a carícia desencadeava.

— Vai se livrar dela também? — perguntou Nonny.

Ela mantinha os olhos abertos, mas não fizera qualquer outro movimento. Paige sentiu o tom brusco da pergunta, em particular da palavra "também".

— Não é uma questão de "me livrar". É apenas uma questão de arrumar uma boa casa para ela.

— Ainda está procurando?

— Teoricamente. Mas sempre esqueço de perguntar. Ela exige muito pouco.

— Está disposta a mantê-la?

Paige esfregou o pescoço da gatinha, que fechou os olhos e ergueu o queixo, querendo mais. Foi atendida no mesmo instante.

— Posso fazer isso por não ter a quem dá-la. Ela já está aqui. Talvez seja preciso mais esforço para encontrar outra casa do que deixá-la continuar. — Ao ouvir suas próprias palavras, Paige olhou para Nonny. — Sei o que está pensando. A idéia não se aplica a Sami. Não se fica com crianças por não haver a quem entregá-las. Sami é um ser humano, uma responsabilidade que aumenta à medida que cresce.

Nonny não disse nada. Também não desviou os olhos.

— Sou uma pediatra em tempo integral — protestou Paige.

— Não em tempo integral, agora que contrataram outra médica.

— Então em três quartos do tempo. Mais Jill. Mais ajudar a organizar os alunos da Mount Court para que prestem serviços comunitários em Tucker. — O que ela achava que era uma causa maravilhosa. — Mais o plantão permanente depois que abrirem a montanha para a temporada de esquiação. Mais a leitura. Mais o tricô. Minha vida ainda é bastante movimentada, Nonny. Crianças não fazem parte do meu plano. Pelo menos não por mais algum tempo.

Como Nonny permanecesse calada, limitando-se a fitá-la, ela pôs a gatinha no chão.

— Sei o que está pensando. Mas, se o relógio biológico ficar sem corda, muito bem. Não vou me precipitar em alguma coisa para a qual ainda não estou pronta.

Nonny não se mexeu nem falou. Paige suspirou.

— Sei que não estou lhe dando as respostas que deseja e lamento lhe impor a obrigação com Sami...

— Não diga isso!

Nonny sentou-se, com uma rapidez que Paige não teria esperado de uma mulher de sua idade.

— Mas é o que estou fazendo.

— Que droga, Paige! É esse o seu problema. É muito inteligente para a maioria das coisas, mas não entende nada quando se trata de maternidade. — Nonny levantou-se e começou a andar de um lado para outro. — Não que a culpa seja sua. Chloe e Paul fizeram com que se sentisse um acréscimo indesejável. Durante a infância e a adolescência, era boa como ouro para mim, porque não queria ser um fardo. E ainda se desculpa por qualquer coisa que me pede para fazer. Sempre se desculpando.

Ela parou na frente de Paige, com as mãos nos quadris.

— Pelo amor de Deus, Paige! As pessoas que amam outras pessoas querem fazer coisas por elas. Por que nunca aprendeu isso? Alguma vez me queixei? Alguma vez disse que preferia estar jogando *bridge*? Minha vinda para tomar conta de Sami não é uma imposição. É um privilégio. Uma alegria. Sei que é trabalho também, mas é um trabalho de amor. Não uma obrigação. Não uma tarefa penosa. Não uma extorsão absurda do meu tempo. *Eu quero tomar conta de Sami.* E, se você for sincera para si mesma, vai admitir que quer ficar com Sami. Você a adora. Ela a adora. Tem recursos suficientes para criá-la com todo o conforto. Mas tem medo de assumir o compromisso, porque pensa a respeito como algo sufocante. Cuida dos filhos de todo mundo, mas isso não conta porque pode deixar todas as crianças para trás ao final do dia.

O tom de Nonny tornou-se incisivo, de repreensão, o que raramente acontecia, quando ela acrescentou:

— Pois vou lhe dizer uma coisa. Também deixa para trás o prazer. Sem dor, não há benefício, como dizem. Volta para uma casa vazia... e, por falar nisso, a casa vai parecer duas vezes mais vazia, agora que se acostumou com a presença de Sami.

Ela começou a se virar, mas logo se voltou de novo para Paige.

— E vou lhe dizer mais outra coisa. A casa vazia vai parecer *três* vezes mais vazia quando tiver 50 anos, *quatro* vezes mais vazia aos 60, e depois será tarde demais. Falo com conhecimento de causa.

Nonny virou-se outra vez e saiu da sala. Paige esperou que ela voltasse. Depois de algum tempo, foi até a cozinha e preparou um bule de chá de manga, pensando que o aroma faria com que Nonny descesse. Como isso não acontecesse, ela serviu-se de uma xícara.

Continuava a nevar. Paige ficou olhando, enquanto tomava o chá em goles pequenos. Refletiu que tudo que Nonny dissera fazia sentido, mas que os hábitos antigos não desapareciam com tanta facilidade. Uma coisa era dizer a si mesma que não devia sentir que estava impondo algo, outra era não sentir. Sempre tentara ser auto-suficiente, justamente para evitar esse dilema.

Quanto a Sami, Paige não sabia. Simplesmente não sabia. Calculava que ainda tinha tempo para ser mãe. E achava que tinha a inteligência e os recursos para isso. E o amor. Isso mesmo, também isso. Amava Sami. Mas era uma tremenda responsabilidade. Mais do que ser médica ou mãe temporária. Muito mais. Sempre presumira que não fora talhada para a maternidade, um dos motivos pelos quais se tornara médica.

Ou se tornara médica para ter por onde escapar, quando o peso da responsabilidade assomasse?

O telefone não tocara. Já era noite em Siena. Se não tocasse muito em breve, não tocaria mais.

Paige terminou de tomar o chá. Lavou a xícara e a deixou no escorredor. Tornou a olhar para a neve. E sentiu uma súbita e intensa necessidade de sair. Agasalhou-se bem, com uma parca da Gortex, gorro e luvas de lã. Deixou um bilhete para Nonny na mesa da cozinha.

A neve fora removida, mas as ruas estavam desertas. Era a única a percorrê-las. Podia correr pelo lado ou pelo meio, como quisesse. Foi só depois que alcançou o Centro de Tucker, contornando o quarteirão do hospital e começando a voltar pela Main Street, que encontrou um veículo em movimento. Era Norman Fitch.

— Um dia horrível para sair de casa! — gritou ele, pela janela.

— Ao contrário, estou achando ótimo!

— A neve não vai parar de cair por algum tempo. Esperamos pelo menos trinta centímetros. É melhor voltar para casa. Não vai demorar a escurecer.

Mas Paige não pretendia voltar para casa por enquanto. Encontrara seu ritmo e se sentia muito bem para parar. Se os pais optassem por ligar tão tarde, eles é que perderiam.

Ela circulou pelas ruas por trás do Centro, subindo por uma e descendo por outra. A neve aumentava sob seus pés, e os tênis ficaram molhados. Mesmo assim, ela continuou a correr. Seguiu para o norte, deixando os limites da cidade, onde a estrada era larga e bonita, serpenteando entre as árvores, cujos galhos continham neve, em vez de folhas.

Depois de algum tempo, começou a sentir frio. Mas os pés batiam num ritmo firme na neve, e sua vontade não cederia ao frio, à umidade ou ao crepúsculo cada vez mais escuro.

Já começava a tremer quando passou pela arcada de ferro batido da Mount Court. Foi nesse instante que sentiu um certo escrúpulo, mas era tarde demais para voltar. Não conseguiria chegar em casa. E não queria.

Desde que a neve fora removida do caminho que vários outros centímetros haviam se acumulado. Paige continuou em frente, cansada agora, ofegante, mas determinada. Ultrapassou os prédios acadêmicos, a administração, a biblioteca e o primeiro dormitório. Virou entre o segundo e o terceiro. Avistou a distância a nova casa dos ex-alunos, a estrutura já concluída. Mas seguiu correndo até a casa do diretor. Fez um esforço para subir os degraus. Finalmente parou, quase sem fôlego, e tocou a campainha.

Noah abriu a porta, de *legging*, com os óculos redondos apoiados no nariz, um lápis entre os dentes. Deu uma olhada para ela, jogou o lápis para o lado e puxou-a pelo braço.

— Brilhante! — exclamou ele, enquanto fechava a porta. — Absolutamente brilhante!

Ele tirou o gorro e as luvas de Paige. Estendeu a mão para o zíper da parca, ponto em que a neve se acumulara.

— O que deu em você para correr até aqui?

— Não sei — respondeu ela, batendo os dentes. Paige deslocava o peso do corpo de um pé para o outro, com frio demais para ficar imóvel, mas incapaz de se despir, o que não era problema, já que Noah fazia isso por ela. — Não foi consciente. Saí correndo. E meus pés me trouxeram para cá.

Noah conseguiu soltar a alça do zíper e puxou-o para baixo. Ela virou-se de um lado para o outro, ajudando-o a se livrar das mangas do casaco. Pôs as mãos no ombro dele, quando Noah se ajoelhou para tirar seus tênis.

— Seu vestíbulo vai ficar todo molhado.

— Não tem problema. Preciso mesmo de uma desculpa para lixar o assoalho. Sabe quanta neve tem lá fora?

— Eles estão removendo a neve das ruas. Não é tanta assim.

— Está cinco graus abaixo de zero, e você saiu apenas com essa calça de corrida.

Depois de jogar o segundo tênis para o lado, Noah pegou-a pela mão. Subiram a escada. Atravessaram um quarto que Paige presumiu ser o dele e entraram no banheiro. Noah abriu o chuveiro. Enquanto esperava que a água esquentasse, tirou o agasalho e a calça de corrida de Paige. Murmurou uma imprecação expressiva quando viu as pernas vermelhas pelo frio. No momento em que o vapor começou a embaçar a porta do boxe, Noah abriu-a e empurrou-a para dentro, sem tirar-lhe as roupas de baixo.

O calor foi maravilhoso para Paige. Os músculos doeram. A pele ardeu, depois comichou. Ela ergueu o rosto para a água. Virou-se em seguida, deixou-a escorrer pela cabeça. Partes do corpo antes dormentes começaram a reviver, lentamente. Com o aumento da sensação, ela tirou as roupas de baixo, largou-as num canto e abriu a água ao máximo.

Estava pensando que poderia ficar sob o chuveiro de Noah para sempre quando a porta foi aberta, e ele entrou também. Tirara os óculos e as roupas, mas parecia a melhor coisa que poderia acontecer com Paige naquele dia. Sem pensar duas vezes, ela o enlaçou pelo pescoço.

Se tinha de receber um presente de aniversário, então era aquele. Parecia que o desejava há uma eternidade, e a espera só servira para aumentar o prazer que sentia agora. Formigava por dentro, ainda mais quando ele contornou seus quadris e levantou-a, para que as bocas pudessem se encontrar.

O beijo foi tão molhado quanto seus corpos no chuveiro. Paige perdeu-se naquele beijo e nos outros que se seguiram, cada um mais doce, mais profundo, mais consumidor... e mais frustrante. Para cada beijo, cada carícia, ela precisava de mais. Comprimia-se contra Noah, passando as mãos por seus cabelos, deslizando-as sobre a pele, ansiando pelo tipo de posse que imaginara em seus sonhos.

Com o peso de Paige apoiado em suas coxas, ele encostou-a na parede do boxe, acariciou-lhe os seios, absorveu seus gritos na boca. Ainda assim, não era suficiente. Ela sentia-se desesperada. Havia o pressentimento de que poderia morrer se não tivesse mais. E foi nesse instante que sentiu que Noah a penetrava.

O deslizamento firme, a plenitude, a sensação de que todas as pontas soltas de sua vida se juntavam, tudo se uniu para desencadear um milhão de explosões dentro de Paige, antes mesmo que ele começasse a se mexer. E quando isso aconteceu, ela mal conseguiu manter a respiração. Seu corpo tremeu em choques orgásmicos, um depois do outro, numa sucessão interminável.

Ela balbuciava contra o ouvido de Noah, tremendo na esteira do orgasmo, quando compreendeu que ele continuava firme, duro como pedra. Paige recuou, removendo a água do rosto. Encostou a mão no rosto de Noah e fitou-o nos olhos. Estavam tão rígidos quanto o corpo, quentes e ansiosos.

— Não posso terminar enquanto não tiver uma proteção — murmurou ele.

— Não precisa.

Paige escorregou para o chão e tomou-o entre as mãos. Beijando-o com deleite, continuou a acariciá-lo lá embaixo. Não demorou. Seu apetite não era menor do que o dela... sonhos? Mas Paige não perguntou, pois envolveria confissões e conversas mais profundas do que estava disposta a manter. Em vez disso, quando ele gozou, com um grito longo e gutural, ela o abraçou, até que a respiração voltasse ao normal. Depois, lavou-o, deixando que ele a enxugasse e levasse para a cama.

Paige concluiu que ele tinha um corpo lindo, bem-proporcionado e viril, e que ela o queria de novo. Mas, em vez de meter-se por baixo das cobertas para começarem novamente, ele inclinou-se para pegar o telefone. Digitou um número e ficou olhando para ela, enquanto esperava que atendessem.

— Oi, Nonny. Sou eu, Noah. Paige está aqui. — Ele escutou por um momento. — Ela está bem. E estou fazendo tudo para aquecê-la.

Depois de escutar por mais um momento, ele perguntou:

— Algum problema se ela passar a noite aqui? — Noah escutou pela última vez. — Parece uma boa idéia. Nós a veremos então.

Paige não se mexeu. Ele continuou a fitá-la, enquanto desligava.

— Já é tempo de pararmos de nos enganar, Paige. Há alguma coisa acontecendo entre nós, e não sei se é puro tesão. — Os lábios se contraíram. — Mas estou disposto a explorar mais um pouco a teoria.

Noah abraçou-a ao se meter por baixo das cobertas. Se ela pensara em protestar contra qualquer coisa que ele dissera ou fizera, teria esquecido por completo agora. O encontro dos corpos foi diferente de tudo que já experimentara antes. Era tão extraordinariamente novo e especial, tão provocante, tão incendiário, que negá-lo seria contestar sua própria existência.

Desta vez, não houve urgência. A mão aqui e ali, deslizando sobre a pele, sobre os cabelos. A língua passeando, acompanhando um contorno, provocando, recuando quando o corpo arqueava. O olho atento à reação tátil, ao efeito sedutor de uma palavra, um murmúrio, um suspiro, a intensidade conjunta da respiração e do desejo, até que só restasse a consumação.

E, desta vez, chegaram ao orgasmo juntos. Permaneceram imóveis, prolongando o momento. Uma doce letargia envolvia o corpo de Paige. Sentia-se aquecida, segura, numa paz profunda e incrível.

Noah ajustou-se contra seu corpo. Beijou-a na testa e comentou, a voz um pouco rouca:

— Quando me candidatei ao cargo de diretor, o conselho quis saber de minha moral. Estavam preocupados porque eu era solteiro. E porque a vida aqui é muito solitária. E porque as doces mulheres de Tucker estão sempre famintas por carne fresca. Gostaria de saber o que diriam se me vissem neste momento.

Paige sorriu contra seu peito.

— Não sou uma doce mulher de Tucker. Sou uma médica. E esta é a primeira vez que venho aqui.

— Por que veio?

Ela ergueu os olhos para fitá-lo.

— Nonny não lhe disse?

— Disse o quê?

Paige tornou a se recostar nele, passando o polegar nos pêlos que desciam pelo centro do peito. Eram mais escuros que os cabelos, da cor de melado de bordo, em contraste com sua pele.

— Hoje é meu aniversário. E achei que merecia um presente.

— Seu aniversário? Fala sério?

— Claro.

— Nonny não fez um bolo?

— Não. Era Mara quem sempre fazia. No ano passado ela fez um bolo enorme. Levou-o para a clínica e o pôs na sala de espera, onde todo mundo que entrava podia tirar uma fatia.

Paige se calou, pensando em Mara, sentindo-se solitária à perspectiva de envelhecer sem a amiga.

Os braços de Noah a apertaram. O conforto era bem-vindo, mas não era suficiente para fazer desaparecer seus pensamentos. Depois de algum tempo, ela murmurou:

— Mara tinha um jeito de fazer todo mundo feliz, menos ela própria. Era como o palhaço que chora por dentro. Muito triste. Algo que eu não quero ser nunca. Por isso, quando comecei a sentir pena de mim esta tarde... porque a neve estragara meus planos, Nonny estava zangada comigo e meus pais não haviam telefonado... resolvi sair para uma corrida. E acabei aqui.

Ele passou as mãos pelos cabelos de Paige. Era um gesto embalador. Quando ela murmurou de prazer, Noah continuou. Paige dormiu em poucos minutos.

Noah cochilou, mas não por muito tempo. Não tinha a menor intenção de perder no sono um prazer tão intenso quanto o de ter Paige Pfeiffer em seus braços. Por algum tempo, limitou-se a contemplá-la, estudando suas feições enquanto dormia, saboreando as curvas do corpo contra o seu, a elevação do seio, a firmeza da coxa. Beijou-a depois de algum tempo, porque era angustiante tê-la tão próxima e não fazer nada.

Ela despertou, lentamente, viu-o e sorriu.

— Está mesmo cansada — murmurou Noah.

— Nem tanto.

— Com fome?

— Muita.

— Posso lhe fazer um jantar de aniversário?

Paige descobriu que a perspectiva era extremamente agradável.

— Claro. Se você quiser.

— Eu quero.

Mas Noah não fez menção de sair da cama. Em vez disso, soergueu-se para beijá-la nos olhos, no nariz, na boca. Depois, beijou a ponta do queixo, por baixo. Os lábios encontraram o ponto pulsando no pescoço. E a pulsação aumentou quando ele continuou a descer, passando pelos seios, as costelas, a barriga, até que Paige era uma massa de terminais nervosos se contorcendo, esperando por uma conexão. E, quando isso aconteceu, quando a língua de Noah levou-a a um orgasmo que nenhum outro homem jamais provocara, Paige ficou atordoada demais para compreender esse efeito.

Mais tarde, porém, depois que Noah saiu da cama para lhe preparar o jantar de aniversário mais simples, mais gentil e mais delicioso que ela poderia querer, Paige soube que algo muito especial acontecera. Provara uma coisa indescritível, que ameaçava transtornar a ordem de sua vida, como nem a morte de Mara, nem a chegada de Sami nem a mudança de Nonny haviam conseguido.

Uma parte dela queria fugir, para tão longe e tão depressa quanto pudesse. Mas ela não se mexeu. Continuou na cama de Noah, fez amor outras vezes, ao longo da noite. E, quando ele a levou para casa, na manhã seguinte, através da terra maravilhosa de inverno em que Tucker se transformara, Paige deixou que a beijasse pela última vez.

— Ainda não acabou — advertiu Noah, como se lesse seus pensamentos.

Ela não respondeu. Havia muitas coisas em que tinha de pensar, uma das quais estava sentada na cadeira alta, com banana amassada espalhada por todo o rosto, no instante em que Paige passou pela porta. Quando Sami ofereceu um sorriso alegre, em meio à sujeira, murmurando "Ma-ma-ma-ma-ma", Paige se perguntou se não havia uma conspiração em andamento. Estavam tentando puxá-la pelos fios do coração e dar um nó cego.

Pensava que teria de se controlar e mergulhar nas outras coisas que constituíam sua vida quando ligaram do hospital para avisar que Jill entrara em trabalho de parto.

Peter chamou-a quando ela corria pelo corredor do hospital, mas Paige limitou-se a erguer a mão e continuou. Por isso, ele foi para a clínica. E, no final das contas, era com Angie que queria conversar. Procurou-a uma hora mais tarde, no intervalo entre os pacientes.

— Tem um minuto?

Ela guardou o estetoscópio no bolso do jaleco e fez sinal para que ele entrasse em sua sala.

— Qual é o problema?

— Preciso de sua opinião sobre uma paciente.

— Quem é?

— Não é uma das nossas. Apenas alguém que ajudei no hospital, depois do acidente. Ela tem 34 anos e gozava de boa saúde. Estava no balcão e caiu longe da pior parte. Mas bateu de costas. As radiografias mostram um lapso na medula espinhal entre a T-doze e a L-um. Foi alerta vermelho na ocasião. Pensaram em levá-la de helicóptero para outro hospital. Mas não o fizeram porque parecia ser uma lesão isolada, e havia vários outros pacientes com lesões múltiplas. Ela já fez várias tomografias. A inchação inicial cedeu ao soro, mas não consegue se mover.

— Nem um pouco? — indagou Angie.

— Não da cintura para baixo. Não tem qualquer sensação. Nem dor. Nem pressão. Nem formigamento. — Peter também a examinara. — O neurocirurgião diz que o caso é irreversível. Paralisia. Quero saber se ele está certo.

— Foi Mike Caffrey quem a examinou?

Peter confirmou com um aceno de cabeça.

— Ele é dos bons.

Mas Peter não gostara da atitude que Caffrey assumira com Kate Ann. Num momento em que ela se encontrava sozinha, Caffrey lhe dissera bruscamente que nunca mais tornaria a andar. Horas mais tarde, ao visitá-la, Peter a encontrara em lágrimas. Não podia deixar de sentir pena.

— O que você acha do caso, Angie?

— Não sou neurocirurgiã.

— Mas lembra de todos os detalhes dos estágios que fez. Conhece de cor a bíblia dos neurocirurgiões. Devo providenciar novos exames, ou será mesmo um caso irreversível?

Angie pensou por um momento.

— A tomografia diz que não há inchação?

Ele sacudiu a cabeça em negativa.

— Mas ela não tem qualquer sensação?

Peter tornou a balançar a cabeça.

Em tom compadecido, ela murmurou:

— Então as perspectivas não parecem nada boas.

Era disso que ele tinha medo. Tempo demais transcorrera sem qualquer reação física para sugerir que os movimentos poderiam voltar espontaneamente.

— O que acha da fisioterapia?

— É o que estão sugerindo?

— Não estão sugerindo nada. A pobre coitada fica sozinha durante o dia inteiro, dia após dia, sem saber o que está acontecendo.

— Ela não tem família?

— Não.

— Amigos?

— Também não.

— E foi sozinha ao *show* naquela noite? — perguntou Angie, surpresa.

Peter deu uma meia risada.

— Foi, sim. E é essa a piada. É a mulher mais retraída e tímida do mundo, mas adora o Henderson Wheel. Nunca havia ido antes a um *show* de *rock* em toda a sua vida. Precisou recorrer a toda a sua coragem para comprar um ingresso e mais ainda para comparecer.

Não que alguém zombasse dela. Peter perguntara. No meio da música e das luzes, com toda a animação, ela simplesmente sumira em sua cadeira no balcão. O que era, em grande parte, a história de sua vida. Mesmo agora, permanecia quieta no quarto do hospital, sem exigir nada, quase invisível. Peter não entendia como alguém podia não sentir pena de Kate Ann.

— Fisioterapia... — murmurou ele, voltando ao presente. — Vai adiantar?

Angie deu de ombros.

— Vai desenvolver e fortalecer os músculos da parte superior do corpo. E manterá a parte inferior mais flexível. Se houver um retorno da sensação, ela poderá aproveitar. Mas a fisioterapia vai reparar o que foi lesionado? Não.

Peter passou a mão por trás da cabeça.

— Foi o que pensei.

Ele praguejou baixinho. Não tinha idéia do que Kate Ann poderia fazer. Ela também não tinha... e não era nem um pouco burra. Peter não demorara a descobrir isso. Kate Ann sabia o que teria pela frente.

— O Centro de Medula Espinhal em Rutland é um bom lugar — sugeriu Angie. — Ou o Centro de Reabilitação em Burlington. Se ela estiver disposta a ir para Springfield, Worcester ou Boston, ainda terá mais opções.

Peter sabia de tudo isso. Só não sabia como Kate Ann pagaria pelos cuidados de que precisava. Ela não tinha seguro de saúde, porque nunca tivera condições de pagar.

— Quem é ela? — perguntou Angie, curiosa.

Ele respirou fundo. Enfiou as mãos nos bolsos da calça e suspirou.

— Ninguém importante. — Peter respirou fundo de novo, antes de acrescentar, mais hesitante: — Há outra coisa. Estou pensando em processar Jamie Cox.

Angie ficou surpresa. Ele assumiu uma posição defensiva no mesmo instante.

— Acha que eu não deveria?

— Claro que acho que deve. Apenas estou surpresa. Mais nada. Afinal, ele é um dos seus.

— Jamie é um desgraçado. Sabe o que ele anda dizendo pela cidade? Que o balcão desabou porque havia gente demais lá em cima. Que havia mais pessoas do que ingressos vendidos. Que muitos entraram sem pagar, sentaram nos corredores, ficaram de pé atrás e nos lados. Alega que o desabamento foi culpa das pessoas e que nenhum júri do mundo poderia considerá-lo culpado. E garante que ninguém pode provar que a estrutura do balcão era insegura e que qualquer um que tentar provar isso vai bancar o idiota.

— O que constitui uma ameaça clara e evidente.

— E não é verdade o que ele diz. As pessoas podem provar que o balcão era inseguro. Qualquer operário da cidade que tenha feito algum trabalho no cinema pôde constatar a fraqueza da estrutura. O problema é que a maioria não vai querer testemunhar porque Jamie é o proprietário das casas onde moram. Ele segura todo mundo pelos bagos.

Peter enfiou as mãos por trás dos suspensórios, enquanto acrescentava:

— Mas não é o meu caso. Sou dono da minha casa. E ele tem o dinheiro que pode ajudar as pessoas que precisam de cuidados e não podem arcar com as despesas médicas.

Como Kate Ann. Ela era um exemplo perfeito. Pagara o ingresso e tomara coragem para assistir a um *show* de *rock* pela primeira vez na vida. Agora, era uma paraplégica. Ninguém podia lhe devolver o uso das pernas — era tarde demais para isso —, mas alguém podia com certeza tornar um pouco mais fácil a vida que lhe restava.

— A questão é como obter esse dinheiro — continuou Peter. — Pensei em perguntar a Ben se conhece algum advogado, que não seja daqui, um advogado competente e disposto a aceitar o caso. Talvez alguém de Montpelier, que saiba como funciona o sistema judiciário no estado. Acha que ele me indicaria alguém?

— Claro que sim. E, de qualquer forma, tenho certeza de que Ben ficará contente em vê-lo. Há muito tempo que você não nos visita.

Não desde que Mara morrera. Peter costumava encontrá-la ali. Ela sempre fora mais descontraída num ambiente familiar.

E havia também o problema entre Angie e Ben. Começara logo depois. Aparecer para visitar Ben teria sido constrangedor.

— Por que não conversa com ele esta noite? — propôs Angie.

— Combinado.

Peter fez menção de se retirar. Ela tocou em seu braço.

— Está fazendo isso por Mara?

Ele pensou um pouco.

— Talvez.

E talvez também por Lacey, embora ela já tivesse voltado para Boston, o que o deixava satisfeito. Não a queria de volta, mas a verdade é que Lacey atiçara sua consciência. Peter deu de ombros.

— Quem sabe? Talvez eu esteja fazendo por mim. — Ele sorriu. — Talvez eu queira ser um novo tipo de herói. Com vocês se igualando a mim na frente médica, preciso de um novo espaço. Peter Grace, ativista cívico. Não acha que soa bem?

Dezenove

Angie examinou seu último paciente pouco antes das três horas. Deixou a clínica em seguida e foi direto para casa. Ficou desapontada por não encontrar o carro de Ben, mas não surpresa. Era o terceiro dia daquela semana em que voltava mais cedo para casa. Não o encontrara uma única vez.

Às vezes, ela tornava a partir de carro para dar umas voltas; em outras, esperava. Desta vez ela resolveu aproveitar o tempo para uma visita ao mercado de peixes em Abbotsville. Peixe fresco chegava ali de caminhão todas as manhãs, procedente da costa do Maine. Os preços eram altos. Ben adorava lagosta. Para Angie, a despesa era um investimento em seu casamento.

De volta para casa, ela continuou a esperar. Acendeu as luzes quando escureceu. Ajeitou a roupa suja na máquina, pôs a mesa, deixou a panela com a lagosta no fogão, preparou uma salada, espalhou manteiga de alho no pão pronto para assar. Leu a revista *Newsweek*. Ligou para Dougie e deixou um recado, ao descobrir que ele não estava no dormitório.

Ocorreu-lhe que Ben podia ter ido visitar o filho. A turma da oitava série faria uma excursão ao Parque Nacional de Acadia naquele fim de semana. Por isso, Dougie não viria para casa. Mas, se ele tivesse telefonado, precisando de alguma coisa, Ben poderia ter levado. E saído com Dougie para tomar um sorvete. Não, sorvete não. Um chocolate quente.

Talvez quisesse conversar com Dougie sobre a escola. Sobre o Dia de Ação de Graças, que se aproximava. Sobre Angie.

E ela se perguntou o que Ben diria a seu respeito.

Mas também era possível que ele estivesse com Nora. Ben alegava que tudo acabara entre os dois... e, nas vezes em que Angie saía para dar voltas, não encontrara o carro do marido na biblioteca. Mas, se ele não estava com Nora, aonde poderia ter ido?

Angie pegou os jornais na pilha de correspondência diária, um de Chicago, outro de Seattle, o terceiro de Nova York. Abriu nas páginas dos editoriais. A charge de Ben aparecia nos três, uma caricatura de três membros proeminentes da Câmara dos Representantes, usando um uniforme de escoteiro, com um halo e um sorriso benevolente, cada um escondendo uma faca, em que se liam as inscrições O POBRE, O IDOSO e O DOENTE CRÔNICO.

Era uma caricatura que ele poderia ter feito vinte anos antes. Suas prioridades não haviam mudado. Pelo menos não politicamente. Angie sempre confiou em que ele ficaria do lado dos oprimidos. Mas não sabia em que mais podia confiar.

Ouviu o Honda chegar e continuou sentada. Embora devesse ter visto o carro da mulher, Ben pareceu surpreso ao abrir a porta da cozinha e encontrá-la sentada ali.

— Oi, Angie. Quando chegou em casa?

— Há algum tempo.

Ele olhou para o balcão.

— Trabalhou um bocado. O que está preparando? Ei, há lagostas na pia!

— Comprei em Abbotsville. Achei que seria uma boa idéia.

— Não comemos lagosta há séculos.

— Foi por isso que eu comprei.

Ben estudou-a por um instante, para depois perguntar, com uma expressão inocente:

— Algum problema?

Havia algum problema? Era a pergunta errada para fazer, e no tom errado. Angie sentiu que uma coisa se rompia dentro dela, só que desta vez não houve lágrimas.

— Se há algum problema? Claro que há! Voltei mais cedo para encontrá-lo. Vim mais cedo três vezes esta semana, mas nunca o encontro. Por onde andou?

Ele contraiu os lábios, parecendo assumir uma atitude de desafio por um momento, antes de dar de ombros.

— Por aí.

— E onde isso fica?

Angie não se importava em parecer uma megera. Vinham se tratando com muita polidez, fingindo que estava tudo bem. Só que não estava.

— Quer uma explicação? — indagou Ben, agora com um desafio inequívoco.

— Quero, sim!

Ele encostou no balcão e começou a relatar as escalas, contando nos dedos, no tom de um robô:

— Comecei pela agência do correio. Encontrei George Hicks lá. Ele me convidou para tomar um café. Eu não tinha mais nada para fazer. Pelo que sabia, você estaria trabalhando. Por isso, aceitei. Depois, fui até a loja de ferragens e conversei com Marty. Os Freemans entraram quando eu estava lá. Disseram que iam para um leilão de espólio em White River Junction. Resolvi acompanhá-los.

— Um leilão de espólio? — repetiu Angie. — Desde quando você se interessa por antigüidades?

— Não me interesso — respondeu ele, fitando-a nos olhos. — Mas a casa com as antigüidades era maravilhosa. E havia outras pessoas apenas curiosas, como eu. O que significa contato humano, que é muito melhor do que passar o dia inteiro sozinho em casa.

Ben pôs as mãos no balcão por trás.

— Se me avisasse que viria para casa mais cedo, eu poderia esperá-la.

— Você queria espontaneidade. Eu tentava surpreendê-lo.

— Surpreender? Ou fiscalizar? Já lhe disse antes, Angie. Gosto de sair. Vou até a cidade. Dou voltas por aí. Faço qualquer coisa para me manter ocupado. E não olhe para mim desse jeito. Não estive mais com Nora. E também já lhe disse isso antes.

— Muito bem. — Angie ergueu a mão. — Não esteve com Nora. Ela baixou a mão, sentindo um profundo desânimo.

— Mas não está certo, Ben. Alguma coisa não tem funcionado. Não voltei para casa com a intenção de fiscalizá-lo, mas sim porque queria passar mais tempo em sua companhia. Venho tentando mudar. Com o maior empenho. Não estou mais lhe dizendo o que fazer ou pensar. Não estou mais orquestrando nossas vidas. E o que fazemos agora? Nada. Não saímos para passear. Não fazemos coisas. E não conversamos. Não da maneira como fazíamos antes. Não com absoluta sinceridade. Não com uma certa impulsividade. Certamente não sobre esperanças e sonhos, como costumava acontecer quando éramos jovens.

Ben soltou um grunhido baixo, acompanhado por um suspiro longo e cansado. Desviou os olhos.

— Não sei mais quais eram os sonhos e esperanças. Deveríamos estar vivendo-os agora, só que não é essa a realidade. E, de repente, estou com 46 anos. Mais da metade da minha vida já ficou para trás. O que há pela frente? Não sei.

— O que você quer dizer? — indagou Angie, com uma certa urgência.

Seu futuro dependia da resposta.

— Não sei. É justamente esse o problema. Se soubesse, poderia agir de acordo. Apenas sinto uma... inércia. Acordo de manhã e vejo um cara no espelho, com uma carreira bem-sucedida, ganhando muito dinheiro, que o guarda para um dia de chuva... que talvez nunca chegue. Vejo a mesma estrada estendendo-se à minha frente, dia após dia. Uma chatice insuportável. — Ele passou a mão pelos cabelos. — Portanto, talvez não fosse você. Talvez o problema fosse todo meu, no final das contas.

— Não completamente. As coisas que você disse a meu respeito faziam sentido. Eu não escutava o que você dizia. Era médica em primeiro lugar, mãe em segundo e mulher em terceiro. Venho tentando mudar. Mas preciso de sua ajuda. Você sempre foi o mais alegre dos dois. Tinha as idéias emocionantes. Eu era a realista, a pragmática. E isso é muito chato se prevalece durante todo o tempo. — Angie fez uma pausa, para depois perguntar, frustrada: — Por que me deixou fazer isso?

— Porque era fácil. Parecia o mais certo. Sabia que minha vida mudaria depois que deixasse Nova York. E me entreguei ao inevitável.

Angie sentiu um ímpeto de raiva.

— Então o que aconteceu é culpa sua.

— É o que estou querendo dizer.

A resposta deixou-a murcha, fazendo com que voltassem ao ponto de partida. Angie levantou-se e foi até a janela. Pensou no que o marido acabara de dizer. Ben não estava dizendo que queria o divórcio. Nem que se sentia chateado com ela. Angie tomou coragem por isso, aproximou-se do marido, quase tímida, e deu-lhe o braço. Sempre encontrara segurança na proximidade de Ben e ainda encontrava; e foi dessa segurança que sentira mais falta nas últimas semanas.

— Para onde vamos agora? Você precisa me dar uma indicação.

— Eu bem que gostaria de poder lhe oferecer isso.

— O que você quer fazer?

— Não sei. É o que eu estou dizendo desde o início.

— Agora, Ben. Neste momento. Se você tivesse alguma opção para fazer qualquer coisa, absolutamente qualquer coisa, o que gostaria de fazer? O que o deixaria animado? O que seria bastante emocionante para tirá-lo da depressão?

Angie sabia que corria um risco. Se Ben respondesse que queria ver Nora Eaton, ela ficaria arrasada. Ele pensou por um momento.

— Ir para algum lugar.

— Eu?

— Nós dois. Gostaria de fazer uma viagem com você.

Aliviada, Angie perguntou:

— Para onde?

Ele pensou de novo.

— Williamsburg, Virgínia.

Ela sorriu.

— É mesmo?

— Quando morávamos em Nova York, sempre falávamos em visitar essa cidade. Mas você vivia ocupada; depois Dougie nasceu, e nunca encontramos tempo.

— Está certo. — O sorriso de Angie se desvaneceu. — Vamos agora.

Ben se mostrou surpreso.

— Neste momento?

Ela confirmou com um aceno de cabeça.

— Isso mesmo.

— E Dougie?

— Ele não está em casa.

— E seu trabalho?

Angie nem precisava pensar a respeito. Já cumprira horas extras mais do que suficientes para compensar, e agora ainda contavam com Cynthia para dar cobertura. Angie tinha direito àquela folga. Era uma emergência de família.

— Poderão funcionar sem a minha presença por um fim de semana prolongado — comentou Angie. — E você?

— Estou sempre com alguns dias adiantado. Posso tirar uma folga.

Ela foi até o telefone. Mas, enquanto no passado teria tomado todas as providências, agora estendeu o fone para Ben. Ele fitou-a em silêncio por um momento, aturdido. E, quando pegou o fone, os olhos exibiam um brilho de excitamento, e os lábios se contraíam na insinuação de um sorriso que sempre provocava um frêmito de emoção em Angie.

Ele parecia poderoso... e Angie não se importava quanto Mara poderia negar, pois a verdade é que um homem poderoso se tornava sensual. Com esse pensamento e também sorrindo, ela subiu para arrumar as malas.

Paige não vestiu o traje anti-séptico. Não era necessária na sala de cirurgia. Jill tomara anestesia geral e não saberia quem se encontrava por perto. Sua mãe, por outro lado, estava sozinha e apavorada na sala de espera.

As duas sentaram-se juntas em silêncio, prendendo a respiração cada vez que a porta era aberta, e soltando-a ao constatarem que não era a médica de Jill. Paige pensou nos pais que se reuniam nas sessões pré-natais, os que queriam tomar conhecimento prévio dos cuidados pediátricos, sempre com muitas perguntas, pouco antes de o bebê nascer. O excitamento deles era sempre contagiante.

Não havia excitamento agora... apenas o medo de que o bebê pudesse ser deformado, ou pequeno demais para sobreviver, ou com alguma doença que exigisse um tratamento médico prolongado e dispendioso. Havia também o medo de que os órgãos internos de Jill, já afetados pelo desabamento, reagissem de maneira adversa à cirurgia.

Quando a médica finalmente as procurou, foi com uma notícia triste.

— Jill está bem, mas perdemos o bebê. Lamento muito, Sra. Stickley. A fratura pélvica causou lesões internas. É um milagre que o bebê tenha resistido por tanto tempo.

Jane comprimia a mão contra o peito.

— Mas Jill está bem?

— Vai ficar. Depois que o bebê foi tirado, fizemos um trabalho de reparação interna. Se tudo correr bem, ela poderá ter outros filhos.

— Quando poderei vê-la?

— Pode esperá-la no quarto. Ela será levada daqui a pouco.

Paige não tinha a menor intenção de esperar. Despachou Jane para o quarto e foi para a sala de recuperação, onde Jill acordava e tornava a adormecer, a todo instante. À medida que o tempo foi passando, ela começou a se manter mais acordada do que dormindo. Paige segurou sua mão e esperou, em silêncio, os braços apoiados na grade da cama.

Depois de um momento, Jill manteve os olhos abertos por um tempo suficiente para focalizar Paige.

— Seja bem-vinda de volta — murmurou Paige, sorrindo.

— O que aconteceu? — sussurrou Jill, a voz rouca.

— Você vai ficar boa.

— E meu bebê?

O sorriso de Paige desapareceu. Ela balançou a cabeça.

— Era muito pequeno. Não resistiu.

Jill engoliu em seco e fechou os olhos.

— O que era?

Uma parte de Paige não queria contar. Dar um sexo ao bebê fazia com que se tornasse mais real. Mas fora mesmo real. Negar isso seria negar o direito de Jill lamentar quanto precisasse. Em voz baixa, ela repetiu o que a obstetra dissera:

— Era um menino. Pode ter sofrido alguma lesão no acidente. Foi melhor assim, Jill.

A jovem acenou com a cabeça. E mergulhou num cochilo. Paige permaneceu ali, segurando sua mão. Jill virou a cabeça e tornou a abrir os olhos poucos minutos depois. Franziu o rosto e logo lembrou.

— Um menino... Parecia com Joey?

Paige sorriu, triste.

— Não sei. Não cheguei a vê-lo. Meu palpite é que era muito pequeno para parecer com alguém.

— Tenho imaginado... sempre penso que estou passeando em algum lugar com um menino que parece com um de nós. — Ela fez uma careta. — Minha barriga está doendo.

— É por causa da incisão. Fizeram uma cesariana. Mas você ficará boa.

— Só que sem o bebê.

— Não agora. Em outra ocasião. Quando for o momento certo.

Jill balançou a cabeça. Os olhos se tornaram desolados, até fecharem. Lágrimas escorreram pelos cantos.

Paige apertou-lhe a mão com mais firmeza, deixando-a chorar, até que os efeitos prolongados da anestesia a dopassem de novo. Quando ela tornou a acordar, Paige chamou um assistente de enfermagem e pediu que a levasse para o quarto.

Jane esperava ali, junto com o pai de Jill. Ele não falava com a filha desde o anúncio da gravidez. Ao que parecia, Jane o avisaria de que Jill não estava mais grávida.

Assim que Jill foi transferida para a cama e coberta, o pai adiantou-se e inclinou-se sobre a cama.

— Jill? Sou eu.

Ela tornou a abrir os olhos. Fitou o pai e ficou outra vez cheia de lágrimas.

— Está tudo bem, querida — murmurou ele, segurando a mão da filha e afagando-a. — Você ficará boa. Não se preocupe com nada.

Paige adiantou-se. Se ele estivesse cheirando a álcool, chamaria Norman Fitch para tirá-lo do hospital. Era a medida de sua consideração por Frank Stickley.

Mas ele não havia bebido. Por isso, Paige tocou no ombro de Jill e murmurou:

— Vou para casa agora, Jill. Seus pais ficarão com você por algum tempo. Se houver algum problema, chame a enfermeira, e ela me avisará. Está bem assim?

A jovem acenou com a cabeça em concordância.

Paige deixou o hospital pensando que Frank Stickley a fazia lembrar-se de Thomas O'Neill. Os dois eram teimosos; os dois consideravam que seus valores eram sacrossantos; os dois tinham a capacidade de cortar uma filha de suas vidas como se fosse uma unha, e não uma parte do coração.

Jill nunca mais esqueceria o que o pai lhe fizera. Poderia relevar por enquanto, mas não esqueceria. Era um fardo emocional que carregaria pelo resto de sua vida.

A rejeição era assim. Uma broca, que abria um pequeno buraco por dentro e nunca mais desaparecia. Nos bons tempos, podia ser coberto pelo transbordamento da felicidade. Nos tempos ruins, no entanto, tornava-se cada vez maior, até que sufocava a vontade de viver. Fora o que acontecera com Mara. Paige estava convencida desse fato. A rejeição tornara-se sinônimo de fracasso. Era irrelevante se a morte fora ou não acidental. Mara perdera a vontade de viver.

Mais tarde, de pé junto do berço de Sami, observando-a dormir, Paige se perguntou se as crianças não seriam a chave, uma perpetuação da espécie e da própria pessoa. Para Mara, com toda a certeza, seria uma validação, uma declaração para o mundo: "Eu tenho valor. Portanto, mereço criar uma criança." Jill, que mal tinha idade suficiente para saber o que significava criar um filho, também sentira a mesma coisa, em algum nível. E Paige? O trabalho sempre fora sua validação.

E, de repente, ela teve dúvidas se seria suficiente.

* * *

Peter foi o primeiro a chegar à clínica na manhã seguinte. Começou a receber pacientes sem hora marcada no mesmo instante. Sentia-se melhor do que em qualquer outra ocasião em muito tempo... *apesar* do telefonema de Angie na noite anterior. O fato de Angie tirar folga na sexta e na segunda-feira acarretaria mais trabalho para ele, numa ocasião em que pensava em outras coisas. Mas podia ser generoso. Angie passara por um período difícil. Se um fim de semana prolongado era do que ela e Ben precisavam, podia muito bem lhes conceder.

Por sorte, enquanto a manhã trouxera mais do que a cota habitual de gripes, tosses e dores de ouvido, a tarde foi relativamente tranqüila. Ele saiu da clínica às cinco horas. Atravessou o estacionamento para o hospital. A neve que restava da tempestade se tornara suja, quase uma lama, mas isso não o desanimava. Sentia-se bastante vigoroso.

Tinha uma lista regular de vítimas do acidente que visitava todos os dias. Claro que seu número diminuía cada vez mais, à medida que os pacientes recebiam alta. Só os casos mais graves permaneciam no hospital. O que significava que esses pacientes podiam finalmente receber os cuidados e a atenção de que precisavam.

Ele visitou cada um, deixando Kate Ann por último. Quando chegou ao quarto, ela estava jantando. Peter parou à porta por um momento, observando.

Só havia agora duas pacientes no quarto. A outra mulher parecia receber muitas visitas, o que não acontecia com Kate Ann. Esse era um dos motivos pelos quais Peter tentava providenciar um pouco de tempo extra para ela todos os dias.

— Vejam só quem está aqui! — exclamou uma voz familiar.

Braços enlaçaram-no por trás, mãos apertaram seu peito, da mesma forma sugestiva que a voz, que logo acrescentou, num murmúrio provocante:

— Meu médico predileto!

Peter pegou as mãos e afastou-as. Ao se virar, avistou um grupo de garotas risonhas, descendo pela escada e atravessando o corredor.

— Não é um comportamento apropriado, Julie.

Ela ofereceu um sorriso insinuante, que dizia discordar.

— Estava muito pensativo. E sensual. Diga que pensava em mim.
— Lamento, mas não era em você que pensava. O que faz aqui?
Julie alisou o uniforme branco.
— Trabalho aqui.
Com ou sem jaleco, ele não podia acreditar; e pensou que Julie seria bem capaz de tê-lo roubado.
— Essa não!
— Mas é verdade. Muitos de nós estão ajudando as vítimas do desabamento no cinema. Se não fosse pelo feriado, muitos alunos da Mount Court teriam ido ao *show*.
— Se não fosse pela graça de Deus?
— Pode-se dizer que sim. — Julie ergueu o queixo na direção de Kate Ann. — Ela acabou de comer? Já passei duas vezes por aqui para recolher sua bandeja. Ela é muito lenta.
— E tem todos os motivos para ser lenta — ressaltou Peter. — Tem um pequeno problema de mobilidade. Se você quer ser útil, pode perguntar a ela se precisa que alguma coisa seja cortada. Ela não tem família. Passa o dia inteiro sozinha.
Julie olhou para Kate Ann, apreensiva.
— E o que eu lhe diria? Nós duas nada temos em comum.
— Como sabe?
— Porque ela é muito mais velha do que eu.
— Também sou.
— Ela é da cidade.
— Também sou. Mas isso não é o importante. Kate Ann adora ler. Já deve ter lido todos os livros das listas de *best-sellers*. Pode conversar sobre qualquer um desses livros. A menos que você não tenha lido nenhum.
Peter sentiu algum prazer quando Julie corou, o que nada teve a ver com sexo, para variar.
— Passo o dia inteiro estudando — argumentou ela. — Não tenho tempo para ler livros.
— Pois então converse sobre música. Ela gosta de ouvir rádio. Ou pode perguntar como ela se sente. Se quer que ligue a televisão. Se quer a cama mais ou menos inclinada. Ela não pode fazer muita coisa

sozinha. Qualquer ajuda lhe será bem-vinda. Venha comigo. Eu lhe mostrarei como.

Ele pegou a mão de Julie e entrou no quarto. Largou-a quando se aproximou da cama.

— Oi, Kate Ann — disse Peter, satisfeito ao constatar que os olhos dela brilhavam ao se encontrar com os seus. — Como tem passado?

— Bem.

— O que teve no jantar?

Ela olhou indecisa para a bandeja, depois para Julie.

— Acho que peixe. Mas não estou com fome. Desculpe tê-la atrasado. Pode levar a bandeja agora.

— Não a atrasou — declarou Peter. — O trabalho dela é esperar por tanto tempo quanto for necessário, até que você acabe de comer. — Ele fez a apresentação. — Kate Ann, quero que conheça Julie. Ela está no último ano na Academia de Mount Court.

Kate Ann ofereceu a Julie um sorriso contrafeito, que desapareceu no instante seguinte.

— Se algum dia precisar de alguma coisa e Julie estiver por perto, ela vai providenciar. Certo? — Peter gesticulou para a bandeja. — Não quer mais?

— Não.

Ele entregou a bandeja a Julie.

— Tudo acertado — disse ele, dispensando-a.

Ele foi para o pé da cama, a fim de verificar a ficha de Kate Ann. Quando acabou de ler que não havia qualquer alteração em seu estado, Julie já se retirara. Peter voltou para a cabeceira da cama.

— Está com uma aparência melhor. Gosto do roupão.

Peter comprara-o no *shopping center*. Não custara muito, mas fizera com que Kate Ann sentisse que alguém se importava com ela.

— Também gosto — balbuciou ela, puxando a gola. — Mas não deveria ter comprado.

Talvez não, pensou Peter; mas o azul-esverdeado exigia atenção. Recusava-se a ser invisível. Se Kate Ann ia receber os cuidados de que precisava — o que se tornara a causa de Peter —, era necessário se destacar dos móveis e utensílios.

Além do mais, aquele tom azul fazia coisas interessantes por sua pele, deixando-a menos pálida, mais alabastro. Ele duvidava que Kate Ann jamais tivesse usado qualquer roupa com uma cor tão forte. A Kate Ann projetada por sua mente sempre vestia tons foscos de cinza e castanho. Se ela ajeitasse os cabelos, que eram lisos e compridos, repartidos no meio, puxando para trás e prendendo numa trança, poderia até se tornar atraente.

Mas, por outro lado, provavelmente era melhor deixar seus cabelos como estavam. Menos trabalho.

— E também não precisava trazer o livro gravado — acrescentou ela. — Ouvi esta manhã.

— Eu li ontem à noite. — Era um novo romance de suspense culminando com um julgamento. — O que você achou?

— Achei que não é tão bom quanto o primeiro livro do autor.

Peter concordava. Tentou definir qual era o problema.

— Muito forçado?

— Como se os ingredientes do primeiro fossem misturados e apresentados numa ordem diferente. Só que não deu certo.

— Exceto pela ex-mulher. É uma personagem bem-elaborada.

Os olhos de Kate Ann faiscaram.

— É a personagem mais simpática. Gosto dela. — O brilho se desvaneceu. — E a invejo.

— Inveja?

— É uma mulher engenhosa. Sempre encontra meios para fazer com que tudo dê certo. Luta pelo que quer.

Ficou sem dizer que Kate Ann não podia fazer isso.

— Você também podia — sugeriu Peter.

Mas ela desviou os olhos.

— Não sou boa com as pessoas. Nunca fui. Sofria demais ao tentar. E agora não posso...

— Falei com outro médico, Kate Ann. É um neurocirurgião de Worcester. Eu gostaria que ele a examinasse na próxima semana.

— Pensei que não restava mais nada para fazer.

Ela acenou com a mão trêmula para as pessoas, dando a impressão de que desataria a chorar. Peter segurou a mão para imobilizá-la e disse, com uma serena confiança:

— Sempre resta alguma coisa para fazer. Se não é a cirurgia, então é a fisioterapia.

Ele recusava-se a permitir que Kate Ann desistisse.

— Mas não tenho condições de pagar outro médico.

— Já lhe disse para não se preocupar com dinheiro.

— Mas não tenho nenhum. Não posso pagar nada disso. E, se não voltar a trabalhar logo, perderei todas as minhas contas. Não há nenhum meio deu voltar a trabalhar? A mente continua a funcionar. E as mãos. Não posso trabalhar aqui?

— Deveria descansar.

— Preciso trabalhar — sussurrou ela.

Era outra vez a criança, os olhos enormes, cheios de desespero e medo, a ponto de transbordarem. Aqueles olhos fizeram alguma coisa com Peter. Ele tocou em seu ombro.

— Volto num instante.

Ele foi até o posto de enfermagem. Retornou com um pedaço de papel e um lápis.

— Para quem você trabalha?

Kate Ann ficou confusa.

— Como...

— Ligarei para ver o que posso fazer.

Ela deu a informação e acrescentou, humilde:

— Não são muitos, mas pagam.

Peter dobrou o papel e guardou no bolso. Sentia ao mesmo tempo pena da pobre e patética Kate Ann Murther e satisfação por poder ajudá-la. Parecia-lhe que o trabalho, mesmo numa pequena escala, era uma terapia tão boa quanto outra qualquer.

— Estou morrendo de fome — comentou ele. — Mas o seu jantar tinha uma aparência horrível. O resto da comida na cantina deve ser igual. E se eu desse um pulo no Harry's para comprar um sanduíche misto de vitela? Você comeria uma parte?

Ela se mostrou surpresa, depois tímida.

— Talvez um pouco.

Peter esfregou as mãos.

— Ótimo. Não vou demorar.

Ele comprou dois sanduíches. Mandou que Harry cortasse o de Kate Ann em pedaços pequenos. Ela comeu quase a metade. Peter embrulhou o resto, pôs na mesinha-de-cabeceira e instruiu a enfermeira a encorajá-la a comer mais tarde. Kate Ann sempre fora magra; agora dava a impressão de que uma rajada de vento a faria alçar vôo. Peter queria que ela engordasse um pouco. Precisaria de forças para enfrentar os desafios pela frente.

Ele ainda pensava nessa estrada uma hora depois, enquanto tomava uma cerveja no Tavern. Passos familiares aproximaram-se. Seu irmão Charlie acomodou-se no reservado.

— Oi, Pete. Quais são as novidades?

— Não há nenhuma.

— Parece cansado. Tem feito horas extras no hospital?

— Pode-se dizer que sim. O desabamento do cinema ainda tem conseqüências. Vai passar mais algum tempo antes que tudo volte ao normal.

— O garoto do Frenchy voltou para casa ontem, mas vai levar mais algum tempo para poder andar. O mesmo acontece com o do Duke. Os dois caíram com o resto da turma no balcão. — Ele balançou a cabeça. — Não deveria ter acontecido. Frank Stickley está furioso. Esteve aqui há pouco tempo, dizendo que alguma coisa precisava ser feita. E não é o único. Há muitos reclamando desta vez. Mas é claro que não passará disso. Nenhum inquilino de Jamie Cox vai ousar enfrentá-lo.

Charlie fez uma pausa. Inclinou-se para a frente e baixou a voz, ao perguntar:

— Você vai processá-lo?

— Eu? — indagou Peter, mais curioso do que surpreso.

— É a pessoa ideal para isso. É testemunha direta das tragédias causadas pelo desabamento. E não deve nada a Jamie.

— Nem você.

— Acontece que eu sou insignificante. Nem sei como enfrentar alguém num tribunal. Na rua, pode ser. Aqui, pode ser. Mas não num tribunal. E é na justiça que ele deve ser interpelado. É onde ele vai sentir mais.

— Já pensou em tudo — comentou Peter.

— Não é preciso pensar muito. Não sou estúpido, nem o resto da turma, embora às vezes você goste de pensar que somos idiotas. Apenas não sabemos o que fazer.

Peter sentiu-se arrependido.

— Basta contratar um advogado. Ele cuidará do resto.

— É fácil dizer, mas não fazer. Nenhum advogado local vai querer brigar com Jamie. Então onde vamos arrumar alguém competente para fazer o trabalho? É você quem tem contatos fora de Tucker. Quem conhece médicos na cidade grande. E eles conhecem advogados na cidade grande.

Peter assumiu um ar pensativo. Não queria ser considerado muito fácil de persuadir.

— A turma está mesmo falando?

Charlie confirmou com um aceno de cabeça.

— Estão todos furiosos. E posso lhe garantir que ficariam agradecidos se você tomasse a iniciativa. — Uma pausa e ele acrescentou, cauteloso: — Mara O'Neill cuidaria disso, se estivesse viva.

— Provavelmente.

Peter já passara do ponto em que se irritava quando alguém falava em Mara. Acabara se reconciliando com a maneira como Mara pensava.

— Ela era uma boa pessoa. — Charlie tornou a se inclinar para a frente. — Que história é essa entre você e Kate Ann Murther?

— Como?

— Kate Ann Murther. Não me pergunte o que ela fazia naquele balcão... nem o que fazia no concerto... mas se espalhou a notícia de que ficou em condições críticas. E, pelo que me contaram, você está lhe dispensando uma atenção especial.

— Quem lhe contou? — indagou Peter, com o que julgava ser a quantidade exata de incredulidade.

— A cunhada do Duke trabalha no andar onde Kate Ann está internada. E diz que você aparece por lá com freqüência.

— Venho acompanhando todos os pacientes que tratei na emergência, depois do acidente.

Charlie piscou.

— Mas não tratou de Kate Ann. Ou pelo menos é o que diz a cunhada do Duke. Levou-a para o quarto lá em cima mais tarde e avisou que ela não deveria ser ignorada.

— Não podia ser de outra forma — declarou Peter, incisivo. — A pobre coitada fora deixada no corredor, em terror absoluto, sem que ninguém lhe prestasse a menor assistência. Só porque ela não tem uma família aqui para defendê-la não significa que deve ser escorraçada. Iam esquecê-la ali. Só Deus sabe quando ela iria para um quarto... se é que iria... se eu não interferisse.

Charlie sorriu.

— É verdade. Você se tornou salvador de Kate Ann.

— Eu não chegaria a esse ponto — disse Peter. — Estou apenas providenciando para que ela receba os cuidados de que precisa. É meu trabalho como médico.

Mas Charlie ainda sorria.

— Kate Ann Murther... É a última mulher do mundo que eu pensava que poderia atraí-lo. Lacey eu pude compreender. *Mara* eu pude compreender. Mas Kate Ann Murther?

Ele parecia prestes a cair na gargalhada, o que deixou Peter na maior irritação.

— O que há de tão ruim em Kate Ann?

— Ela é daqui, para começar. Você sempre procurou mulheres de fora. As daqui o conheciam muito bem.

— E o que isso significa?

— Ora, Peter, você sabe. — Charlie acenou com a mão, descartando o assunto. — Era um tampinha quando garoto. Posso dizer isso porque você se deu bem. É mais inteligente do que dez pessoas desta cidade juntas.

— Não mais do que Kate Ann. Ela é mais inteligente do que as pessoas pensam.

— Ela tem medo da própria sombra.

— É tímida. E se assusta com as pessoas. Por isso prefere se manter isolada. E o que acontece? As pessoas acham que ela é estranha. Pensam que não tem um cérebro na cabeça. Quando se arrisca a sair, fica nervosa e faz tudo errado, o que reforça a maneira como as pessoas pensam a seu respeito. Riem dela, o que a deixa ainda mais nervosa. Por isso, comete mais erros. Posso lhe garantir que por trás daquela fachada que parece insignificante há uma mulher inteligente e sensível. E não é apenas isso, pois ela também se sente grata por qualquer coisinha que alguém faça. Comprei-lhe um roupão para que ela não tivesse mais de passar o tempo todo sob aquelas cobertas horríveis do hospital. E era de se pensar que eu havia comprado um diamante.

— Comprou um roupão para ela? — murmurou Charlie.

Peter não tivera a intenção de dizer isso. Nem percebera que havia falado, até que Charlie repetiu. Mas não ia recuar.

— Claro que comprei. Já era tempo de alguém nesta cidade começar a demonstrar alguma bondade para com ela. E respeito. Ela tem um trabalho aqui. Cuida da contabilidade de uma porção de pequenas empresas da cidade. Não sabia disso, não é? — Era uma declaração que a surpresa de Charlie confirmava. — Pois é verdade. E não sabia porque ninguém quer admitir. Como pensava que ela se sustentava? Não é feita de dinheiro.

Charlie soltou uma risada, mas foi um tanto contrafeita. E Peter não tencionava parar. Estava no embalo.

— Portanto, talvez seja hora de reconhecer que Kate Ann Murther, à sua maneira discreta, presta um bom serviço para esta comunidade. Podemos começar demonstrando um pouco de compaixão pelo estado em que ela se encontra. Está paralítica. Nunca mais vai andar. É uma mulher assustada, totalmente sozinha no mundo... que não chega a ser velha, mas que tem tanta chance quanto uma bola de neve no inferno de encontrar um homem, ainda mais agora... e enfrenta um futuro numa cadeira de rodas. Como ela vai entrar em casa? E como vai circular, depois de entrar? Como vai entrar e sair do boxe para tomar banho? Como vai à cidade para comprar comida? Tem alguma idéia do pânico que ela sente, deitada ali, naquela cama, durante o dia inteiro, fazendo todas essas perguntas para si mesma, muitas e muitas vezes?

— Parece até que você está concorrendo a um cargo público — resmungou Charlie, ressabiado.

Peter ergueu a mão.

— É apenas uma questão de decência. Aquela mulher levou uma vida patética até hoje, e a que enfrenta agora pode ser ainda pior. O que você faria nessa situação?

— Provavelmente encostaria um revólver na cabeça e puxaria o gatilho.

— É isso mesmo... — As palavras pareciam pairar no ar. — Uma das minhas amigas fez algo parecido, porque as pessoas ao seu redor... inclusive eu... não se importavam o bastante para levar a sério as preocupações de sua vida.

Ele fez uma pausa e acrescentou, alteando a voz:

— Não deixarei que isso aconteça de novo.

Charlie balançou as mãos no ar.

— Está bem, está bem... Acredito em você.

— É melhor mesmo. Porque defender Kate Ann Murther, na minha opinião, não é uma atitude de um perdedor. Demonstra caráter. E compaixão. E pode dizer a Duke para avisar à cunhada que, se quiser manter o emprego, deve providenciar para que Kate Ann Murther tenha os melhores cuidados possíveis. Estarei vigiando.

— Acalme-se, Pete, por favor. — Ele olhou ao redor, embaraçado. — Vai passar o Dia de Ação de Graças conosco ou pretende desaparecer?

— Estarei aqui. — Peter teve uma idéia. — E levarei Kate Ann. Será bom para ela passar algumas horas fora do hospital, em contato com outras pessoas.

Charlie fitou-o boquiaberto por um longo momento. Depois, com uma expressão que dizia que temia pela sanidade do irmão, mas não ia provocá-lo para outro discurso, limitou-se a murmurar:

— Como quiser, Pete, como quiser...

Angie sentou-se na poltrona ao lado da janela e prendeu o cinto de segurança. A seu lado, na poltrona do corredor, Ben fez a mesma coisa. Pegou a mão da mulher, murmurando:

— Um agradável fim de semana...

— Isso mesmo.

— Como nos velhos tempos?

Angie pensou a respeito por um instante.

— Um pouco. Mas melhor. Eu gostaria que tivéssemos mais um dia.

Ele acenou com a cabeça e olhou para suas mãos.

— Não está ansioso por voltar, não é?

Havia horas que Angie sentia a relutância do marido. Era lisonjeiro. E excitante. Mas inquietante. Ben deu de ombros.

— Tenho sentimentos contraditórios.

Como ele não dissesse mais nada, Angie insistiu:

— Continue. Tem de me falar a respeito.

Era a promessa que haviam feito um para o outro; e não fora no calor da paixão, embora isso também tivesse acontecido.

— Foi uma ocasião especial, Angie. E me preocupo com a possibilidade de que, na volta a Tucker, tudo acabe e retomemos a rotina antiga.

— Se você sabe que há uma rotina, deve ser capaz de fazer alguma coisa para evitá-la.

— Bem que deveria. Mas juro que não sei o que fazer. Como se luta contra o tédio num lugar onde não há muita coisa para fazer?

— Planejo passar mais tempo em casa.

— E ambos ficaremos entediados. — Ele fitou-a nos olhos. — Não é um insulto, Angie. Mas pense a respeito. Tucker é Tucker. Podemos conversar por horas, fazer amor, ter jantares à luz de velas. Depois de algum tempo, porém, Tucker continuará a ser Tucker. Não há muito o que fazer ali.

— Então viajaremos com mais freqüência.

— O suficiente para preencher o vazio?

— Podemos viajar uma vez por mês.

Ela não o deixaria desistir. Não depois daquele fim de semana prolongado. Não depois do progresso que haviam feito.

— Podemos planejar com antecedência e ir para um lugar que ambos queríamos conhecer. Ou fazer algo que ambos queriam. Só a expectativa já valeria milhões.

Mas Ben sacudia a cabeça.

— Talvez tédio seja a palavra errada. Preciso de convivência com outras pessoas. Pessoas diferentes. Pessoas interessantes. Só que Tucker não tem pessoas assim.

A voz murchou de repente, como se ele estivesse resistindo por muito tempo à verdade nua e crua, que agora emergiu:

— Sinto falta de Nova York.

— Estaremos lá com nossas famílias, no Dia de Ação de Graças.

— Não me referia a uma visita, e sim a trabalho.

Angie já sabia disso. Vinha sentindo a pressão há mais tempo do que gostaria de pensar e do que estava disposta a admitir. Optara por ignorar, porque não era o que queria ouvir.

— É diferente estar no meio dos acontecimentos — comentou Ben, tentando explicar. — Os aparelhos de fax são maravilhosos, *e-mails*, telefonemas de conferência, a Federal Express, mas nem tudo isso me leva para o meio da ação.

Uma comissária de bordo passou, fechando os compartimentos por cima e verificando os cintos de segurança. Ben esperou que ela se afastasse.

— Quando você cursava a faculdade e fazia residência, vivíamos na cidade grande. E o mesmo acontecia quando Dougie nasceu. Mas mudamos para Tucker, e perdi isso.

Angie sentiu um tremendo vazio por dentro.

— Está querendo dizer que deseja voltar para Nova York?

Ele olhou pelo corredor, desolado.

— Estou dizendo que sinto saudade e que, se fosse possível, gostaria de voltar. — Ben fitou-a nos olhos por um breve instante, antes de voltar a se concentrar em suas mãos. Virou a aliança de Angie. — Mas você tem de pensar em sua clínica.

O vazio interior de Angie aumentou ainda mais. Depois de dois meses em que certos aspectos básicos de sua vida haviam virado pelo avesso, parecia que outra crise assomava.

— Sua carreira não é portátil como a minha — argumentou Ben, bancando o advogado do diabo contra seus próprios pensamentos. — Tem uma posição consolidada em Tucker. Conhece as pessoas. E *gosta* das pessoas.

— E você não gosta? — indagou Angie, consternada.

— Claro que gosto. São pessoas maravilhosas. Gentis. Joviais. Depois que passam a conhecer alguém, são capazes de dar a roupa do corpo.

Ben ficou calado quando a comissária de bordo começou a falar sobre medidas de emergência. Angie inclinou-se para o marido.

— É mais do que apenas as pessoas. É o modo de vida. A facilidade. O ritmo mais lento. A paz.

— Se eu pudesse ter essas coisas e mais o estímulo intelectual, estaria no paraíso.

— Talvez haja outra solução. Montpelier não fica muito longe. Não poderia trabalhar num jornal de lá?

Ben lançou-lhe um olhar expressivo.

— A *Gazette* não é exatamente o *Times*.

— E que tal se tornar professor? Poderia dar aulas em Bennington. Ou em Dartmouth. Há muito estímulo intelectual nesses lugares.

— É possível — admitiu Ben, embora cético. — Se quiserem um velho cartunista no corpo docente.

— Não é um velho cartunista qualquer. Um cartunista político premiado. Você é um dos melhores em sua área. Se não quiserem um curso completo, não poderia ser uma série de seminários? Poderia ser coordenado com um departamento de arte. Ou, melhor ainda, de ciência política.

— É possível — repetiu ele.

A comissária de bordo finalmente se sentou. O avião taxiou para a decolagem.

— E se eu trabalhasse em Nova York e continuássemos a morar em Tucker?

Angie sentiu-se atordoada. Mais de quinhentos quilômetros de distância. Cinco horas de viagem sem qualquer tráfego, sete ou mais se houvesse algum movimento...

— Hum...

O avião começou a avançar.

— E se eu passar três dias por semana em Nova York?

Angie engoliu em seco. Três dias em que não o veria nem por um instante? Morando num apartamento de solteiro em Nova York? À noite fazendo só Deus sabia o quê, só Deus sabia com quem?

— Parece uma separação — murmurou ela, apreensiva.

Ben fitou-a nos olhos e disse, com a tranqüila segurança que ela sempre amara:

— Não é absolutamente o que eu quis dizer. Ainda mais depois deste fim de semana. Só estou tentando encontrar meios de preservar sua clínica, minha saúde mental e nosso casamento, tudo ao mesmo tempo. Três dias por semana podem ser suficientes. Três dias a cada duas semanas podem ser suficientes. Três dias por mês podem ser suficientes. Mas nunca saberei enquanto não tentar.

Angie queria dizer que isso não daria certo e que acabaria com o casamento, sem a menor dúvida. Exceto que muitos maridos viajavam a trabalho. As esposas se acostumavam. E não se podia dizer que ela ficaria sem fazer nada durante as ausências de Ben.

Além do mais, ela sabia que o marido andava irrequieto. Nora Eaton fora dele por isso... e mais o fato de Angie ter se mostrado surda às frustrações de Ben. Mas ela queria pensar que podia aprender com seus erros. Queria pensar que podia crescer. Portanto, como a criatura racional que era, Angie declarou:

— Posso viver com três dias por mês.

O avião passou por uma junção na pista, com um sobressalto, e continuou a avançar.

— E iria se encontrar comigo em Nova York por dois dias, antes e depois? — perguntou Ben.

— Eu poderia dar um jeito. — E como uma criatura racional, ela foi um passo além. — Ou poderia procurar um trabalho um pouco mais perto de Nova York.

Ben tornou a fitá-la nos olhos.

— Consideraria essa possibilidade?

— Se for a única maneira para tudo dar certo.

— Deixaria Tucker?

— Você deixou Nova York por mim.

O comandante anunciou que estavam em segundo lugar para a decolagem.

— Isso foi diferente, Angie. Eu posso trabalhar em qualquer lugar. Mas você... você tem uma clínica de sucesso em Tucker. Teria de começar tudo de novo.

— Não completamente. Eu teria você. E mais minha competência e habilidade. E Dougie, durante o tempo em que ele não estiver na escola. — Ela sorriu. — Também teria minha mãe e meu irmão, com a mulher e seus cinco filhos. Mais sua mãe, sua irmã e outras pessoas importantes... sem falar em sua tia Tillie.

— Pensando bem... — murmurou ele, de brincadeira.

— Posso começar a procurar. Farei uma sondagem entre os médicos que conheço na área de Nova York. Se houver uma vaga em algum pequeno hospital, numa comunidade suburbana ou numa clínica na região ao norte de Nova York... Pode ser interessante.

— Faria mesmo isso?

O avião chegou à cabeceira da pista e parou, esperando. Angie pensou a respeito.

— O trabalho de uma pediatra é, por princípio, transitório. As crianças crescem e procuram novos médicos. Outras tomam seu lugar.

— Mas você adora suas famílias.

— É verdade. E também adoraria as outras. — Angie tinha confiança de que conheceria outras famílias que também a amariam. — Se eu encontrasse um cenário apropriado e um grupo de médicos que respeitasse, poderia me mudar.

— E Paige? E Peter?

— Sentiria muita saudade deles. Como você sentiu do pessoal do *Times*. Mas vocês mantiveram contato. Eu faria a mesma coisa com Paige e Peter. Eles poderiam nos visitar. Conservaríamos a casa em Tucker para a temporada de esqui. Ou como um refúgio para um fim de semana.

— E Dougie?

O avião recomeçou a avançar.

O primeiro impulso de Angie foi responder que ele poderia ser matriculado numa escola no lugar para onde fossem. Depois, no entanto, ela pensou em tudo que ocorrera naquele outono.

— Ele está indo bem na Mount Court. Se quiser continuar lá, eu deixaria.

— Mesmo que estivéssemos longe?

— Não o vimos neste fim de semana e sobrevivemos.

A velocidade do avião aumentou. Ela recostou-se na poltrona.

— Você *quer* se mudar?

Angie virou a cabeça.

— Não. Mas quero você, e, se para tê-lo vou precisar me mudar, que assim seja.

O avião arremeteu. A roda da frente deixara a pista, depois as traseiras. Enquanto o avião subia, Angie pensou em sua calma.

E concluiu que esta deveria ter alguma relação com a maneira como Ben entrelaçava os dedos nos seus.

Vinte

Depois da angústia anual de seu aniversário, Paige sempre gostara do Dia de Ação de Graças. Ao longo dos anos, acostumara-se a passar o dia com amigos em Tucker, um grupo de vinte pessoas, mais ou menos, todas transmigradas, como ela. Formavam uma família substituta eclética, com a maior diversidade na idade e origens. Cada um levara talentos singulares para Tucker e tinha uma contribuição especial para as comemorações do Dia de Ação de Graças.

A festa, realizada numa casa diferente a cada ano, começava com o *hors d'oeuvre* à uma hora da tarde e terminava com a sobremesa às dez horas da noite. No intervalo, com um fogo aceso na lareira, eles chegavam tão perto quanto era possível de captar o sentimento de cruzar e atravessar o bosque para voltar à casa da avó, como qualquer família.

Nonny era integrante do grupo, já tendo comparecido a festas suficientes para saber que deveria levar duas de suas tortas de nozpecã, mas deixar em casa a batata recheada.

Sami, que começava a andar, apoiando-se nos móveis, foi o centro das atenções naquele ano. Paige lhe comprara um blusão de brim, com uma blusa estampada e malha combinando. Entre isso e o laço nos cabelos escuros, e o rosto sério que se iluminava quando sorria, ela se tornou mesmo a grande atração. As outras crianças disputavam o privilégio de brincar com ela.

Paige bem que esperou a presença de Noah, mas ele fora passar o dia com os pais, em Santa Fé, enquanto Sara visitava a mãe, em San Francisco. Era melhor assim, Paige sabia. Vira-o quase todos os dias, desde seu aniversário. Ou Noah pegava-a no hospital, depois que deixava ali o grupo de estudantes da Mount Court que ajudava com os feridos, ou aparecia em sua casa à noite. Dormira com ela várias vezes, entrando às escondidas, depois que Nonny subia para dormir, e saindo ao amanhecer. Por mais culpada que se sentisse, Paige não podia recusar. Estar em seus braços era muito agradável.

Era por isso que a pausa no Dia de Ação de Graças se tornava tão importante. Muita coisa mudara na vida de Paige naquele outono. Precisava de um lembrete de que algumas coisas, como o Dia de Ação de Graças dos forasteiros de Tucker, como eles se intitulavam, continuaria a existir mesmo depois que Noah Perrine fosse embora.

A neve começou a cair na noite de Ação de Graças e continuou pela manhã. Paige teve alguma dificuldade para chegar à clínica. Ela e Peter eram os únicos ali, com Angie e Ben em Nova York, e Cynthia na casa dos pais em Boulder. Embora as escolas estivessem fechadas devido ao feriado, as gripes, alergias e tosses não tiravam folga.

Ela trabalhou durante o dia inteiro. Foi ao hospital para visitar Jill. Voltou para casa exausta. Concluiu que era decorrência da festa do dia anterior e do desapontamento na manhã seguinte.

Especulou se Noah tivera um dia festivo e se também sentira o mesmo desapontamento. Mas duvidava. Ele não telefonara... não que tivesse prometido que o faria, mas, se pensasse nela, teria telefonado. Era evidente que Noah, em casa com a família, estava em seu elemento. Por mais que ele alegasse ser um homem de todas as estações, Paige o conhecia bastante bem para saber que ele adorava o Novo México. O desapontamento para ele seria voltar a Tucker.

Sami também não estava satisfeita, porque espalhou mais do que comeu o jantar que Paige pôs na bandeja da cadeira alta. Até rejeitou a mamadeira. Não quis brincar no balanço, pendurado no teto, num canto da cozinha. Não quis brincar de bola com Paige. Queria apenas ficar no colo, e Paige atendeu-a, com o maior prazer. Quando o telefone tocou, às oito e meia — não era Noah, embora o coração de Paige disparasse ao ouvir a campainha — com um chamado de emergência, ela correu para o hospital, a fim de atender uma criança de 4 anos, cuja perna fora salpicada com água fervendo.

Voltou para casa. Sami continuava enjoada. Seu nariz começara a escorrer quando Paige levou-a para o berço. Quando a criança acordou no meio da noite, suada e com febre, Paige não se surpreendeu. As crianças pegavam resfriados de outras crianças. Era inevitável, até importante, em termos do desenvolvimento de imunidades. Mas era também angustiante. Sami era pequena e vulnerável. Não compreendia por que se sentia mal, e nenhuma explicação de Paige fazia sentido.

Paige deu-lhe um banho e fê-la tomar Tylenol infantil. Sentou com ela na cadeira de balanço, cantarolando acalantos, os mesmos que Nonny costumava entoar para ela. Sami cochilou, mas logo acordou chorando. Paige limpou seu rosto com um pano úmido. Deu uma mamadeira com suco de maçã, mas Sami tomou apenas a metade. Trocou seu pijama e escovou seus cabelos. Tornou a sentar-se na cadeira de balanço, pensando que a medicina moderna, com todas as suas maravilhas, ainda não era capaz de fazer muita coisa contra o resfriado comum.

Foi uma longa noite. Pela primeira vez, Paige compreendeu a frustração sentida por seus pais-pacientes durante todos aqueles anos, quando as crianças ficavam doentes e não havia como os ajudar.

— As crianças parecem piores do que realmente estão — dizia Paige aos pais.

Foi o que ela disse para si mesma agora. E as recomendações:

— Mantenha a criança tão confortável quanto for possível. Dê bastante líquido. E não entre em pânico.

E o conselho final:

— Trate de dormir o suficiente. Uma mãe exausta não serve para nada.

Paige quase não dormiu. Quando Sami estava acordada, ela a balançava na cadeira para que dormisse; e, depois que a menina pegava no sono, não queria andar até o berço para não correr o risco de acordá-la. Pouco antes do amanhecer, exausta, levou Sami para sua cama. Mal dormira, no entanto, quando Nonny entrou correndo no quarto, alarmada por não ter encontrado Sami no berço.

— Paige Pfeiffer, esta criança poderia facilmente ter rolado para a beira da cama e caído! — exclamou Nonny, pegando Sami no colo.

— Ela quase não estava se mexendo — murmurou Paige, tonta de sono. — Não se sente bem. Seja um anjo e lhe dê mais Tylenol. E pode fazer o favor de me acordar dentro de uma hora? É o meu sábado de plantão na clínica.

Um banho de chuveiro ressuscitou-a, uma hora depois. Mas sentia-se exausta ao terminar o trabalho na clínica e voltar para casa. Cochilou junto com Sami de tarde, enquanto Nonny dava uma volta pela neve. Enquanto a avó ficava em casa com Sami saiu para uma corrida.

Como era inevitável, pensou em seu aniversário e na corrida pela neve até a Mount Court. Não havia sentido em fazer o mesmo agora. Provavelmente também não fazia sentido na ocasião, exceto pelo fato de que precisava de uma injeção de ânimo. E fora, sem dúvida, o que Noah lhe proporcionara.

Também precisava de uma injeção de ânimo agora, por menor que fosse... por exemplo, do tipo que vinha do telefonema de um amigo para dizer que pensava nela. Havia uma mensagem assim à sua espera, quando chegou em casa. Mas era de Daniel Miller. Um dos mais novos forasteiros de Tucker, ele era um mago dos computadores, mais ou menos da idade de Paige. Queria lhe dizer quanto gostara da festa do Dia de Ação de Graças. No fim de semana seguinte, ele iria a uma exposição de arte em Bennington; gostaria de levá-la, se ela estivesse livre.

O fato de ter deixado todo o recado com Nonny era uma declaração de que gostaria de ser algo mais do que apenas amigo.

Paige passou o resto da tarde e o início da noite como no dia anterior, com Sami no colo. Por sorte, a febre baixou. A intensidade inicial do resfriado diminuiu para um nariz escorrendo a todo instante. Paige ficou aliviada e agradecida quando Sami mergulhou num sono profundo no berço. Não podia negar o sentimento especial que aflorava quando uma criança estava doente e queria colo. Uma criança doente era o máximo em termos de dependência. A mãe com várias crianças, todas com suas demandas, podia temer essas ocasiões. Não era o caso de Paige.

Nem de Mara. "Sou um porto de escala em suas vidas", escrevera ela sobre seu trabalho como mãe adotiva temporária.

> *Talvez seja isso que acrescente um significado especial a esses momentos de necessidade das crianças. Posso passar o dia inteiro correndo de uma sala de exame para outra, indo ao hospital, à prefeitura ou ao tribunal. Mas, quando volto para casa e sento no balanço da varanda dos fundos, segurando a mão pequena ou falando com uma criança transtornada, experimento a sensação de completude. Não penso além, no futuro. Aproveito o presente pelo presente; e, quando o presente passa, sinto saudade.*

Com Sami dormindo, Paige sentiu-se estranhamente perdida. Havia muita coisa para fazer, só que ela não sentia vontade. Jogou Scrabble com Nonny, mas isso não a satisfez tanto quanto ficar com Sami no colo. Nem impediu que sua mente vagueasse a todo instante para o telefone.

Foi deitar cedo. Adormeceu no mesmo instante, embora não fosse um sono profundo. Cada som que Sami emitia — uma tosse, um pequeno grito — saía pela babá eletrônica e a acordava. Subia de vez em quando, mas sempre encontrava Sami dormindo, sem febre.

Acabara de voltar de uma dessas inspeções quando ouviu uma batida na janela do quarto. Ao olhar, deparou com o rosto de Noah. Sem se dar ao trabalho de acender a luz, ela abriu a janela e o ajudou a entrar.

— O que está fazendo aqui? — perguntou Paige, na maior satisfação, apesar do susto que tivera. — Não deveria voltar antes da noite de amanhã!

Ele jogou o casaco para o lado, abraçou-a e murmurou contra seus cabelos:

— Eu queria tê-la de novo em meus braços.

Noah apertou-a por um longo momento, antes de recuar. No escuro, estudou o rosto de Paige, detalhe por detalhe, como se procurasse por uma mudança que uns poucos dias de separação pudessem ter provocado.

— Como foi o seu Dia de Ação de Graças?

Paige teve de fazer um esforço para recordar. Nenhum homem jamais interrompera suas férias para ficar com ela. Nenhum homem jamais a enlaçara com braços que tremiam nem contemplara seu rosto com olhos cuja ansiedade iluminava a escuridão. Nenhum homem jamais a fizera se sentir tão completa.

— Foi bom — murmurou ela, embora seus pensamentos se fixassem em todas as coisas que faziam com que Noah fosse excepcional. — E o seu?

— Também foi bom. Por um dia. Depois, comecei a me sentir impaciente.

Ele beijou-a. Sorriu, contrafeito. E tornou a beijá-la. E, quando sorriu de novo, havia uma indagação em seus olhos.

Paige respondeu ao levantar a bainha do suéter que ele vestia. Enquanto Noah o tirava, ela começou a desabotoar sua camisa; e, quando ele a tirou, Paige beijou-o no peito. E, quando quis seguir adiante, a calça já estava aberta. Ela enfiou as mãos por dentro e pegou-o, enquanto procurava sua boca.

— Senti muita saudade — sussurrou ela, notando a reação em suas mãos.

Noah se afastou, apenas o tempo suficiente para tirar o resto de sua roupa e a camisola de Paige. Levou-a para a cama.

Não disse nada. Nem precisava. Sua boca era eloqüente sem que saísse uma só palavra, as mãos e o corpo reiterando tudo que dizia. E, quando ele a penetrou com uma magnífica ereção, Paige sentiu-se absolutamente completa.

Noah enlaçou-a, um braço em torno dos quadris, outro nas costas. Imóvel, sussurrou no ouvido dela, a respiração entrecortada:

— Sonhei com isso durante toda a viagem de volta. Tive uma ereção de cinco horas. Espero que a comissária de bordo não tenha notado.

Paige riu. Passou os dedos nos cabelos do peito, alisou-lhe os músculos confortavelmente firmes.

— Você é um corruptor, Noah. Eu nem estava pensando nisso.

— Nem um pouco?
— Nem um pouco.
Não era em sexo que ela pensava, mas sim na satisfação, na plenitude. Sentia-se contente quando estava com Noah.
— Lá se vai meu ego.
E mais nada se perdeu. Ele era imenso dentro de Paige. Ela fechou os olhos, para saborear melhor o prazer. Noah tornou a comprimi-la. Soltou um suspiro longo e trêmulo contra seu rosto.
— Adoro quando você faz isso.
— Faço o quê?
— Suspira e diz que se sente tão bem.
Ela o enlaçou pelo pescoço.
— Eu amo você — sussurrou Noah.
Paige sentiu o coração parar.
— Também amo você.
— Jura?
— Juro.
Noah contraiu todo o corpo. Ela o ouviu soltar um murmúrio de felicidade, antes de arremeter. E quando ergueu os quadris ao seu encontro, a penetração foi profunda.
Só algum tempo mais tarde, depois que cochilaram um pouco, abraçados, é que ele despertou para perguntar:
— Falou sério?
Paige não simulou ignorância. Nunca antes dissera a um homem que o amava. Nunca sequer pensara a respeito, até que o próprio Noah falara. Depois, o significado de tudo que vinha sentindo se tornou claro.
— Falei. E você?
— Também. — Ele fez uma pausa. — É uma sensação agradável.
— E assustadora.
— *Muito* assustadora. — Noah procurou posições mais confortáveis para ambos, depois puxou o edredom para cobri-los. — Aconteceu uma coisa inesperada em Santa Fé. Um velho amigo é o presidente do conselho de administração de uma escola preparatória lá. A escola em que estudei. Disse que o diretor acabara de anunciar que ia se aposentar.

O que significava que Noah se candidataria ao cargo. E conseguiria. O que significava que se mudaria para Santa Fé. Logo no momento em que ela se apaixonava. Não era justo.

— O cargo não é automaticamente meu — advertiu Noah. — Haverá uma seleção formal. Mas todos os envolvidos conhecem a mim e a minha família. Além disso, o fato de que sou um ex-aluno é um ponto positivo.

— É uma boa escola?

— Não apenas boa. Ótima. Ótima reputação, ótimo corpo estudantil, ótimo apoio dos ex-alunos, ótimas verbas.

— Tudo que a Mount Court não tem.

— Pode-se dizer que sim. Seria um motivo de orgulho para mim.

Ela balançou a cabeça contra o peito de Noah.

— Deveria ir comigo — sugeriu ele.

— Eu? Não poderia. Toda a minha vida está aqui.

— Poderia se mudar para lá.

Para o *Novo México*?

— Gosto daqui.

— Disse que me ama.

Noah falou no tom simplista que os homens costumam usar, como se o amor conquistasse tudo, como se o amor perdoasse tudo e como se o amor justificasse a devastação. Paige sentiu uma súbita irritação.

— O amor é apenas parte da minha vida. Todo o resto está aqui, em Vermont.

— E se casássemos?

Paige respirou fundo, da maneira errada, e desatou a tossir. Depois que se recuperou, soergueu-se na cama para poder ver o rosto de Noah. Foi um movimento inútil. Entre os olhos meio fechados e a escuridão, não pôde ver muita coisa. O que era quase tão injusto quanto o pedido que ele fizera.

— O casamento nunca fez parte dos meus planos.

— O que não significa que seja uma coisa ruim.

— Era para você antes.

— Era antes, mas não é mais. Você e Liv são muito diferentes. — Ele pôs a mão no queixo de Paige. — Você é muito cética ou muito apavorada. Qual das duas?

— Nenhuma. — Uma pausa. — As duas coisas.

Ela baixou a cabeça para o peito de Noah. Segundos depois, quando um grito nítido saiu pela babá eletrônica, ela se levantou de um pulo.

— Sami está doente.

Paige pegou a camisola, vestiu-a e saiu do quarto. Sami estava apenas meio acordada. Ficara congestionada, levantara e encostara na grade do berço, esfregava o nariz e os olhos com o punho.

— Calma, calma, mamãe está aqui — murmurou Paige, pegando-a no colo. — Minha queridinha não está se sentindo bem?

— O que ela tem? — perguntou Noah, logo atrás.

Ele vestira a calça, mas não a abotoara. E estava sem camisa.

— É apenas um resfriado, mas o suficiente para deixá-la angustiada. Não compreende qual é o problema e não sabe o que fazer para remediá-lo. Mas não é nada grave.

Paige foi até o banheiro. Molhou uma toalha pequena e limpou o rosto de Sami.

— Ela vai tomar alguma coisa? — perguntou Noah, quando Paige voltou ao quarto.

— Talvez. Descerei para preparar uma mamadeira depois que trocar a fralda.

— Pode deixar que eu vou buscar. O que devo pôr na mamadeira?

Nada, Paige teve vontade de dizer. Não preciso de sua ajuda. Sou perfeitamente capaz de cuidar de mim mesma sozinha. Venho fazendo isso há muito mais tempo do que o conheço. O que seria um absurdo para uma mulher sensata e controlada.

— Suco de maçã. É do que ela gosta.

— Tudo bem aqui? — indagou Nonny, da porta. Era como uma aparição, pequena, de camisola branca e xale. Subitamente, ela viu Noah. — Ei, não sabia que tínhamos visita!

Paige suspirou.

— Não é uma visita, Nonny, mas apenas Noah.

— E vejo que ele não está vestido a caráter para o tempo lá fora. Espero que desta vez ela não o expulse de casa ao amanhecer, Noah. Já que é domingo. E porque já sei que você está aqui.

Para Noah, Paige queixou-se:

— Sempre foi assim durante minha infância e adolescência. Eu tentava fazer alguma coisa em segredo, só para descobrir que Nonny sabia de tudo desde o início.

Nonny se aproximara do trocador, arrastando as chinelas brancas. Encostou a mão na testa de Sami.

— Minha queridinha está com febre?

— Não. Ela deve ter se assustado quando acordou sufocada. Noah vai descer para providenciar a mamadeira. Você pode voltar para a cama.

— E perder o melhor da festa?

— Nonny...

— Já vou, já vou!

Ela deixou o quarto, arrastando as chinelas. Noah desceu para cuidar da mamadeira. Quando voltou, Sami já estava limpa. Paige sentou-se na cadeira de balanço e deu a mamadeira, enquanto Noah encostava no berço e observava.

— Fez o suco direito — comentou Paige. — Pensei que estivesse meio esquecido.

— Sempre gostei de dar comida para Sara.

— E fazia isso com freqüência?

— Sempre que podia.

Paige continuou a balançá-la. Sami, que ajudava a segurar a mamadeira, tirou-a da boca. Esfregou os lábios contra os dentes.

— Já chega? — indagou Paige. — Nem mais um pouquinho? Pela mamãe?

A boca tornou a se abrir, e o bico desapareceu.

— Assim é que eu gosto — murmurou Paige.

Sami tomou mais um pouco do suco de maçã, antes de tirar o bico da boca definitivamente. Paige largou a mamadeira na mesinha e ninou-a por mais algum tempo. Depois, ajeitou-a no berço, puxou a manta para cobri-la e esfregou suas costas.

— Gosta muito dela, não é? — perguntou Noah, parado ao lado de Paige.

— É uma menina maravilhosa.

Mas não era Sami quem mais dominava seus pensamentos naquele momento. Era Noah. O calor que ele irradiava era uma coisa física, uma sedução, quando ela não queria ser seduzida.

— Tem pensado numa adoção definitiva?

— Não.

— Não figura em seus planos?

Paige não respondeu. Enquanto esfregava as costas de Sami, ela tentou lembrar como era a vida antes da morte de Mara. Dois meses e meio. Não parecia possível.

Mara diria que Paige seria louca se não aceitasse a proposta de Noah, porque a ligação profunda era tudo.

Talvez fosse. Mas também deixava Paige apavorada. Noah tocou em seu braço.

— Acho que ela já dormiu.

Paige acenou com a cabeça em concordância. Deixou que ele passasse um braço por seus ombros e a levasse pela escada, porque era bom ser conduzida, em vez de conduzir durante todo o tempo. Mas, quando chegaram a seu quarto e ele virou-se e respirou fundo para falar, Paige pôs a mão em sua boca.

— Não diga nada. Não posso pensar no futuro agora, Noah. Ainda não. O que aconteceu entre nós é uma novidade para mim. Não podemos apenas aproveitar, apenas desfrutar o aqui e agora?

Era mais fácil dizer do que fazer, porque as palavras haviam sido enunciadas e não podiam ser retiradas. Na tarde seguinte, deixando Nonny e Noah com Sami, Paige foi para o quarto e acomodou-se no pequeno sofá, com os pensamentos de Mara sobre os homens.

"Tivemos muitos problemas, Daniel e eu, desde o início", escrevera ela.

Mas, mesmo quando a situação era a pior possível, havia uns poucos momentos preciosos em que tudo se ajustava. Eram como um sonho. Faziam com que o inferno valesse a pena. Eu não cuidava de Daniel, assim como ele também não cuidava de mim. Fazíamos tudo juntos, realmente juntos, duas pessoas de mentes iguais, em harmonia.

Depois que ele morreu, pensei que nunca mais experimentaria isso. Mas aconteceu de novo, com Nowell Brock...

Paige ficou espantada. Nunca havia imaginado Mara com Nowell.

... pelo curto período em que ele viveu em Tucker. Mas não havia futuro na nossa relação, porque ele era casado. Às vezes eu sentia que era por isso que nos ajustávamos tão bem. Era um relacionamento seguro. Nada jamais poderia resultar dele.
E com Peter. Também tive com Peter. Podíamos estar no bosque ao amanhecer, estendidos no chão, imóveis como mortos, cada um com sua câmera grudada no olho, esperando que uma corça viesse se alimentar nos arbustos ao lado do córrego. Sussurrávamos tudo, cada um completando a frase que o outro iniciava. Ele sabia o que eu pensava, e vice-versa. Havia uma sincronia total. Também tínhamos na cama, mas perdíamos quando nos levantávamos. Essa é a história da minha vida.

Paige baixou a carta.
— De quem é? — perguntou Noah, da porta.
Ela já se recusara a responder uma vez. Não via qualquer motivo para fazê-lo agora.
— De Mara. Depois que ela morreu, encontrei maços de cartas em sua casa. Como se fosse um diário. Ela as escreveu ao longo de vários anos.
— E o que dizem?
— Coisas diferentes. Algumas são pessoais. Outras são mais filosóficas. Descobri coisas a respeito dela que eu nunca soubera. O que é muito triste, por se tratar de uma grande amiga. — Paige franziu o rosto, ainda angustiada por tudo que não soubera de Mara. — Isso leva a especular se conhecemos, realmente conhecemos, as pessoas com quem convivemos durante todo o tempo.
— Claro que conhecemos — disse Noah, gentilmente. — Mas há sempre aquelas pessoas que, por algum motivo, escondem parte de si mesmas. Não que sejam desonestas, mas apenas nem sempre dizem toda a verdade.

— Se eu soubesse toda a verdade, talvez pudesse ajudá-la.

— Se Mara fosse capaz de dizer toda a verdade, talvez sua ajuda não fosse necessária. Ela seria mais saudável e mais forte.

Paige sabia que ele tinha razão. Sacudiu a carta.

— Não consigo deixar de pensar no desalento que ela devia sentir quando escrevia isto.

— É uma pena que ela não tenha enviado para você na ocasião em que as escreveu.

— Não foram escritas para mim, mas para outra pessoa.

Ao dar essa informação, Paige experimentou uma nova onda de culpa.

— Uma amiga?

— Acho que sim. — E Paige era uma *voyeur* dos pensamentos partilhados por Mara. — Alguém em Eugene. Mara nunca a mencionou para mim.

Ela lançou um olhar contrito para Noah, antes de acrescentar:

— Sei que deveria juntar todas as cartas e enviá-las. É o que farei. Mas quero ler um pouco mais. Fazem com que eu me sinta mais próxima dela. E ajudam-me a compreender a sua morte.

— Essa amiga veio para o funeral?

Paige sacudiu a cabeça em negativa.

— Só os pais e três irmãos de Mara vieram de Eugene.

— Acha que ela sabe que Mara morreu?

— Espero que sim. Presumo que já descobriu. — Mas a culpa tornou a aumentar. — Não houve nenhuma mensagem telefônica desde que Mara morreu. E já se passaram dois meses e meio. Se as duas mantivessem contato, a amiga teria ligado, não é mesmo?

— Se as duas mantivessem contato, teria, sim — concordou Noah.

— Mas talvez não houvesse qualquer contato. Isso explicaria por que Mara nunca enviou as cartas.

— Então por que ela as escreveu?

— Precisava dessa vazão.

— Mas por que *essa* pessoa?

Por que não para Paige? Havia mágoa nesse raciocínio, compreendeu ela. Talvez até inveja. Mas, com toda a certeza, ela não guardara as cartas para deliberadamente privar Lizzie Parks de uma coisa que queria para si mesma.

Ou teria sido por isso?

Abalada, ela pegou o telefone e apertou o número dos pais de Mara, em Eugene. Mary O'Neill atendeu. Paige falara com ela várias vezes, enquanto dispunha das coisas de Mara. Agora, depois dos cumprimentos cordiais, ela disse:

— Tenho algumas cartas de Mara comigo, Sra. O'Neill. Foram escritas para uma mulher chamada Lizzie Parks. — Paige deu o endereço. — Gostaria de enviá-las. Acha que Lizzie ainda mora nesse endereço?

Houve um silêncio no outro lado da linha. Paige imaginou que Mary O'Neill tentava se lembrar se o endereço era mesmo correto ou se folheava um caderninho de telefones para verificar.

Mas, como logo descobriu, Mary O'Neill não estava fazendo nenhuma das duas coisas. Numa voz consternada, ela disse:

— Não há nenhuma Lizzie nesse endereço. Não existe mais nenhuma Lizzie.

Horrorizada, Paige imaginou que Lizzie Parks também morrera.

— Como assim?

— Nunca houve nenhuma Lizzie. Não na vida real. Quando Mara era pequena, costumava fingir que tinha uma prima de sua idade, que vivia aqui em Eugene. Mas nunca houve qualquer prima. Lizzie Parks era uma amiga imaginária de Mara.

A mão de Paige tremia. Ela baixou a cabeça e comprimiu os dedos da mão livre contra a testa.

— Hã... Isso esclarece o mistério. — Uma amiga imaginária. — Obrigada. Desculpe tê-la incomodado.

Ela desligou. Ficou olhando para a carta em sua mão, até que as letras se embaralharam. Noah também se tornara indistinto quando ela o fitou.

— Não há nenhuma Lizzie Parks. Era apenas uma amiga imaginária.

Evitando-o, Paige foi até o sofá, pegou o resto das cartas naquele maço e amarrou-as com a mesma fita. Noah sentou-se a seu lado.

— Ela era uma mulher infeliz.
Paige soltou uma imprecação. Baixou a cabeça.
— Uma amiga imaginária...
— Outras pessoas também têm.
— Já beirando os 40 anos?
— Às vezes. Essas cartas não são muito diferentes do que inúmeros adultos escrevem e chamam de diário. Mara escreveu seu diário em forma de cartas, pondo um nome em cima. É apenas uma diferença de estilo. Isso é tudo.
Mas Paige ainda se sentia arrasada.
— Uma amiga imaginária... Ela devia se sentir mais solitária do que qualquer um jamais imaginou.
— Não é culpa sua, Paige. — Ele a abraçou. — Você estava próxima. Mara poderia ter aproveitado sua proximidade, se quisesse. E o mesmo acontece com todas as outras pessoas que gostavam tanto dela. Mas ela preferiu guardar seus pensamentos só para si.
Paige refletiu que ele tinha razão.
— Mara sentia-se atraída para duas direções diferentes, uma determinada pelo passado, outra pelo presente. Satisfazer a primeira significava repudiar a segunda, e vice-versa. Era uma situação em que não havia possibilidade de vitória. Ela estava fadada a fracassar. — Paige comprimiu o rosto contra o ombro de Noah. Sua respiração era trêmula. — Sinto muito por ela, mas muito mesmo.
O telefone tocou. Paige não se mexeu, a princípio. Noah era um conforto. Mas, quando a campainha soou pela segunda vez, seu senso de dever prevaleceu.
— Alô?
— Dra. Pfeiffer?
— Sou eu.
— Aqui é Anthony Perrine, o pai de Noah.
Ela olhou para Noah.
— Como vai, Dr. Perrine?
— Estou bem, mas temos um problema. Acabei de receber um telefonema da mãe de Sara. Ela desapareceu. Liv tentou em vão fazer contato com Noah. Pensei que ele poderia estar com você.

— Ele está aqui ao meu lado.

Paige estendeu o telefone para Noah.

— O que houve, papai?

Ela observou o rosto de Noah tornar-se sombrio, depois furioso.

— Liv não sabe há quanto tempo ela sumiu? — Ele escutou por um instante. — É demais!

Para Paige, ele explicou:

— Liv dormiu até tarde. Não a vê desde a noite passada.

Pelo telefone, Noah perguntou ao pai:

— Onde ela procurou? — Ele escutou, empurrando os óculos para o alto do nariz. — Começarei a ligar para as amigas da Mount Court. Não creio que haja alguma na área de San Francisco, mas procurarei para o leste. Ela pode ter pedido carona, que Deus a proteja.

A campainha da porta tocou. Paige deixou que Nonny fosse atender.

— Mande-a ligar para todas as amigas que Sara tinha em San Francisco — disse Noah ao pai. — Para onde ela teria ido carregando aquela enorme mochila? E por que teria saído de casa dessa maneira? Liv disse se as duas discutiram?

Paige aproximou o ouvido do fone, mas não conseguiu entender a resposta. Por isso, sussurrou:

— Pergunte se ela deixou alguma pista... caixa de fósforos, número de telefone jogado na cesta de papel, horários de ônibus.

Noah acenou com a cabeça. Continuou a fitá-la, enquanto ouvia o que o pai dizia. Depois, apresentou as sugestões de Paige.

— Sara não ia desaparecer desse jeito. Ela não é...

— Uma garota infeliz — arrematou Paige, aproximando a boca do fone. — Está bem adaptada na Mount Court. Gosta daqui. Se alguma coisa...

— Eu diria que ela pegaria o primeiro avião que partisse de San Francisco...

— E voltaria para cá — concluiu Paige.

— Oi, pessoal! — disse uma voz da porta.

Paige e Noah viraram-se para deparar com Sara, que sorria de orelha a orelha. Noah deixou escapar um suspiro de alívio. Enquanto Paige levantava-se para abraçar Sara, ele disse ao pai:

— Ela acaba de chegar. Parece muito bem. — Noah limpou a garganta. — E agora quero saber como ela veio para cá. Pode me fazer um favor, papai? Ligue para Liv e avise que falarei com ela mais tarde.

Ele desligou. Paige ainda abraçava Sara... protegendo-a, ela fantasiava, de qualquer punição que Noah quisesse aplicar. Noah foi abraçar as duas, e Paige relaxou.

Noah queria estar zangado com Sara, mas não podia. Ela não procurara uma amiga; viera à sua procura. O que significava o mundo para ele. Além do mais, quando a filha explicou que pegara um táxi para o aeroporto, trocara sua passagem e pegara outro táxi para a Mount Court, vindo depois para a casa de Paige, ele não pôde encontrar nada errado. A filha usara o bom senso. Em nenhum momento fizera nada perigoso... talvez insensato, porque dera um susto na mãe. Mas também ela estava furiosa. Liv quase não ficara com Sara no Dia de Ação de Graças. Tinha um novo namorado, com quem passara a maior parte do tempo. Sara ficara praticamente sozinha.

Noah ficou irritado com Liv, mas não surpreso. Ela era uma mulher egoísta. Tinha toda a intenção de lhe dizer isso quando conversassem.

— Ela me disse para visitar minhas amigas — explicou Sara, com Sami no colo, enquanto Noah, Paige e Nonny sentavam-se ao redor, escutando. — Mas não havia ninguém. Minhas duas maiores amigas haviam viajado. As outras não queriam me ver, assim como eu também não estava interessada. Pensei em procurar Jeff... ele foi meu padrasto por muito tempo, e tenho seu sobrenome... mas mamãe proibiu. Eu não tinha nada para fazer. Achei que seria melhor não fazer nada aqui.

Noah percebeu o desafio. E o orgulho.

— Se acontecer de novo, avise à sua mãe que vai embora — advertiu Noah, porque uma coisa era ele criticar Liv, outra era permitir que Sara demonstrasse qualquer desrespeito.

— Ela tentaria me impedir. Tiraria a passagem e meu dinheiro. E me trancaria no quarto.

Noah duvidava que isso pudesse acontecer. Sara fitava-o nos olhos.

— Não acredita em mim.

— Alguma vez ela a trancou no quarto?

— Uma vez.

Noah quase perguntou quando, mas a expressão da filha indicava que não deveria. Fora depois de um dos incidentes de furto em loja. Sara não queria que ele falasse a Paige e Nonny a respeito.

Por isso, ele não perguntou. E a atitude de desafio de Sara se dissipou. Num tom mais razoável, ela acrescentou:

— Mamãe queria que eu saísse com ela e Ray. Mas eu não queria, porque ele é muito babão.

— Babão? — repetiu Paige.

— Fica babando e puxando o saco de mamãe. Tudo que ela diz ou faz está sempre certo. Se ela decidir casar com Ray, sairei de lá para sempre.

Noah até que gostava dessa perspectiva, mas tinha a responsabilidade moral de assumir uma atitude crítica.

— Ela ainda é sua mãe. Quase não a vê, agora que está morando comigo, mas é melhor que as duas tenham uma convivência cordial quando se encontram.

Sara fez uma careta.

— Diga isso a ela. Mamãe não foi nem um pouco cordial comigo. Dizia a todo instante que havia alguma coisa errada comigo... ou meus cabelos estavam horríveis, ou minha pele toda marcada, ou eu tinha engordado.

— Você não tem nada de gorda — declarou Paige, no mesmo instante.

Os distúrbios alimentares eram a moda entre as garotas da Mount Court. Ela não queria encorajar mais um problema.

— Peso sete quilos a mais do que ela — comentou Sara.

— E também é dez centímetros mais alta — lembrou Noah.

— O que significa que, na relação entre altura e peso, você é mais magra do que ela — ressaltou Paige. — Pode lhe dizer isso na próxima vez em que ela mencionar o assunto.

Noah sorriu pela engenhosidade de Paige. Era mais uma das coisas que adorava nela... a maneira como abraçara Sara sem recriminações, a maneira como contribuíra durante sua conversa com o pai, a maneira como os pensamentos de ambos se desenvolviam em linhas iguais.

Mas logo seu sorriso se desvaneceu, porque não sabia o que aconteceria se fosse para Santa Fé no próximo ano e Sara permanecesse ali.

— Seja como for, não a verei por algum tempo — disse Sara. — Agora, só no feriado da primavera, em março.

— Não vai passar o Natal com sua mãe? — perguntou Paige, lançando um olhar inquisitivo para Noah.

Ele sacudiu a cabeça em negativa.

— Ela passa o Dia de Ação de Graças e o feriado da primavera com a mãe. O verão ainda não foi decidido.

— E o que vocês pretendem fazer no Natal? — indagou Nonny.

O brilho em seus olhos indicava para Noah que ela já começava a fazer planos.

— Estou à espera de sugestões — murmurou ele.

— Passarão o Natal conosco, é claro. Armaremos uma árvore grande, naquele canto. Vamos decorar a casa, pendurar meias no consolo da lareira, cantar canções de Natal no Centro de Tucker, com o resto dos habitantes.

— Eu também? — perguntou Sara.

— Claro que você também — respondeu Nonny.

Noah sentiu vontade de abraçá-la pelo entusiasmo com que incluíra Sara em seus planos. Só que as projeções eram um tanto prematuras.

— Eu estava pensando em levar Sara a Nova York no Natal, para ver o Rockefeller Center e...

— Nova York é uma porcaria! — protestou Sara.

— Eu concordo — acrescentou Nonny.

Paige olhou para a avó.

— Ninguém pediu sua opinião, Nonny.

— Mas eu dei assim mesmo. E continuarei a dar, porque sou a pessoa mais velha neste grupo... — Enquanto falava, ela se levantou e foi para o lado de Sara. — ... o que significa que vivi mais tempo e tenho mais experiência... vamos, Sara... e minha experiência me diz que todos vão se divertir muito mais se ficarem aqui.

Ela começou a levar Sara, que continuava com Sami no colo, na direção da cozinha.

— Vamos decidir agora o que faremos para o jantar.

— Pode deixar que sairei para comprar o jantar! — gritou Noah.

— Só se for comida mexicana! — respondeu Nonny.

— Mas eu não posso comer os pratos mexicanos!

— Então nós vamos cozinhar!

Noah observou as três desaparecerem. Pensou no tempo que Sara passava com os pais. Ela sentia-se à vontade com eles. Mas com Nonny era diferente. Nonny era uma dádiva inesperada, em parte adulta, em parte elfo. Sara não podia resistir.

Nem a Sami, diga-se de passagem. Para alguém que não tivera experiência anterior com crianças pequenas — apesar do que dissera uma ocasião a Paige —, Sara se dava muito bem com Sami. Segurava-a no colo como uma profissional, brincava com ela como uma profissional. Mas também não havia necessidade de experiência com crianças pequenas, apenas amor.

Noah não havia pensado que Sara tinha tanto amor para dar. Ela sempre fora calada e retraída, até sisuda. Naquela casa, porém, sorria, falava, participava. Ele pegou a mão de Paige.

— Em que está pensando?

— A mesma coisa que você — respondeu ela, com um suspiro. — Dá até para pensar que Sami é sua irmã.

— Pode ser.

— Talvez.

— Vale a pena considerar.

— É fácil para você dizer isso. Ninguém está lhe pedindo para renunciar a tudo que passou construindo na sua vida adulta.

Ela esticou os dedos, mas Noah não largou sua mão.

— Ora, Paige, muitas pessoas já mudaram de cidade antes. — Subitamente, Noah percebeu algo mais no rosto dela. — Mas não é apenas isso, não é mesmo? É o compromisso. Deixa-a apavorada.

Paige respirou fundo. Deixou o ar escapar com alguma estridência.

— É, sim.

O que era outra coisa que ele amava em Paige. Sua honestidade. Nem sempre concordava com tudo que ela dizia — e, neste caso, não concordava nem um pouco —, mas Paige dizia o que sentia. Noah tentou argumentar.

— Não faz sentido. Sua vida é cheia de compromissos.

— Em algumas esferas.

— Por que não em todas?

— Porque é pedir demais.

— Por isso você larga enquanto está com a vantagem — sugeriu Noah, com alguma amargura.

Ele sentia-se magoado porque Paige não se mostrava disposta a correr um risco em sua companhia.

— Não é assim.

— Pois é o que me parece.

— Mas não é. Apenas reconheço meus limites. E tento evitar o fracasso.

— No processo, também perde o melhor que a vida tem a oferecer. Estar com alguém que você ama é o melhor tipo de compromisso imaginável. Pessoas solitárias no mundo inteiro dariam qualquer coisa por isso. Pense em sua amiga Mara.

— Eu penso. Todo o tempo.

— Acha que ela recuaria, como você está fazendo?

— Isso não é justo, Noah.

— É verdade, mas circunstâncias desesperadas exigem medidas desesperadas. — Ele inclinou-se para a frente. — Você está recuando. Saindo pelo caminho dos covardes. Por quê? Porque seus pais a tratavam como um estorvo, e por isso pensa na vida em família como um estorvo? O que acha que tem aqui... você, Nonny e Sami? É uma vida de família, não um estorvo. O mesmo acontecerá quando Sara e eu nos juntarmos. Você vai gostar. Sabe que vai.

Paige desvencilhou a mão. Deixou-a no colo, fechada.

— Minha vida era muito simples antes. E, de repente, você me pede para ser esposa e mãe, não apenas uma vez, mas duas. Ainda por cima me pede para abandonar minha clínica e me mudar para Santa Fé.

— Essa parte é negociável.

Noah pensou que poderia mais tarde despertar o interesse dela. Mas Paige lançou-lhe um olhar irritado.

— Negociável? Que romântico!

— O que estou querendo dizer é que minha partida de Tucker ainda não está decidida.

— Ótimo. Se você ficar, podemos continuar como estamos agora.

— O que seria muito conveniente para você. Pode continuar em seu trabalho, brincar de ter um marido e filhas. Mas, no instante em que a situação se torna difícil, trata de partir, livre como um passarinho.

— Eu nunca faria isso.

— Então qual é a diferença se se casar?

— Exatamente. Qual é a diferença se eu não me casar?

Noah desatou a rir. Não pôde se conter.

— Você tem a mente muito ágil. Sempre pode me envolver com as palavras. Desde o início foi assim.

— Desde o início você sempre foi rígido demais. Se tem uma idéia, como o estudo obrigatório à noite, insiste em mantê-la, independentemente do que possa acontecer. Você já passou por um casamento e fracassou, Noah. Por que haveria de tentar de novo?

— Porque posso fazer certo desta vez.

— Mas tem certeza de que fará?

— Acho que sim.

— Pois tem mais fé em você mesmo do que eu em mim.

— Não é bem isso — murmurou ele, triste. — Creio que apenas quero mais do que você.

Desanimado, pensando que, se Paige não o amava realmente, voltar para Santa Fé e deixar para trás tudo de Tucker, Vermont, seria a única maneira de sobreviver, Noah foi para a cozinha.

Paige não sabia o que fazer. Pensamentos conflitantes agitavam-se em sua mente, tirando sua paz naquela noite. Amar Noah era uma novidade. Se tudo ficasse por sua conta, poderia absorver o conhecimento aos poucos, acostumando-se com a idéia. Mas ele não lhe daria esse luxo. Pressionava-a para tomar decisões para as quais ela não se sentia capaz.

E na tarde seguinte, depois de um dia exaustivo de trabalho, ela recebeu um telefonema de Joan Felix, que não facilitaria em nada as coisas.

Vinte e Um

— Acho que temos uma — anunciou Joan.

Paige não entendeu.

— Uma o quê?

— Família. Para Sami. Mãe e pai com quatro filhos biológicos, querendo adotar uma quinta criança. Acabaram de se mudar para Vermont, vindo do Meio-Oeste. Tivemos uma reunião preliminar na última sexta-feira. À primeira vista, parece uma boa família. Mas vai levar pelo menos um mês antes que o estudo esteja completo. Você já passou por isso. Sabe como é.

Paige ouvia apenas uma parte do que Joan dizia. Um barulho terrível dentro dela abafava o resto. Captou alguma coisa sobre uma família biológica para Sami, quatro crianças querendo levá-la para o Oeste. Mas a única coisa que realmente registrou em sua mente foi uma imagem do quarto de Sami subitamente vazio, silencioso e frio.

— Paige? Está me ouvindo?

— Estou.

— Pensei por um instante que a ligação havia sido cortada.

— Desculpe. — Paige pressionou a mão contra a barriga. — Pode dizer de novo? Encontraram uma família para Sami?

Ela tentou prestar atenção desta vez. Ao desligar, sentia-se nauseada. Era mais uma convulsão em sua já tumultuada vida. Voltou para a cozinha e abriu uma lata de *ginger ale*. Estava bebendo, desejando que o estômago se aquietasse e a mente encontrasse sentido no que acabara de ouvir, quando Angie entrou.

Ela não disse nada. Apenas se encostou no balcão, perto de Paige, com uma expressão nervosa.

Paige não gostou dessa expressão, por ser de Angie, a que sempre se mostrara confiante, a que tinha solução para tudo.

— Por que tenho a impressão de que aconteceu alguma coisa? — indagou ela, cautelosa.

— Ben e eu nos reconciliamos.

As palavras foram registradas. Paige absorveu-as e conseguiu dizer, com meio entusiasmo:

— Isso é ótimo, Angie.

Mas ela sabia que havia mais. Angie deveria parecer apenas satisfeita, mas continuava nervosa.

— Mas podemos nos mudar.
— Mudar?
— Voltar para Nova York.
— Oh, Angie!

Angie fechou as mãos em torno dos pulsos de Paige. O tom era suplicante quando disse:

— Estou dividida, Paige. Sob muitos aspectos. Se eu fosse sozinha, sequer consideraria a possibilidade. Amo Tucker. Amo as nossas famílias. Mas não sou a única envolvida... por mais que eu tenha me enganado pensando assim, durante muito tempo. Existe Ben. E, no final das contas, tudo se resume ao fato de que ele precisa viver em Nova York. Não agüenta mais continuar aqui.

Paige não sabia o que dizer. Não podia conceber um futuro sem Angie. Desde o início da clínica, Angie desempenhava um papel vital.

— Mas... o que você vai fazer?

— Liguei para um amigo em Manhattan. Ele me indicou duas vagas para pediatras... ambas mais para o Norte do estado, mas a uma distância que dá para ir e voltar todos os dias. — Ela fez uma pausa, em expectativa, com um certo ceticismo. — O que você acha?

Paige estava com dificuldade para organizar seus pensamentos, agora que seu mundo virava de pernas para o ar, mas tentou.

— Acho... hã... acho que não pode ir, porque precisamos de você aqui... mas, se é necessário para salvar seu casamento, terá de ir.

Angie indo embora? Sami sendo adotada por estranhos? O estômago de Paige estava completamente contraído.

— Não há nada definido — ressaltou Angie. — Posso detestar os dois lugares. Ou Ben pode decidir trabalhar em Montpelier. Ou ser professor em Hanover. Ou até trabalhar em Nova York, mas continuar morando aqui. Mas, se ele quiser voltar, não posso dizer não. Ben tentou viver aqui. Fez isso durante dez anos. Por mim. E sabemos o que aconteceu. Agora, estou tentando escutar o que ele diz. Ben é muito perceptivo. Conhece bem o filho. Dougie pode ter apenas 14 anos, mas sente-se feliz na Mount Court. Pode continuar na escola aqui ou ir conosco, se mudarmos... não que me agrade a idéia de deixá-lo aqui. Como também não gostei de que ele se tornasse interno. Meu coração ainda se rebela. A mente reconhece o mérito. Dougie precisa de espaço para respirar. Se os valores que passei quatorze anos incutindo nele não foram absorvidos até agora, nunca mais serão.

Angie fez uma pausa, respirando fundo.

— Estou tentando encarar o futuro de uma forma realista, Paige. Nunca fiz isso antes. — Ela fitou a amiga nos olhos. — Diga alguma coisa.

— Não posso. Você sempre soube o que era melhor para você.

— Não. Eu pensava que sabia. Pensava que o melhor para mim era automaticamente o melhor para Ben e Doug. Mas estava enganada. O que é melhor para mim está ligado ao que é melhor para eles. São pessoas com necessidades próprias. Se eu não puder ajudar a satisfazer as necessidades dos dois, então a satisfação das minhas não terá mais qualquer significado. Minha felicidade depende da felicidade deles. O que não significa que me tornei subserviente. Não sairei daqui se não encontrar um lugar que me proporcione prazer profissional. Ben concorda comigo nesse ponto. Mas não posso mais ditar as regras durante todo o tempo. Talvez algumas vezes. Mas não todas.

Paige abraçou-a.

— Mara perdeu isso — murmurou Angie. — Queria a felicidade, mas foi algo que sempre se esquivou dela. Não podíamos compreender, porque víamos o sucesso em sua vida. Apenas Mara via o que não percebíamos. Ela sabia como era fácil confundir sucesso com felicidade. E via o potencial para mais. Quero chegar a esse ponto.

Paige apertou-a com força. Depois de um momento, Angie perguntou:

— Você está bem?

Paige deixou escapar um suspiro trêmulo.

— Encontraram uma família para Sami.

— Oh, não! — Angie recuou. — Vão levá-la agora?

— Ainda não. Mas em breve. — Paige começou a tremer. — Tenho de ir agora.

— Para onde vai? Deixe-me ir com você.

— Não. Preciso de um tempo sozinha. Tenho de pensar.

— Posso falar com você mais tarde?

Paige concordou, com um aceno de cabeça. Pelo menos pensou ter feito o gesto, mas não tinha certeza se as instruções que dava a seu corpo eram obedecidas. Sentia uma descoordenação total, os passos irregulares, quando voltou para sua sala. Deixou cair a bolsa duas vezes, antes de conseguir finalmente segurá-la com firmeza. Parecia que a chave não cabia mais na ignição do carro. Quando pegou a estrada, guiou por cinco minutos antes de olhar à frente, no crepúsculo cada vez mais escuro, especulando para onde ia.

Foi com um esforço determinado que conseguiu se orientar. Passou pela arcada de ferro batido da Mount Court dez minutos mais tarde. Um minuto depois, parou na frente do prédio da administração. A secretária de Noah não estava à sua mesa. Por isso, ela entrou direto na sala. Encontrou-o absorvido em balanços financeiros. Tinha dobrado os punhos da camisa branca e aberto o botão do colarinho, afrouxando a gravata. Parecia um homem que não podia ser interrompido.

Paige parou à porta, sentindo-se culpada por ter ido ali. Noah já tinha sua carga de problemas com a Mount Court. Não merecia ser assoberbado com os problemas dela também.

Mas ele dissera que a amava. E, pelo desespero que ela sentia, ninguém mais serviria. Ele levantou os olhos. Ficou surpreso ao vê-la. Deixou a cadeira.

— Paige! Não sabia que você vinha. — Ele adiantou-se, franzindo o rosto. — Está muito pálida.

Noah puxou-a para dentro da sala. Fechou a porta.

— Desculpe incomodá-lo. Sei que anda muito ocupado...

— Não peça desculpa. Nunca peça desculpa.

— Estou tendo uma tarde difícil, com muitas coisas acontecendo ao mesmo tempo. Angie disse que tem planos para ir embora, e a agência de adoção encontrou uma família para Sami.

Ela fitou-o, deixando os olhos dizerem tudo que não podia traduzir em palavras.

Noah esfregou os braços de Paige.

— Provavelmente não vai acontecer antes dos feriados, mas depois vão tirá-la de mim. Ela terá pai, mãe e quatro irmãos. E uma boa casa, eu acho. Joan disse que parecem boas pessoas.

Paige fez uma pausa, com uma súbita consternação.

— Mas quatro crianças? Ela não terá muita atenção numa família de sete pessoas. Será apenas outra criança para vestir as roupas usadas das mais velhas. E a família acaba de se mudar para Vermont, o que significa que não conhece as pessoas daqui. Não vai contar com uma rede de apoio consolidada. E, se ele está começando num emprego novo, quem disse que vai dar certo? Ou se ele não vai decidir que detesta e se mudar para outro lugar? Sami não pode ficar se mudando de um lugar para outro a todo instante. Precisa assentar em um lugar e permanecer nele.

— Disse isso a Joan? — perguntou Noah.

— Não. Ela me pegou desprevenida. Quase não falei.

— E com certeza não disse que você mesma quer ficar com Sami.

Paige viu o desafio nos olhos dele. Rompeu o abraço e foi até a janela. O *campus* estava coberto de neve. De vez em quando, um estudante passava, usando um capote de lã, que era parte do uniforme para o semestre do frio. Afora isso, a cena era tão desolada quanto sua visão do futuro.

— Não é justo — murmurou ela, enfiando as mãos nos bolsos do casaco de lã. — Não pedi por Sami. Mas ela apareceu de repente, e eu devia a Mara a decisão de aceitá-la. E agora, quando já me acostumei com sua presença, eles encontram uma família. Por que não encontraram logo? Por que demoraram três meses? Também não é justo com Sami. Se ela fosse um bebezinho, três meses talvez não fossem tão cruciais, desde que houvesse alguém para pegá-la no colo e abraçá-la. Mas ela não é mais um bebê e também não é mais qualquer pessoa que a pega no colo e abraça. Sou eu. É Nonny. É você.

É verdade que Noah também iria embora. E Angie. Até mesmo Nonny, se Sami partisse. *Não era justo.*

— Detesto mudanças! — exclamou ela. — Sempre detestei. Acima de tudo, detesto a mudança que acontece depois que nos adaptamos à mudança anterior, que também não queríamos!

Noah foi se encostar na parede, onde a janela terminava, e disse, em voz baixa:

— Não creio que a mudança seja a verdadeira questão aqui.

— É com certeza uma delas — insistiu Paige. — Durante os três primeiros anos de minha vida, meus pais me levavam em todas as suas viagens. Nunca tive meu quarto, nunca tive amigos, nunca tive nada mais constante do que um ursinho de pelúcia... e até isso se perdeu numa das mudanças. Finalmente, Nonny bateu o pé e ficou comigo. Mais três anos se passaram antes que eu me mostrasse disposta a passar uma única noite fora de sua casa. Acontece que a estabilidade é muito importante para mim.

Noah cruzou os braços.

— A verdadeira questão aqui é o que você quer na vida — continuou ele, como se Paige não tivesse falado. — Não acredito... de jeito nenhum... que você só aceitou Sami porque achava que devia isso a Mara. Fazer uma coisa tão significativa... e continuar a fazer, mesmo quando teve de enfrentar toda a burocracia de ser aprovada como mãe adotiva temporária... exigia algo mais. Em algum lugar, lá no fundo, você gostava de ter Sami sob seus cuidados. Talvez fosse para preencher o vazio que a morte de Mara deixou, talvez para satisfazer seu próprio instinto maternal...

— Não tenho instinto maternal.

— Claro que tem. Pode esconder por trás de sua profissão e chamar de devoção médica. Mas não se engane: você é mãe de seus pacientes. É mãe de Jill. É mãe de Sara. E também é mãe, ainda mais, de Sami. O instinto maternal é tão natural em você quanto a medicina.

— Mas...

— Não é apenas porque você se *acostumou* a ter Sami. Ela não é um mero hábito. Você a ama. Enfrente a verdade, Paige. Você a ama.

— Claro que a amo — admitiu Paige. — Como poderia deixar de amá-la? É uma criança maravilhosa...

— Não, não — interrompeu Noah, acenando com a mão. — Não estamos falando aqui de amor no sentido geral. Você a ama como uma mãe ama sua filha. Você se orgulha de seus feitos. E se preocupa quando ela fica doente. Aguarda ansiosa o momento de deixar o trabalho e voltar para casa, quando poderá vê-la de novo. Dispensa a ela um tempo que de outra forma seria só seu e não pensa duas vezes a respeito, porque é assim que as mães se comportam.

— Ela tem sido uma novidade para mim — argumentou Paige. — Nunca tive uma criança em casa antes.

— E gosta muito. Admita.

— É uma boa criança.

— E você gosta de sua presença.

— Está bem. — Paige não via sentido em discutir esse ponto. — Gosto de sua presença.

— Você só tem dificuldade quando pensa em formalizar o relacionamento. É o que também acontece quando pensa em formalizar o nosso. Evita assumir compromissos formais. Mas onde isso a deixa? Em última análise, deixa-a sozinha. Sami irá para essa família ou para outra. Nonny voltará para seu apartamento. Eu irei para Santa Fé. E será o ponto final.

Paige podia muito bem imaginar. Eram as imagens que pairavam na periferia de sua consciência desde que Joan telefonara. Não. Há mais tempo. Pairavam ali desde que compreendera que amava Noah.

Seus braços não a envolviam agora. A voz parecia revestida de aço, reminiscente do homem com quem ela tivera uma confrontação, três meses antes:

— Sua vida será igual ao que era antes da morte de Mara. Só que não será tão agradável, porque voltará todas as tardes para uma casa vazia. Jantará sozinha. Sentará naquele pequeno sofá em seu quarto, lendo as cartas de Mara pela enésima vez. Especulando sobre o que Sami está fazendo, ou Nonny, ou eu. Só que todos terão ido embora e não haverá a menor possibilidade de nos atrair de volta. Assim, além de tudo, também sentirá arrependimento. Suas noites serão terrivelmente solitárias.

— Por que está dizendo tudo isso?

Paige viera em busca de conforto, não de tormento.

Ele não respondeu. Mas alguma coisa na maneira como a fitava causou uma pressão dentro de Paige. Os óculos de Noah refletiam as luzes acesas na sala. Por trás, ela seria capaz de jurar que havia lágrimas. Mais gentilmente, ele disse:

— Às vezes vejo minha vida assim, movimentada durante o dia inteiro, árida à noite. E agora contemplo os meus 44 anos, indagando o que farei com o resto de minha vida. Não esperava nada quando vim para esta cidade. E agora, de repente, tenho alguma coisa. Está lá fora, à espera de ser agarrada. E, mesmo que eu tente pegar, pode escapulir de minhas mãos. O que significa que estou no mesmo dilema que você, Paige.

Ela adiantou-se e pôs a mão sobre a dele.

— Não está falando sobre nós, não é?

Noah sacudiu a cabeça.

— Este emprego?

Ele pensou por um momento. Contraiu os lábios, sacudiu a cabeça.

— Não posso separar as duas coisas. A Mount Court me excita porque sei que há a possibilidade, quando saio à tarde, de encontrá-la no ginásio... ou no hospital? O desafio é mais significativo porque aguardo ansioso por lhe contar tudo à noite? — Noah parecia perplexo. — Também não pedi por isso, Paige. Não queria relacionamentos mais profundos. Vim para cá pensando em passar apenas um ano, para depois ir embora. Sara e eu tínhamos muitos problemas para resolver... e ainda temos. A última coisa no mundo de que eu precisava... e queria... era me apaixonar por uma mulher casada.

Ela ficou aturdida.

— Não sou casada.

— É, sim. Com a cidade. Com sua clínica. Com a convicção de que as coisas eram melhores antes. — Noah deu um sorriso triste e bateu com a mão de Paige em sua coxa. — Você me procurou em busca de conforto porque se sente confusa. Eu também estou confuso. Não posso lhe dizer o que fazer com Sami. É algo que só você pode decidir.

O telefone na mesa tocou.

— Tudo que sei, Paige, é que é melhor você decidir depressa. Não sou um especialista no funcionamento de agências de adoção, mas tenho a impressão de que pode ser difícil conter algo que foi desencadeado. É possível que já seja tarde demais quando você der seu telefonema. Pode perder Sami por omissão.

E ele também, pensou Paige. Isso mesmo, podia perdê-lo também, se não assumisse logo uma posição. Mas havia muitas questões envolvidas. Sua vida simples fora desorganizada.

O telefone tocou de novo.

— De um jeito ou de outro — acrescentou Noah, a voz ainda mais suave —, tome uma decisão. Logo. Antes que a janela feche.

Ele soltou a mão de Paige e foi atender ao telefone.

Mara escrevera sobre essa janela, sobre as oportunidades que chegam e passam. Noah tinha razão. A decisão era dela. Ou partia para uma vida nova, ou retornava à antiga. Uma continha tudo que conhecia e em que confiava, a outra estava repleta de elementos desconhecidos. O antigo e confiável era seguro, enquanto o novo... quem podia saber se daria certo?

Como precisava pensar em tudo aquilo, ela virou-se para ir embora.

— Espere um pouco. — Ele franziu o rosto para o telefone. — A Dra. Pfeiffer está comigo. Já vamos para aí.

Noah desligou e pegou o casaco.

— Julie Engel foi levada para a enfermaria. Desmaiou na biblioteca. A enfermeira não está gostando nada de algumas respostas que está ouvindo.

Paige encarou os problemas de Julie como uma escapatória para os seus.

— Por exemplo? — perguntou ela, enquanto saíam apressados da sala.

Ela pensava em drogas. A expressão séria de Noah era coerente com essa possibilidade.

— Não é a primeira vez que ela desmaia. E passou toda a última semana enjoada. Especialmente de manhã.

Paige também não gostou da perspectiva. Não eram as drogas. Era sexo. Andando a seu lado, Noah murmurou:

— Não podia ser uma hora pior. Justamente quando a situação aqui finalmente começa a melhorar. Os problemas disciplinares em todo o mês de novembro foram mínimos... o atraso de poucos minutos na hora de se recolher, algumas aulas matadas, um garoto fumando no banheiro, e nem sequer era maconha. Estamos fazendo progressos ou pelo menos era o que eu pensava. — Ele soltou um grunhido. — Eu deveria ter imaginado que seria Julie.

Deirdre e Alicia estavam na ante-sala da enfermaria. Aproximaram-se de Paige no instante em que ela e Noah entraram.

— Julie teve um desmaio.

— Caiu no chão.

— Nós a trouxemos o mais depressa possível.

— Na semana passada, eu disse a ela para procurar a enfermeira.

— Ela não tem comido quase nada.

— Talvez seja uma gripe.

Paige parou apenas o tempo suficiente para pôr a mão no ombro das meninas, num gesto confortador.

— Vou examiná-la agora. Sentem-se e se acalmem.

Julie estava deitada na mesa de exames, vestida. Estendera um braço por cima dos olhos. Paige retirou o braço.

— Como se sente?

Julie lançou um olhar apreensivo para Noah, parado à porta.

— Estou bem. Apenas desmaiei.

— Ninguém "apenas desmaia". Há sempre um motivo.

Ela colocou a mão sobre a testa de Julie, mas não havia febre. Pegou seu pulso.

— Já soube que não é a primeira vez que isso acontece.

— Apenas senti uma vertigem nas outras vezes.

— Também há sempre um motivo para a vertigem. E para o enjôo matutino.

— Eu disse que me senti enjoada há poucos dias — resmungou Julie. — Não falei que sentia enjôo todas as manhãs.

A pulsação era firme.

— Quando foi sua última menstruação?

Julie lançou outro olhar para Noah.

— Ele precisa ficar aqui?

— A resposta envolve a mim e à escola — declarou Noah.

Julie soltou uma risada estridente.

— Como se fosse você quem fez?

Paige fitou Noah nos olhos e fez um gesto em direção à ante-sala.

— Não vou demorar.

Contrariado, Noah se retirou. Paige tornou a se virar para Julie.

— A última menstruação?

Julie revirou os olhos.

— Como vou saber? Não marco no calendário.

Paige manteve a paciência.

— Foi dentro da última semana?

— Não.

— Nas duas últimas semanas?

— Não.

— No último mês?

Julie demorou mais para responder e depois murmurou, relutante:

— Não.

— Nos últimos *dois* meses?

A expressão de Julie foi a resposta suficiente.

— Muito bem — disse Paige, ajudando-a a sentar-se. — Acho que teremos de dar um pulo na clínica. Poderei examiná-la melhor lá.

— Estou bem. Juro.

Paige fitou-a nos olhos.

— Está tomando pílula?

— Como eu poderia? Meu pai me mataria se recebesse essa conta da farmácia.

O que também excluía a possibilidade de um diafragma.

— É sexualmente ativa?

Julie se contorceu, aflita.

— É uma pergunta embaraçosa.

— Não para uma jovem atraente e provocante. Mas vou reformular. Ainda é virgem?

— Não.

— Esteve com um homem nos últimos três meses?

— Não costumo fazer o registro.

— Julie...

Ela desviou os olhos.

— Estive, embora isso não seja da sua conta.

— Claro que é da minha conta — disse Paige, ajudando-a a descer da mesa. — Posso não aprovar a atividade sexual entre moças da sua idade, mas não aprovo de maneira alguma o sexo inseguro. Pode obter a pílula anticoncepcional sem ter de mandar a conta para seu pai. Pode conseguir em minha clínica ou em qualquer outra. E pode se recusar a fazer sexo com um homem que não esteja usando uma proteção.

— E, se por acaso ele não tiver nada na hora, o que posso dizer?

— Diga não. — Era muito simples, mas muito difícil para as adolescentes fazerem. Paige suspirou. — Eu me importo com você, Julie. Não quero que esteja grávida. Mas, se estiver, quanto mais cedo souber, maiores serão suas opções.

Paige levou Julie em seu carro. Noah foi atrás. Não demorou muito para que os três estivessem sentados na sala de Paige, que experimentava uma estranha sensação de *déjà vu*. Há pouco tempo, pelo que lhe parecia, sentara-se ali com Jill. Agora era com Julie, de uma família privilegiada, de uma escola privilegiada, muito diferente de Jill, mas ao mesmo tempo muito parecida.

— Em primeiro lugar, precisamos falar com seu pai — declarou Noah. — Qualquer decisão sua terá de envolvê-lo.

— Não tem, não. Já fiz 18 anos.

— Mas é aluna em minha escola, com seu pai pagando. Estava sob a nossa responsabilidade quando aconteceu. Tenho a obrigação de comunicar.

— Ele tem razão, Julie — interveio Paige. — O que você e seu pai vão decidir, daqui por diante, não é da conta de mais ninguém. Mas o Sr. Perrine, como diretor da Mount Court, não pode deixar de telefonar.

— Ele vai querer saber quem é o pai — comentou Noah.

Paige também queria saber. Alguém não usara preservativo. Era uma pessoa tão míope quanto Julie. Quem quer que fosse, tinha de estar ao lado dela, quando enfrentasse o pai.

Julie recostou-se no sofá. Cruzou as pernas e alisou a calça bastante justa, sobre as coxas compridas e esguias.

— E então, Julie? — insistiu Paige.

A garota assumiu uma expressão rebelde.

— Pensei que estivesse do meu lado.

— E estou. É por isso que quero saber. Não fez isso sozinha. E não deve estar sozinha na hora de enfrentar as conseqüências.

Julie permaneceu calada. Noah inclinou-se para a frente e disse, gentilmente:

— Pode se recusar a falar, se quiser. Não precisa nos dizer. Compreendemos que se encontra numa situação embaraçosa, mas seu pai pode não ser tão compreensivo. Ele vai querer saber quem é o pai e por que não impedimos que isso acontecesse.

Julie soltou uma risada.

— Não podem impedir que essas coisas aconteçam. Não sabem nem a metade do que acontece nos dormitórios.

— Sabemos mais do que você pensa — declarou Noah, levantando-se, menos paciente agora. — Mas tem razão num ponto. Não podemos impedir que essas coisas aconteçam, a menos que a escola seja dirigida como se fosse uma prisão, o que me recuso a fazer. Não seria justo com os estudantes que têm senso de responsabilidade.

Paige também se levantou.

— Eu a levarei de volta para a escola — murmurou Noah, parecendo cansado. — E, depois, tentarei falar com seu pai. Não podemos fazer muita coisa até lá.

Paige acompanhou-os até o carro. Teve de fazer um esforço para não pegar a mão de Noah outra vez. Queria o seu calor. Também queria pedir que a procurasse naquela noite. Mas não podia fazer isso na presença de Julie. Assim, limitou-se a sorrir e acenar, enquanto eles se afastavam. Depois, foi para casa.

Sentia-se mentalmente esgotada, quase tão aflita por Noah, que tinha de lidar com a gravidez de uma aluna e o potencial para escândalo na Mount Court, quanto por si mesma. Mas suas próprias preocupações prevaleceram quando entrou em casa. Ouviu os gritos de Sami na cozinha. Foi até lá e parou à porta, por algum tempo, sem ser observada.

Sami estava sentada na cadeira alta. Nonny lhe dava comida. A cozinha estava uma bagunça.

Paige tentou imaginar a volta para uma casa impecável, silenciosa e vazia. Era um pensamento assustador. Mas o outro... o outro pensamento também era inquietante. Poderia voltar para uma casa cheia sem se sentir culpada por não ter feito o jantar? Poderia sair à noite quando recebesse chamadas de emergência? Poderia simplesmente fechar a porta e se isolar de todo mundo, quando quisesse ficar sozinha?

Ela soltou uma exclamação de surpresa quando uma coisa peluda e viva esfregou-se em sua perna.

— Entre, Paige, entre! — exclamou Nonny. — Tem alguém aqui ansiosa por vê-la.

Paige abaixou-se para fazer cócegas na gatinha — a cada dia maior e mais afetuosa — e depois se aproximou de Sami, que inclinou a cabeça para trás e lhe ofereceu um sorriso alegre.

— Oi, querida. Como está minha menina?

Ela sentiu um aperto na garganta ao falar. Sami não era sua. Outros pais haviam iniciado o processo para reivindicá-la.

— Conte para a mamãe o que você fez hoje — murmurou Nonny para Sami. — Vamos, conte.

— O que ela fez?

— Deu um passo — anunciou Nonny, orgulhosa. — Apenas um, antes de cair. Mas, considerando que mal conseguia sentar há apenas três meses, é espantoso.

— Deu um passo? — perguntou Paige à menina. — Quero ver.

Ela esperou apenas o tempo suficiente para que Nonny limpasse a comida do rosto de Sami, antes de tirá-la da cadeira alta. Levou-a para a sala de estar, deixou-a de pé, apoiada no sofá, e recuou. Estendeu os braços.

— Venha até aqui, querida. Ande para a mamãe ver.

Sami sentou no chão. Gentilmente, Paige tornou a levantá-la. Recuou de novo.

— Quero ver. Sinto muita falta dessas coisas quando estou no trabalho. Mostre para mim agora, querida.

Sami tornou a arriar no chão. Mas desta vez engatinhou no mesmo instante até Paige. Sentou-se e estendeu os braços. Paige pegou-a no colo, sentindo intensamente os braços que a enlaçavam pelo pescoço.

— Oh, querida... — sussurrou ela, angustiada, à beira das lágrimas. — Eu amo você. Mas a maternidade é um empreendimento assustador. Como o casamento.

O telefone tocou. Paige continuou a abraçar Sami. Mas, quando tocou de novo, ela estendeu a mão para atender.

— Temos um problema — avisou Noah, sem qualquer preâmbulo. — Um problema de verdade.

— Outro? Não sei se poderei agüentar.

— O pai de Julie ficou furioso. Virá de avião pela manhã, acompanhado de seu advogado. Diz que vai processar a escola.

Paige pensou depressa.

— Ele não tem base para uma ação judicial. Julie tem um histórico de não seguir as regras na Mount Court. E de punições. Não se pode dizer que você virou a cabeça para o outro lado e ignorou o que acontecia. Além do mais, ela já tem 18 anos.

— Tem razão. Não há base para uma ação judicial. Mas ele pode fazer um escândalo, criando problemas para mim e para a escola. Eu posso agüentar, mas não sei se a escola pode. Tem mais, Paige. Julie começou a dizer que o pai da criança é Peter Grace.

— Peter? Mas isso é um absurdo!

— É o que Julie está dizendo.

— Ela está mentindo.

Mal falara, no entanto, e Paige pensou na carta que Julie escrevera para Peter, as fotos que ele alegou que não tirara e as que ele tirara com certeza, embora não de Julie, as que haviam deixado Mara tão transtornada.

— Ela alega que Peter a forçou — acrescentou Noah.

— Claro. Teria de dizer isso. É sua única esperança de escapar da situação. Mas não é verdade.

Enquanto falava, Paige torcia para estar certa. Noah suspirou, no outro lado da linha. Baixou a voz para dizer:

— Pensei em ir até sua casa e me esgueirar pela janela. Mas agora acho que devo pegá-la na porta da frente, para fazermos uma visita a Peter Grace. Preciso saber o seu lado da história, o mais depressa possível. O potencial de prejuízo para a Mount Court é considerável. E também para a clínica.

Paige podia compreender. Pensou em perder a clínica, depois de perder Angie, Noah e Sami.

— O que está acontecendo, Noah? — perguntou ela, a voz trêmula. — Meu mundo parece estar desmoronando por completo!

— Ainda não, meu bem, ainda não. Pode estar pronta dentro de quinze minutos?

— Posso... Não. — Ela fez um esforço para decidir qual seria a melhor maneira de lidar com Peter. — Deixe-me ir sozinha. Peter tende a ser defensivo.

— Se ele é inocente...

— Não faz diferença. Ele é assim. Pode ficar tão furioso com a acusação, que é capaz de virar as costas e ir embora, o que não vai adiantar nada. Irei sozinha e ligarei para você assim que voltar.

Noah concordou, com alguma relutância. Paige desligou, mas sentou-se por um momento, com Sami no colo. A menina começou a brincar com o colar de prata.

— Gosta disso? — perguntou Paige.

— Ma... ma... ma... ma...

— Minha mãe mandou de Los Angeles, há alguns anos. Disse que conhecia o artista. Acha que ela conhecia mesmo?

— Guuuuu...

— Também gosto. Chloe sempre gostou de dar presentes. Uma péssima mãe, mas ótima na hora de dar presentes. Deveria ter sido minha tia rica.

— Se ela fosse sua tia — comentou Nonny, da porta —, você não seria minha neta, e eu não teria uma vida tão satisfatória.

— Seria livre e desimpedida.

Nonny balançou a cabeça.

— Preciso fazer coisas significativas; e, quanto mais, melhor. Tenho me sentido mais jovem do que em muitos anos desde que vim para cá.

— Você é um anjo, fazendo tudo isso por mim. Não tenho palavras para agradecer.

— Não ouviu o que eu disse, Paige? Não quero seus agradecimentos. Quero apenas que me deixe continuar fazendo o que sempre fiz. Se me mandar de volta para o apartamento, morrerei em uma semana.

— Não fale assim!

— Uma semana — repetiu Nonny, com uma expressão de desafio.

— Não mais do que isso. Uma semana.

Paige revirou os olhos.

— Como não vou mandá-la de volta por enquanto, pode esquecer de morrer. E neste momento preciso de você. Tenho de correr até a casa de Peter.

Ela abraçou Sami. Sentiu um aperto no coração quando a menina segurou seu suéter.

— Volto logo. — Ela retirou a mão de Sami e beijou-a. — Não vou demorar. Prometo.

Peter não atendeu quando ela bateu à porta, mas seu carro estava lá. Por isso, Paige não foi embora. Decidiu entrar, pensando que nada poderia ser mais justo, já que Peter fizera o mesmo em sua casa. Percorreu o primeiro andar gritando seu nome, mas em vão.

A porta para o porão estava aberta, com a luz acesa. Paige chamou de novo. Como ele não respondesse, resolveu descer. Peter estava de pé lá embaixo, de costas para ela, as mãos nos quadris, os punhos da camisa dobrados por cima de um lindo suéter marrom. Contemplava uma série de fotos, penduradas numa linha para secar.

Paige adiantou-se. Não ficou surpresa ao descobrir que as fotos — sempre a mesma imagem, copiada, na verdade, em diferentes níveis de ampliação — eram de Mara. Mas nunca teria adivinhado o sentimento que captavam. Através do sorriso e da inclinação da cabeça, uma suavidade que a câmera de Peter registrara, havia uma Mara que ela raramente vira.

— Uau... — murmurou Paige, esquecendo por um momento o motivo de sua presença ali.

Peter balançou a cabeça.

— Finalmente.

Ela não conseguia desviar os olhos das fotos. Uma era o eco de outra, sem qualquer efeito de alteração.

— São espetaculares, Peter.

— Obrigado.

— É assim que eu gostaria de me lembrar de Mara.

— Linda?

— Em paz.

Ele estudou as fotos por mais um momento, antes de deixar escapar um suspiro de alívio.

— Eu sabia o que queria. Apenas não tinha certeza se seria capaz de conseguir. Os negativos podem ser enganadores. Devo ter olhado este umas dez vezes sem perceber o potencial.

— O que o fez perceber agora?

Peter deu de ombros.

— Meus olhos. Estão mais claros. E minha mente. Funcionando melhor. Racional, em vez de desesperada.

— Sente-se em paz com a morte de Mara?

— Aceitei. E, agora, passei a me lembrar mais de sua vida. Das coisas boas. E sinto que minha própria vida está no rumo certo.

Para Paige, não parecia um homem consumido pelo sentimento de culpa. Ou com alguma coisa para esconder. O que sem dúvida aconteceria se tivesse engravidado Julie Engel. E estava muito bonito com o suéter marrom. A cor era perfeita para Peter. Mas, por outro lado, talvez fosse a aceitação da morte de Mara que o deixara assim.

— Podemos conversar, Peter?

Ele fitou-a, surpreso, como se percebesse sua presença pela primeira vez.

Paige subiu na frente — teria sido errado falar-lhe sobre Julie na presença de Mara — e esperou que ele fechasse a porta, antes de anunciar:
— Julie Engel está grávida.
Peter balançou a cabeça.
— Não sei por que isso me surpreenderia. Ela procurava por encrenca. Era apenas uma questão de tempo antes que encontrasse.
— Disse que você é o pai.
A expressão de Peter dizia que isso era um absurdo.
— Eu? Só pode ser brincadeira.
— Ela disse ao pai, que disse a Noah, e este me disse.
— Essa não! — Ele baixou a cabeça. Levantou-a bruscamente, no instante seguinte, fitando Paige nos olhos. — Acredita nela?
— Não quero acreditar. Você me disse numa ocasião que não tinha nada com Julie.
— É a mais pura verdade. Nunca toquei nela. É verdade que ela queria que fosse diferente. Pode até ter *fantasiado*. Mas fui embora no instante em que ela desabotoou a blusa. Já contei isso.
— Julie diz que você a forçou a fazer sexo.
— Forcei? Se não estivesse convencida antes, Paige, deveria ficar agora. Julie Engel é teimosa e decidida. Não há a menor possibilidade de alguém forçá-la. Meu palpite é que aconteceu o inverso.
— Tem fotos dela?
— Nenhuma. Também já lhe disse isso. As fotos foram tiradas em plena luz do dia, no parque, ao lado da igreja. Eram imagens inocentes, supostamente para a madrasta. Mas, quando ela tentou transformar em algo mais, resolvi ir embora. E destruí o filme. Ela não pode me atribuir qualquer coisa. Não tem nenhuma prova.
— Infelizmente, a acusação pode ser bastante perniciosa, quer haja provas, quer não.
— Sou inocente até provarem o contrário.
— No tribunal. Nas ruas, não. Como diretor da Mount Court, Noah terá de rebater a acusação de que um médico da escola forçou o relacionamento sexual com uma aluna. Como pediatras, nosso grupo terá de rebater a acusação de que um de nós forçou um relacionamen-

to sexual com uma paciente. Isto, se alguma coisa vier à tona. Temos de acabar com o caso no nascedouro. É por isso que estou aqui. Além do episódio das fotos, você esteve a sós com Julie em alguma ocasião recente?

— Não.

— Alguma vez ela veio aqui?

— Nunca.

— Quando a viu pela última vez?

— Antes do Dia de Ação de Graças, no hospital. Ela fazia um trabalho voluntário.

— Pode ter saído às escondidas de noite para visitá-lo.

— Mas não veio. Tenho permanecido no hospital até tarde. Pode perguntar às enfermeiras da Três-B.

Paige especulou se ele estaria envolvido com uma delas. Depois se lembrou de Kate Ann Murther e experimentou uma súbita compreensão. Deve ter transparecido em seu rosto, porque Peter se tornou defensivo.

— Não há nada de errado em visitar Kate Ann. As pessoas tiram conclusões precipitadas a seu respeito sem o menor conhecimento. Mas ela é muito doce. Às vezes conversamos, às vezes assistimos a um filme. Quando indaga sobre meu trabalho, ela faz perguntas inteligentes. É grata por tudo e qualquer coisa que eu faça, porque é muito mais do que ela jamais teve. Está paraplégica, mas sente-se bem consigo mesma. Por minha causa. Porque eu me importo.

Paige pôs a mão em seu braço.

— Acho que é maravilhoso.

— Então por que parece tão espantada?

— Porque faz sentido agora. Você tornou-se diferente ultimamente. Mais calmo. Mais determinado.

— As tragédias ajudam a gente a priorizar as coisas. E o mesmo acontece com pessoas como Kate Ann. Estou processando Jamie Cox porque ele tem que ajudar a pagar as despesas médicas de Kate Ann. Se ele não o fizer, posso casar com ela, para que meu seguro cubra tudo. — Peter pareceu inseguro por um instante. — Eu poderia fazer pior.

— Muito pior — concordou Paige, com uma súbita e profunda afeição por Peter.

Ele esfregou a palma da mão sobre o suéter marrom feito à mão, cujos remanescentes Paige vira várias semanas antes.

— Mara tinha razão. Eu saboto os relacionamentos. Mas me sinto à vontade com Kate Ann. Posso ser eu, e ela gosta. Por isso, estou pensando com mais lucidez, vendo com mais nitidez. — Peter gesticulou na direção do porão. — Talvez seja o que aquelas fotos representam.

— É possível — murmurou Paige, sentindo uma estranha inveja.

— Não posso permitir que Julie Engel estrague tudo. O que posso fazer para evitar?

— O que *nós* podemos fazer — corrigiu Paige, porque sentia uma nova fé em Peter. — Vamos ao escritório de Noah amanhã, quando o pai de Julie estiver lá. Levamos nosso advogado e o ameaçamos com um processo por danos morais, se houver algum. Isso fará com que os Engels fiquem de boca fechada, enquanto avaliam suas opções. E, já que estaremos na Mount Court, vamos aproveitar para tentar descobrir o que for possível. Julie tem amigas...

— Amigas leais.

— Mas que também gostam de você. — Paige sorriu, maliciosa, por ter avistado uma rosa no meio dos espinhos. — Você é um sedutor, Peter. Pisca para elas, e seus corações palpitam. E quem o meteu nessa encrenca poderá tirá-lo. Se as amigas compreenderem quantos danos uma acusação injusta poderá lhe causar, podem muito bem contar o que sabem. Julie vem se divertindo com alguém. As amigas podem não ter testemunhado diretamente, mas devem saber de alguma coisa. É o que vamos descobrir.

Parecia certo, fácil e justo. Paige torcia para que fosse assim mesmo. Com todo o resto ameaçando sufocá-la, ela precisava que alguma coisa desse certo.

Vinte e Dois

Noah estava parado ao lado de sua mesa, ao meio-dia, no dia seguinte, pensando que não podia entender como sua vida se tornara de repente tão complicada. Não sabia se conseguiria fazer com que tudo voltasse a ser como antes. Fora contratado como diretor interino da Mount Court, em primeiro lugar e acima de tudo, por sua capacidade administrativa. Torcia para poder demonstrá-la agora.

Uma coisa era certa. Não ia desistir. Fizera isso doze anos antes, quando Liv o humilhara. Fora embora, para iniciar uma vida nova. No processo, perdera Sara. Não tinha a menor intenção de perdê-la desta vez.

E também não tencionava perder Paige... apesar da relutância que ela demonstrava.

E havia ainda a Mount Court. O que julgara, a princípio, ser um lugar horroroso transformara-se numa escola promissora. Os melhores professores destacavam-se como líderes, pressionando os preguiçosos a se esforçar mais. O mesmo acontecia com os estudantes. As notas daquele primeiro semestre tinham sido as mais altas em muitos anos. Embora houvesse resmungos pelo aumento da carga de aulas, também havia sorrisos. Pela primeira vez, os estudantes sabiam o que se esperava deles. Sabiam quais eram as regras; sabiam o que lhes aconteceria se as violassem. O fato de que estavam progredindo era uma validação dos métodos de Noah.

Agora, Julie Engel insistia que Peter a estuprara. E o pai de Julie entrava em cena, acompanhado de seu advogado, com as ameaças mais estrondosas. Enfrentavam a oposição de Peter Grace e seu advogado, que pelo menos por enquanto conseguira silenciar os Engels, ao ameaçá-los com um processo por danos morais, se a reputação de seu cliente fosse maculada sem as provas necessárias. Isso proporcionava um pouco de tempo a Noah.

— Elas estão aqui — anunciou a secretária, da porta.

Ele acenou com a mão. A secretária repetiu o gesto e ficou de lado, enquanto as quatro garotas entravam na sala. Eram as amigas de Julie: Alicia, Deirdre, Tia e Annie. Haviam pedido para vê-lo, o que o deixara aliviado. Se as tivesse convocado, poderia ser acusado de interferir com testemunhas potencialmente hostis. Agora, era apenas o diretor da Mount Court sendo acessível às suas alunas.

Ele gesticulou para que se sentassem e foi se empoleirar na beira do aquecedor.

— O que desejam? — perguntou ele, como se não soubesse.

Alicia, a porta-voz aparente, declarou:

— Soubemos o que aconteceu esta manhã.

— Como?

— Julie nos contou. Disse que não deveria e nos fez prometer que não faríamos nada. Mas ela estava muito perturbada. Disse que o senhor não acreditava nela. Mas nós vimos, Sr. Perrine.

Noah permaneceu imóvel.

— Viram o quê?

— Vimos Julie com o Dr. Grace.

— Fazendo o quê?

— Estavam se abraçando. Foi no hospital, na frente de todo mundo.

Noah poderia soltar um gemido de desapontamento, se não tivesse fé em Paige, que tinha fé em Peter.

— Que tipo de abraço?

Alicia mostrou-se confusa. Obviamente, não esperava por uma pergunta desse tipo.

— Como assim? — indagou Deirdre.

— Foi um abraço amigável?

— Existem outros tipos?
— Há os abraços ardentes. Os desesperados. Os aliviados. E os vitoriosos.
— Eles estavam *nos braços um do outro*.
— É assim que se define um abraço — disse Noah. — Mas quero saber qual é o tipo que vocês viram.
— Foi um *abraço* — insistiu Alicia, como se isso deixasse tudo bem claro.
— Então talvez não tivesse nada de errado — ressaltou Noah. — Eu a abracei... deve estar lembrada, depois que atravessamos Knife Edge... e ninguém pensou que havia alguma coisa errada. Achou que eu queria conquistá-la?
Alicia ficou vermelha. Apressou-se em dizer:
— Claro que não.
— Mas vocês têm certeza de que a maneira como o Dr. Grace e Julie se abraçaram sugeria que tinham um caso. Como podem saber? O que viram que sugeria uma paixão? Eles se beijaram?
— Talvez mais tarde.
— Vocês viram?
— Não.
— Eles ficaram de mãos dadas quando se separaram?
Alicia procurou a ajuda das outras, mas elas permaneceram caladas.
— Não — admitiu ela. — Não podiam fazer isso. Todo mundo estava olhando.
— E também viram o abraço. Devo presumir que foi menos sugestivo do que ficar de mãos dadas? Um gesto bastante inocente?
Como Alicia não respondesse, Noah continuou:
— Muito bem. Vamos conversar sobre as palavras. Eles disseram alguma coisa um para o outro no momento do abraço? Fizeram promessas? Marcaram um encontro para mais tarde?
— Não ouvimos nada — interveio Tia. — Já estávamos descendo.
— Só porque não ouvimos nada não significa que não tenha acontecido — acrescentou Deirdre.
— Mas optaram por acreditar que aconteceu — comentou Noah.
— Porque Julie disse que aconteceu.

Noah respirou fundo. Empertigou-se.

— Pois eu digo que Julie se meteu numa encrenca e quer alguém para partilhar essa encrenca. Escolheu o Dr. Grace, que tem idade suficiente para ser pai dela... e que, diga-se de passagem, não tem a menor dificuldade para arrumar mulheres mais próximas de sua idade. Por que iria se interessar por uma garota de 18 anos?

— Os homens maduros sempre gostam de mulheres mais novas.

— Sempre?

— Muitas vezes.

— Fala por experiência pessoal, Deirdre? O Dr. Grace tentou alguma vez conquistá-la?

— Não.

— E você, Alicia?

A garota sacudiu a cabeça em negativa no mesmo instante.

— Alguma de vocês? — perguntou Noah às outras duas.

Não houve um único aceno de cabeça afirmativo.

— Mas alegam que ele seduziu Julie.

— Foi o que ela disse.

— E vocês, como amigas, devem apoiá-la. É sempre uma atitude meritória, presumindo que o caso seja válido. Senão o apoio é mal utilizado. Se ela está mentindo, vocês não vão se sair tão bem da história. Ficarão embaraçadas, porque todo mundo vai saber se for mentira. Afinal, muitos devem saber se ela transou com outro aluno. Ou talvez com alguém em sua cidade, durante o feriado do outono. E por acaso engravidou. É bem possível que todos saibam quem foi o rapaz. E acham que ele vai ficar calado, deixando que o Dr. Grace fique com a culpa?

— Ele estará numa encrenca maior se falar qualquer coisa — murmurou Annie.

No mesmo instante compreendeu que cometera uma gafe. Lançou um olhar assustado para as outras, que fizeram o melhor possível para ignorá-la.

Noah não a pressionou. Se não conseguisse obter um nome com as outras, poderia procurá-la depois, em separado. Era a mais vulnerável do grupo, mas ele não queria coagi-la. Ainda não.

— A verdade é que está feito — disse ele para o grupo. — Julie engravidou. E vocês sabem o que vai acontecer. O resto da escola logo saberá, e todos vão comentar.

Ele sabia muito bem como isso funcionava. E como sabia!

— Meu palpite é que será um grande tema de conversas, perdendo apenas para os lugares onde vão esquiar no Natal. E haverá especulações. O Dr. Grace pode parecer o otário perfeito, mas vai negar a alegação de Julie. Se for a julgamento, seu advogado chamará vocês para testemunharem. Fará as mesmas perguntas que eu fiz, e vocês vão bancar as tolas. Porque um abraço entre pessoas que se conhecem, em particular nesta era do homem sensível, não significa um relacionamento sexual. Pode ter havido vários motivos para aquele abraço, todos absolutamente inocentes. Se vocês viram algo mais, qualquer coisa mais definitiva entre Julie e o Dr. Grace, naquele momento ou em outra ocasião, eu gostaria que me dissessem. Também gostaria de saber dos relacionamentos que ela pode ter tido com os garotos daqui. E podem ter certeza de que perguntarei aos professores. Eles percebem mais coisas do que vocês podem imaginar.

— Por que Julie não pode fazer um aborto e acabar logo com esse problema? — indagou Tia. — Por que alguém tem de ser indicado?

— Em teoria, não há necessidade. Mas isso significa que Julie teria de suportar toda a pressão sozinha. Neste caso, um nome já foi indicado, e esse nome é o de um médico que pode perder sua clínica e sua reputação. Quero descobrir a verdade antes que isso aconteça.

Noah contemplou um rosto depois do outro, antes de continuar:

— Alguma sugestão sobre quem poderia ser o verdadeiro culpado? Algum nome que Julie escrevesse em seus cadernos? Alguém com quem ela poderia se encontrar às escondidas no barracão na beira do lago? — Em resposta aos olhos arregalados, ele acrescentou: — Pensavam que eu não sabia disso? Também já fui jovem. Seria o lugar que eu escolheria se quisesse um abrigo para passar a noite com a minha namorada.

Ele tornou a esquadrinhar os rostos.

— Nenhuma idéia de quem anda usando o barracão atualmente? Se as meninas sabiam, não iam revelar.

— Deixem-me dizer mais uma coisa. — Na opinião de Noah, seu

cargo incluía o ensinamento de valores. — Vocês têm um código tácito, que determina que não devem denunciar os outros. Isso é louvável em algumas circunstâncias. Em outras, absolutamente não. Esta é uma das outras. Eu poderia compreender que mantivessem silêncio se nenhum nome fosse mencionado. O que aconteceu entre Julie e essa outra pessoa foi particular. Se eles não quiserem falar, é uma decisão que lhes cabe. Mas, de qualquer forma, provavelmente vamos acabar descobrindo quem foi. Quanto mais tempo demorar, no entanto, pior será para essa pessoa.

Ele fez uma pausa, deixando que o pensamento fosse absorvido, antes de acrescentar:

— Se continuarem caladas enquanto a reputação do Dr. Grace é maculada, vocês serão tão culpadas quanto Julie.

Noah viu uma das meninas engolir em seco, vários dedos se agitando em nervosismo e um par de olhos num tremendo esforço para não piscar. Com a voz suave e um evidente desapontamento, ele arrematou:

— Se alguma de vocês quiser falar de novo comigo, sozinha ou juntas, terei o maior prazer em escutar.

Ele bateu de leve no aquecedor, ergueu-se e foi para trás de sua mesa. Quando focalizou os papéis ali, as garotas já haviam se retirado. O momento não poderia ser mais oportuno. Dois minutos depois, ele recebeu um telefonema do presidente do conselho administrativo.

Roger Russell formara-se na Mount Court trinta anos antes. Era um empresário bem-sucedido em Nova York e viajava até Tucker para reuniões mensais. Os dois falavam ao telefone nos intervalos. Noah gostava dele. Era um homem ponderado e racional, realista sobre os problemas da Mount Court e ansioso por resolvê-los. Era uma influência sobre o resto do conselho, constituído por pessoas mais velhas, mais conservadoras e exigentes. Se qualquer um dos outros fosse o presidente do conselho, Noah poderia não ter aceitado o cargo. Fora a súplica pessoal de Roger que o convencera. Agora, o tom de Roger era outra vez suplicante:

— Diga-me que não é verdade o que Clint Engel acaba de me contar.

Noah já sabia que Clint ligaria para ele. Quando os pais pagavam tanto quanto na Mount Court e não obtinham satisfação com o diretor, recorriam a alguém acima dele.

— Não sei o que ele lhe disse, mas a parte sobre a gravidez da filha é verdadeira.

— Do médico da escola?

— Essa parte não é verdade.

— Tem certeza?

— Quase que absoluta. Não o conheço muito bem, mas sou amigo de uma de suas sócias, que garante que ele não seria capaz de fazer isso. Ao que parece, Julie tentou seduzir Peter. Pediu-lhe para tirar fotos suas. E ficou furiosa quando ele recusou. Agora, engravidou e precisa de alguém para arcar com a culpa. Aproveitou para se vingar. O pai pode ser qualquer um de meia dúzia de alunos da última série. Julie é uma tremenda namoradeira.

— Clint está furioso. Quer apresente acusações contra o médico, quer não, ele culpa a escola por falta de supervisão.

— Você também culpa? — perguntou Noah, querendo saber qual era a situação.

— Claro que não. A escola não pode vigiar os alunos no banheiro, mas o sexo acontece ali. O sexo acontece por toda parte nos internatos, exceto talvez nas escolas que não são mistas... e, mesmo nessas, nunca se sabe. Como podemos descobrir a verdade?

— Terei uma reunião mais tarde com os professores mais ligados a Julie. Talvez saibam quem é o garoto. Ou podem descobrir. Não será tão terrível se for um estudante... é mais fácil culpar a irresponsabilidade da juventude do que um homem que a escola paga para zelar pelo bem-estar dos alunos.

Roger suspirou.

— Temos um problema grave, em qualquer dos casos. Tentei acalmar Clint, mas ele quer vingança. Marquei um encontro com ele amanhã, aqui em Nova York. Nosso advogado estará presente. Talvez possamos convencer Clint de que prejudicará a filha mais do que a qualquer outra pessoa se fizer um escândalo.

— Ele é um homem instável. Não é de admirar que Julie tenha alegado que foi estupro. Ele a encostou na parede.

— Clint também está nos pressionando. Não gosto disso, Noah. A Mount Court começa finalmente a se recuperar. Não parece certo ter um retrocesso por causa de uma garota irresponsável.

Noah tentou pensar de uma maneira positiva.

— Isso pode não dar em nada. Talvez ela fraqueje e confesse que estava envolvida com outro. Neste caso, o pai saberá que mentia. Ou alguém pode se apresentar e admitir, o que teria o mesmo resultado. A escola só terá problemas se Clint nos levar aos tribunais.

— Vamos torcer para que isso não aconteça. Por várias razões. Você fez um trabalho extraordinário em três meses. Eu esperava poder persuadi-lo a continuar.

Em setembro, Noah nem consideraria a possibilidade. Riria da sugestão de Roger. Mas a situação mudara. Talvez agora ele quisesse ficar. Por várias razões.

— Prometi um ano. Terá pelo menos isso.

— Mas você iniciou bons programas. Quero que sejam mantidos, e outros acrescentados. Se este caso for levado aos tribunais, isso pode se tornar impossível. O conselho vai querer se distanciar de você e de tudo que fez, o que significa regredir ao ponto em que nos encontrávamos antes de sua chegada. E vão culpá-lo também, juntamente com o médico. Não teremos muita opção, Noah, se quisermos que a Mount Court sofra o mínimo de prejuízos.

Noah podia compreender. Era um realista. Infelizmente, se deixasse que a nuvem de um processo judicial pairasse sobre sua cabeça, teria dificuldade para encontrar outro cargo de diretor. Poderia voltar à fundação, mas não era isso que queria.

— Eu darei notícias sobre o encontro com Clint — concluiu Roger. — Até lá, ligue-me se descobrir mais alguma coisa. Temos de resolver esse problema o mais depressa possível, de um jeito ou de outro.

Noah sabia muito bem o que Roger não dissera. Além de minimizar os prejuízos para a Mount Court, que seriam conseqüência de um escândalo, havia ainda a questão da contratação de um novo diretor. Se Noah não ia ficar, outros candidatos teriam de ser entrevistados. O momento para isso se aproximava depressa.

Mal terminara a conversa com Roger, Noah recebeu uma ligação de Walker Gray, um dos membros do conselho. Ele também fora procurado por Clint Engel, sócio de seu clube de golfe. Walker não se mostrou tão simpático quanto Roger.

— Como pôde permitir que isso acontecesse? Pensei que havia sido contratado para endireitar tudo. Agora, uma de nossas alunas é molestada pelo médico da escola. Como pôde acontecer?

— Ela *alega* que foi molestada — corrigiu Noah. — Nada foi provado. O médico nega que tenha tocado na garota, a não ser por dever profissional.

— Ele está mentindo.

— Tem prova disso?

— Ela está *grávida*.

Noah deixou que o absurdo da acusação pairasse na linha por um momento, enquanto fazia um esforço para se controlar. Só depois é que disse:

— Não há mais prova de que ela foi molestada por nosso médico do que pelo próprio pai.

— Clint não tocaria em sua filha!

— Peter Grace alega que também jamais faria isso. Em quem você acredita? A verdade é que Julie é o que se costuma chamar de borboleta social. Pode ter sido com qualquer um de vários rapazes, aqui ou na casa dela.

— Você não tem qualquer controle sobre o que acontece na escola?

Noah defendeu-se, não apenas naquele momento, mas também pouco depois, quando outro membro do conselho ligou. Ao longo da tarde, ele falou com cinco membros do conselho e quatro pais. A secretária acabara de ir embora quando o telefone tornou a tocar. Ele quase deixou que continuasse tocando. Mas podia acalmar as pessoas. Quanto mais falasse, mais ouviriam os argumentos racionais. Por isso, ele atendeu.

Era Jim Kehane, seu contato em Santa Fé.

— Queria saber se você continua pensando cada vez mais em sua vinda para cá no próximo ano, Noah. A oferta continua de pé. Estamos começando a entrevistar outros candidatos. Eu gostaria que me dissesse alguma coisa. No momento, você é a nossa primeira opção.

Noah teve vontade de dizer: "Espere só até saber o que está acontecendo aqui. Talvez eu não continue a ser sua primeira opção por muito tempo." Mas disse outra coisa:

— Claro que estou interessado. — Ele tinha de manter suas opções em aberto. — O que quer que eu faça?

— Um currículo é tudo de que precisamos neste momento. Uma ou outra carta de recomendação também não faria mal. O resto ficará para mais tarde. É uma boa notícia para mim, Noah. Fiquei preocupado, pensando que você poderia tomar a decisão de permanecer na Mount Court. Posso presumir que tudo corre bem por aí?

Noah conseguiu responder com uma ambigüidade que não o comprometia. Mas desligou tão depressa quanto possível e deixou o escritório em seguida. Não precisava de mais telefonemas. O que precisava agora era de conversar com a supervisora do dormitório de Julie e com a professora que servia como sua conselheira.

A última paciente de Paige naquele dia foi uma menina de 3 anos, a primeira filha de um casal da parte mais pobre de Tucker. Os pais pouco se viam; a mãe trabalhava no turno do dia, e o pai no turno da noite, e assim Emily nunca ficava sozinha. O pai, que a trouxera depois que ela tossira durante o dia inteiro, vestira-a com várias camadas de roupa contra o frio de dezembro. Nenhuma das camadas combinava. A menina parecia uma boneca de trapos... absolutamente deslumbrante, na opinião de Paige.

Ela entregou a receita que escrevera ao pai e tirou a criança da mesa de exames.

— Dê o remédio quatro vezes por dia, mas faça com que ela coma alguma coisa antes de tomar. Mantenha-a aquecida, faça-a beber o máximo de líquidos e telefone se não houver qualquer melhora em dois dias.

Como se soubesse que a ajuda estava a caminho, a pequena Emily ficou quieta nos braços de Paige.

— É uma linda menina — murmurou ela, sorrindo.

Mas o sorriso tornou-se triste quando ela pensou em como Sami seria aos 3 anos de idade. O estômago tornou a se contrair. Sentia-se melhor quando trabalhava, com sua mente ocupada, mas nos intervalos, nos breves momentos em que seus pensamentos vagueavam, recaía no medo e na melancolia.

Ela abraçou Emily e entregou-a ao pai. Acompanhou os dois até a porta e depois voltou à sua sala. Peter e Angie foram encontrá-la ali pouco depois.

— Alguma notícia? — perguntou Angie a Peter.

Ele sacudiu a cabeça em negativa. Parecia exausto. Paige desconfiava que Peter tinha tanta dificuldade para se concentrar quanto ela.

— O pai de Julie ainda não entrou com uma acusação formal, mas não sei por quanto tempo mais poderemos contê-lo. E Julie ainda insiste que fui eu.

— Ela disse isso na sua frente? — perguntou Angie.

— Não. Tentei me comunicar com ela. Fiz a pergunta à queima-roupa, na sala de Perrine, mas seu advogado interveio, acusando-me de atormentá-la. Se ela continuar a me culpar e se ninguém mais se apresentar, é apenas uma questão de tempo até procurarem a polícia. Vão me indiciar por estupro. E será a palavra dela contra a minha. — Peter olhou para Paige. — A perspectiva não parece nada boa.

Paige, sentada com os punhos comprimindo a boca, queria discordar, mas não pôde encontrar palavras. Sentia-se angustiada, pensando nos danos que uma acusação de estupro poderia causar para Peter, para a Mount Court... e para a clínica, que era a entidade mais sólida em torno da qual girava o resto de sua vida. Se a clínica também desmoronasse, junto com o resto, ela poderia se descobrir flutuando no ar por um momento desesperado, antes de se esborrachar no chão.

— O que Julie vai fazer com o bebê? — perguntou Angie.

— Ela não me diria — comentou Peter, irônico. — Soube de alguma coisa?

Paige sacudiu a cabeça.

— O pai levou-a para Nova York. Vai consultar um obstetra.

— Acha que ela vai abortar? — perguntou Angie.

Paige não tinha a menor idéia.

— Quer ela aborte, quer não, os testes de DNA provarão que a criança não é minha — insistiu Peter. — Meu advogado está entrando com um pedido judicial para que o tecido fetal seja examinado se houver um aborto. Se não fizerem isso, estarão destruindo uma prova. Eu bem que gostaria que houvesse um teste igualmente conclusivo para estupro.

— Ela nunca se queixou para ninguém — lembrou Angie. — E nunca apareceu com equimoses.

Peter soltou um grunhido.

— Ela não poderia contar a Paige que havia sido estuprada por seu sócio na clínica.

— Claro que poderia.

— Mas diria que não poderia. E vai aparecer no gabinete da promotoria com as roupas mais recatadas que puder comprar, desempenhando o papel de inocente.

— Se ninguém viu equimoses...

— Não há necessidade de equimoses. Por definição, estupro é sexo contra a vontade de uma mulher. Não é preciso haver equimoses.

— Mas com certeza ajudariam a provar sua alegação. Se ela não tem prova do uso de força e se os testes demonstrarem que o bebê não é seu, a acusação fica sem qualquer fundamento.

— Você subestima Julie — argumentou Peter. — Era o que eu também fazia, até que ela apresentou essa acusação. É uma sacana esperta. Dirá que a estuprei numa ocasião em que estava envolvida com outro e que pensou sinceramente que o bebê era meu, não dele. Pode ter certeza de que ela vai insistir na acusação de estupro. Está furiosa comigo por ter rejeitado sua tentativa de sedução.

Ele soltou uma risada.

— Eu deveria me sentir lisonjeado.

— Peter... — murmurou Angie.

Ele passou a mão pela nuca.

— Julie nunca vai admitir que mentiu. É teimosa e orgulhosa. E ousada. Além de estar com medo do pai. A perspectiva é a pior possível. É apenas uma questão de tempo antes que a notícia se espalhe. Depois que isso acontecer, a clínica vai sofrer. Talvez seja melhor eu renunciar antes.

Paige, que acompanhava a conversa em silêncio, angustiada, baixou os punhos e declarou:

— Não.

Angie disse a mesma coisa.

— Pensem a respeito — propôs Peter, com um sorriso amargo. — Pode ser um dos momentos mais altruístas da minha vida. Não vão conseguir uma oferta melhor.

— Não.

Angie deu a mesma resposta.

— E se eu for indiciado e os pacientes deixarem a clínica?

— Para onde iriam? — indagou Angie. — Somos os melhores da cidade.

— É verdade. O único problema nessa linha de raciocínio é que você estará a centenas de quilômetros daqui, em Nova York.

— Ainda não está decidido.

— Mas é certo que Paige estará aqui. Portanto, Paige, o que você diz? É quem tem mais a perder.

— E Cynthia também — ressaltou Angie. — Ela é inocente nessa confusão.

— Todas vocês são inocentes. Eu sou o bandido aqui. E então, Paige, o que acha?

Paige tentava se concentrar, mas era difícil quando coisas como tristeza, medo e arrependimento interferiam. Ainda mais dispersivas eram as imagens persistentes, de uma escola no deserto, de Noah, Nonny e Sami, de Angie em Nova York, de Mara em decomposição na colina pairando sobre a cidade.

Mara saberia o que dizer a Peter. Era o tipo de situação em que ela entrava em ação. Quando acreditava numa causa, Mara lutava. Tinha forças para isso. E Paige?

Para seu horror, seus olhos encheram-se de lágrimas. Tentou escondê-las examinando os dedos.

— Eu... hã... — Ela limpou a garganta. — Acho que não é justo que isso aconteça logo agora. Não é mesmo!

Paige respirou fundo, para se controlar. Ergueu os olhos.

— Você encontrou seu equilíbrio, Peter. Parece que se descobriu depois do acidente... com Kate Ann e todo o resto... e agora ainda luta contra Jamie Cox, como Mara faria. E você também, Angie. Não merece isso agora. Não se virou e desistiu quando a situação em casa se tornou tensa. Você lutou.

— Assumi um risco por amor — murmurou Angie. — São às vezes necessários.

Um risco por amor. Como a ligação profunda de Mara.

A garganta de Paige começou a apertar de novo. Depois de tossir para limpá-la, ela continuou:

— Você venceu, Angie. A situação melhorou em casa. Quer se mude, quer não, a decisão será sua. Não deve ser obrigada a sair porque nossos pacientes estão assustados com uma mentira.

Ela olhou de um para outro. Ambos haviam percorrido um longo caminho desde a morte de Mara. E ela? Ela deixava o tempo passar, carecendo de coragem para agir.

— Paige? — murmurou Angie.

Carecendo de coragem para *tomar decisões*. Mas, se esperasse, acabaria perdendo. Fracassaria. Como Mara.

— Não quero nenhuma renúncia — declarou ela, com uma súbita veemência. — Absolutamente nenhuma.

— Não prefere conversar a respeito mais tarde?

Ela removeu as lágrimas dos cantos dos olhos e sacudiu a cabeça.

— Tenho de ir para casa e ver Sami. — Os olhos úmidos, mas firmes, fixaram-se em Peter. — Você não pode renunciar. Nós vamos lutar.

Angie encontrou a casa vazia ao chegar. Não fazia sentido, pela hora. Ben costumava estar em casa àquela altura. Ainda mais ultimamente.

Junto com o acordo de que conversariam sobre tudo, haviam combinado também que coordenariam seus horários. Angie avisaria a que horas voltaria da clínica, e ele faria um esforço para estar ali à sua espera. Não chegava a ser a espontaneidade que havia quando estavam na casa dos 20 anos, mas também já eram mais velhos agora. Na casa dos 40 anos. A espontaneidade era mais difícil... o que não significava que não podiam fazer coisas emocionantes, mas apenas que precisavam planejar mais para realizá-las.

E Ben não a avisara que chegaria tarde. Ela já ia começar a se preocupar quando ouviu seu carro. Foi até a porta dos fundos, a tempo de receber não apenas Ben, mas também Dougie.

— Mas que surpresa!

Angie abraçou os dois. Estudou Dougie, que parecia um pouco desolado.

— Está tudo bem?

— Ele soube de Peter — explicou Ben. — E achei que deveria trazê-lo para conversarmos a respeito.

Angie deu um aperto agradecido no braço do marido. Era o tipo de atitude que ela própria teria assumido se Ben não a acusasse de sufocar o filho. Ela levou Dougie para a mesa e sentaram-se.

— Os boatos circulam com a velocidade da luz. O que dizem sobre o pobre Peter?

— Que ele estuprou Julie. Mas não acredito, mamãe. Conheço Peter. Ele não é desse tipo.

— Mas os outros acreditam?

— A maior parte. Alguns até exageram e dizem que não é apenas com as garotas. Garantem que ele é um pervertido. Que gosta de meninos. Não querem nem que Peter chegue perto. Insisti que isso é um absurdo, mas não querem me escutar. É como se adorassem o alvoroço da situação.

Angie olhou para Ben, no outro lado da mesa.

— Ele é muito perceptivo.

— E desiludido? — indagou Ben.

Angie partilhava essa preocupação. Para Dougie, ela disse:

— Não seja muito rigoroso com seus colegas. Eles não conhecem Peter como você. Simplesmente reagem a toda e qualquer novidade. Mas você está certo ao defender Peter. Ele afirma que é inocente, e eu acredito.

— Mas, se ninguém quer que ele chegue perto, isso significa que perderá o emprego na Mount Court. Não é justo.

— Não, não é. Mas as coisas podem mudar. Só precisamos que alguém se apresente para dizer que andou com Julie.

— Alguém é o pai do bebê que Julie está esperando — acrescentou Ben. — Precisamos saber quem é.

Dougie olhou de um para o outro.

— Não me olhem desse jeito. Não sei quem é o cara. Nem conheço Julie Engel. Só estou repetindo o que a turma disse.

— E só falam de Peter? — perguntou Angie. — Não dizem qualquer coisa sobre Julie?

— Meus amigos também não a conhecem, mamãe. Afinal, ela é da última série.

— Sua mãe sabe disso — interveio Ben. — Apenas deduziu que, se você ouviu comentários sobre Peter, podia ter ouvido também sobre Julie.

— Não. Apenas sobre Peter. Detesto quando o chamam de pervertido. É nosso amigo e seu sócio. Não será bom para você dizer que trabalha com um pervertido.

— Peter não é nenhum pervertido — garantiu Angie.

Ela pensou nas cartas que Paige encontrara e nas histórias que as mesmas contavam. Achou que Mara não se importaria se partilhasse alguma coisa.

— Ele e Mara eram apaixonados um pelo outro. Sabia disso?

Dougie arregalou os olhos.

— É mesmo?

Angie confirmou com um aceno de cabeça.

— Então por que não se casaram?

— Creio que não se sentiam dispostos a partilhar seus pensamentos com outras pessoas. Talvez conseguissem, com o tempo, se Mara não morresse.

— Ela ficaria furiosa se ouvisse o que dizem sobre Peter na escola!

— É verdade — admitiu Angie.

— Ela iria defendê-lo — interveio Ben. — Por isso é bom que você esteja lá. Pode agir no lugar de Mara.

— Não posso fazer muita coisa — murmurou Dougie. — Bem que o defendo, mas todo mundo me critica.

— E se sente constrangido na escola?

— Durante todo o tempo? Claro que não. Só quando as pessoas falam sobre isso.

Angie sentiu-se subitamente surpresa com a voz do filho. Estava mais grossa do que antes. Ainda não havia sinal de barba, mas não demoraria. Seu filho estava crescendo.

— Gosta muito de ser interno, não é?

— Acho ótimo.

— E se... — Angie fez uma pausa, lançando um olhar para Ben. — ... nós não morássemos tão perto da escola? Ainda se sentiria à vontade?

Dougie tornou-se cauteloso.

— Não sei. Por que pergunta?

Mas Angie se arrependera de ter mencionado a possibilidade. Deveria esperar até que ela e Ben definissem o que queriam. E deveria deixar que Ben tomasse a iniciativa de falar. Intrometera-se por hábito, presumindo que os problemas que pesavam em sua mente também eram os prioritários para Ben. Tentava outra vez assumir o comando.

Ela se apressou em lançar um pedido de desculpa silencioso para Ben, mas ele não parecia perturbado. Em vez disso, explicou o motivo:

— Sua mãe perguntou porque estamos analisando que preciso ter mais uma ocupação durante o dia. Acabo meu trabalho cedo e não sei mais o que fazer. Você está na Mount Court, e sua mãe na clínica. E eu fico entediado. — Ben respirou fundo. — Por isso, há uma possibilidade de nos mudarmos para mais perto da grande cidade.

— Que cidade?

— Nova York.

— Mas é tão longe!

— Há também a possibilidade de não nos mudarmos. — Ben parecia bastante satisfeito. Lançou um olhar para Angie. — Conversei com algumas pessoas em Dartmouth hoje. Eles gostaram da idéia de eu dar aulas ali. Gostaram muito.

Angie ficou na maior animação.

— É mesmo? Mas isso é sensacional!

— A conversa ainda está no estágio inicial, mas eles sabiam quem eu era desde o início. Acham que os estudantes também devem me conhecer. E você tinha razão. Posso dar um curso combinado com ciência política ou arte.

— Hanover não é Nova York.

— É verdade. Não tem os engarrafamentos.

— Mas pensei que queria conviver com o pessoal da redação do jornal.

— Isso pode ser ainda mais interessante. E é um desafio maior. Desde que tudo dê certo.

— Vai dar. — Angie estava confiante. — Você é bom demais para não dar.

Ben deu de ombros, oferecendo aquela pequena contração dos lábios que a deixava atordoada.

— De qualquer forma, parece que é a primeira coisa que devo tentar, antes de nos mudarmos. Se não der certo, posso pensar na outra solução. Mas a mudança é a mais incômoda das alternativas. Você se empenhou a fundo aqui em Tucker. Não é justo que se precipite em qualquer coisa que envolva a saída da cidade.

Angie o teria abraçado se estivessem a sós. Mas logo refletiu que era um absurdo pensar assim. Contornou a mesa e foi enlaçar o marido pelo pescoço, por trás.

— Você tem um pai generoso, Dougie — murmurou ela, com a boca junto do rosto de Ben.

— E uma mãe generosa — acrescentou Ben, sorrindo. — Ela estava disposta a renunciar a tudo que tem aqui por mim.

Dougie parecia confuso.

— Vocês estão bem?

— Claro — respondeu Angie. — Ei, tenho uma idéia! Por que não vamos até a casa de Peter...

Ela parou de falar. Estava comandando de novo. Os velhos hábitos não desapareciam tão facilmente. Mas Ben continuou:

— Isso mesmo, por que não vamos até a casa de Peter para que ele possa lhe assegurar pessoalmente que não é um pervertido? Depois, podemos jantar no Inn, antes de levá-lo de volta à escola. O que acha?

* * *

Peter não estava em casa. Poderia ser encontrado na ala Três-B, no Hospital-Geral de Tucker, conversando com Kate Ann. Estavam esvaziando o último dos três recipientes de comida chinesa... com os pauzinhos, que Kate Ann nunca usara antes, mas aprendeu a manejar com uma surpreendente facilidade.

— Comeu muito bem — comentou Peter, com evidente satisfação.

Ela corou.

— Eu estava com fome.

— Porque vem sendo muito exigida nos exercícios. — Ele pressionara o departamento de fisioterapia a fazer tudo por Kate Ann. Embora não houvesse qualquer reação das pernas, o resto do corpo estava aprendendo a compensar. — Mas é bom para você. Sabe disso, não é?

Ela confirmou com um aceno de cabeça.

— Claro que sei.

— Fala com resignação. — Peter tocou no rosto dela. — Qual é o problema?

— Não há nenhum.

— Tem certeza?

Ela tornou a assentir com a cabeça, mas no instante seguinte sacudiu-a em negativa. Parecia subitamente menor — Kate Ann tinha um jeito de se encolher quando se sentia assustada —, e a voz seguiu o mesmo exemplo:

— Disseram que talvez eu possa ir para casa em breve.

— É verdade.

— Mas minha casa não está preparada para... para...

— Precisa ser adaptada. O que é muito fácil.

— Mas não tenho condições de pagar!

— Temos um bom advogado trabalhando no processo de indenização.

— Mas, mesmo que ele ganhe a causa, ainda vai demorar algum tempo.

— Tem razão.

Peter removeu os recipientes da comida e limpou da cama os grãos de arroz. Sentou na beira da cama. Tentou parecer descontraído, como se a idéia tivesse acabado de lhe ocorrer, em vez de ter pensado a respeito por muitos dias.

— Pensei em adaptar minha casa. Você poderia morar lá.

Os olhos de Kate Ann arregalaram-se em horror.

— Sua casa? Oh, não! Jamais poderia!

— Por que não?

— Porque é a *sua* casa. Já fez muito por mim.

— Nem tanto. Tenho levado uma vida de egoísta.

— Fez *tudo* por mim.

— E também recebi muito em troca. Você me abriu os olhos, Kate Ann. É a primeira pessoa com quem sou realmente generoso.

— Mas as crianças de que trata...

— Os pais pagam pelos meus serviços. Devem-me os honorários. Diga-se de passagem que foi sempre assim que considerei a vida desde que voltei para cá. As pessoas me devem... dinheiro, respeito, admiração, adoração. Achava que era um direito meu, depois de tudo que passei quando era garoto. Como uma prova de que eu era grande e bem-sucedido, mesmo quando não me sentia grande e bem-sucedido. Mas você passou pelo mesmo inferno que eu e não acha que as pessoas lhe devam qualquer coisa. Por isso é tão bom fazer coisas por você. Além do mais... — Ele pegou a mão de Kate Ann, sentindo-se estranhamente tímido. — ... gosto de você. É uma pessoa decente, sincera e responsável.

— Mas cometo muitos erros.

— Qual é o problema? É um ser humano.

— E não sou boa com as pessoas.

— É perfeitamente boa para mim. E foi perfeitamente boa com minha família no Dia de Ação de Graças.

Os olhos de Kate Ann eram os de uma corça triste.

— Não sabia o que dizer.

— Mas se manteve firme.

— Foi por um dia apenas. Viver em sua casa seria todos os dias.

Ele não pôde deixar de sorrir. Kate Ann sabia ser persistente. Também podia ser obtusa, embora isso fosse uma conseqüência de anos acreditando no que as pessoas diziam a seu respeito.

— Por que acha que continuo a vir aqui todas as noites?

— Porque afinal de contas está no hospital.

— Errado. É a única pessoa que visito à noite no hospital. Pense como seria muito mais fácil se eu pudesse voltar para casa quando quisesse vê-la.

— Mas...

— Mas o quê?

— Ia querer isso?

— Não teria perguntado se não quisesse. E, para ser franco, talvez eu leve a melhor no acordo. — Peter pensava no horror daquele dia. Estudou a mão de Kate Ann, tão frágil na sua. — Tenho um problema.

Ela apressou-se em dizer:

— Não precisa pedir desculpa. Não espero qualquer coisa, muito menos algum sentimento.

— Mas meu sentimento é forte. — Ele ousou levantar os olhos. — Gosto muito de você, Kate Ann.

— Mas... mas... não quer minha presença durante todo o tempo. Você ama Mara.

Haviam conversado a respeito. Peter contara quase tudo para Kate Ann. Em muitas noites, as conversas haviam se prolongado além do horário de visitas. O que não era problema para Peter. Afinal, ele era médico.

— Amava. O verbo no passado. Mara morreu. Não pode mais conversar comigo. Não pode me fazer sorrir. Ela se foi, Kate Ann, e talvez eu esteja enganado. Talvez uma parte de mim continue a amá-la para sempre. Mas não é a parte que está viva, olhando para o futuro.

— Mas precisa da companhia de pessoas.

— Você é a pessoa de que preciso.

— Companhia feminina.

— Você é a companhia feminina de que preciso.

— Sabe do que estou falando.

Kate Ann parecia tão desolada, que ele inclinou-se para a frente e roçou os lábios em sua testa. Os olhos dela refletiram o choque.

— Isso é por ser tão simpática... — Peter respirou fundo. — ... e por fazer com que eu me sinta tão bem, quando o resto do meu mundo está prestes a desmoronar.

Ele relatou então o problema com Julie.

— Ela disse *isso*?

Peter acenou com a cabeça em confirmação.

— Mas ela não podia ter dito. Eu a vi quando ela o abraçou naquele dia.

— Que dia?

— O dia em que você me apresentou Julie. Estava parado à porta, ela aproximou-se por trás e o abraçou. Você se desvencilhou e disse a ela para não fazer aquilo de novo.

— Ouviu isso?

Kate Ann inclinou a cabeça, num gesto afirmativo.

— Depois, trouxe-a até a cama e sugeriu que ela providenciasse tudo de que eu precisasse. Ela não ficou nem um pouco satisfeita.

— Não, não ficou. — Peter soltou um suspiro de alívio. — Lembra mesmo de tudo isso?

Kate Ann tornou a acenar com a cabeça. Ele sorriu.

— É uma boa notícia, Kate Ann. Muito boa mesmo. Eu disse há pouco para Paige e Angie que a clínica poderia fechar se Julie insistisse em sua alegação. Seria a palavra dela contra a minha, sem qualquer prova das duas partes. Mas, se você estiver disposta a testemunhar sobre o que viu, já é um começo.

Peter não conseguia parar de sorrir. A pequena e retraída Kate Ann, a insignificante Kate Ann, a *sua* Kate Ann, ia salvá-lo.

Ele mal podia esperar para contar a Paige.

Vinte e Três

Paige não sentiu uma preocupação imediata quando não viu o carro de Nonny. Com bastante freqüência, Nonny saía com Sami para fazer uma coisa ou outra. Embora costumasse chegar em casa antes de escurecer, agora ficava escuro tão cedo, que os hábitos haviam mudado.

A preocupação começou no instante em que entrou na cozinha e não encontrou um bilhete.

Nonny sempre deixava um bilhete quando saía.

Paige procurou por toda parte, mas não encontrou nenhum bilhete. Disse a si mesma que era apenas um esquecimento da parte de Nonny e foi para o quarto, a fim de trocar de roupa

— Onde elas estão? — perguntou à gatinha, que corria de um lado para outro, com tanto excitamento, que Paige especulou que devia estar sozinha há bastante tempo.

Se a gata sabia, não ia dizer.

Paige voltou à cozinha. Estava impecável. Se não fosse pela cadeira alta, igualmente impecável, num canto, seria assim que Paige a deixaria se morasse sozinha. Mas não morava sozinha. Morava com Nonny e Sami, e, depois do dia angustiante que tivera, ansiava por vê-las. Tinha de conversar com Nonny. E abraçar Sami.

Telefonou para o Armazém-Geral, mas Hollis Weebly não as vira. Ligou para a padaria, mas também não teve sorte. Tentou a vizinha, a Sra. Corkell, com quem Nonny fizera amizade. Mas ela também não as vira. Ligou para as três amigas de Nonny em West Winter — Sylvia, Helen e Elisabeth — mas Sylvia não as vira, e Helen e Elisabeth não estavam em casa.

Paige sentou na escada do vestíbulo, jogando uma bolinha de papel para a gatinha, que correu para buscá-la, largou-a em seus pés e depois se agachou, numa expectativa ansiosa.

— Apenas você e eu — murmurou ela, jogando a bolinha de novo.

Ficou escutando o barulho das patas no assoalho de madeira, um som insignificante na casa silenciosa. Apenas você e eu, pensou de novo, sentindo uma gratidão infinita por não estar sozinha.

Mas esse pensamento levou a outro... a vários outros, para dizer a verdade. Imaginou Nonny voltando com suas coisas para West Winter e Sami sendo levada por estranhos só Deus sabia para onde. Imaginou que a casa permanecia tão silenciosa quanto naquela noite, com apenas a gatinha e ela. Imaginou que jantava sozinha e depois ficava jogando a bolinha de papel para a gatinha, noite após noite, porque Noah teria partido também. E Sara. E Angie, que assumira o risco por amor e vencera. E Peter, que podia perder o caso contra Julie, mas se encontrara, apesar de tudo. Restariam muitas pessoas em Tucker para visitar, nenhuma das quais lhe interessava. Não da mesma maneira.

Ano após ano, ano após ano.

Paige experimentou uma pontada de pânico, acompanhada por um vazio tão intenso, que ameaçava tragá-la. Ouviu as palavras — *as noites em minha casa são silenciosas... mortas... áridas* — e pensou em Mara, enterrada no alto da colina, sob sete palmos de terra, com esperanças e sonhos que nunca seriam realizados. E, de repente, ela sabia o que queria.

Ou o que não queria.

Não queria viver numa casa silenciosa, morta e árida. Não queria ser a vítima das ligações perdidas. Não queria que Sami fosse criada por outra pessoa. Não queria que Nonny voltasse para West Winter. E não queria que Noah fosse embora.

Levantou-se de um pulo, tão depressa, que a gatinha soltou um miado, alarmada. Pegou-a no colo e correu para o telefone. Ligou para Noah.

Ele parecia exausto e tinha bons motivos para isso. Arcava com o peso do mundo em seus ombros. Mas Paige tinha de vê-lo.

— Pode vir até aqui? Não consigo achar Nonny e estou imaginando as coisas mais horríveis.

— Dê-me cinco minutos.

E cinco minutos depois ele parou o carro na frente da casa. Correu para a porta, acompanhado por Sara.

Sem dizer nada, Paige passou os braços por seu pescoço, apertando com força. Só depois de um longo momento, com Noah retribuindo o abraço, é que ela foi capaz de falar. Contou que encontrara a casa escura, sem qualquer bilhete. Telefonara para todo mundo. E passara horas sentada na escada.

— Foi horrível, Noah! — exclamou ela, no abrigo de seus braços. — A casa estava em silêncio. Só a gatinha e eu. E antes eu vivia sozinha... antes de Mara morrer... e não havia qualquer problema. Mas alguma coisa mudou. Não é mais nem um pouco agradável.

Quando Noah tornou a apertá-la, ela sentiu um alívio imediato.

— Não quero voltar.

— Nem eu — sussurrou ele.

— Tenho de crescer. Não posso continuar apegada ao passado.

— Fala sério?

— Claro. Mas é assustador.

— Quase todas as coisas boas são assustadoras.

Sara tossiu.

— Devo continuar aqui? — perguntou Sara.

— Com certeza — respondeu Noah. — Você é parte disso.

Paige teria abraçado Sara nesse instante se não estivesse tão feliz no contato com Noah. Havia algo novo na situação, algo permanente, que deveria deixá-la apavorada... mas não deixava.

— Talvez eu devesse sair para procurar Nonny — sugeriu Sara.

— Não. Vamos ligar para Norman Fitch e...

— Oi! — gritou uma voz na cozinha. — Alguém em casa?

Paige levantou os olhos. Praguejando baixinho, desvencilhou-se de Noah, pegou a mão de Sara e correu para a cozinha. Nonny estava tão agasalhada e colorida quanto Sami. Nenhuma das duas dava a impressão de que acontecera alguma coisa errada.

— Onde você estava? — gritou Paige. Ela pegou Sami num braço e envolveu Nonny no outro. — Noah já ia chamar a polícia!

— Mas deixei um bilhete — explicou Nonny. — Bem aqui, em cima da mesa. Disse que ia visitar Elisabeth. Ela está tomando conta dos netos, enquanto os pais viajam.

— Não havia bilhete nenhum.

— Mas eu deixei — insistiu Nonny.

— Fiquei tão preocupada!

— Não chegamos tão tarde assim.

— Mas estava escuro, a casa vazia e silenciosa. — Paige fitou Nonny nos olhos, com um súbito excitamento. — Vou ficar com Sami. Para sempre. Continuará a morar comigo?

O rosto de Nonny se desmanchou num sorriso radiante.

— Claro que sim. Aleluia. Já era tempo.

Paige lançou um olhar tímido para Noah, que era uma muralha de calor ao seu lado.

— Acho que me decidi.

Por trás dos óculos, os olhos dele ficaram tão radiantes quanto o sorriso de Nonny.

— Aqui está o bilhete de Nonny — anunciou Sara, passando pela porta, enquanto desdobrava a bolinha de papel que Paige jogara para a gatinha.

Paige ficou atordoada.

— Mas estava todo amassado no chão!

Sara pôs o papel na mesa. Segundos depois, a gatinha tentava puxá-lo com as patas.

— Com licença. — Noah pegou Sami e entregou-a a Sara. — Preciso conversar a sós com Paige.

Ele pegou-a pela mão e levou-a da cozinha, antes que ela pudesse protestar. No vestíbulo, imobilizada contra a parede, pelo peso do corpo de Noah, um protesto era a última coisa em que ela pensaria. Ele beijou-a, com uma intensidade que embaralhou seus pensamentos.

Depois de tomar uma série de decisões de suprema importância, num prazo incrivelmente curto, Paige sentia-se aliviada de um fardo terrível. O que era irônico, já que viver com um fardo era o que mais temia.

— Falou sério tudo que disse? — perguntou ele.

Paige sentiu-se inebriada.

— Acho que sim.

— Você me quer?

Ela empurrou os óculos de Noah para o alto do nariz.

— Sempre o quis.

— Para casar?

Paige confirmou com um aceno de cabeça.

— E se eu tiver de deixar Tucker?

— Sempre desejei conhecer Santa Fé.

— Se o pior acontecer por aqui, Santa Fé pode também se tornar impossível. Posso ser obrigado a desistir de trabalhar numa escola.

— Encontrará trabalho em algum lugar. E eu posso ser pediatra onde você ficar.

— Mas ama Tucker.

— Amo você muito mais.

As palavras saíram do fundo do coração e deixaram Noah sem fôlego. Ele pressionou-a ainda mais com seu corpo. E Paige adorou esse aperto.

— Lembra da nossa primeira noite? — indagou ela.

— No jardim de Mara?

— Eu me sentia totalmente vazia. E, no instante em que você apareceu e me abraçou, o vazio acabou. Só agora começo a perceber isso. Muita ignorância da minha parte, não é?

— Todos são ignorantes quando tentam proteger convicções antigas. Tenho feito a mesma coisa. No processo, quase perdi minha filha.

— Ele deixou escapar um suspiro, longo, profundo e não muito feliz.

— Temos algo bom na Mount Court, Sara e eu. Se puder optar, prefiro Tucker a Santa Fé. Mas, se tudo desandar, talvez não haja opção. Assumirei a responsabilidade pelo que acontecer, qualquer que seja o resultado.

— Nesse caso, é melhor termos certeza de que o resultado será o que queremos.

Paige falou com uma determinação que pensara que poderia ter ido para a sepultura com Mara. Mas Mara continuava a viver... em Peter e Kate Ann, em Angie e Ben, e agora em Paige. Era um sentimento incrivelmente agradável. Incrivelmente satisfatório. E que proporcionava uma sensação de poder.

— De que maneira? — indagou Noah.

Mas Paige avistou Sara à porta da cozinha, só e insegura. Estendeu um braço e esperou que ela se aproximasse, antes de falar:

— Seu pai acaba de fazer a confissão de que prefere ficar na Mount Court, mesmo que tenha outras opções. O que você acha?

Sara deu de ombros.

— A Mount Court é legal.

— Legal não é o suficiente. Precisamos de mais entusiasmo.

— Gosto daqui.

— Então quer ficar também?

— Quero.

Paige percebeu que Sara falava com toda a sinceridade, pelo sorriso que ela tentava disfarçar. Deu um suspiro de satisfação.

— Muito bem. Agora só nos resta descobrir quem é o pai do bebê de Julie Engel. — Ela olhou para Noah. — Como podemos fazer isso?

— Pequenos grupos — disse ele. — Estamos dando as últimas aulas antes dos exames. Temos de conversar com alguns alunos.

— Vai virar todo mundo contra Julie — disse Sara.

— Não. Direi que ela está tentando proteger alguém, mas precisamos saber de quem se trata. Não vou criticar Julie.

— Vão pensar que está. E não vão falar.

— Acha que eles sabem quem foi? — indagou Noah.

— Não sei.

— *Você* sabe quem foi?

— Está me pedindo para trair meus amigos.

— Não. Estou perguntando se sabe quem foi.

— É a mesma coisa.

Sara desvencilhou-se e voltou para a cozinha. Noah suspirou. Olhou para Paige.

— Ela tem razão, não é mesmo?

Paige angustiava-se pelos dois.

— Sara se encontra numa posição insustentável, entre você e os amigos.

— Eu não faria isso se não estivesse desesperado. Chegar tão perto de conseguir tudo...

A voz definhou. Ele tornou a abraçar Paige. Era quem precisava de conforto agora. E Paige empenhou-se em proporcionar. Era uma honra e um prazer, a coisa mais distante de um fardo que já fizera em toda a sua vida.

Noah conhecia o código de honra de estudantes como os da Mount Court. Também conhecia o sofrimento que uma jovem poderia ter se os colegas achassem que violara o código. Foi por isso que ele se concentrou em conversar com alunos da primeira e última séries, em vez da segunda.

Esforçara-se muito para desenvolver um relacionamento com Sara. Ainda era incipiente e frágil. Não queria destruí-lo por qualquer coisa.

Ninguém se apresentou. Um dia passou, depois outro e mais outro. As acusações contra Peter Grace e a Mount Court, embora não fossem formalizadas em termos judiciais, pareciam adquirir legitimidade pelo simples fato de não haver provas de que eram falsas. A notícia espalhou-se pela cidade. Houve uma série de cancelamentos de consultas.

Noah voltou a conversar com os estudantes. Paige o acompanhava nas reuniões. Explicavam o que estava acontecendo com Peter e o que poderia acontecer com a Mount Court se as falsas acusações prevalecessem. Pressionavam pela verdade. Contudo, por mais que Noah assegurasse aos estudantes que poderiam procurá-lo em sigilo, ninguém apareceu.

Pais preocupados telefonavam. Conselheiros preocupados telefonavam. Os professores começaram a criticar tudo, como acontecera no início do ano letivo. O pior de tudo, para Noah, era a distância que crescia entre ele e Sara.

— Ela está se afastando de novo — comentou ele para Paige. — Vejo acontecer, mas não há nada que eu possa fazer. Quando pergunto, ela diz que não há nenhum problema. Mas me evita.

— Deixe-me conversar com ela.

Foi o que Paige fez, mas sem muito sucesso.

— Ela diz que anda nervosa por causa das provas.

— E acreditou?

— Sara me perguntou a mesma coisa. Respondi que acreditava, que o período de provas era mesmo de tensão, ainda mais numa escola nova. Ela aceitou. Perguntei em seguida se o problema de Julie também atrapalhava. Sara disse que não. Muito depressa.

— O que você acha?

— Creio que todos estão falando a respeito, Noah. Alguma coisa vem acontecendo. Tive a mesma impressão quando conversei com outras alunas. Acho que sabem o que houve.

O problema era fazer com que falassem. Noah queria que tudo fosse esclarecido antes do Natal. Mas, com as aulas terminando e os exames começando, ele não podia continuar pressionando. Os alunos tinham de se concentrar no estudo.

Ou pelo menos era o que ele pensava. Na noite do último dia de aula, antes do dia reservado exclusivamente ao estudo, ele recebeu um telefonema da supervisora do dormitório MacKenzie.

— Estamos com um problema aqui, Noah — disse ela. — Acho que você deve vir.

— Que tipo de problema?

— Discussões. Ouvi o nome de Julie Engel, mas quase mais nada.

Julie saíra de cena, temporariamente. O pai decidira mantê-la em Nova York pelo Natal. Se ela tomara uma decisão sobre o bebê, ninguém sabia qual era. Ninguém sabia também se ela voltaria para Tucker.

— Já estou indo — disse Noah.

Depois de telefonar para Paige, dando a notícia, ele vestiu uma parca e seguiu para o MacKenzie, pela noite com muita neve.

Meninos e meninas estavam na sala de recreação, todos falando em voz alta. Ignoraram a chegada de Noah. Estavam sentados na maior confusão, espremidos em cadeiras e sofás, espalhados pelo chão, numa demonstração de solidariedade. Ao primeiro olhar, Noah identificou alunos das três séries. Viu Sara sozinha, de braços cruzados, dando a impressão de que chorara.

— Mas isso não é nossa função — argumentou uma das garotas. — É trabalho da polícia.

— O fundamental é saber a verdade *antes* que a polícia entre em cena — interveio Sara. — Ninguém quer a polícia envolvida.

— O conselho administrativo com certeza não quer, muito menos seu pai. É bem provável que ele fique feliz se Julie continuar em Nova York, como se nunca tivesse estudado aqui. Mas ela esteve na Mount Court por mais tempo que seu pai, Sara, e por mais tempo que você. Não tem o direito de falar. Não é de sua conta.

— Mas é a coisa certa!

— Delatar os amigos?

— Ele *não é um amigo* se vai deixar o Dr. Grace assumir a culpa por uma coisa que não fez.

O coração de Noah parecia prestes a explodir, dividido em duas direções ao mesmo tempo. Não poderia ficar mais infeliz por encontrar Sara naquela situação... nem mais orgulhoso. Para não ser acusado de bisbilhoteiro, o que agravaria o problema ainda mais, ele tossiu e adiantou-se.

— Pensei que estivessem estudando. Presumo que têm mais coisas na cabeça do que as provas.

Todas as cabeças se viraram em sua direção.

— A culpa é de Sara. Ela não quer desistir.

Noah poderia identificar a voz, mas não se deu ao trabalho. Não se importava com quem falava. O importante era o conteúdo e o fato de que um grupo tão grande — ele calculava que havia cerca de vinte e cinco estudantes — decidira participar da discussão.

— Além do mais, já acabou — disse outra pessoa. — Julie fez um aborto.

Noah já imaginava que ela o faria.

— Infelizmente, o caso não está encerrado só porque o bebê deixou de existir — declarou ele. — A acusação de estupro contra o Dr. Grace continua. Pelos boatos, foi ele quem a engravidou.

Fez uma pausa, correndo os olhos pelo mar de rostos impenetráveis.

— Sabemos que Julie esteve envolvida com três garotos da escola. — Ele avistara dois no grupo. — Devo lhes dizer que é um desapontamento para mim que ninguém tenha se apresentado. Cada um tem certeza de que não era o pai da criança?

— Eu não fui — declarou Scott Dunby, olhando para os colegas, com uma expressão defensiva. — Fomos juntos à cidade algumas vezes, mas não fizemos nada.

— Não importa quem foi — disse uma voz de mulher, irritada.

— Claro que importa — insistiu Noah. — O Dr. Grace está na fogueira por isso. Sua clínica já começou a ser prejudicada.

Ele viu Paige se aproximando do dormitório, no momento em que acrescentava:

— Para mim, isso não é justo.

Alguém riu.

— Ele tem um advogado. Vai sobreviver.

— E você vai pagar os altos honorários do advogado por ele, Hans? — perguntou Noah ao garoto que rira. — Como se sentiria se uma das garotas nesta sala... na minha presença, na frente de seus pais... o acusasse falsamente de estupro?

Hans ficou vermelho. Olhou para os amigos. Riu de novo.

— Como se sentiria se soubesse que poderia passar anos na cadeia caso fosse condenado?

— Não aconteceria comigo. Ainda sou menor.

— O Dr. Grace não é. Portanto, apenas se imagine no lugar dele. Imagine ele sendo levado a julgamento e condenado. Imagine-o sentado numa cela, com a vida arruinada, por uma coisa que não fez.

— Ele pode ser julgado e absolvido.

— Está certo. Imagine isso. Imagine que ele vai a julgamento, é declarado inocente e tenta retomar a vida. Só que metade de seus pacientes já procurou outros médicos; e, mesmo que seja considerado inocente, ainda haverá pessoas que terão dúvidas. E ainda há a questão dos milhares de dólares que ele terá de pagar ao advogado. Tudo porque era inocente.

— Talvez ele tenha realmente feito alguma coisa — comentou alguém. — Por isso merece sofrer.

— Todo mundo é inocente até que se prove o contrário.

Paige entrou na sala nesse instante. Noah sentiu-se melhor quando ela veio se postar ao seu lado.

— Além do mais, não é apenas o Dr. Grace — acrescentou ele. — Três médicas dividem a clínica com ele.

— Era de se esperar que ele ficasse do lado da namoradinha — comentou alguém, causando murmúrios de concordância.

— Não tem nada a ver com o caso — declarou Noah. — A única coisa que interessa é quem esteve envolvido com Julie.

— Está fazendo com que nos sintamos os vilões da história.

— Lamento que se sintam assim, mas o problema é urgente. Todos vocês partirão em breve para férias de duas semanas. Essas duas semanas serão críticas. O caso deve ser resolvido antes.

— Quer que a gente minta para livrar a cara do Dr. Grace?

— Não. Quero a verdade. Se não sabem a verdade, então não digam nada.

— É o que temos feito, mas você não nos dá descanso.

— Porque acho que alguns sabem mais do que estão dizendo. — Noah ajeitou os óculos. — Já falei isso antes, mas realmente me sinto como um professor de ética. Foi o sentido do que fiz aqui durante todo o outono e é por isso que me sinto tão desapontado. Aqueles que escalaram o Katahdin experimentaram uma honestidade profunda quando atravessamos Knife Edge. Aqueles que prestaram serviços comunitários tiveram um contato direto com os menos afortunados e conheceram a decência de ajudar. Aqueles que trabalharam no novo prédio comigo construíram alguma coisa do nada. Não há fraude quando se está martelando pregos ou ajustando telhas, apenas um esforço árduo e a satisfação de um trabalho bem-feito.

Ele olhou para os rostos à sua frente, com uma expressão aturdida.

— Onde está a honestidade agora? Onde está a decência? Onde está a satisfação?

Houve silêncio.

— Vocês percorreram um longo caminho. Por que não seguem ainda mais longe?

— Está tentando meter alguém numa encrenca.

— Ao contrário, ele está tentando tirar alguém de uma encrenca — interveio Sara.

— Metendo um dos nossos numa encrenca.

— Mas se não foi o Dr. Grace... — insistiu Sara.

Os estudantes começaram a murmurar uns para os outros. Noah captou fragmentos, como "do lado deles" e "não é uma de nós". Ficou furioso.

— Ela é com certeza uma de vocês — declarou ele. — Se não fosse, já teria me contado tudo que vocês estão escondendo.

— Contarei de qualquer maneira — disse Sara, mais furiosa do que ele jamais vira. Seus olhos estavam cheios de lágrimas, mas a expressão era determinada. — Se querem pensar que não sou uma de vocês, tudo bem. Afinal, se é isso que pensam que é certo, não quero ser uma de vocês.

Ela virou-se para Noah e acrescentou:

— Foi Ron Jordan.

Houve murmúrios por toda a sala.

— Como sabe?

Sara virou-se para o garoto que perguntara.

— Sei porque os vi no bosque uma noite.

— Então violou as regras — disse o garoto. — Não deveria ir ao bosque de noite.

— É verdade. — Sara torceu o nariz, num gesto zombeteiro. — Mas é o que todo mundo faz. Logo depois dos feriados do outono. Julie e Ron nem tentavam se esconder. E, mesmo que não tivesse visto os dois, saberia que foi Ron, como todos vocês. Há dias que não se fala em outra coisa.

Ainda furiosa, ela virou-se para Noah.
— Estou dizendo que foi Ron. Acredita em mim?
— Acredito.
Ron Jordan era o único da lista dos três que não estava presente. Também era o aluno de que vários professores desconfiavam.

Noah aproximou-se da filha, ao mesmo tempo que Paige, mas Sara não estava interessada em nenhum dos dois. Olhava para os colegas, o corpo tremendo de raiva. As lágrimas escorriam pelas faces, mas ainda assim ela falou:

— Quando cheguei aqui, em setembro, foi muito difícil para mim. Não conhecia ninguém. Cada vez que me virava, ouvia alguém insultando meu pai. Sentia-me apavorada com a possibilidade de descobrirem quem eu era. Depois, fiz amizades. E vocês descobriram que ele não era tão ruim assim. Também descobriram quem eu era e continuaram a gostar de mim mesmo assim. Até que isso aconteceu.

Sara fez uma pausa, limpando o nariz com a mão.

— Pois não me importarei se não gostarem mais de mim. Vocês é que sairão perdendo. A vinda de meu pai para cá foi a melhor coisa que já aconteceu para esta escola. Se são egoístas demais para perceber isso, tudo bem. Não quero mais a amizade de vocês.

Uma voz se destacou no grupo, depois um rosto. Era Meredith.

— Não sou egoísta demais. — Ela se adiantou para abraçar Sara. — Foi mesmo Ron.

Por trás dela, houve um momento de silêncio. Depois, Annie Miller e outra garota também se adiantaram. Timidamente, Annie disse para Noah:

— Julie estava transtornada. Não creio que ela soubesse o que poderia acontecer quando acusou o Dr. Grace. Não pensou a respeito.

Mais três estudantes se reuniram em torno de Sara, rapazes desta vez. Um deles era Derek Wiggins.

— A princípio, pensaram que havia sido eu. Mas, sempre que estive com Julie, usei camisinha. Sempre mesmo. Não sabia quem mais havia andado com ela.

Outros dois jovens se aproximaram.

— Ela não podia acreditar que estava grávida. Não sabia o que fazer.

— Sei disso — respondeu Noah, gentilmente. — E não devemos criticá-la. Ela passou por momentos terríveis. Já que eu sei a verdade, pretendo deixá-la em paz para se recuperar.

— Foi Ron.

— Ele queria se apresentar, mas Julie obrigou-o a jurar que ficaria calado.

— Ele se meteu na maior encrenca.

Noah sacudiu a cabeça em negativa. Sua raiva desaparecera junto com as acusações desmentidas.

— Ron cometeu um erro. Deve uma visita a Julie. Deve desculpas ao pai dela e, ainda mais importante, ao Dr. Grace. Podem ter certeza de que conversarei com ele, mas o que passou, passou. O bebê não existe mais. O importante agora é seguir em frente.

Ele sentiu uma mão pegar a sua. Era a de Paige, quente, confiante e comprometida. Ficou surpreso com a paz profunda que encontrou no rosto dela.

— Tucker? — murmurou Paige.

Ele olhou para Sara, cercada pelos amigos, sorrindo agora, em meio a lágrimas. Seus olhos se encontraram.

— Tucker? — indagou Noah, num movimento da boca.

Sara acenou com a cabeça em concordância.

Ele olhou para Paige e sentiu a mesma paz que fazia com que o rosto dela fosse uma alegria para se contemplar.

— Tucker.

"Querida Mara", escreveu Paige:

A primavera finalmente chegou. O sol nasce mais cedo, sobe mais alto, permanece no céu por mais tempo. Vi os primeiros galantos hoje, de um verde intenso, contra a última neve derretendo, encimados por pequenas campânulas brancas, ansiosas por abrirem. São adoráveis, trazendo esperanças, trazendo promessas, como acontece com a vida agora.

Muita coisa mudou nos seis meses que transcorreram desde que você nos deixou. A clínica é o que menos mudou. Continua movimentada e não deixará de ser enquanto bebês nascerem e crianças se resfriarem ou enfiarem objetos pequenos e estranhos nos ouvidos. Cynthia Wales é maravilhosa... jovem, transbordando de energia. Não é a guerreira que você era. Mas já sabíamos que ela não seria. Não tem problema. Porque estamos agora carregando a bandeira com mais firmeza. Nós três. Os sobreviventes.

Para Angie e Ben, os últimos meses foram de descoberta e cura. Você teria odiado Ben pelo que ele fez, mas creio que o próprio Ben também odeia seu comportamento. Por mais doloroso que tenha sido, a confissão que Ben fez para Angie sobre Nora Eaton foi um choque tão grande, que arrancou os dois da complacência. Pensam agora sobre coisas que antes consideravam como fatos consumados. Conversam mais. Fazem mais. Ben assinou um contrato para dar aulas num seminário em Dartmouth no próximo outono. Será o estímulo intelectual de que ele precisa. Com Dougie interno na Mount Court, ele e Angie têm mais tempo para se dedicar um ao outro. Às vezes viajam durante o fim de semana ou apenas por um dia... embora eu desconfie que em algumas ocasiões apenas ficam trancados em casa, recusando-se a atender ao telefone. Se é isso mesmo, acho ótimo. Angie precisa muito. E Ben precisa também. Os homens são criaturas necessitadas. Você sabia disso muito antes de nós.

Necessitados. Mas não desesperados ou desamparados, como Peter demonstrou. Ele ficou arrasado quando você morreu, embora demorasse um pouco a admitir esse fato. Amava-a profundamente. Quando compreendeu isso, chegou ao fundo do poço. E foi então que o velho cinema desabou. Peter elevou-se dos destroços, uma fênix saindo das cinzas. Sente-se mais em paz consigo mesmo agora. Nesse sentido, é mais autoconfiante, o que não significa que algum dia poderá ficar livre daquele menino que era o pária do recreio. Apenas se aceita mais agora. Sente-se melhor em relação a si mesmo. Orgulha-se de fazer coisas que são certas, coisas que antes você teria feito. Peter pegou a bandeira que você deixou e a carrega muito bem.

Kate Ann Murther vive com ele. Você sabia que ela era especial?

Nem eu. Sinto-me tão culpada quanto o resto da cidade por tê-la ignorado. Agora que passei a conhecê-la, acho que é uma pessoa leal e determinada. Provavelmente é mais ativa numa cadeira de rodas do que jamais foi antes, embora isso aconteça em parte por causa de Peter. Os dois saem juntos, para jantar fora, ir ao cinema ou até mesmo dar um passeio de trenó, quando ele está com vontade de fotografar. Peter obrigou a cidade a tomar conhecimento da existência de Kate Ann. Não chega a levá-la ao Tavern, mas também não vai mais lá todas as noites. Umas poucas vezes por semana — o suficiente para manter o direito a seu reservado — e mais nada. Ele passa as outras noites com Kate Ann. Por mais banal que o comentário possa ser, a verdade é que ela transformou sua casa num lar.

Por uma questão de justiça, Jamie Cox está frito. Ben deu a Peter o nome de um agressivo advogado de Montpelier, que entrou com uma ação coletiva contra Jamie. Ao final do processo, Jamie será uma **persona non grata** *em Tucker. Estará impotente. E também arruinado.*

Quanto a mim, minha vida só poderia ser melhor se você estivesse aqui para partilhá-la. Adotei Sami em definitivo. Ela é uma alegria tão intensa para mim, que estremeço só de pensar que poderia não ser minha. Você fez isso, Mara, forçou-me a ser mãe. Se nunca tivesse acontecido, eu teria perdido uma realização que ser apenas uma pediatra não pode igualar. Agora tenho Sara também. E com um pouco de sorte, pela maneira como Noah e eu passamos as noites, parece que estou fadada a ter mais uma criança em casa.

Nonny diz que eu deveria ter seis. Não me pergunte por que seis. Mas é no que ela insiste.

Vamos nos contentar com uma ou duas, Noah e eu. Não vou partilhá-lo com seis crianças. Ele é muito especial.

Nós nos casamos no Natal. Foi lindo. Você deveria ter comparecido.

Ela fez uma pausa para enxugar os olhos. Levantou-os para deparar com a imagem trêmula de Sara à porta do quarto. Era o quarto de Noah, na linda casa em estilo Tudor na Mount Court. Era antiga, mas estava sendo reformada, cômodo por cômodo; e era muito pequena, mas seria ampliada naquele verão. Sara passava tanto tempo ali quanto no dormitório. Paige desconfiava que ela moraria com eles no próximo outono. Afinal, Sara sentia-se ansiosa pelo tipo de vida em família que nunca tivera.

— O que está escrevendo? — perguntou ela.

Embaraçada, Paige olhou para o papel. Pensou em mentir, mas mudou de idéia. Sara precisava da verdade. Por isso, ela suspirou e disse:

— É uma carta para Mara. Quero que ela saiba o que aconteceu. E também quero agradecer a ela.

Sara poderia dizer que ela era louca, que Mara morrera e que não poderia ler nenhuma carta. Mas não o fez. Em vez disso, aproximou-se de Paige e murmurou:

— Ainda sente saudade dela.

— E sempre sentirei.

Os olhos de Paige tornaram a se encher de lágrimas. Ela limpou-as e fungou, com o lenço de papel que Sara tirara da caixa na mesinha-de-cabeceira.

— Quer que eu chame papai?

Paige sorriu.

— Não precisa. Estou quase acabando. Já vou sair.

Sara encaminhou-se para a porta. Virou-se ali.

— Precisa que eu faça alguma coisa?

— Não, querida. Só peço que esteja à minha espera quando eu terminar.

Ela observou a jovem se retirar, pensando no quanto Sara se tornara sua amiga. Paige adorava conversar com ela, fazer compras em sua companhia, caçoar de Noah juntas. Sara era tão sensível, afetuosa e comunicativa quanto o pai, sempre que baixava a guarda, o que acontecia com uma freqüência cada vez maior. Muito em breve sua atitude cautelosa pertenceria ao passado.

Como Mara. Não, não como Mara. Esta nunca seria uma coisa do passado. Não no sentido mais profundo e significativo.

"Você nos deixou muito cedo", escreveu Paige,

mas sua partida nos ensinou muito, o que é algum consolo por tê-la perdido. Você gravou suas iniciais em nossas vidas. Mudamos para sempre porque conhecemos você... e também por ter sobrevivido à sua morte.

Penso em você com freqüência.

Querida amiga e médica. Uma vez amada. Nunca mais esquecida.

Este livro foi impresso no
Sistema Digital Instant Duplex da Divisão Gráfica da
DISTRIBUIDORA RECORD DE SERVIÇOS DE IMPRENSA S.A.
Rua Argentina, 171 - Rio de Janeiro/RJ - Tel.: (21) 2585-2000